VERBUM SALUTIS

VI

Les Paraboles

DU MÊME AUTEUR

VERBUM SALUTIS

VI

Les Paraboles

TRADUITES ET COMMENTÉES
par le P. Denis BUZY, S. C. J.

VOBIS VERBUM SALUTIS HUJUS MISSUM EST

(*Actes*, XIII, 26.)

NEUVIÈME ÉDITION

Beau·Chesne·Croît

GABRIEL BEAUCHESNE ET SES FILS
ÉDITEURS A PARIS, RUE DE RENNES, 117
MCMXXXII

NIHIL OBSTAT

Betharram, 10 février 1932
H. PAILLAS, sup^r g^l.

———————

IMPRIMATUR

Lutetiæ Parisiorum, die 21 junii 1932
V. DUPIN, v. g.

AVANT-PROPOS

Une méthode d'exégèse parabolique.

Qui présente au public un nouveau commentaire des paraboles évangéliques, éprouve aujourd'hui le besoin de s'excuser. Un nouveau commentaire après tant d'autres! Le Père Fonck, lui-même auteur d'un volumineux travail, dressait dans sa 3e édition, qui est de 1909, une liste de 171 ouvrages ou études spéciales, non compris les commentaires généraux des évangiles. Depuis lors, le chiffre s'est accru des quelques dizaines qui lui manquaient pour atteindre les 200. Une armée véritable!

Pour s'excuser d'y ajouter une nouvelle unité, l'auteur du présent commentaire prend la liberté de rappeler qu'il publia en 1912 une *introduction aux paraboles évangéliques,* présentée l'année précédente comme thèse de doctorat devant la Commission Biblique, et en 1923 une étude sur *les symboles de l'Ancien Testament,* entreprise pour connaître les premières manifestations du *máchâl* hébraïque. Durant ces vingt années, il a été amené à traiter quatre ou cinq fois le sujet spécial des paraboles dans ses cours d'écriture sainte, et il a chaque fois essayé d'une rédaction qui ne parvenait pas à le satisfaire. Le présent commentaire est l'aboutissant de ces ébauches et de ces efforts répétés.

Les principes dont il s'inspire n'ont pas été conçus *a priori* et groupés en un système qui essayât ensuite de s'accommoder aux faits. Ils se sont très lentement dégagés de l'analyse des textes, suggérés du reste par la nature des choses, insinués aussi par les meilleurs auteurs de l'antiquité, saint Jérôme, saint Chrysostome, saint Grégoire, et par les meilleurs auteurs des temps modernes parmi lesquels c'est justice d'accorder une mention spéciale au grand Maldonat et à dom Calmet. Quand ils ont vu le jour, ils ont été de nouveau soumis au contrôle de la réalité. Ainsi, dans toute science qui se crée ou se formule, les faits suggèrent d'abord l'hypothèse, qui est aussitôt éprouvée au contact de l'expérience. Quand les faits s'y adaptent et la confirment, l'hypothèse est ensuite élevée à la hauteur d'un principe. De la sorte, les règles qui s'inscrivent en tête d'un ouvrage, faisant figure de principes premiers, sont en réalité la dernière conclusion d'un examen empirique et d'une étude patiente.

Le lecteur qui s'intéresse à l'exégèse des paraboles est invité à contrôler la genèse de nos principes. Recevant d'abord comme hypothèses et sous bénéfice d'inventaire les règles formulées, il apprendra des faits, au fur et à mesure de leur contrôle, s'il convient de leur attribuer une portée universelle.

Ces principes constituent ce qu'on pourrait appeler — l'emphase du vocable mise à part — une méthode d'exégèse parabolique.

1. **Nécessité d'une méthode.** — L'appellation risque de déplaire, encore qu'en exégèse nous ne cessions d'invoquer les méthodes de la critique textuelle,

de la critique historique, de la critique littéraire.
Certains commentaires, plus oratoires qu'objectifs,
ne semblent-ils pas composés en dehors de toute
méthode ? On a l'impression d'une exégèse procédant
au petit bonheur, par à peu près, d'après les affinités
du dehors ou les impressions du moment. Bien que
le reproche paraisse cruel, les paraboles ne ressem-
blent-elles pas alors à des boîtes à surprise, d'où
sortent à nos regards émerveillés les leçons les plus
inattendues et les plus disparates ? Le moment venu
d'appliquer la parabole, ne dirait-on pas que les
leçons possibles sont projetées en l'air, et retenue
comme meilleure celle qui serait retombée la première ? En Allemagne, en Angleterre, aussi bien
qu'en Espagne ou en France, l'exégèse des paraboles
semble être devenue trop souvent un petit jeu de
hasard. Du reste, au nom de quels principes condamner cette absence de principes, s'il est admis
que la meilleure méthode consiste à n'en avoir pas ?
Celle qu'on propose dans ce commentaire — timide-
ment parce que peut-être est-ce la première fois dans
un ouvrage de ce genre — avec confiance néanmoins
en raison des avantages escomptés et des résultats
entrevus, se formule dans les quelques règles suivantes.

2. **Règle du schéma parabolique** : *la parabole étant
une comparaison développée, il convient et il suffit,
pour dégager sa leçon principale, de ramener tout
le récit aux deux termes d'une comparaison*. Une
comparaison s'énonce habituellement sous la forme
consacrée : *de même que, ainsi*. Une parabole doit
également pouvoir se résumer en la manière des
similitudes : *de même que, ainsi...*

Le divin Maître nous en a donné un exemple
partiel dans *l'ivraie* :

de même donc que l'ivraie est ramassée et brûlée
au feu,

ainsi en sera-t-il à la fin du monde.

Il n'est pas de commentateur qui ne recoure spontanément à ce procédé, quand il éprouve le besoin
de serrer la vérité de plus près, les Pères quelquefois,
les modernes beaucoup plus que les anciens. Toutes
les paraboles, ou peu s'en faut, sont ainsi coupées
de sentiers, sinon de routes très passantes, où se
sont avancés, peut-être sans en avoir une entière
conscience, d'heureux pionniers, précurseurs de la
méthode préconisée. Le fait, dûment constaté, invitait à la généralisation. Ce sera notre premier principe.

Si la parabole est une comparaison développée,
elle n'est donc pas un groupement amorphe, mais
un tout bien organisé. Elle se compose essentiellement de deux membres, un tableau et une application : le tableau qui nous décrit une scène familière, l'application qui transporte cette analogie à
quelque vérité d'ordre surnaturel. Chacun des deux
membres constitue un des termes de la comparaison.
De même que, dans le tableau ci-joint, les choses
se passent de telle manière, *ainsi*, dans l'ordre supérieur qui est envisagé... Les deux membres se complètent l'un l'autre. Ce sont deux miroirs conjugués
qui réfléchissent réciproquement leur image. Ou
mieux, les deux pièces d'un mécanisme unique qui
s'ajustent, s'emboîtent l'une dans l'autre. Lorsqu'on
essaie d'accoupler des pièces dépareillées, on s'aperçoit qu'elles ne cadrent pas; on ne peut les assortir
que d'une manière violente : on dit que ces pièces
ne vont pas ensemble. Si l'on rapproche au contraire
les deux parties d'un même tout, elles concordent
d'une manière harmonieuse, preuve que, dans la

pensée de l'artisan, elles étaient faites pour se compléter.

Ainsi l'analogie, la comparaison, qui est à la base de toute parabole.

3. **Organisation du schéma parabolique** : *dans ce résumé parabolique, donner la première place au trait principal et lui subordonner les détails secondaires.* — Le trait principal représentera la leçon principale. Nous avons donc tout intérêt à le discerner exactement, en lui donnant tout le relief qu'il comporte. Les traits secondaires doivent également être reconnus, afin de n'être pas confondus avec les traits essentiels. D'ailleurs on s'appliquera à leur conserver leur valeur particulière, soit qu'ils concourent à donner du relief à la leçon principale, soit qu'ils renferment une leçon propre.

Le trait principal du tableau se révèle souvent dès le premier coup d'œil à la place qu'il occupe, au relief avec lequel il se détache, comme, dans une toile ou un bas-relief, le personnage principal se discerne au milieu des personnages secondaires.

Lorsque le tableau est plus complexe, on a beau l'examiner sous toutes ses faces, il arrive que l'ambiguïté persiste, que l'on distingue difficilement sur quel détail porte la pensée fondamentale de l'auteur. C'est alors le cas de recourir à l'application ou seconde partie de la parabole. Le grand avantage que l'application a sur le tableau, c'est qu'elle nous indique sans ambage le point spécial de l'analogie ou de la comparaison. Un tableau de proportions moyennes a des aptitudes variées ; il est susceptible d'être employé à divers usages et d'éclairer diverses vérités. L'application se prononce entre ces possibilités ; elle circonscrit le sujet et détermine le but particulier pour lequel la parabole a été choisie.

On peut définir ainsi le rôle de l'application dans la détermination de l'analogie principale :

Un trait du tableau qui n'est pas repris dans l'application doit être tenu, sauf exception, pour secondaire; un trait du tableau qui est repris dans l'application doit être regardé comme important; s'il y figure seul, il est essentiel.

Ces règles trouvent leur justification dans l'observation suivante. Le narrateur qui veut instruire son auditoire en le charmant, émaille ses tableaux paraboliques de maints détails dont le seul objet sera de rendre la leçon moins austère, de retenir l'attention superficielle des foules, en un mot, de plaire. L'exposé terminé, lorsqu'il vient à l'application de sa parabole, la nécessité pédagogique le contraint de négliger tous les ornements et tous les accessoires pour aller droit à la vérité qu'il veut illustrer. Dès lors, l'ambiguïté disparaît; la pensée de l'auteur se dégage en pleine lumière; nous ne sommes plus dans le domaine de la fiction, nous sommes sur le terrain positif de la réalité.

4. Organisation des éléments du schéma parabolique (*suite*) : *métaphores, traits paraboliques et détails littéraires*. — Dès qu'on essaie d'apprécier à leur juste valeur les éléments individuels qui entrent dans la composition d'un tableau parabolique, on constate ce qui suit : les uns ont une signification particulière, qui répond spécifiquement à un autre élément du tableau supérieur à illustrer : ce sont les *métaphores*, lesquelles s'enchaînent assez souvent en séries pour constituer une allégorie — *l'allégorie est une série organisée de métaphores* —; les autres n'ont qu'une signification collective ou d'ensemble, à la manière des comparaisons : ce sont les *traits paraboliques — la parabole est une* *comparaison développée* —; les autres enfin n'ont d'autre but que d'orner le discours, en le rendant plus naturel ou plus coulant; ceux-là sont dénués de toute signification individuelle ou collective. Maldonat les appelait des emblèmes, *emblemata;* nous disons aujourd'hui des *ornements* ou des *détails littéraires.*

A quoi reconnaître une *métaphore?* D'une manière générale à son relief et à son aptitude. Une expression non accentuée n'est pas une métaphore; du moins la présomption n'est pas en sa faveur. Et pas davantage si l'analogie qui doit unir l'image et la réalité est incertaine, lointaine, inadéquate.

Les *traits paraboliques* se reconnaissent d'abord à leur signification collective, ensuite à leur manque de nécessité. Nous entendons par manque de nécessité la possibilité de varier les détails, sans qu'il soit porté atteinte à la signification collective de l'ensemble.

Les *ornements littéraires* se reconnaissent à leur manque absolu de nécessité. On peut les varier à son gré, voire les supprimer en entier : le discours reste essentiellement le même, s'il doit être moins orné et moins parfait.

5. **Le tableau parabolique doit-il être la copie de la nature ou peut-il être une œuvre de fantaisie?** — La question aurait déjà son intérêt théorique s'il s'agissait de déterminer le genre littéraire des paraboles, intérêt qui est surpassé encore par l'intérêt pratique. Les exégètes tiennent généralement pour la fidélité de la parabole à la nature; ils relèvent volontiers les traits de mœurs auxquels les récits sacrés font allusion et ils montrent avec complaisance comment la parabole reproduit la vie. A

l'encontre, une école audacieuse dénonce la faillite
de ce concordisme; ses tenants se font une spécialité de rechercher les traits anormaux ou invrai-
semblables qui, à les entendre, fourmillent dans les
récits sacrés. Ils en tirent une conséquence inattendue. C'est que, Notre-Seigneur n'ayant pu commettre personnellement ces fautes d'observation ou
de goût, ce n'est pas à lui que sont imputables ces
discordances; c'est aux évangélistes, voire à une
catéchèse tendancieuse et anonyme. Finalement les
paraboles ne seraient pas authentiques.

Entre ces deux extrêmes il y a un juste milieu
que nous avons essayé de définir et de réaliser
dans tout ce commentaire. Non pas un timide essai
de conciliation. Mais une position très appuyée et
très nette, qui repose sur la juste notion littéraire
de la parabole. Plus encore qu'un genre réaliste, la
parabole est un genre pédagogique qui vise à instruire en divertissant. Elle observe la nature,
certes; elle la décrit, parfois elle la reproduit exactement. Mais d'autres fois, non. Le tout, à la discrétion du narrateur, qui fait comme il lui plaît,
au mieux des intérêts de sa doctrine et de ses auditeurs. D'une manière générale, on ne saurait trop
le répéter, la parabole n'est pas obligatoirement la
reproduction de la vie. L'exégète doit sans la
moindre crainte recouvrer sur ce point une liberté
dont il n'aurait jamais dû se laisser déposséder, lui
et les paraboles sacrées. Tous les traits observés,
qu'il les relève et les commente avec amour, avec
art, c'est son droit et son devoir. Mais quand l'école
de Jülicher et de Loisy multiplie les facéties d'une
critique amère sur les prétendues anomalies des
paraboles, apprenons à lui répondre nettement par
une fin de non-recevoir. De pareilles objections

dénotent chez le critique qui les formule un défaut de psychologie ; elles constituent autant de contresens particuliers ; et leur ensemble représente un contresens énorme atteignant le genre littéraire de la parabole tout entier.

Si nous y consentons, cette simple observation débarrasse notre exégèse de plusieurs centaines d'objections stériles. Encore les faiseurs d'objections n'ont-ils pas su découvrir toutes les mines ! Nous en avons reconnu sur leur passage plusieurs d'inexploitées, non sans nous donner le malin plaisir de leur signaler leur inadvertance. Une fois surpris le procédé d'extraction, ces objections-là, on les débite par séries. Le lecteur mis dans le secret ne pourra que s'en amuser, comme de fusées incendiaires qui n'éclateraient pas et ne feraient peur qu'aux enfants. Les exemples remplissent tout le commentaire.

6. Première conséquence du schéma parabolique : *Les conclusions apparentes ou les appendices.* — La méthode du schéma parabolique nous conduit à un résultat inattendu. Tout un petit domaine des paraboles n'avait peut-être pas retenu suffisamment l'attention des commentateurs et de ce chef n'avait pas été suffisamment étudié : nous voulons parler des *conclusions apparentes ou appendices.* Les paraboles évangéliques se terminent souvent par des réflexions, des proverbes, des exhortations. Nous avons pris tellement l'habitude de regarder ces sentences comme partie intégrante, voire partie essentielle des paraboles, que, d'instinct, nous interprétons la parabole les yeux fixés sur ces maximes finales. Bien plus, nous cherchons dans ces derniers versets la clef de la parabole ; de gré ou de force, nous plions le récit à la signification que nous pen-

sons y découvrir; nous nous croyons obligés de
trouver dans la parabole le développement et la
preuve de la proposition ou de la thèse énoncée dans
ces proverbes de la fin.

La tentative n'est pas toujours couronnée de succès.
Visiblement, il est des sentences finales qui n'ont
avec la parabole qu'une analogie plus ou moins
lointaine. Vouloir y retrouver l'explication de la
parabole, c'est se livrer à un jeu de violence : la clef
prétendue n'ouvre pas, la thèse supposée ne s'adapte
pas aux preuves qui sont censées l'établir.

Depuis de longues années, nous ressentions le
malaise causé par ce manque de correspondance,
sans savoir au juste à quoi l'attribuer. Il s'est rencontré que lorsque nous essayions de ramener les
données d'une de ces paraboles aux deux membres
d'une comparaison, la sentence finale restait en
dehors du schéma parabolique et ne présentait avec
lui qu'une certaine analogie doctrinale. La discor-
dance se vérifie jusqu'à quatorze fois. Elle ne saurait donc être fortuite. Elle est voulue et fait figure
de procédé littéraire. Saint Jérôme semble avoir pressenti le fait dans *l'intendant avisé;* saint Chrysostome
l'a nettement aperçu et signalé dans *les ouvriers de
la vigne.* Suivant leurs indications et suivant l'évidence interne de la méthode, nous déduisons qu'en
ces quatorze cas, la sentence finale ne fait point
partie essentielle de la parabole et ne doit pas servir
à l'expliquer; ce n'est qu'une conclusion apparente,
un appendice, un complément, attiré là, en fin de
parabole, à la manière des conglomérats, par l'analogie du sujet.

De ce chef, l'explication de ces quatorze paraboles
demande à être revisée. L'événement dira si le
change leur fait perdre de leur beauté doctrinale

et littéraire, ou gagner en perfection, en cohésion, en harmonie.

Voici la liste de ces paraboles :

7. Deuxième conséquence du schéma parabolique : *Les paraboles jointes et fondues ensemble.* — La méthode du schéma parabolique nous met sur la voie d'une autre observation non moins intéressante. Elle nous permet de déterminer les contours et les limites d'une parabole, comme se discernent les limites et les contours d'un objet ou d'un récit. L'être qui s'affirme se distingue de tout autre, aussi bien de celui qui est venu s'agréger à lui par le dehors que de celui qui est venu s'y fondre par le dedans. Nous retrouvons ainsi jusqu'à six fragments de paraboles, faut-il dire des ébauches ou des résidus ? qui semblaient avoir perdu leur physionomie propre et leur individualité pour s'être joints

à d'autres paraboles plus complètes et s'être laissé
absorber :

Combien d'autres paraboles le divin Maître a-t-il
dû prononcer au cours de sa vie publique qui ne
nous ont pas été conservées! Il nous est particulièrement agréable d'avoir retrouvé ces humbles vestiges
sacrés et de pouvoir ainsi les rendre à la vénération
évangélique à côté des grandes paraboles de tout
temps goûtées et admirées.

   Exemple : dans *le repas de noce* ou *des invités discourtois* de saint Matthieu, nous discernons l'ébauche
ou le résidu *des invités homicides;* dans *les mines*
de saint Luc, l'ébauche ou le résidu *du prétendant à
la royauté.* Fragments si bien incorporés dans un
récit plus complet qu'ils semblaient faire avec lui
un même tout et que presque personne ne songeait
à les en séparer. La gêne était cependant indéniable,
au point que les problèmes posés par ces deux
grandes paraboles étaient communément réputés
très difficiles, peut-être même insolubles.

   La méthode du schéma parabolique nous conduit
à séparer de la parabole primitive le petit agrégat
qui s'y était joint. Du coup, nous rendons à celui-ci
son individualité parabolique et à la grande parabole
sa perfection première.

   8. Cette méthode d'exégèse parabolique est-elle

la mort de la liberté? — L'objection vient spontanément à l'esprit. Nous voulons espérer que le
commentaire calmera ces légitimes inquiétudes.
Qu'on se rassure, on ne veut ici rien supprimer,
rien atténuer, ni les ailes, ni les parfums, ni les
fleurs.

Nous ne cessons de revendiquer la juste liberté de
nos adorables paraboles contre les entreprises sacri-
lèges qui prétendent les rogner, les meurtrir, les
défigurer. Nous revendiquons surtout cette liberté
— plus peut-être qu'en tout autre commentaire —
sur les deux points suivants : 1° liberté du genre,
par laquelle le paraboliste choisit l'espèce ou la
nuance du *mâchâl* qui convient le mieux à son but
pédagogique ou à sa fantaisie : *pure allégorie*, s'il
lui plaît, *pure parabole*, quand il le préfère, et très
souvent *mélange de l'une et de l'autre,* au grand
scandale pharisaïque de Jülicher et de Loisy; en
tout temps, grande liberté pour émailler le récit
de métaphores ou de traits paraboliques ou de
simples ornements littéraires; 2° liberté absolue de
copier la nature ou de ne pas la copier, mélange
discrétionnaire d'observations réelles et d'inventions
poétiques au gré absolu du divin paraboliste.

*Du moins le schéma parabolique n'est-il pas une
tyrannie?* — Peut-être, mais comme le fil conducteur dans un labyrinthe, ou les parapets d'un pont,
ou, pour aller jusqu'au bout des comparaisons
matérielles, comme les deux rails du chemin de fer.

Sans métaphores, disons que, de cette liberté, le
bénéficiaire n'est pas l'interprète, c'est l'auteur de
la parabole seul. Celui-ci, quand il a recours à la
parabole, l'arrange à sa fantaisie. Il la fait servir au
but qu'il préfère. Mais une fois qu'il a choisi la
forme de son récit et qu'il l'a disposée pour illustrer

la vérité de telle manière, l'exégète n'y peut rien changer. Le paraboliste crée les faits ; l'exégète les constate. Le paraboliste suit le jeu de sa fantaisie subjective ; l'exégète, lui, fait profession d'objectivité, c'est-à-dire de respect à l'égard des textes et d'obéissance aux faits. Voilà pourquoi, même pour expliquer le *máchál* oriental, rien ne vaut une méthode occidentale et rien ne la remplace.

On a dit que le *máchál* hébraïque différait de la parabole aristotélicienne, précisément en ce point de la liberté. La parabole d'Aristote serait une forme de raisonnement, donc logique et rigide, le *máchál* serait une forme souple de conversation, libre et discrétionnaire. — La différence existe, mais nous pensons qu'on l'a exagérée. Elle est dans la forme plus que dans le fond. Dans le fond, puisque la parabole évangélique sert à illustrer un point de doctrine, elle rentre nécessairement dans cette variété de raisonnement connu sous le nom de comparaison, qui assemble et juxtapose deux éléments pour les éclairer l'un par l'autre. En somme, une variété pédagogique qui relève encore de la logique.

Ajoutons que la richesse théologique d'une parabole se diversifie encore au gré du paraboliste : généralement une leçon principale, comprenant un nombre plus ou moins considérable de parties constituantes, par exemple une allégorie composée d'un certain nombre de métaphores ; généralement aussi une ou plusieurs leçons collatérales ou dérivées. Et nous ne disons rien de la végétation luxuriante des applications ou accommodations qu'en ont faites avec plus ou moins de bonheur les commentateurs. De cette richesse, le devoir de l'exégète est de tout exploiter, sans rien laisser perdre.

9. **Tableaux de mœurs palestiniennes.** — On s'est appliqué à ne rien laisser perdre non plus des coutumes palestiniennes. Encore que nous reconnaissions au paraboliste le droit d'imaginer totalement ou en partie des situations irréelles, nous ne sommes pas moins avides de relever toutes les observations, toutes les insinuations, tous les présupposés de ces gracieux récits. Faut-il avouer que cette notation est un agrément pour un vieux Palestinien habitué à voir de ses yeux, à entendre de ses oreilles, à palper de ses mains, à sentir avec toute sa sympathie et son amour les choses de Palestine ? Nous avons essayé d'exprimer dans nos petits tableaux de paraboles non ce que les exégètes de cabinet ou les pèlerins de quelques semaines ont raconté ou imaginé des mœurs de Terre Sainte, mais ce que nous voyons, entendons, palpons, sentons, aimons depuis quelque trente ans. Ces tableaux seront peut-être les haltes rafraîchissantes d'un voyage qui ne manque certes pas d'agrément, mais qui passe quelquefois aussi par des contrées austères.

10. **Traduction.** — Autant et plus que ces descriptions ou ces tableaux de mœurs, ce que nous aurions voulu soigner en ce travail, c'est la traduction de nos saintes paraboles. Maintes fois nous avons entendu des prêtres et des fidèles instruits regretter que nos saints évangiles ne fussent pas mieux traduits en français. Non certes qu'un effort sérieux n'ait été ces dernières années tenté par des exégètes de métier désireux de s'assimiler toutes les nuances de l'original. Si le sens est mieux compris, pourquoi ne pas le rendre également en un meilleur français ? L'idéal serait de transposer cette divine simplicité de l'original, ce naturel inimitable, ces

expressions populaires, si vivantes, si pittoresques!
Nous savons pertinemment et nous sentons cruellement que nous n'avons pas davantage atteint l'idéal.
Proclamons du moins que l'idéal existe, qu'il faut
toujours chercher à s'en rapprocher, et qu'une traduction où l'on a mis tout son cœur, ensemble et
détails, syntaxe et vocabulaire, est toujours susceptible d'être améliorée. Cet idéal de doctrine, de
piété et d'art a toujours été présent aux rédacteurs
des évangiles du *Verbum salutis*. Joignant notre
vœu très modeste, mais ardent à leur voix autorisée,
nous demandons que ce problème littéraire reste
constamment inscrit à l'ordre du jour de l'exégèse,
et que la solution en soit hâtée par respect pour le
texte inspiré.

Sauf avis contraire, le texte original adopté dans
ce commentaire est celui de la *Synopsis evangelica*
des PP. Lagrange et Lavergne.

11. **Ordre des paraboles.** — Les paraboles, se
trouvant disséminées dans les trois synoptiques, ne
sauraient prétendre à constituer un corps complet
de doctrine. Aucune règle, aucune rubrique non
plus ne détermine l'ordre dans lequel elles doivent
se présenter et se grouper entre elles. Les systèmes
varient avec les auteurs. Lequel est préférable? Si
on le justifie à ses propres yeux, comment le faire
agréer d'autrui?

J'avoue que les tentatives précédentes laissent
plutôt sceptique sur le résultat éventuel de tout
nouvel essai. Dans ce cas, l'abstention est peut-être
l'attitude la meilleure. — Scepticisme vraiment?
Plutôt conviction du médiocre profit d'une telle
classification. Nous voulons connaître la signification de chaque parabole; à l'occasion savoir à
quelles autres paraboles elle se rattache ou avec

quelles autres elle présente le plus d'affinités. Instruits sur ces points essentiels, nous en savons assez peut-être, et peut-être vaut-il mieux n'aller pas plus loin dans cette voie. Libre à qui le désirerait de poursuivre à ses risques et périls les rapprochements de son goût et la mise en système d'une doctrine intentionnellement incomplète et morcelée...

Comme il fallait cependant disposer des paraboles dans un certain ordre logique — l'ordre chronologique étant impossible, — nous nous sommes réglé sur le tableau suivant.

I. LE ROYAUME DE DIEU.

1. Sa fondation :	1. Le semeur.
2. Son accroissement :	2. La semence.
	3. Le sénevé.
	4. Le ferment.
3. Sa valeur :	5. Le trésor.
	6. La perle.
4. Ses sujets :	
a) Avertissement aux justes :	7. Les enfants capricieux.
	8. Le figuier stérile.
b) Conversion des pécheurs :	9. La brebis.
	10. La drachme.
	11. Le prodigue.
	12. Les ouvriers de la vigne.
c) Remplacement des justes par les pécheurs :	13. Les deux débiteurs.
	14. Le pharisien et le publicain.
	15. Le festin de noce.
	16. Le festin.
	17. La robe nuptiale.
	18. Les deux fils.
d) Remplacement des riches par les pauvres :	19. Le mauvais riche et le pauvre Lazare.
e) Remplacement des juifs par les gentils :	20. Les vignerons homicides.

Bethléem, 12 juin 1931, en la fête du Sacré-Cœur de Jésus.

N. B. Voir la bibliographie à la fin de l'ouvrage.

I

Le Royaume de Dieu

LES PARABOLES

Le Semeur.

saint Marc,
IV, 1-9.

saint Matthieu,
XIII, 1-9.

saint Luc,
VIII, 4-8.

[1] Et de nouveau (Jésus) se mit à enseigner sur le bord de la mer; et il s'assembla près de lui une foule immense, si bien qu'il monta en barque et s'assit en mer, tandis que toute la foule était le long de la mer, à terre.

[1] En ce jour-là, Jésus, étant sorti de la maison, s'assit au bord de la mer. [2] Et des foules nombreuses s'assemblèrent auprès de lui, si bien qu'il monta en barque et s'assit, tandis que toute la foule se tenait sur le rivage.

[2] Et il leur enseignait beaucoup de choses en paraboles, et il leur disait dans son enseignement :

[3] Écoutez. Voici que le semeur sortit pour semer. [4] Et il arriva, comme il semait, qu'il tomba du (grain) le long du

[3] Et il leur dit beaucoup de choses en paraboles disant :

[4] Voici que le semeur sortit pour semer. Et comme il semait, il tomba des (grains (le long du chemin, et les oiseaux vinrent et

[4] Comme une grande foule s'assemblait et qu'on venait à lui de la ville, il dit en parabole :

[5] Le semeur sortit pour semer sa semence. Et comme il semait, il en tomba le long du chemin; elle fut foulée aux

3

chemin, et les oiseaux vinrent et le mangèrent.

⁵ Et il en tomba sur le sol pierreux où (ce grain) ne trouva pas beaucoup de terre, et il leva aussitôt parce qu'il n'avait pas de terre en profondeur; ⁶ et quand le soleil fut haut, il fut brûlé, et, pour n'avoir pas de racines, il se dessécha.

⁷ Et il en tomba d'autre dans les épines, et les épines montèrent et l'étouffèrent et il ne donna pas de fruit.

⁸ Et il tomba d'autres (grains) dans la bonne terre et ils donnèrent du fruit qui monta et grandit, et ils rendirent l'un trente, l'autre soixante et l'autre cent.

⁹ Et il disait : Qui a des oreilles pour entendre, qu'il entende !

mangèrent.

⁵ Et il en tomba sur des endroits pierreux où (ces grains) ne trouvèrent pas beaucoup de terre, et ils levèrent aussitôt parce qu'ils n'avaient pas de terre en profondeur; ⁶ et quand le soleil fut haut, ils furent brûlés, et, pour n'avoir pas de racines, ils se desséchèrent.

⁷ Et il en tomba d'autres, dans les épines, et les épines montèrent et les étouffèrent.

⁸ Et il en tomba d'autres dans la bonne terre, et ils rendirent du fruit l'un cent, l'autre soixante, l'autre trente.

⁹ Qui a des oreilles qu'il entende !

pieds et les oiseaux du ciel la mangèrent.

⁶ Une autre partie tomba sur la pierre, et à peine levée, elle sécha parce qu'elle n'avait pas d'humidité.

⁷ Une autre partie tomba dans les épines, et les épines, croissant en même temps, l'étouffèrent.

⁸ Enfin une autre partie tomba dans la bonne terre et, ayant levé, elle porta du fruit au centuple.

Ce disant, il s'écriait : Qui a des oreilles pour entendre, qu'il entende !

Nous sommes sur les bords du lac de Génésareth, parmi les taillis odorants des lauriers-roses. Les foules sont accourues pour entendre le verbe incomparable du jeune Prophète. Il en est venu de partout, de toutes les villes des environs. Ces contingents réunis composent une multitude qui se presse en cercle et emprisonne Jésus. Le Maître s'était d'abord assis sur le rivage (Mt.). Mais bientôt, pour se dérober à la poussée de cette vague humaine, il saute dans une barque. L'imperceptible oscillation d'une barque au repos ne favorise pas l'éloquence d'un orateur qui se tiendrait debout. Le Maître d'ailleurs avait coutume de s'asseoir pour enseigner (Mt. v, 1). Il s'assit donc dans la barque et il leur enseignait beaucoup de choses en paraboles.

Saint Pierre avait noté tous les détails concrets de cette scène, et il se plaisait à les énumérer dans sa catéchèse. Le goût personnel de saint Marc le portait à les retenir, comme s'il en eût été le témoin direct. La foule est immense, πλεῖστος, et c'est son avidité incoercible qui oblige le Maître à se réfugier sur la barque. Nous traduisons : « si bien qu'il monta en barque et s'assit en mer », et non pas « si bien qu'il monta dans une barque, en mer, et s'assit », ni « si bien qu'il monta en barque, sur la mer... », ce qui paraît une tautologie. Saint Marc voit le Maître monté en barque; il note pittoresquement, comme s'il s'en apercevait en dernier lieu, que Jésus était assis, bien qu'il fût en mer. L'évangéliste voit aussi la foule entassée à terre, le long du rivage, et ceci est observé avec la même curiosité naïve. Chacun voulait voir et entendre : on s'écrasait aux premiers rangs, et, de chaque côté, le ruban de la foule s'étirait aussi loin que portait la voix de l'orateur.

Ces détails circonstanciés, et un certain nombre

d'autres, nous préviennent en faveur de l'authenticité verbale de saint Marc. D'autre part, un examen
attentif conclut que la rédaction de saint Luc, dont
les variantes accusent un écart plus considérable, a
bénéficié de quelques retouches. Il est plus difficile
de prime abord de décider lequel, du premier ou
du second évangile, s'est servi de l'autre. Toute
chose pesée, il faut accorder la préférence au récit
de saint Pierre, consigné par saint Marc, car il
nous présente, avec ses détails d'une saveur originelle, un texte moins étudié, plus spontané, en même
temps que plus embarrassé, comme s'il s'agissait
d'une improvisation orale. Pour ces motifs, dont on
trouvera plus loin la justification, nous prendrons
en saint Marc le départ du commentaire.

I. — Tableau

Écoutez. Un mot populaire pris sur le vif. Quand
on prête l'oreille à une conversation arabe, c'est
celui qu'on entend le plus souvent; il commence invariablement tout discours nouveau et signale toute
intervention nouvelle dans le dialogue. Qu'il suffise d'une référence biblique : le dialogue de la Genèse pour l'achat de la grotte de *Makpélah*, entre
les Hittites d'Hébron et Abraham, le patriarche de
Mambré (XXIII, 1-16). Les Hittites se révèlent maîtres
passés en l'art de la négociation; et Abraham, en
sa simplicité patriarcale, ne se montre pas moins
avisé. Le nouvel arrivé en terre de Canaan et
les chefs du vieux clan hittite se donnent mutuellement la réplique par la formule précautionneuse :
Écoutez-moi, écoute-nous....

Saint Pierre, l'homme du peuple, avait été frappé
du mot, il l'avait retenu, et il le répétait en l'accom-

pagnant sans doute du geste de la main levée, familier à tout oriental qui le prononce.

Écoutez. Voici que le semeur sortit pour semer.
Le semeur, avec l'article. Dès le premier mot de
son discours, Jésus adopte le genre de la parabole.
Il dit *le semeur,* comme les fabulistes Ésope, Phè-
dre, La Fontaine disent *le loup et l'agneau, la*
cigale et la fourmi, la vieille femme et l'amphore.
Jésus avait encore une autre raison de tenir pareil
langage : dans sa pensée, le semeur n'était pas un
semeur quelconque, c'était lui-même, et qui sortait,
comme le dira saint Luc, pour semer *la semence —*
encore avec l'article —, parce que la semence n'é-
tait derechef que la divine parole ou la prédication
de l'évangile.

Il sortit. C'est une belle vérité que *le Verbe est*
sorti pour accomplir l'œuvre de son Incarnation.
Mais ce serait une exagération de penser à cette
sortie christologique à l'occasion de la parabole. Saint
Chrysostome et saint Thomas appuient de leur
autorité cette pieuse accommodation. En réalité, le
semeur sort de sa maison pour se rendre au champ
qui doit recevoir la semence.

Terres palestiniennes. — Pour comprendre les for-
tunes diverses de la semence, qui vont nous être
décrites, il faut se rappeler l'état des terres palestiniennes, moins dans les riches plaines d'Esdrelon,
de Saron, de la Séphéla, de Bersabée ou du Ghôr,
que dans les régions montagneuses de la haute
Galilée ou de la Judée. Le long des champs courent
des sentiers pierreux ; souvent les propriétés sont
coupées de chemins de traverse, minces comme
des rubans. La fécondité des terrains n'est pas partout égale. Ici un sol profond se prête au développement de la semence ; là une couche de terre rou-

geâtre, parfois légère de quelques pouces, recouvre
des bancs de roche, qui parfois affleurent de leurs
plaques grisâtres. Il suffit des averses de l'hiver ou
du printemps pour achever de décharner la roche
vive. Le fellah palestinien ne s'embarrasse pas de
la présence de ces bandes rocheuses. Toutefois s'il
jette à pleines mains la semence sur la bonne terre,
il la mesure aux mauvais endroits qui la lui ren-
draient avec la même parcimonie.

Ce qui nous surprend après trente ans de séjour
en Palestine comme au premier jour, c'est la parfaite
incurie de ces paysans à l'endroit des cailloux qui
tapissent leurs terres. Il serait si facile d'amender
ces vieux champs épuisés, qui n'ont jamais reçu
l'aide extérieure d'un engrais. Le traditionnel
couffin sur la hanche, il serait si aisé de les désen-
combrer des pierres et des quartiers de roches, qui
attendent là depuis des siècles, et gênent toujours
de la même manière la même semence. Vraisemblablement ils attendront là de longs siècles
encore...

Quant aux épines et aux chardons, aussi riches
en espèces qu'en nombre, le fellah confie à sa charrue rapide le soin de les décapiter au moment des
semailles : bientôt il les verra sans surprise, comme
des choses familières, repousser des innombrables
graines qui avaient précédé en terre les semailles
du bon froment.

Quelques précautions que prenne le semeur pour
ne point perdre sa semence, il en tombe toujours
quelques graines sur les chemins ou les sentiers
passants. Le sort de cette semence n'est pas douteux.
Celle qui n'aura pas été foulée aux pieds et écrasée,
sera tout de suite picorée par les moineaux, ces
maraudeurs obstinés de tous nos fruits de Pales-

tine dans nos vignes, nos vergers et nos champs
Les moineaux sont toujours présents au festin des
semailles ; leur vol lourd et bas se déplace selon les
exigences de la rapine et selon les mouvements du
semeur. Chassée d'un bout du sillon, la bande va
s'abattre à l'autre bout, et le grain dérobé passe
goulûment dans les insatiables petits gésiers. Quelques auteurs disent — mais je n'ai jamais pu le
constater — que les moineaux les plus avides réussissent à happer quelques grains à la volée. Ce doit
être une acrobatie pour la gent ailée. Il est sans
doute plus profitable de picorer le grain sur le sentier ou sur la glèbe, tout frais semé. — Les moineaux ont pour compagnons de maraudage les som-
bres masses des corbeaux qui viennent hiverner en
Palestine, juste à la saison des semailles, en ces
mois de novembre et de décembre, et qui s'atta-
blent, lourds convives, à côté de la bande frétillante
des petits oiseaux.

La semence tombée sur un terrain rocheux lève
très vite, mais sa tige presque sans racines ne résiste
pas au soleil de décembre ou de janvier ; elle brûle,
jaunit et se dessèche. Nous avons fréquemment sous
les yeux le commentaire de ces plantes graciles qui,
venues sur un sol calcaire ou marneux, érigent une
tige étiolée qui ne vit pas.

De leur côté, chardons et buissons repoussent
avec le blé, toujours à ses dépens ; s'ils ne l'étouffent
pas, ils l'appauvrissent. Il n'est pas rare de voir
dans nos champs judéens, parmi des épis clairse-
més, des chardons florissants. Sur les rives du lac de
Tibériade, une espèce très copieuse de chardon, le
khorfèch des Arabes « avec ses grosses fleurs d'un
rouge pâle, atteint une hauteur de quatre mètres...
Une seule plante couvre de ses larges feuilles une

surface de bien un mètre de diamètre et étouffe
tout ce qui commençait à pousser sous elle » (Biever, *Conférences de Saint-Etienne*, t. II, 278). Ces
chardons sont de véritables arbustes. Sur nos hauteurs de Judée, les chardons et les épines, les *mour-
ras* des Arabes, sont de taille plus chétive, en rapport avec la maigreur du sol natal.

Seule la semence tombée en bonne terre donne
des résultats satisfaisants. La Genèse (XXVI, 12)
nous apprend qu'Isaac retirait cent pour un de son
blé de Gérare, au sud de Gaza et de la riche Séphéla.
Aujourd'hui les terres de Judée restent bien en deçà
de ce magnifique rendement. Les fellahs de Bethléem et d'Hébron estiment normale la moisson de
blé qui leur rapporte de 2 à 4 pour 1 ; ceux du Hauran ne dépassent pas le 6 ou le 10 pour 1. Le P. Sta-
nislas, prieur des Trappistes d'El Athroun, donnait
au P. Lagrange, pour l'année 1908, le résultat de ses
expériences agricoles : « Blé, 9, 19 pour 1 ; orge,
10, 12 pour 1 ; lentilles, 4 pour 1. Les années ordinaires, les Arabes n'obtiendraient guère que 3
pour 1. Le rendement du blé ou de l'orge des Pères
Trappistes n'a jamais dépassé 13 pour 1 » (*saint
Marc*, 97). La plaine d'Esdrelon elle-même qui doit
sa fertilité à une couche énorme d'alluvions, ne
donne pas plus de 20 pour 1.

Anomalies du tableau parabolique. — Il est une autre
particularité agricole signalée par la plupart des
exégètes et qui ne laisse pas de les gêner à leur insu.
Dès que l'on compare les semailles de la parabole
avec les semailles ordinaires, telles qu'elles se pratiquent tous les ans, on ne peut se défendre d'une
surprise. Voilà trois parties de la semence précieuse
qui ne rapportent rien, par la faute du semeur,
plus encore que par celle du terrain ; seule la qua-

trième partie vient à bout de lever les épis qui donneront la farine et le pain. Sans doute les parts ne sont-elles pas égales ; peut-être la part tombée en bonne terre est-elle plus abondante à elle seule que les trois autres réunies. Il n'est pas moins vrai que c'est encore trop de semence perdue, et l'on se pose des questions qui attendent une réponse satisfaisante. Un semeur est-il donc si maladroit qu'il jette sur le chemin une portion notable de son grain ? Ne connaît-il pas de longue date les bandes rocheuses de son champ et n'est-il pas sûr d'avance de n'y rien récolter ? Pourquoi renouveler l'expérience désastreuse ? Et puis le fellah le plus négligent a soin d'enlever de son champ les bouquets les plus encombrants des plantes épineuses. Tous les ans, il repousse bien quelques chardons et quelques épines, mais non pas au point de gêner la récolte. Enfin la fertilité de la bonne terre, même renforcée par les souvenirs génésiaques des champs de Gérare, produit l'effet d'une légende, comparée à la maigreur du rendement actuel.

Saint Chrysostome demandait étonné : « Pourquoi semer sur la pierre ou sur le chemin ? Il n'y a pas de raison. » A quoi saint Thomas répondait : « C'est pure sottise de la part du semeur, *stultitia fuit seminantis.* » Mais le divin Maître ne semble pas vouloir dire que le semeur fut un sot ; encore moins le pouvait-il, s'il faisait une allusion personnelle. Au fait ce semeur a l'air de se comporter comme tous les autres. Pourquoi donc les choses ne se passent-elles pas dans la parabole comme dans la nature ?

Il faut répondre que le paraboliste a sciemment modifié les données de la nature pour les accommoder à son but pédagogique. Un paraboliste est

un observateur doublé d'un poète. Il est surtout un
moraliste, qui parle en philosophe et en théologien.
Pourvu qu'il ne passe pas à l'invraisemblance
criante, tous ses auditeurs consentent qu'il choisisse
et accouple des détails qu'on trouverait difficilement unis dans la nature. Tous ces paysans, rive-
rains du lac, savent ce que sont la semence, le
chemin, les oiseaux, les rochers, les épines. Mais
peut-être nul d'entre eux n'a-t-il vu de semeur jeter
la semence sur le chemin, sur la roche ou sur les
épines. Dans la réalité les semeurs sont attentifs,
expérimentés et habiles. Mais, dans une parabole,
nul ne s'étonne que le grain tombe partie sur le
chemin, partie sur les rochers, partie au milieu des
épines. On pressent vaguement, si on ne le devine,
que ces anomalies sont justifiées par l'objectif pédagogique du docteur. Alors ces intelligences ingénues
et incultes se laissent prendre au charme des images,
même si elles ne les comprennent pas, et elles s'abandonnent au rythme de la parabole. Ne cherchons pas
d'autre explication à la fécondité prodigieuse de la
bonne terre. Le rendement de 3o, de 6o, surtout de
100 pour 1 est un rêve chimérique ; le fellah palestinien ne le fait pas éveillé, parce qu'on ne rêve pas
consciemment de choses impossibles. Mais les âmes,
dit saint Chrysostome, sont meilleure terre que la
Palestine ; et la parole de Dieu est meilleure semence
que le blé du Hauran ou d'Esdrelon...

Les auditeurs du lac étaient d'autant moins
étonnés de cette fertilité prodigieuse, que les prophètes en faisaient volontiers l'un des éléments
de la prospérité messianique. Les auteurs d'apocalypse renchérissaient outre mesure. L'orge devait
s'élever aussi haut que le palmier, aussi haut que le
sommet des montagnes. « Il n'y aura pas de grappe,

de raisin qui ne donne trente tonneaux de vin, car
il est écrit : *Tu boiras comme vin le jus de la vigne*»
(Lagrange, *Le Messianisme*, 196).

Il s'était formé ainsi une complicité des esprits
autour de ces chimères, où entrait une part de
fierté nationale et peut-être une part de crédulité
religieuse. Toujours les rabbins évoquaient aux
yeux de leurs disciples des perspectives merveil-
leuses, quand ils décrivaient le passé terrestre de la
Palestine ou présageaient son avenir. Tout rabbin
de quelque notoriété et qui soignait sa réputation,
était en mesure de citer un cas ou deux de cette
prodigieuse fertilité. Rabbi Siméon Ben Chalaphta
disait aux environs de 190 : « Quelqu'un avait semé
un *séah* de fèves ; elles rapportèrent trois cents *séahs*.
On lui dit : Dieu a commencé à te bénir. — Et lui de
répondre : Allez-vous-en, c'est un mauvais sort qui
est tombé là-dedans ; sans quoi j'aurais eu le double. » Rabbi Méir disait vers 150 : « J'ai vu dans la
vallée de Bethsan un *séah* de semence rapporter 70
kors », c'est-à-dire 2100 pour 1. Un autre avait vu
des grappes de raisins grosses comme des veaux, un
autre grosses comme des chèvres... (Strack-Billerbeck, 1, 657, 658). Par où l'imagination des rabbins se montrait aussi débridée que celle des
faiseurs d'apocalyses apocryphes.

Combien plus raisonnable l'évocation de Jésus !
Puisqu'il parlait d'une semence de parabole, l'auditoire s'attendait à une merveilleuse fécondité. Il eût
été déçu si on ne lui eût parlé que d'un rendement
mesquin. Le rendement parabolique postulait cette
légère exagération, et nul, parmi les auditeurs, n'es-
tima que le Maître avait dépassé les justes libertés du
genre, en faisant rapporter à sa semence le 100
pour 1.

A la faveur de ces explications, la parabole nous paraîtra d'une lecture plus aisée.

Saint Marc. — Le semeur est sorti pour semer. Il sème. Une partie du grain tombe le long du chemin ou du sentier. Il n'est pas dit que ce soit une quantité considérable. Une certaine quantité cependant, puisque le paraboliste veut décrire le sort des âmes dures en qui la parole ne trouve pas où prendre racine, à qui Satan vole la parole comme les oiseaux picorent le grain resté à découvert. Une autre partie de la semence tombe sur un terrain rocheux; comme il n'y a qu'une mince couche de terre sans profondeur, le grain germe très vite, mais la frêle tige est aussitôt brûlée par le soleil. Le texte semblerait dire que c'est le premier soleil qui la tua. Dans la réalité, la petite tige de blé est d'abord saisie par la chaleur trop forte; après quoi elle met quelques jours à se flétrir. Mais une parabole supprime les détails inutiles : le grain pousse *aussitôt* et il se flétrit de même.

Une troisième partie tomba au milieu des épines. Pour les épines comme pour le chemin et la roche, la maladresse ou la négligence du semeur sont postulées par la leçon de l'histoire. Les objections qui se présenteraient à l'adresse du fellah qui gaspillerait son grain de la sorte, n'atteignent pas le semeur de la parabole. Il est nécessaire qu'une partie de la semence se perde sur le chemin, sur le rocher ou parmi les épines, parce qu'un sort pareil échoit à une partie de la semence que la prédication apostolique jette dans les âmes.

Enfin voici le bon grain semé dans la bonne terre. Il germe, pousse, monte et donne 30, 60, et jusqu'à 100 pour 1.

Et il disait : Qui a des oreilles pour entendre, qu'il entende!

Saint Matthieu. — La rédaction de saint Matthieu n'offre par rapport à celle de saint Marc que de légères variantes. Saint Marc parlait au *singulier* de la semence qui tombe (ἄλλο καὶ ἄλλο); il n'employait le pluriel que pour le grain tombé en bonne terre (ἄλλα). Saint Matthieu se sert constamment du pluriel (ἄλλα), ayant sans doute pris garde que la semence se composait de grains multiples. — La variante la plus importante, c'est que le premier évangéliste suit l'ordre inverse pour marquer les heureux résultats du bon grain : *Et il en tomba d'autres dans la bonne terre, et ils rendirent du fruit, l'un cent, l'autre soixante, l'autre trente.*

En pareil contexte, la gradation ascendante est plus naturelle, et elle signifie indubitablement la fécondité de la semence. Cette impression est confirmée par un détail propre à saint Marc, concernant le grain tombé dans les épines. *Les épines montèrent,* dit-il, *et l'étouffèrent, et il ne donna point de fruit.* C'est bien cela qui préoccupe saint Marc, le fruit de la semence. Manifestement, les grains sont pour le fruit, ils s'efforcent vers le fruit. Le premier n'a pas le temps de germer; le second germe, mais ne pousse pas; le troisième donne une tige, mais n'arrive pas à l'épi : *il ne donna pas de fruit.* Enfin, voici l'épi garni de grains multiples, jusqu'à 100 pour 1. Saint Matthieu ne donne pas le même relief à l'effort du grain vers l'épi, comme en témoignent cette omission caractéristique et l'inversion finale, qui est pour le moins inattendue. On a dit justement que, par cette inversion : *cent, soixante, trente,* saint Matthieu voulait signaler la diversité des bons résultats plutôt que la fécondité de la semence. « On peut dire que Marc fait ressortir davantage l'abondance et Matthieu la diversité.

C'est l'abondance qui importe le plus, et Luc l'a
compris ainsi » (Loisy, I, 736).

Saint Luc. — Les variantes de saint Luc sont plus
importantes. Le semeur va semer *sa semence*. La
partie tombée sur le chemin est foulée aux pieds par
les passants et mangée par les oiseaux du ciel. *Les
passants* et *les oiseaux du ciel* sont deux additions
d'ordre littéraire. La première suppose une route
passante plutôt que les petits sentiers qui coupent
les champs palestiniens; la seconde, avec son qualificatif de nature, ne se trouve pas gênée de l'application qu'en a faite le Sauveur. Est-ce un sentiment
de convenance qui a empêché les deux premiers
évangélistes de parler *des oiseaux du ciel*, puisque
les oiseaux du ciel, dans l'application, devaient être
Satan, ou *le diable*, ou *le mauvais?*

La deuxième partie de la semence tombe sur le
rocher, non plus sur un terrain rocheux, et la petite
tige qui avait réussi à pousser se dessèche promptement *faute d'humidité*. De ces variantes les critiques
attribuent également la paternité littéraire à saint
Luc qui, ayant parlé de rochers, a poursuivi la
figure en parlant d'humidité. — Reconnaissons de
fait que l'expression a moins de probabilités
d'authenticité verbale que les expressions correspondantes des autres synoptiques. — On objecte
même que, sur le rocher, le grain trouve difficilement à germer. Et puis, à nu sur la roche, ne sera-
t-il pas mangé par les oiseaux du ciel aussi facilement que le grain tombé sur le chemin? Saint Marc
et saint Matthieu poursuivent la gradation d'une
manière plus satisfaisante et plus conforme à la
réalité palestinienne.

Par contre, à propos du grain tombé dans les
épines, on a l'impression que le troisième évangé-

liste a voulu éviter une difficulté à ses lecteurs,
celle-là même qui vient à la lecture des autres synoptiques : le grain tombé *sur* les épines est-il resté
pris aux broussailles et a-t-il atteint le sol? Si les
épines existaient déjà, comment n'ont-elles pas
empêché le grain de germer et de pousser? Saint
Luc prévient la question, en notant que le grain est
tombé *au milieu* des épines et que, du reste, ces
épines n'étaient pas encore apparentes ou qu'elles
étaient de petite dimension attendu qu'elles pous-
sent avec le blé.

Pour le grain tombé en bonne terre, saint Luc n'a
retenu que le résultat le plus élevé, celui qui manifeste le mieux la fécondité du sol ensemencé : *Enfin
une autre partie tomba dans la bonne terre, et,
ayant levé, elle porta du fruit au centuple...*

Il va sans dire que ces variantes de saint Matthieu
et de saint Luc respectent l'unité de la pensée sous
la complexité des détails; et la pensée principale,
c'est bien toujours l'effort du grain vers l'épi, lequel,
à la fin, donne un résultat magnifique.

II. — APPLICATION

Mc. iv, 13-20.	Mt. xiii, 18-23.	Lc. viii, 11-15.
[13] Et il leur dit : Vous ne comprenez pas cette parabole? Et comment comprendrez-vous les autres paraboles? [14] Le semeur sème la parole. [15] Il y en a qui sont le long de la	[18] Vous donc, écoutez la parabole du semeur. [19] Quelqu'un entend-il la parole	[11] Voici ce qu'est la parabole. La semence, c'est la parole de Dieu. [12] Ceux qui sont le long du che-

route où la parole est semée; dès qu'ils entendent, Satan arrive aussitôt, et enlève la parole semée en eux.

du royaume sans la comprendre, le mauvais vient et enlève ce qui a été semé dans son cœur; c'est celui qui a été semé le long de la route.

min, ce sont ceux qui ont entendu; ensuite vient le diable, et il enlève la parole de leur cœur, de peur qu'ils ne croient et qu'ils ne soient sauvés.

¹⁶ De même, ceux-là sont semés sur les endroits pierreux, qui, entendant la parole, la reçoivent d'abord avec joie; 17 mais ils n'ont pas de racines en eux-mêmes, ils sont éphémères; survienne ensuite une tribulation ou une persécution à cause de la parole, aussitôt ils se scandalisent.

²⁰ Celui qui a été semé sur les endroits pierreux, c'est celui qui entend la parole et la reçoit aussitôt avec joie; ²¹ mais il n'a pas de racines en lui-même, il est éphémère; survienne une tribulation ou une persécution à cause de la parole, aussitôt il se scandalise.

¹³ Ceux qui sont sur la pierre, ce sont ceux qui entendent et reçoivent avec joie la parole, mais ils n'ont pas de racines; ils ont une foi éphémère, et, à l'heure de l'épreuve, ils font défection.

¹⁸ Il y en a d'autres qui sont semés dans les épines; ce sont ceux qui ont entendu la parole; mais les soucis du monde, la séduction de la richesse et les convoitises de tout genre s'introduisent et étouffent la parole qui est rendue stérile.

²² Celui qui a été semé dans les épines, c'est celui qui a entendu la parole; mais le souci du siècle et la séduction de la richesse étouffent la parole qui est rendue stérile.

¹⁴ Ce qui est tombé dans les épines, ce sont ceux qui entendent et s'en vont étouffés par les soucis, la richesse et les plaisirs de la vie et n'arrivent pas à maturité.

²⁰ Enfin ceux-là ont été semés sur la bonne terre, qui écoutent la parole, la reçoivent et portent du fruit, l'un trente, l'autre soixante, l'autre cent [pour un].

²³ Enfin celui qui a été semé sur la bonne terre, c'est celui qui entend la parole et la comprend : celui-là porte du fruit et donne l'un cent, l'autre soixante, l'autre trente [pour un].

¹⁵ Ce qui est dans la bonne terre, ce sont ceux qui ont entendu la parole dans un cœur noble et bon, la retiennent et portent du fruit par leur persévérance.

Formules d'application. — La simple lecture de ces formules donne l'impression d'un certain embarras. La pensée est nette, mais les expressions, surtout celles de saint Marc, paraissent hésitantes et lourdes. On dirait les ébauches successives d'une pensée complexe à la recherche de la rédaction définitive.

Loisy qui s'attache à relever dans les récits sacrés le moindre indice d'imperfection littéraire, se devait de signaler ces hésitations et de les exagérer. Le passage vaut d'être reproduit. « Il n'y a peut-être aucun morceau des évangiles dont la structure logique et littéraire laisse plus à désirer que l'explication de la parabole du semeur. Ce défaut est surtout sensible dans Marc; mais ni Matthieu ni Luc n'ont réussi à le corriger tout à fait » (1, 753). Et encore : « Le commentaire ne sort pas naturellement de la parabole. Il veut se développer en allégorie, non en simple comparaison, et il ne vient pas à bout d'être ce qu'il veut... On n'a pas su dire si le grain semé représentait la parole prêchée ou les hommes qui l'ont entendue, de sorte que le développement de la pensée et non seulement celui du discours reste équivoque d'un bout à l'autre... » (1, 757, 758). Et la conclusion obligée : « Un prédi-

cateur vulgaire peut être ainsi embarrassé dans la
glose d'un texte donné; mais Jésus n'aurait-il pas
été plus à l'aise dans l'application de sa fable? »
(1, 758).

Ce verdict est de nature à émouvoir un lecteur
candide insuffisamment informé. L'impression est
considérablement atténuée, lorsqu'on apprend que
Loisy, d'ordinaire fidèle disciple de Jülicher,
s'éloigne sur ce point de son maître allemand. L'impression est totalement dissipée, lorsqu'on apprend
que Jülicher se prononce pour le sentiment opposé
et que, loin de critiquer la rédaction de saint Marc,
il l'admire même pour sa tenue littéraire : « Marc,
dit-il, trouve très heureusement la formule uniforme
sans monotonie » (1, 524).

Les formules d'application sont au nombre de
quatre :

*Il y en a qui sont le long de la route où la parole
est semée...* (15).

*De même, ceux-là sont semés sur les endroits pier-
reux, qui entendent la parole, la reçoivent d'abord
avec joie...* (16).

*Il y en a d'autres qui sont semés dans les épines :
ce sont ceux qui ont entendu la parole...* (18).

*Enfin, ceux-là ont été semés sur la bonne terre,
qui, entendant la parole, la reçoivent et portent du
fruit...* (20).

Les trois dernières formules réalisent avec bonheur
l'uniformité sans monotonie qui a frappé Jülicher.
La première seule fait exception : *Il y en a qui sont
le long de la route où la parole est semée...* Certains
critiques, il est vrai, proposent de suppléer le participe *semés* (σπειρόμενοι ou σπαρέντες), qui se lit dans les
autres formules; mais cette addition est rendue
superflue par les derniers mots de la phrase *où la*

parole est semée. Nous sommes en effet sur le terrain de l'application. C'est la parole qui est semée, non la semence. Si c'est la parole qui est semée, il n'y a pas à dire que les auditeurs le sont. La formule est plus délayée et, si l'on veut, plus embarrassée, mais elle est suffisamment claire, et elle se suffit. Nous dirions seulement dans un langage plus direct : *Il y en a qui reçoivent la parole le long de la route*, ou encore : *il y en a qui sont semés le long de la route*.

La première formule de saint Marc ainsi ramenée aux autres pour le sens, est-il vrai que le paraboliste n'est pas venu à bout de dire ce qu'il voulait ? Le grain semé représente-t-il la parole prêchée ou les hommes qui l'ont entendue ?

Nous répondons : ni l'un ni l'autre ; le grain semé ne représente ni la parole seule, ni les hommes seuls ; il représente la parole reçue par les hommes. Jülicher l'a dit excellemment : « Les hommes qui nous sont décrits, ne sont pas identiques à la parole semée ; ils ne sont pas davantage identiques au sol sur lequel la semence tombe ; ils représentent le produit du sol et de la semence » (633). Au terrain avec la semence répondent les hommes avec la parole.

Qu'on ne dise pas que cette interprétation est imaginée pour le besoin de la cause. Elle résulte spontanément de la parabole ; elle s'impose même, à l'exclusion de toute autre, comme nous pouvons en faire la preuve d'après les principes de notre méthode d'exégèse parabolique.

Si la leçon de la parabole portait sur le sort de la semence d'une part, avec application à la parole d'autre part, ces deux mots *semence* et *parole* devraient être exprimés en toutes lettres, occuper le premier rang, dans le tableau ainsi que dans l'ap-

plication. Or il n'en est rien, à ce point que saint
Marc ne nomme pas une fois la semence. Il y fait
allusion, mais il ne prononce pas le mot : *le semeur sortit pour semer. Et il arriva comme il
semait, qu'il en tomba...* Sous-entendu du grain,
de la semence. Mais le mot reste sous-entendu, et
nous avons à le suppléer pour rendre nos traductions plus coulantes. — Ou bien il n'en est parlé
qu'au neutre : *une partie, une autre partie* (ὃ μεν,
καὶ ἄλλο). — De même, dans l'application, la parole
n'occupe que la deuxième place, et dans une incidente, lorsque nous sont décrits les résultats de ces
mystérieuses semailles : *il y en a qui sont le long
de la route où la parole est semée ; dès qu'ils entendent, Satan vient aussitôt et enlève la parole semée
en eux...*

La règle d'exégèse dont s'inspirent ces remarques
est la suivante : un mot non exprimé dans le tableau
et non expliqué dans l'application, ne saurait être la
clef de la parabole.

Par contre, l'idée formellement exprimée dans le
tableau et reprise directement dans l'explication, a
toute chance de représenter la leçon principale. Si
la parabole ne mentionne pas la semence, elle nous
raconte les péripéties des semailles faites dans les
divers terrains, et elle marque expressément en chacun d'eux le résultat final, négatif ou positif. De
même, dans l'application, si le divin Maître ne dis-
serte pas sur l'efficacité de la parole en général, il
détaille les diverses catégories des auditeurs qui ont
entendu la parole, et il spécifie le résultat propre à
chacune de ces catégories. L'équation parabolique
n'est donc pas : *la semence, c'est la parole,* mais
bien plutôt : *la semence dans la terre, c'est la parole
dans les auditeurs.* La formule littérairement par-

faite serait : *la semence est tombée le long du chemin, lorsque la parole est reçue dans les cœurs durs
qui, après avoir entendu, ne réfléchissent pas.* Tout
donne à croire que le paraboliste n'a pas compris
autre chose. Loisy commet un lourd contresens
lorsqu'il écrit : « La distinction des catégories
d'auditeurs ne devait pas se faire en partant de la semence, qui est partout la même, mais d'après les
sortes de terrain » (758). Nous répondons : la distinction ne devait se faire ni à partir de la semence,
ni à partir des terrains ; elle devait se faire et elle
s'est faite effectivement *à partir des terrains ensemencés.*

Seulement l'évangéliste s'est servi d'un tour ellip-
tique : *les uns sont semés le long de la route, les
autres sur le rocher, les autres sur les épines, les
autres sur la bonne terre.* Par où il témoigne encore
qu'à ses yeux l'intérêt capital de l'application porte
sur la semence dans les âmes ou sur les âmes ensemencées.

Authenticité de ces formules. — On voudrait voir
en ces imperfections prétendues des indices d'inauthenticité. Elles sont au contraire une preuve notoire
d'authenticité. Un improvisateur peut parler de la
sorte, « un prédicateur vulgaire », mais non pas un
interpolateur, un glossateur, lequel n'aurait pas la
naïveté de se dénoncer de la sorte. Il aurait eu d'autant plus de raisons de préférer la formule parfaite
qu'il plaçait son interprétation à l'ouverture de l'ère
des paraboles, pour nous offrir un spécimen d'exégèse et comme un modèle du genre. On n'est pas
maladroit de propos délibéré, quand il y a quelque
avantage à ne l'être pas.

Concluons que l'application de la parabole est
authentique et que la leçon principale ne concerne

ni la semence, ni la parole, mais en bloc les champs
semés et les auditeurs ayant entendu la parole.
C'est en toute vérité que Jésus propose la formule
hardie : *les gens semés le long de la route, sur le
rocher, sur les épines, dans la bonne terre...* Formule hardie en même temps que très heureuse,
am glücklichsten (Jülicher), à laquelle son hésitation
et son demi-balbutiement donnent une saveur de plus.
En des improvisations de ce genre, les auditeurs
ne sont nullement choqués des imperfections littéraires. C'est le cas de dire que la vraie éloquence se
moque de l'éloquence. L'éloquence sémitique se
moque surtout de nos règles empesées de rhétori-
que et de littérature. Jésus, plus encore que saint
Pierre ou saint Marc, avait le droit de dire à la manière populaire : *Il y en a qui sont le long de la
route où la parole est semée...*

Parabole, allégorie ou mélange ? — Au point où
nous sommes du commentaire, il nous faut encore
envisager un petit problème qui divise les exégètes :
toute cette description de la semence est-elle une
vraie parabole ou une allégorie ? Chose piquante,
Loisy et Jülicher soutiennent encore ici des sentiments opposés : pour le premier c'est une pure
allégorie, les métaphores succèdent aux métaphores
en séries coordonnées ; pour le second nous ne
quittons pas la parabole, et les mots conservent leur
sens propre. Loisy : « Tous les trois (synoptiques)
ont vu dans celle-ci (dans la parabole) une allégorie.
La parabole signifierait, non par application et par
manière de comparaison, mais directement, que la
parole de Dieu manque son effet chez une partie
de ceux qui l'entendent... » (756). Jülicher : « Une
parabole n'est pas une allégorie, parce que quelques
traits comportent une signification. Mc. iv, 3-8 est

une parabole, parce qu'on y raconte une histoire
de la vie quotidienne, non pour les simples apparences et dans l'espoir que l'auditeur comprenne
autre chose sous les paroles, mais dans le dessein
de démontrer quelque chose par sa signification
littéraire... » (635).

Entre ces deux explications, le P. Lagrange propose une solution nouvelle : « Entre l'allégorie pure
et la comparaison à un seul terme, dit-il, il y a un
milieu, la parabole qui compare plusieurs situations d'une même opération. Au lieu d'une comparaison, il y en a quatre » (*saint Marc*, 109). — Cette
solution intermédiaire résout-elle les objections
élevées par les partisans de l'allégorie ? Il est permis
d'en douter. Retenons seulement que, si l'histoire
est une comparaison, ce sera une comparaison globale à quatre termes : trois cas d'insuccès et un
dernier cas de réussite.

Le P. Lagrange écrit encore : « Nous avons dans
la comparaison du semeur une véritable parabole,
expliquée au fond comme parabole, avec quelques
nuances d'exégèse allégorique » (111). — Pour être
dans la vérité, il faudrait renverser exactement les
termes de cette conclusion et dire : au fond, nous
avons dans cette explication une véritable application allégorique, mêlée de traits simplement paraboliques, dans lesquels les mots gardent bien leur
sens littéral propre. Autrement dit, nous n'avons
ici ni une allégorie pure, ni une pure parabole, c'est
une allégorie mêlée de parabole, nous disons dans
la langue de l'exégèse, *une allégorie parabolisante*.

L'allégorie ou suite coordonnée de métaphores est
suffisamment attestée par les diverses reprises de
l'application : *Il y en a qui sont le long de la*

*route où la parole est semée... Ceux-là sont semés
sur les endroits pierreux qui... Il y en a d'autres qui
sont semés dans les épines ; ce sont ceux qui... Enfin
ceux-là ont été semés sur la bonne terre, qui...* On
s'étonne que des critiques avisés puissent ici contester l'allégorie. Ou les mots n'ont pas de sens, ou
nous sommes en présence d'une suite coordonnée
de métaphores, c'est-à-dire de locutions où le sens
littéral *propre* est remplacé par le sens littéral
transféré ou *métaphorique. Si la parole est semée
sur des gens le long de la route,* c'est indubitablement une métaphore ; *si des gens sont semés sur les
endroits pierreux,* c'en est une autre ; une autre
encore, *s'ils sont semés sur les épines ;* une autre,
s'ils sont semés sur la bonne terre. Et le tout constitue bien une série coordonnée de métaphores, autrement dit, une allégorie.

Ce commentaire allégorique, il est vrai, se fait
par le procédé dit de *substitution,* au lieu de se faire
par l'application directe. Au lieu de traduire : *la
semence est la parole ; la semence jetée sur le chemin, c'est la parole tombée en des cœurs durs ; la
semence jetée en bonne terre, c'est la parole tombée
en des cœurs excellents,* le Sauveur explique : *le
semeur sème la parole ; il y en a qui sont le long de
la route où la parole est semée... ; ceux-là ont été
semés sur la bonne terre, qui...* Procédé de substitution, d'après lequel un mot de l'application remplace un mot du tableau, mais procédé très courant
dans l'exégèse allégorique. La permanence des mots
principaux du tableau dans l'application rend la
métaphore visible à tous les regards. *Le semeur
sème la parole.* Sans métaphore, on dirait de la
parole qu'elle est prêchée. Dire qu'elle est semée,
c'est une métaphore. *Ceux-là sont semés sur les*

endroits pierreux. Sans métaphore, on dirait :
ceux-là reçoivent la parole d'une manière défectueuse qui... Dire que ces auditeurs sont semés
sur la pierre, c'est une nouvelle métaphore.

D'autre part, l'application qui a débuté par ces
métaphores se poursuit par un développement normal, où les mots gardent leur sens littéral propre,
nous ramenant ainsi sur le terrain de la comparaison : ceux-là sont semés sur les endroits pierreux
(métaphore), qui, entendant la parole, la reçoivent
avec joie (comparaison ou parabole), mais ils n'ont
pas de racines, en eux-mêmes, ils sont éphémères
(nouvelle métaphore); survienne ensuite une tribulation ou une persécution à cause de la parole,
aussitôt ils se scandalisent (nouvelle comparaison).
Les applications des autres catégories nous offrent
le même mélange de métaphores et de comparaison.

Ce mélange, nous l'avons montré ailleurs (*Introduction aux paraboles,* 39-51), est tout à fait
naturel, il ne peut offusquer qu'un partisan résolu
de la distinction des genres, de l'allégorie et de la
parabole. Plutôt que d'avouer ce mélange, Jülicher
soutiendra contre l'évidence qu'il n'y a pas ici de
métaphores, mais une simple comparaison. Et
Loisy soutiendra qu'il n'y a ici que des métaphores
sans mélange de comparaison.

Allégorie parabolisante, voilà donc à nos yeux la
solution du problème, à la condition de se souvenir
encore que le paraboliste n'assimile pas la semence
à la parole, mais les terrains ensemencés aux âmes
qui ont entendu la prédication.

Une autre remarque pourrait achever d'éclaircir
cette difficulté. Nous venons de parler de *substitution allégorique.* Ce procédé était connu des rabbins, il était même plus fréquemment employé que

celui de l'*application directe*. Strack et Billerbeck
soulignent qu'il était très rare qu'un docteur expli-
quât entièrement et systématiquement sa parabole
(1, 664). Si l'on n'avait pas à reprendre chacun
des termes pour en montrer la signification particulière, on faisait l'application d'une manière plus
souple et plus libre. On reprenait à son gré les
termes du tableau qui, transportés dans le domaine
de l'application, devenaient des métaphores : c'est
le procédé de la substitution allégorique, avec cette
particularité que la métaphore cesse parfois au gré
de l'orateur pour faire place à la comparaison et au
sens littéral propre.

Ce qui importe alors, c'est qu'il soit fait une
application, plutôt que telle application déterminée.
Il est rare, dans ce genre littéraire, qu'une application s'impose au nom de la vérité absolue; assez
souvent, l'application proposée pourrait être remplacée par une autre. Peut-être même cette autre
serait-elle littérairement meilleure et préférable.
C'est, pensons-nous, le sens du célèbre commentaire de saint Grégoire le Grand. « Si c'est nous
qui vous disions que la semence signifie la parole,
le champ le monde, les oiseaux le démon, les
épines les richesses, vous hésiteriez sans doute à
nous croire. *Si nos vobis semen verbum, agrum
mundum, volucres daemonia, spinas divitias signi-
ficare diceremus, ad credendum nobis mens forsitan
vestra dubitaret.* Qui me croirait jamais, si j'inter-
prétais les épines des richesses, d'autant plus que
celles-là piquent au lieu que celles-ci caressent ?
*Quis enim mihi unquam crederet, si spinas divitias
interpretari voluissem, maxime cum illa pungant,
istae delectent?* Pourtant les richesses sont vraiment des épines, car elles nous piquent de leurs

pensées et nous déchirent l'esprit; et même, quand elles nous entraînent au péché, elles nous infligent des blessures cruelles... » (LXXVI, 1151).

Les difficultés ainsi aplanies, poursuivons le commentaire.

Saint Marc. — La première classe d'auditeurs comprend ceux qui ne font qu'entendre la parole; nous disons *entendre* plutôt qu'*écouter,* car ce dernier verbe implique un effort pour comprendre. Ils entendent la parole, sans qu'elle provoque en eux la moindre réaction intellectuelle ou spirituelle. Saint Paul les appellera *les auditeurs de la Loi* par opposition à ceux qui la pratiquent, *non auditores legis, sed factores* (*Rom.* 11, 13). Maldonat les définit en littérateur averti, joignant lui aussi la comparaison à la métaphore : « Ceux qui ne cachent pas la parole dans les profondeurs de l'âme, qui ne la réchauffent pas, ne la méditent pas et, pour ainsi dire, ne la recouvrent pas de la terre de leur cœur, *et quasi terra cordis sui non tegit* » (*in Mt.* 273²). Saint Chrysostome les qualifie d'*ouvriers,* d'*artisans* (βάναυσοι), nous dirions en spiritualité d'*hommes extérieurs.*

A quoi faut-il attribuer la perte de la semence? Saint Marc l'attribue nettement à Satan : dès qu'ils entendent, Satan arrive aussitôt. *Dès qu'ils entendent :* aucun délai n'est accordé pour voir si la parole s'enfoncera dans le sol et y germera; *Satan arrive aussitôt,* εὐθύς, cet adverbe de temps ayant l'emphase de la première place dans la phrase principale, Satan, « picoreur sinistre toujours en observation » (Durand, 225). On dirait qu'il happe la parole au vol, à la manière des moineaux acrobates qui happent le grain en l'air avant qu'il ne retombe. A la réflexion, on s'aperçoit que la faute est surtout

imputable au terrain, dont l'aridité empêche que le
grain ne prenne racine. La semence reste ainsi
exposée à l'avidité des oiseaux et la parole à l'avidité
de Satan.

La deuxième classe est celle des auditeurs superficiels. La parole entendue, ils la reçoivent avec joie,
premier mouvement de réaction sympathique et
intelligente. Le chemin passant restait dans sa stérile passivité; les endroits pierreux, avec leur mince
couche de terre, ont un commencement d'activité :
la semence s'enfonce et germe; toutefois ses racines
sont bientôt arrêtées par la roche impénétrable.
Ainsi les auditeurs superficiels n'ont pas de racines;
ils sont éphémères : à la première tribulation ou
persécution, les voilà par terre, *scandalisés*.

La troisième classe se compose d'auditeurs moins
superficiels, en lesquels la parole germe et pousse,
mais où la frêle tige est bientôt étouffée par les
épines qui croissent en même temps que le bon
grain. Le divin Maître énumère quelques-unes de
ces épines mortelles. Mais il n'est pas exagéré de
constater avec saint Grégoire que la nature du sujet
n'impose nommément aucune de ces identifications,
et que, dans la pensée du Sauveur lui-même, ces
épines auraient pu aussi bien être remplacées par
d'autres. Au lieu et place de ces trois buissons épineux qui s'appellent les soucis du monde, la séduction de la richesse et les convoitises de tout genre,
il aurait pu proposer les trois obstacles signalés par
la première épître de saint Jean : la concupiscence
de la chair, la concupiscence des yeux et l'orgueil
de la vie (II, 16).

Le P. Fonck voit dans les soucis du siècle les
préoccupations de la pauvreté plutôt que celles de
la richesse. Mais rien, dans le texte, ne recommande

cette préférence. Les termes de la parabole sont
généraux; la pauvreté n'étant nommée nulle part, il
est bien plus naturel de penser à la richesse qui
occasionne des préoccupations et des inquiétudes
autrement cuisantes. Le contexte aussi suggère cette
interprétation, car *la séduction de la richesse,* juxta-
posée aux *soucis du monde,* fait figure de synonyme
plutôt que d'antithèse; dans saint Luc les *voluptés*
seront mentionnées à côté des *richesses.* En somme,
saint Chrysostome a raison de reconnaître en cet
endroit les deux vices capitaux de la richesse : les
soucis et les *voluptés.*

La quatrième catégorie comprend ceux qui reçoivent la parole sur la bonne terre et la font fructifier.
Qui dit bonne terre exclut les ennemis du bon grain
signalés aux versets précédents : ce n'est pas le sol
dur des chemins, ce n'est pas la roche impénétrable, ce ne sont pas les épines sournoises; c'est la
bonne terre meuble et profonde qui absorbe avide-
ment le bon grain, le met aussitôt à l'abri des
moineaux et des corbeaux, des pieds traînants et
lourds, de la sécheresse. Le grain trouve à germer
dans le sol propice, sans hâte, comme sans retard,
normalement. Quand la frêle tige monte dans la
lumière, elle n'a à redouter ni les ardeurs du soleil,
nourrie qu'elle est par sa racine vivace, ni la suf-
focation des épines dont le sol est parfaitement
nettoyé. La tige monte, consomme régulièrement
sa croissance et donne 30, 60, jusqu'à 100 pour 1.
Ainsi la parole dans un bon cœur. Cette dernière
catégorie est celle des âmes sérieuses et persévé-
rantes.

Saint Matthieu. — Si l'on compare la rédaction
de saint Matthieu à celle de saint Marc, on constate
que le premier évangéliste, tout en suivant de très

près la catéchèse du second, s'est appliqué à la dégager de ses tâtonnements populaires et de ses ambiguïtés. Saint Matthieu est plus littéraire, plus coulant, plus facile, ce qui amène les critiques catholiques à conclure que sa rédaction est ici postérieure à celle de saint Marc. Le travail de rédaction est surtout visible à propos de la première catégorie d'auditeurs. Saint Matthieu ne dira plus : *Il y en a qui sont le long de la route où la parole est semée;* cette formule hésitante et difficile est remplacée par une période élégante et facile : *Quelqu'un écoute-t-il la parole du royaume sans la comprendre, le mauvais vient et enlève ce qui a été semé dans son cœur : c'est celui qui a été semé le long de la route.* Cette fois, l'application métaphorique est parfaite, en même temps que nous sommes instruits de la culpabilité de ces auditeurs. En saint Marc, la parole était semée le long de la route et Satan venait l'enlever aussitôt. La faute entière n'était-elle pas à la voracité de Satan ? Et l'auditeur n'était-il pas la victime irresponsable d'un sort malheureux ? Sans doute nous connaissons la doctrine biblique de la responsabilité personnelle et que nul n'est châtié s'il ne l'a mérité. Il n'est pas moins vrai que certains lecteurs de l'évangile pouvaient être tenus en suspens par une objection non résolue. Expliquer la difficulté par le tour populaire du discours de saint Pierre ou de saint Marc, c'est lui opposer une fin de non-recevoir, ce n'est pas la résoudre. Saint Matthieu s'en est peut-être aperçu, et il a spécifié que si *le mauvais* vient enlever la parole, c'est à la faveur d'un manque d'intelligence chez l'auditeur : *quelqu'un écoute-t-il la parole du royaume sans la comprendre...*

Les semailles sur les endroits pierreux ne comportent qu'une variante littéraire, saint Matthieu employant le collectif singulier au lieu du pluriel : *celui qui a été semé sur les endroits pierreux, c'est celui...* On remarquera l'assurance et la perfection littéraire de cette application allégorique. Tandis que saint Marc semblait biaiser avec l'application, en disant : *Ceux-là sont semés sur les endroits pierreux qui, entendant la parole, la reçoivent d'abord avec joie,* saint Matthieu dit ouvertement : *Celui qui a été semé sur les endroits pierreux, c'est celui...; celui qui a été semé dans les épines..., dans la bonne terre..., c'est celui...* Les rares variantes qui affectent les deux dernières catégories ont déjà été signalées.

Saint Luc. — Saint Luc s'écarte de saint Marc avec plus de liberté que saint Matthieu. Sur la trame originale qui reste identique, l'élaboration est plus visible au double point de vue littéraire et théologique. Le troisième évangéliste a reculé devant la métaphore hardie des autres synoptiques qui ne craignaient pas de dire : *Ceux-là sont semés le long de la route, ceux-là sont semés sur les épines.* Son scrupule littéraire lui interdisant la conception hybride de *gens semés sur les chemins ou sur les endroits pierreux,* il supprime la métaphore des semailles et se contente du résidu littéral : *Ceux qui sont le long du chemin, ce sont ceux...; ceux qui sont sur la pierre, ce sont ceux...* L'expression a perdu en pittoresque ce qu'elle a gagné en fermeté. Peut-on dire qu'elle soit plus claire ? Toujours est-il que l'élaboration littéraire est manifeste, tout comme, à la fin du v. 11, la préoccupation théologique : *Ensuite vient le diable, et il enlève la parole de leur cœur, de peur qu'ils ne croient et ne soient sauvés.*

La même préoccupation se fait jour à propos de la deuxième catégorie, *les cœurs de roche*, incapables de pousser la moindre racine : *ils ont une foi éphémère,* mot à mot *ils croient pour un temps,* πρὸς καιρὸν πιστεύουσιν, et, à l'heure de l'épreuve, ils font défection. La foi éphémère, l'épreuve, la défection, autant de vocables qui appartiennent à l'évangile de la foi, qui est l'évangile de saint Paul et de saint Luc.

Pour la troisième catégorie, saint Luc change sa formule littéraire qui peut-être ne lui donnait pas entière satisfaction à lui-même, et il aboutit ainsi à la nouvelle formule : *Ce qui est tombé dans les épines, ce sont ceux… ; ce qui est dans la bonne terre, ce sont ceux…* L'application se fait maintenant à partir de la semence sur les épines ou dans la bonne terre, et non plus, comme pour les premières catégories, à partir des gens le long de la route ou sur la pierre. Cette nouvelle formule représente le terme des efforts littéraires de saint Luc. Répugnant à la métaphore *des gens semés le long de la route,* il a d'abord essayé de la combinaison *des gens le long de la route ;* puis, comme s'il était encore gêné de ces vestiges de métaphores audacieuses, il aboutit à l'honnête formule de tout repos : *ce qui est tombé dans les épines,* préférant supprimer une hardiesse de goût, fût-ce au prix d'une banalité littéraire.

La quatrième catégorie laisse reparaître la même sollicitude : il est précisé que la semence reçue dans la bonne terre représente les auditeurs *au cœur noble et bon,* ἐν καρδίᾳ καλῇ καὶ ἀγαθῇ, *ceux-là qui portent du fruit par leur persévérance,* sans doute leur persévérance dans les tentations qui, de quelque manière, sont toujours les épreuves de la foi.

Leçon principale. — Il est temps de dégager la leçon de la parabole. Puisque le divin Maître a daigné nous en donner lui-même le commentaire, toutes les discussions ne devraient-elles pas cesser devant une telle autorité ? Saint Grégoire le pensait, qui écrivait avec une candide assurance : « La parabole n'a pas besoin d'explication, mais d'un simple éclaircissement. Ce que la Vérité a daigné nous exposer, la fragilité humaine n'aura pas la présomption de le mettre en discussion, *lectio sancti Evangelii quam modo, fratres carissimi, audistis expositione non indiget, sed admonitione. Quam enim per semetipsam Veritas exposuit, hanc discutere humana fragilitas non praesumit* » (1131).

L'unanimité que les exégètes n'ont pas su réaliser malgré les souhaits de saint Grégoire, serait-il trop naïf de l'espérer pour un avenir prochain ?

Qu'elle soit encore à l'état d'espérance, quelques brèves citations suffisent à l'établir.

Le P. Sainz : « Ici on présuppose, plutôt qu'on ne l'établit, l'efficacité de la divine doctrine, ainsi que celle de la divine parole par laquelle la doctrine se transmet. Ce qu'on veut inculquer, c'est la nécessité de la recevoir, de l'abriter, de la garder contre toute semence mauvaise qui pourrait l'étouffer... » (182).

Le P. Fonck : « Le Sauveur s'est proposé un double but. En premier lieu, il veut montrer par le choix de cette image (celle de la semence) que son royaume ne se manifestera pas tout d'un coup avec force et magnificence. La parole du royaume ressemble plutôt à la semence, petite et invisible, que l'on confie à la terre et qui s'y développe lentement. » En second lieu, et c'est pour le P. Fonck le but principal de la parabole, le Sauveur montre

« d'où vient la résistance à la parole du royaume
et la stérilité partielle de la bonne semence » (85,
86).

Le P. Lagrange : « A coup sûr les dispositions
et la parole sont corrélatives. Mais si la parole avait
mis l'accent sur les dispositions, et par conséquent
sur le terrain, rien de plus simple que de l'expliquer
en comparant le sol battu, le sol pierreux, le sol
avec les épines, le bon sol à telle catégorie de personnes. Or l'accent de la parabole primitive est sur
les destinées de la parole... » (*saint Luc*, 239). Et
encore : « Quel est le but essentiel (de la parabole) ?
D'après le P. Buzy (*R. B.* 1917, p. 171), c'est de
montrer la *différence des résultats* de la parole de
Dieu comme *motivée par la diversité des dispositions*. Cela est très juste, mais seulement comme
une conséquence... Jésus est désormais entouré d'une
foule passionnée pour sa parole. Il lui déclare que le
point n'est pas d'entendre la parole, mais d'en tirer
du fruit; les circonstances dans lesquelles ce fruit
n'est pas produit ne sont que les accessoires de la
leçon principale » (240).

Nous croyons au contraire plus que jamais que
ces circonstances constituent le point principal de la
leçon. Les preuves qui ressortissent encore à notre
méthode d'exégèse parabolique, tiennent en ces
deux propositions : 1° le tableau de la parabole nous
raconte les vicissitudes, non pas de la semence en
général, mais de la semence dans les divers terrains; 2° l'application ne nous raconte pas « les
destinées de la parole » en général, mais les destinées
de la parole dans les divers auditeurs. Ainsi la correspondance est parfaite, ce qui est une précieuse
confirmation pour la justesse de la méthode et la
vérité de la leçon.

Nous arrivons de la sorte à l'équation suivante :
il en est de la parole comme de la semence.

De même que la semence qui tombe sur un
terrain défavorable, sentier, bancs de roche ou sol
épineux, demeure infructueuse et que, au contraire,
celle qui est jetée en bonne terre produit des fruits
très abondants,

ainsi la divine parole qui tombe en des cœurs
mal disposés y demeure sans fruit, tandis que, dans
les âmes droites, elle donne des résultats extraordinaires.

Le but essentiel de la parabole est donc de montrer que la même parole de Dieu produit dans les
âmes des effets différents suivant la diversité des
dispositions, en proportion directe de la qualité et du
degré de ces dispositions. La différence des résultats
de la parole dans les auditeurs tient à la diversité
des dispositions de leur cœur.

La semence fut mangée, brûlée, étouffée ; elle fut
prospère et donna son épi aux grains abondants ou
même extraordinairement denses ; mais c'est parce
qu'elle tomba respectivement sur le chemin, sur les
rochers, sur les épines ou sur la bonne terre. De
même, dans les âmes, la parole meurt sans germer,
germe sans lever, lève sans arriver jusqu'à l'épi, ou
enfin donne 30, 60, 100 pour 1, toujours suivant
que les dispositions des auditeurs sont mauvaises ou
bonnes et suivant le degré de ces dispositions.

Si Jésus insiste particulièrement sur la perte de la
semence et sur ses causes — trois parties de la
semence pour une tombée en bonne terre — gardons-nous de conclure que les trois quarts de la
semence furent réellement gaspillés, et pareillement que les trois quarts de la parole restent sans
fruit. En réalité, l'unique partie féconde peut être

quantitativement supérieure aux trois parties
demeurées stériles. Le divin Maître s'est placé à un
point de vue ascétique et il s'est proportionné aux
nécessités de son auditoire, lequel avait surtout
besoin d'être secoué et sérieusement averti. Prêchant à un auditoire plus spirituel, il aurait sans
doute donné plus d'importance au sort de la bonne
semence dans les bonnes âmes; il aurait montré par
exemple pour quelles raisons la semence rapporte
en quelques-unes trente, en d'autres soixante, en
d'autres jusqu'à cent pour un.

Mais la possibilité de nouvelles applications ne
modifie pas l'application parabolique proposée par
le divin Maître, et qui est le sort de la parole dans
les diverses classes d'auditeurs.

Il serait à souhaiter que l'unanimité des exégètes
se rendît à cette évidence, à la suite de dom Calmet
qui a dit en termes excellents : « Ce n'est pas assez
que la terre où tombe la semence soit bonne et
fertile; il faut qu'elle soit cultivée; si c'est une terre
en friche, plus le fond en sera fécond, plus elle
produira d'épines et de mauvaises herbes qui étouf-
feront la bonne semence... Dans la bonne terre
même la semence ne multiplie pas également, parce
qu'il y a dans la terre plusieurs degrés de bonté et
que l'industrie du laboureur y fait beaucoup. Ainsi
la parole de Dieu reçue dans un bon cœur n'y
fructifie pas toujours de même. Tel produit le centième, tel le soixantième et tel autre le trentième.
C'est la même semence, mais la terre n'est pas dans
le même degré de bonté : l'une est meilleure, et
l'autre est moins préparée » (*saint Matthieu*, 3o5,
3o6).

Voici encore une citation du P. Durand : « L'application n'est pas faite directement à la parole elle-

même, mais aux auditeurs représentés par les divers terrains ensemencés... Le point saillant de la parabole est dans la diversité des terrains, qui explique la différence des résultats : semeur et semence ne varient pas, mais les terres ensemencées n'offrent pas les mêmes chances de succès » (225).

La semence et le royaume de Dieu. — Cependant on ne saurait oublier que, d'après les indications mêmes du Sauveur, la parabole veut être une illustration du royaume de Dieu. Dans quelle mesure l'est-elle et sous quel aspect ? Dans la mesure où le royaume est identique à la prédication de la parole. L'identification n'est évidemment que partielle, car le royaume est encore bien autre chose. Elle est légitime pourtant, car la prédication de l'évangile est une phase préparatoire à l'établissement définitif du royaume; c'est assez pour que, dans l'enseignement populaire, la parole et le royaume puissent être donnés comme synonymes.

Cela étant, le Sauveur veut-il dire que le royaume aura des débuts très modestes, très humbles, analogues à ceux d'une « semence, petite et invisible, que l'on confie à la terre et qui s'y développe lentement » ? (Fonck). Cet enseignement fait partie de la doctrine authentique de l'évangile; une parabole, celle *du sénevé* (Mt. XIII, 31), sera même consacrée à nous l'inculquer. Mais alors le Sauveur aura soin de bien exprimer sa pensée, en notant que le sénevé est *la plus petite des semences*. Ici il nous invite à méditer un autre aspect de la même doctrine, comme il ressort du schème parabolique :

De même que les résultats des semailles dépendent de la qualité des terrains,

ainsi l'établissement et la prospérité de la *parole* et du *royaume* dépendent de la qualité des âmes.

Qu'est-ce à dire? Le royaume ne s'incorpore pa;
tous les hommes indistinctement, non pas mêm(
tous les membres d'une nation, comme les Juifs, n
tous les membres d'une caste, comme les pharisiens ; il ne se les agrège qu'à bon escient, et, pour
ainsi dire, après contrôle de leurs titres personnels.
Il ne s'impose à personne, il demande à chacun sa
libre coopération. Encore les conditions d'admission
sont-elles sévères, car il réclame des âmes bien
préparées, et dans celles-ci, il ne se développe que
dans la mesure de leurs bonnes dispositions.

Le Sauveur ne combat pas le préjugé des Juifs qui
attendaient la soudaine venue du royaume avec
force et magnificence, mit Macht und Herrlichkeit
(Fonck). Il vise plutôt cet autre préjugé d'après
lequel les Juifs devaient être indistinctement les
fils du royaume, quelles que fussent d'ailleurs leurs
dispositions morales. Les Juifs croyaient que l'entrée
au royaume avec tous les bénéfices escomptés par
leurs sens grossiers, serait une question de religion
et de race. Le Sauveur leur apprend qu'elle ne sera
qu'une question de vertu.

L'enseignement est digne de cette belle parabole.
Si on a pu s'y méprendre, c'est qu'on s'est tenu au
concept générique d'une semence, laquelle est en
effet *petite et imperceptible*, au lieu d'analyser le
concept particulier que la parabole envisage.

Mentionnons en finissant une application *accom-
modatice* qui a joui d'une réelle vogue auprès des
anciens auteurs. Dom Calmet en résume les traits
essentiels : « Saint Augustin attribue le centième
aux martyrs, le soixantième aux vierges, et le trentième aux personnes mariées. Saint Jérôme donne
le centième à ceux qui gardent la continence, le
soixantième aux veuves, et le trentième à ceux qui

gardent la chasteté conjugale dans le mariage. L'auteur de l'*Ouvrage Imparfait* sur saint Matthieu veut que les martyrs portent le centuple ; ceux qui quittent tout pour suivre Jésus-Christ le soixantième, et ceux qui se contentent de l'observation commune des préceptes, le trentième. Théophylacte donne le premier rang aux anachorètes, le second aux céno- bites ou religieux vivant en communauté, et le troisième aux personnes mariées » (306, 307).

Le blé qui lève tout seul

(saint Marc, IV, 26-29).

²⁶ Et il disait : Il en est du royaume de Dieu comme
de quelqu'un qui aurait jeté en terre la semence. ²⁷ Qu'il
dorme ou qu'il se lève, la nuit, le jour, la semence germe
et pousse il ne sait comment. ²⁸ C'est la terre toute seule
qui produit d'abord la tige, ensuite l'épi, ensuite le froment
plein l'épi. ²⁹ Et quand le fruit s'y prête, vite il y met la
faucille, car la moisson est à point.

I. — TABLEAU

Circonstances historiques. — La parabole *du blé
qui lève tout seul* est spéciale à saint Marc. Elle n'a
pas d'équivalent dans les deux autres synoptiques.
Elle figure dans le deuxième évangile entre la
parabole *du semeur* et celle *du grain de sénevé.*

Est-elle bien à sa place en cet endroit ? Aucun
exégète n'a envisagé ce petit problème chronologique avec plus de pénétration et de sage réserve
que Maldonat. « Que cette parabole ait été proposée
au même lieu et au même temps que la précédente,
ce n'est pas certain, *non satis constat.* Le fait que
l'évangéliste l'enregistre en cet endroit, nous l'avons
dit plusieurs fois, n'est pas un argument suffisant,
car il a pu, comme il l'a fait parfois, grouper
dans un même contexte de temps et de lieu des
choses qui ont été dites par le Christ en divers lieux
et en divers temps, *quod enim Evangelista eodem
loco recenseat, non satis, ut saepe diximus, argu-
menti est, quia potuit, ut facit aliquando, quae
diversis locis atque temporibus a Christo dicta*

42

*fuerant, eodem loco et quasi eodem tempore reci-
tare.* Cependant il est plus probable qu'elle a été
prononcée dans les mêmes circonstances que la
précédente sur *la bonne semence.* L'une et l'autre
sont très apparentées ; dans l'une et dans l'autre il
est question de semence. Au surplus, nous savons
que le Christ avait souvent coutume d'envelopper
le même enseignement de paraboles diverses »
(728²).

Les semailles. — *Il en est du royaume de Dieu
comme de quelqu'un qui aurait jeté en terre sa
semence.* L'expression de l'original déconcerte les
puristes qui ne la retrouvent pas dans les bons
auteurs : οὕτως ἐστὶν ἡ βασιλεία τοῦ θεοῦ ὡς ἄνθρωπος.
Admettons que la tournure soit un peu embarrassée ;
du moins le sens général est-il clair. La semence
n'est pas jetée en terre sous nos yeux. Elle est déjà
semée. La parabole n'insiste donc pas sur le fait
des semailles, comme dans *le semeur*, pour nous
dire dans quelles conditions, dans quelle sorte de
terrain elles furent faites. Il ne s'agit ici que d'une
action passée, accomplie avant la scène nouvelle à
décrire. La leçon porte exclusivement sur le développement de la semence. On fait allusion à l'acte du
semeur uniquement parce qu'il est nécessaire d'avoir
semé pour que le grain germe et croisse.

Remarquons également en quel rôle discret se
tient le semeur de cette parabole. Son acte n'est
signalé qu'au passé, βάλῃ : *un semeur qui aurait
jeté en terre sa semence.* Le reste du temps, il
vaque à ses affaires quotidiennes ; il n'a plus à
intervenir dans le développement d'une semence
qui échappe, sinon à son contrôle, du moins à sa
science et à sa puissance. C'est la terre qui produit
toute seule ; c'est le grain qui lève tout seul.

Le semeur n'y est pour rien. Il ne reparaîtra qu'au temps de la moisson : *et quand le fruit s'y prête, vite il y met la faucille.* Ici encore le sujet du verbe *mettre la faucille* est tellement effacé qu'on peut se demander si c'est toujours le semeur du début ou un moissonneur indéterminé. La grammaire permet assurément de traduire comme nous l'avons fait : *vite il y met la faucille,* c'est-à-dire le semeur ; mais nous n'oserions condamner ceux qui, à la suite de dom Calmet, ne reconnaissent ici que des moissonneurs anonymes : *aussitôt on y met la faucille.*

De toute manière, nous aurons à le redire, ce manque de relief n'est pas favorable à l'hypothèse qui ferait du semeur la métaphore du Sauveur ou de ses prédicateurs. Dans *le ferment,* c'est une *femme* qui pétrit la pâte, et non un *homme,* parce que, en Orient, ce travail domestique est exclusivement réservé aux femmes ; ainsi pensons-nous que, dans la parabole présente, c'est un homme qui sème, et non plus une femme, parce que les semailles sont le travail exclusif des hommes.

On tiendrait compte de cette nuance intéressante en traduisant le verset évangélique : *Il en est du royaume de Dieu comme de quelqu'un.* C'est aussi la traduction de Klostermann-Gressmann : *So ist das Reich Gottes, wie wenn jemand Samen aufs Land austreut...*

La germination. — *Qu'il dorme ou qu'il se lève la nuit, le jour.* Nous croyons plus élégant, et non moins fidèle, de couper ainsi la période grecque pour constituer une phrase indépendante. — Le commentaire de Maldonat ne manque pas de saveur : « Cela veut dire qu'il se repose les semailles faites ; il a fini sa tâche. Il n'a plus à veiller nuit

et jour comme il le faisait au moment des semailles ;
désormais il se lève le jour, il repose la nuit, comme
un homme sans soucis ni occupations, *sed die sur-
gens et nocte dormiens, tanquam homo jam solutus
curis et otiosus* » (729 ').

Cette exégèse n'est pourtant pas exempte de subtilité, et pas davantage celle que nous proposent
certains commentateurs modernes : « Il dort et se
réveille non pas jour et nuit, mais selon qu'il fait
nuit ou jour » (Lagrange, 115). « Le laboureur a jeté
la semence sur la terre ; cela fait, il s'en va et ne
s'occupe plus du grain qu'il a semé ; il suit son train
de vie se levant le matin et se couchant le soir, sans
autre souci » (Loisy, ii, 763). Ces commentaires ont
peut-être le tort de ne pas serrer d'assez près le texte
évangélique. *Qu'il dorme ou qu'il se lève, la nuit, le
jour,* cela veut dire que le semeur *vaque à ses
affaires* — représentées par les termes habituels
dormir et se lever — le jour, la nuit, c'est-à-dire *en
tout temps...*

La semence germe et pousse il ne sait comment.
Sans que l'homme y soit pour rien, sans qu'il y fasse
quoi que ce soit, le grain confié à la terre germe
spontanément et fructifie.

A vrai dire, on ne voit pas ce que ferait de plus
à son champ emblavé un semeur oriental. Il est
rare qu'enfreignant l'ordre donné aux serviteurs
par le maître de *l'ivraie,* il passe parmi les touffes
de froment pour les débarrasser des herbes parasites. La règle, c'est que le semeur, les semailles
faites, ne revienne à son champ que pour la moisson.

Dans l'intervalle, le blé lève tout seul. Ce n'était
pas assez de dire : *qu'il dorme ou qu'il se lève, la
nuit, le jour, la semence germe et pousse il ne sait*

comment, il fallait préciser encore. Cette insistance est la manière de donner à un enseignement le relief convenable. Elle nous avertit en même temps de l'intention principale de l'orateur qui est ainsi discernée des leçons collatérales.

Le mot qu'on attendait est enfin prononcé : *c'est la terre toute seule qui produit. Toute seule,* αὐτομάτη, *ultro,* par opposition au semeur qui n'y fait rien de plus, mais non certes par exclusion de la providence divine, qui s'exerce par l'action bienfaisante des éléments, soleil, chaleur, lumière, pluie et rosée, vents et brise...

La terre produit seule. Remarquons cette accumulation de détails qui ne peut manquer d'être intentionnelle. *Elle produit d'abord la tige, ensuite l'épi, ensuite le froment plein l'épi,* πλήρης σῖτος ἐν τῷ στάχυϊ. L'énergie immanente de la petite graine est susceptible de parcourir toutes les phases d'existence qui constituent l'évolution parfaite d'une semence, du sillon à la faucille.

Reste à souligner le terme final. *Et quand le fruit s'y prête* (c'est le sens du grec παραδοῖ), *vite* (εὐθύς, l'adverbe préféré de saint Marc), *il y met la faucille,* car la moisson est à point (c'est encore le sens du grec παρέστηκεν).

II. — APPLICATION

Parabole ou allégorie ? — On ne peut éviter ici de rechercher si ce gracieux tableau est une allégorie, c'est-à-dire une série coordonnée de métaphores, ou une simple comparaison ou parabole.

Il était naturel que le voisinage des grandes allégories évangéliques, *la semence* et *l'ivraie,* portât

les exégètes à faire bénéficier *le blé qui lève* de la
même interprétation. Des paraboles voisines traitant de sujets analogues doivent avoir aussi une
parenté doctrinale...

La plus intéressante et la mieux ordonnée des
applications allégoriques est celle de Maldonat :
« Le royaume de Dieu, c'est manifestement
l'Église; la semence, c'est évidemment la prédication de la parole divine. Le champ, qui douterait
que ce ne soient les auditeurs qui, dans une parabole précédente, ont été qualifiés de terre bonne
ou mauvaise ? L'homme qui sème, c'est le Christ,
ou quiconque prêche l'évangile en son nom. La
moisson, c'est la mort, soit la mort universelle avec
la fin du monde, soit la mort individuelle. Le
moissonneur, c'est Dieu; la faux, l'ordre de Dieu
par lequel tels et tels individus sont moissonnés
par la mort » (728, 729 [1]).

Sans oser s'engager à fond sur les chemins de
l'allégorie, quelques exégètes modernes essaient du
moins de maintenir que le semeur est la métaphore
du divin Maître.

Toute chose bien pesée, nous estimons que le
semeur n'est la métaphore ni partielle ni totale de
Jésus, et qu'il ne saurait l'être. Il y a vraiment
trop de détails, dans cette physionomie du semeur,
qui ne conviennent pas au divin Maître. Le semeur
sème, dort, se lève, ignore la croissance et revient
faire la moisson : exactement cinq traits. Sur les
cinq, les trois du milieu ne conviennent pas à
Jésus, de l'aveu du P. Fonck et du P. Sainz qui
ne retiennent comme allégoriques que les semailles
et la moisson. Cela fait donc deux métaphores
sur cinq vocables. C'est peu. Cette inaptitude allégorique de plus de la moitié des traits invite à la

prudence quiconque voudrait faire de ce tableau une allégorie. Encore les deux métaphores prétendues n'échappent-elles pas à la critique, ainsi que nous l'avons dit. Les semailles ne figurent dans la parabole qu'au passé. Quant à la moisson, de bons exégètes estiment qu'il vaut mieux la mettre au compte d'un moissonneur anonyme plutôt qu'à celui du premier semeur. Convenons cependant que les semailles et la moisson présentent avec les phases correspondantes du royaume de frappantes analogies qui, mises davantage en relief, auraient pu, si le paraboliste l'avait voulu, être utilisées comme de véritables métaphores.

Dans l'état actuel du texte, nous croyons devoir conclure à la non-existence de l'allégorie. D'une manière générale, une expression non accentuée n'est pas une métaphore ; du moins la présomption n'est pas en sa faveur.

Leçon. — L'allégorie écartée, la parabole peut se ramener aux deux termes d'une comparaison :

De même que la semence, une fois jetée en terre, se développe toute seule, en vertu de ses énergies vitales, passant par toutes les étapes de son espèce, herbe, tige, épi et froment, sans plus avoir besoin des hommes jusqu'au moment de la moisson,

ainsi le royaume de Dieu, une fois fondé, possède une vertu immanente, suffisante pour assurer son plein développement jusqu'à la consommation finale.

La parabole ne nous renseigne donc pas sur la fondation du royaume, ni sur la conduite que Jésus adoptera vis-à-vis de son développement (contre Fonck et Saínz). Elle ne nous instruit pas davantage sur la manière ou l'époque de la consommation finale (contre Loisy et l'école eschatologique). Ces enseignements nous seront offerts par d'autres

paraboles, mais on ne saurait les tirer de celle-ci.
Tout ne se trouve pas dans tout.

Le divin Maître ne veut pas davantage marquer
ici que le royaume doive nécessairement passer
par des étapes successives et laborieuses avant
d'arriver à sa pleine perfection.

Il nous inculque seulement cette vérité que le
royaume possède un principe vital, suffisant pour
promouvoir son complet développement à travers
toutes ses évolutions organiques. Le mot principal
de la parabole était celui-ci : *c'est la terre toute
seule qui produit,* avec l'énumération de toutes les
phases du blé qui lève : semence, germe, tige, épi,
froment, moisson. La leçon principale sera donc :
c'est le royaume tout seul, par sa vertu propre, par
son énergie divine qui se développera jusqu'à la
dernière période de sa perfection. « Le Seigneur,
dit Maldonat, a voulu nous enseigner que la parole
de Dieu, une fois prêchée, sans que le prédicateur
lui donne désormais son concours, pousse d'elle-
même et porte fruit, *verbum Dei semel praedica-
tum, etiam nihil eo qui praedicavit agente praeterea,
per se crescere fructusque proferre* » (730[1]).

Le P. Huby écrit dans le même sens : « Le
règne de Dieu est semblable à ce grain de blé. Une
fois semé par le prédicateur de l'Évangile, il croîtra
infailliblement jusqu'à un point de maturité que
Dieu seul connaît. En le voyant débuter si petite-
ment, les disciples pouvaient se demander avec
inquiétude quelles seraient ses destinées. Jésus les
rassure. Lui, le semeur, pourra les priver de sa
présence sensible ; le règne de Dieu porte en lui-
même un principe de développement, une force
secrète qui l'amènera à son complet achèvement »
(116).

Cette leçon est assez belle et assez féconde pour
que l'on se tienne à ce juste milieu en se gardant
des extrêmes opposés. Dom Calmet représente un
extrême, puisque, pour lui, la parabole enseigne
que le royaume de Dieu mettra longtemps à
se développer : « La parole de Dieu ne porte pas
d'abord son fruit; elle ne le porte qu'avec patience,
comme dit le Sauveur dans saint Luc. Ainsi, que
ceux qui sèment, qui arrosent et qui plantent ne se
rebutent pas : il faut du temps à la parole de vie
pour prendre racine et parvenir à sa maturité » (34).
Loisy représente l'autre extrême, car il découvre
dans la parabole la proximité de la parousie : « Il
n'en est pas moins certain que la moisson viendra
sans tarder, car on ne sème que pour moissonner...
La perspective de la parousie est prochaine... Entre
le temps des semailles, la prédication de l'Évangile, et le temps de la moisson, l'avènement glorieux
du Messie, on place uniquement le travail de germination, le progrès de la parole et de la foi parmi les
hommes, qui dépend de Dieu seul » (1, 765).

Mais précisément ce travail de germination et de
développement se prête à des perspectives indéfinies.
La parabole se développe tout entière sur le plan de
la doctrine, en dehors et au-dessus du temps.
L'évolution de la semence durera autant qu'il le
faudra. Combien de temps durera-t-elle en réalité?
Nul ne le sait, et il n'importe. Le temps qu'il faudra,
le temps que Dieu voudra. Aucune hâte, ni aucun
retard. La juste mesure des règles divines. Une
seule chose est capitale, et celle-là seule est
affirmée : le royaume de Dieu se développera;
il possède une force incoercible qu'aucun obstacle
humain ne saurait contrarier.

Je ne crois pas que les apôtres, à ce moment de

l'histoire évangélique. se préoccupaient beaucoup
de la petitesse des débuts. Mais le jour où ils s'en
préoccuperont, ils se souviendront de la parabole
qui aura par avance répondu à leur besoin de savoir.

Ce qui est vrai du royaume collectif l'est encore
des âmes individuelles, non par accommodation,
mais dans le sens littéral *compréhensif*. Le P. Huby
a écrit là-dessus quelques lignes toutes remplies
d'expérience spirituelle, auxquelles on ne saurait
donner une diffusion trop considérable. « La croissance du règne de Dieu dans les âmes suppose
l'action invisible et constante d'un principe divin.
C'est une œuvre surnaturelle : donc elle ne se fait
pas par recettes. Il n'y a pas de formule magique
qui tienne en quatre mots et conduise infailliblement
à la perfection de l'union divine. C'est une œuvre
surnaturelle : donc elle ne se fera pas non plus par
des moyens violents, dans le tumulte et l'agitation...
Absence de tumulte, d'agitation, ne veut pas dire
absence d'effort, quiétisme indolent, mais l'effort
humain doit se modeler sur l'action divine, imiter
sa constance, son esprit de suite. Les choses de Dieu,
disait saint Vincent de Paul, se font peu à peu et
quasi imperceptiblement » (116, 117).

I. — INTRODUCTION

Le grain de sénevé.

Saint Matthieu, XIII, 31, 32.	Saint Marc, IV, 30-32.	Saint Luc, XIII, 18, 19.
31 Il leur proposa une autre parabole en ces termes : Le royaume des cieux est semblable à un grain de sénevé que quelqu'un a pris et semé dans son champ. 32 C'est la plus petite de toutes les graines. Mais, quand il a poussé, il est plus grand que les plantes potagères ; il devient même un arbre, en sorte que les oiseaux du ciel viennent se poser sur ses branches.	30 Et il leur dit : A quoi pourrions-nous comparer le royaume de Dieu, et en quelle comparaison le mettre ? 31 [Il est semblable] à un grain de sénevé, qui, mis en terre, est la plus petite des graines de la terre. 32 Mais, une fois semé, il pousse, devient plus grand que toutes les plantes potagères et fait de grandes branches, jusqu'à permettre aux oiseaux du ciel de venir se poser à son ombre.	18 Il disait donc : A quoi est semblable le royaume de Dieu et à quoi le comparerai-je ? 19 Il est semblable à un grain de sénevé que quelqu'un prit et jeta dans son jardin. Il poussa et devint un arbre, et les oiseaux du ciel se posèrent sur ses branches.

I. — INTRODUCTION

La parabole *du grain de sénevé* appartient au trésor commun des trois synoptiques. Saint Matthieu et saint Marc la mentionnent à la journée du lac, dans le contexte immédiat des autres paraboles : *semeur* et *ivraie* (Mt), *semeur* et *semence* (Mc). Mais saint Luc

nous ménage la surprise de la situer dans un contexte
fort différent. Pour le temps, nous sommes vraisemblablement à la fin du ministère; pour le lieu, dans
une synagogue de Galilée, un jour de sabbat; pour
les circonstances, Jésus qui vient de guérir la femme
courbée, répond vigoureusement aux représentations
pharisaïques du chef de la synagogue.

A lire le texte de la parabole dans les trois relations,
on n'hésiterait pas à reconnaître sous leurs légères
variantes le même récit, un seul et même récit,
d'autant plus qu'il est immédiatement suivi, en
saint Luc comme en saint Matthieu, de la même
parabole *du ferment*. Mais lorsqu'ils réfléchissent
à la diversité des circonstances de temps et de lieu,
la plupart des auteurs catholiques se demandent
si la parabole n'a pas réellement été prononcée
deux fois, une première fois à la journée du lac,
comme l'indiquent les deux premiers évangélistes,
la seconde fois dans les circonstances indiquées par
saint Luc. Les PP. Valensin et Huby rendent l'exacte
nuance de cette hésitation : « Cette parabole du grain
de sénevé est située par saint Luc dans un contexte
assez différent... Vraisemblablement l'évangéliste se
conforme à la source qu'il suivait ici et qui n'est ni
saint Marc ni saint Matthieu. *Il n'est pas d'ailleurs
impossible que cette parabole ait été prononcée deux
fois par Notre-Seigneur* » (261). Par où les savants
auteurs laissent entendre que le sentiment opposé ne
manque pas non plus de probabilité; peut-être a-t-il
à leurs yeux une probabilité plus haute.

Pour ne pas nous départir de la prudence qu'exige
toujours la solution d'un problème délicat, reconnaissons avec Knabenbauer et Fonck que Jésus a
parfaitement pu reprendre les mêmes paraboles
devant des auditoires différents. Cependant, si l'on

prend garde à la très vague transition qui, en saint
Luc, relie les paraboles *du sénevé* et *du ferment* à
l'épisode de la femme courbée et de la synagogue :
ἔλεγεν οὖν, *il disait donc*, peut-être éprouvera-t-on
moins de peine à envisager l'hypothèse que saint Luc
nous ait transmis deux histoires sans attache ferme
à un contexte déterminé. Du reste, saint Matthieu
et saint Marc n'ont pas en cet endroit des transitions
plus fermes.

Peut-être est-il donc préférable d'admettre que la
parabole a été prononcée une seule fois, à la journée
du lac plutôt que dans une synagogue galiléenne.

Les variantes qu'on relève dans les trois relations
synoptiques sont intéressantes sans être d'une
importance capitale. Jülicher en a poussé l'étude
jusqu'à ses dernières possibilités, animé du désir,
souvent illusoire, de déterminer à quelles sources ont
puisé les trois narrateurs et quelles influences
réciproques ils ont exercées les uns sur les autres.
Le résultat atteint, pensons-nous, ne vaut pas
l'érudition déployée. La solution la meilleure nous
semble être encore la plus simple. Le texte unique
du Maître, ponctuellement gardé dans sa substance,
a été rendu par les traditions orales, solidaires ou
indépendantes, du mieux qu'elles pouvaient. Actuellement, nous nous trouvons en présence de trois
rédactions, dont l'agréable variété fait ressortir la
substance identique sous un tissu presque pareil et
d'une couleur presque semblable.

Saint Marc emploie la somptueuse formule d'introduction, que les rabbins réservaient pour les
circonstances plus solennelles, et que Jésus savait
aussi employer à l'occasion : *A quoi pourrions-nous
comparer* (ὁμοιώσωμεν, avec l'hésitation du subjonctif)
le royaume de Dieu et en quelle comparaison le

mettre? Ce pluriel ne saurait être qu'une locution de majesté, ou simplement la formule pédagogique d'un maître qui associe ses élèves à la recherche de la vérité. Après la formule solennelle d'interrogation : *A quoi comparerai-je?* le rabbin poursuivait sans autre précaution : *A*, sous-entendu : *la chose est semblable à.* La meilleure traduction de saint Marc est donc la suivante : *A quoi pourrions-nous comparer le royaume?* [*Il est semblable*] *à un grain de sénevé,* ὡς χόχχῳ.

Saint Luc aussi emploie la grande formule avec un degré moindre de solennité. *A quoi est semblable le royaume de Dieu et à quoi le comparerai-je? Il est semblable à un grain de sénevé.* Du point de vue littéraire, cette rédaction améliore celle de saint Marc aux trois endroits qui pouvaient faire difficulté : Jésus n'associe plus son auditoire à l'invention de la parabole; il ne parle plus qu'au singulier : *A quoi le comparerai-je?* et il dit en toutes lettres : *le royaume de Dieu est semblable à,* ce que saint Marc, fidèle à la manière rabbinique, avait cru pouvoir sous-entendre.

Saint Matthieu qui a l'avantage de grouper jusqu'à sept paraboles dans un même chapitre, se devait de les relier par des transitions plus simples et plus souples. C'est ce qu'il a fait. *Il leur proposa une autre parabole en ces termes : Le royaume des cieux est semblable à un grain de sénevé.*

N'est-il pas nécessaire de reconnaître en cette incontestable variété la liberté d'allure que l'inspiration du Saint-Esprit laisse aux évangélistes conscients de rendre un même discours du divin Maître?

II. — Tableau

Le sénevé. — Les auditeurs de la parabole connaissaient tous la *sinapis nigra* des botanistes, la
vulgaire moutarde, *mustum ardens,* cette bizarre
plante, issue d'une toute petite graine. Cette semence
minuscule produit très rapidement un arbuste
vivace, toujours vert, peu agréable, et si fertile qu'un
seul sujet aurait tôt fait de peupler tout un verger,
et, si on le voulait, tout un canton. Mais que faire
d'un taillis ou d'une forêt dont les graines ne servent
qu'à une médecine parcimonieuse ou au repas des
chardonnerets?

On ne laisse donc pas le sénevé se multiplier à
sa fantaisie. L'exégète qui le cultive dans son jardin
pour la satisfaction d'une expérience évangélique,
se hâte de le supprimer, après une observation d'un
an ou deux, pour se soustraire à une gênante et peu
avantageuse fécondité.

Les sénevés expérimentés dans nos parterres de
Bethléem atteignaient une hauteur encombrante de
deux mètres et plus. En Galilée, province plus prospère, ils montent plus haut encore, au dire de
don Zéphyrin Biever, témoin autorisé : « La plante,
dit-il, est bien commune en Palestine, où, dans les
parties chaudes, comme par exemple au lac de
Tibériade et le long du Jourdain, elle atteint les
dimensions d'un arbre de trois à quatre mètres de
hauteur et devient même ligneuse à sa base... Les
chardonnerets surtout, qui paraissent être très
friands des grains de sénevé, viennent en foule se
percher sur les branches de cet arbre et en manger
les graines » (*Conférences de Saint-Etienne*, 1910-
1911, 281).

S'y percher, mais non y faire leur nid. Le sage
Maldonat, qui était aussi bon observateur qu'exégète, en avait fait la remarque. Tout son témoignage
vaut d'être cité pour sa candeur et son assurance.
« Comment une herbe peut-elle devenir un arbre ?
Il y a des gens qui se le demandent et qui en dis-
putent; mais ceux-là seuls, je pense, qui n'ont
jamais vu de sénevé. Dans les contrées les plus
chaudes, le sénevé dépasse de beaucoup la taille
d'un homme; là où il pousse en abondance, on
dirait une forêt. J'ai vu souvent en Espagne de
grands fours chauffés avec du sénevé en guise de
bois pour cuire le pain. Les oiseaux sont très friands
de ses graines. L'été, quand les graines sont mûres,
ils vont se poser sur ses branches pour s'en régaler.
Les branches sont assez fortes pour en supporter
des multitudes. Le texte le dit : *ita ut volucres caeli
veniant et habitent in ramis ejus. Habitare* est mis
pour *sedere*. Les nouveaux commentateurs ne devraient pas traduire *faire leur nid, nidulari* : ce
n'est pas la signification du mot, et puis cela ne
répond pas à la vérité. Moi qui ai parfois observé
de grandes forêts de sénevés, et qui ai souvent vu
des oiseaux perchés sur leurs branches, je n'y ai
jamais vu de nids, *nam ego, qui magnas aliquando
sinapis sylvas vidi, insidentes saepe aves vidi, nidos
non vidi* » (*saint Matthieu*, 279[1]).

Ce passage de Maldonat en appelle un autre de
dom Calmet, que je me reprocherais de ne pas reproduire : « Dans les pays chauds et dans les terrains
fertiles, les plantes deviennent d'une hauteur fort
au-dessus de tout ce qu'on voit dans nos climats.
Les voyageurs nous racontent sur cela des choses
surprenantes. On lit dans les Talmuds de Jérusalem
et de Babylone qu'un certain Simon avait un pied

de moutarde, qui devint si haut et si fort qu'un
homme aurait pu monter dessus sans le rompre.
On y lit aussi d'un autre pied de moutarde, qui
avait trois branches, dont l'une servait d'ombrage à
quelques potiers de terre, qui travaillaient dessous
pendant l'été. Cette branche seule donna trois caques
de moutarde. Cela ne doit pas paraître incroyable,
après ce que dit Josèphe d'une plante de rue, qui
était dans le château de Machéron, et qui était si
prodigieuse qu'elle égalait la grosseur et la grandeur
d'un figuier de ce pays-là. Elle y subsista plusieurs
années, et ne fut coupée que pendant la dernière
guerre des Juifs » (*saint Matthieu*, 310).

Ces agréables observations nous dispensent de
plus amples commentaires. Disons seulement que
la graine de sénevé, sans être absolument la plus
petite des semences, est assez menue pour justifier
l'expression de l'évangile. Jésus disait aux siens :
Si vous aviez de la foi comme un grain de sénevé!
Les rabbins disaient eux-mêmes couramment :
petit comme un grain de sénevé (Strack, 1, 669).

Mise en terre, la semence a vite fait de s'élever
au-dessus de tous les légumes, qu'ils rampent comme
les courges ou les pastèques, qu'ils montent comme
les tomates ou les aubergines. Ses allures d'arbuste
peuvent, presque sans hyperbole, le faire prendre
pour un arbre. L'arbre a de verdoyants et opulents
rameaux dont les fruits attirent les gourmands
chardonnerets ou les moineaux avides. Du reste où
ne se pose pas cette gent chanteuse et babillarde?
Maldonat nous a déjà prévenus que le verbe *habiter*
(κατασκηνοῖν ou κατασκηνοῦν) ne comportait pas en
l'espèce le sens original de planter sa tente, *nicher;*
le sens adouci de *se poser* est mieux en situation.

Particularités des trois rédactions. — Il nous reste à

relever les particularités littéraires de chacun de ces trois récits.

Pour la spontanéité et l'embarras de la période, saint Marc revendique le premier rang. Les PP. Valensin et Huby l'ont bien noté : « Dans le grec de saint Marc, elle (la parabole) est d'allure plus mouvementée, avec des parenthèses et des enclaves descriptives, qui ajoutent au pittoresque sinon à la fluidité de la phrase » (104). Le P. Joüon a-t-il raison de relever deux fautes de scribe dans la teneur actuelle du texte sacré : une répétition indue ou *dittographie* des mots *sur la terre* (ἐπὶ τῆς γῆς), une autre répétition moins explicable encore? ...« Μικρότερον ὄν... des éditions critiques, écrit-il, est grammaticalement difficile; je me demande si ce ὄν n'est pas dittographique de la finale ον qui précède; l'intrusion de ὄν aura pu provoquer la disparition d'un ἐστίν » (205, 206). Confirmées, ces deux hypothèses auraient pour effet d'adoucir le texte sacré, partant nos difficultés exégétiques. Il est douteux cependant qu'elles soient acceptées, la deuxième surtout, qui est raffinée. L'explication du P. Lagrange qui voit dans l'expression μικρότερον ὄν « une sorte d'accusatif absolu » (119) serre la difficulté de plus près, sans l'éclaircir entièrement. Ne serait-il pas tout indiqué de reconnaître ici, à la manière de Wellhausen, une négligence de style, le solécisme d'un helléniste moins exigeant que d'habitude, un tour de phrase moins heureux qui, pour une fois, fausse compagnie à l'élégance ou à la correction? Nous devons être surpris de ne pas rencontrer en plus grand nombre ces imperfections littéraires sous la plume d'auteurs araméens, qui n'étaient pas immédiatement préparés au métier périlleux d'écrivains grecs.

A travers ces dittographies ou ces négligences, la

phrase de saint Marc avance assez péniblement. On
la traduirait mot à mot : [*Il est semblable*] *à un
grain de sénevé qui, lorsqu'il a été semé sur la terre,
étant plus petit que toutes les semences qui sont sur
la terre..., et lorsqu'il a été semé, il pousse...*

En regard, le texte de saint Matthieu nous procure
la jouissance d'une rédaction tout unie. Négligences
à part, la pensée est la même. On précise que c'est
un *homme* qui sème la graine; *dans son champ*, plutôt que *dans la terre*. La graine est toujours la plus
petite des plantes potagères; elle pousse, dépasse
tous les légumes. Au lieu de dire qu'elle a de grandes
branches, on spécifie qu'elle devient un arbre, et
les oiseaux du ciel viennent se poser sur ses
rameaux.

Saint Luc se fait remarquer par une extrême
concision. *L'homme* jette la graine dans son *jardin;*
elle pousse, devient un arbre et les oiseaux du ciel
viennent se poser sur ses branches. L'évangéliste
n'a pas jugé à propos de spécifier que la graine était
d'abord toute petite, ses lecteurs étant sans doute au
courant de cette élémentaire botanique. Il était
également superflu de spécifier qu'elle dépassait en
hauteur les vulgaires légumes, puisqu'elle devenait
un arbre capable d'abriter de nombreux oiseaux.

III. — APPLICATION

Leçon principale. — La leçon principale tient dans
le contraste entre les deux points extrêmes du
sénevé : au point de départ, très petite semence; au
point d'arrivée, la plus grande de toutes les plantes
du jardin, bien plus, une sorte d'arbre aux grandes

branches, capables de servir de gîte aux oiseaux du ciel.

La petitesse des origines, avons-nous dit, n'est pas signalée par saint Luc avec l'insistance qu'y mettent les deux autres évangélistes. Ceux-ci lui donnent tout son relief, ne craignant pas, pour augmenter l'effet, de recourir à une innocente hyperbole : un grain de sénevé, *la plus petite de toutes les semences*.

L'importance du développement final est signalée uniformément par les trois narrateurs. Les trois marquent l'étonnant progrès de la plante : elle monte, elle pousse (Mc.), elle augmente (Mt. et Lc.) ; et si saint Matthieu et saint Marc sont seuls à noter qu'elle dépasse en hauteur les autres plantes du potager, saint Luc les rejoint pour constater qu'elle devient un arbre dont les branches abritent les oiseaux du ciel. La mention des légumes n'ajoute pas à l'avantage qui revient au sénevé de sa qualité d'arbre. Mais elle nous prépare à la description de son développement final : *le sénevé devient plus grand que tous les légumes et il fait de grandes branches* (Mc.) ; *il devient plus grand que tous les légumes et il devient un arbre* (Mt.).

Entre les deux points extrêmes marqués d'une ligne ferme, on peut se demander si le divin Maître n'a pas voulu encore signaler, comme leçon à retenir, l'étape intermédiaire de la *croissance*. A ce sujet nous entendons des avis diamétralement opposés. « L'attention ne se porte pas sur le caractère progressif du développement, mais sur la différence extraordinaire du point de départ et de la fin » (Loisy, I, 770). — « Cet élément de croissance se trouve dans les trois (synoptiques) et marque la pointe de la parabole, laquelle n'est donc pas dans

le simple contraste du petit au grand. Jésus semble
dire : prenez patience, il y faut du temps » (Lagrange,
Mat. 270).

Nous croyons qu'il y a excès dans l'un et l'autre
sentiment, surtout dans le second. La croissance est
assurément un élément essentiel de la parabole,
puisqu'elle figure en bonne place dans les trois
rédactions, mais elle « ne marque pas la pointe de
la parabole ». Lorsque le divin Maître veut faire de
l'accroissement la leçon principale, il s'exprime de
tout autre manière, comme dans *la semence qui lève
d'elle-même : C'est la terre toute seule qui produit
d'abord la tige, ensuite l'épi, ensuite le froment
plein l'épi. Et quand le fruit s'y prête, vite il y met
la faucille, car la moisson est à point* (Mc. IV, 28,
29). Une pareille énumération signale pour elles-
mêmes toutes les étapes du grain de blé, des
semailles à la moisson. Dans ce cas, il est absolument certain que ces étapes représentent la leçon
principale de la parabole.

Il n'en est pas de même *du sénevé,* où le progrès
n'est mentionné qu'en passant. Ce progrès est un
élément constitutif du développement final; mais il
n'est signalé que pour donner à ce dernier tout son
relief. Loisy a bien noté ailleurs cette nuance : « De
même que le grain de sénevé lorsqu'on le jette en
terre, le royaume de Dieu est presque imperceptible
dans son commencement, *mais il grandira,* et sa
merveilleuse expansion paraîtra tout à fait dispro-
portionnée avec l'exiguïté de ses débuts » (I, 770).
Mieux encore les PP. Valensin et Huby : « De même
que ce petit grain, semé dans un jardin, *croît jusqu'à devenir un arbre...* » (*Lc.* 261).

Parabole ou allégorie? — Ce point acquis, il nous
faut encore vérifier la réelle portée de quelques

autres détails de la parabole, en nous demandant
s'ils y jouent le rôle de métaphores, de simples ornements littéraires ou de traits paraboliques.

On peut dire que le courant des exégètes va plutôt
à l'allégorie, même s'ils témoignent habituellement
pour ce genre littéraire une défiance exagérée. « Il
est probable que les évangélistes entendent allégori-
quement tout ou une partie de la parabole; que
Matthieu voit dans le semeur Jésus, dans le champ
le monde, dans le sénevé la société chrétienne, dans
les oiseaux les convertis de toute nation » (Loisy,
771 ; Jülicher, 576). « La graine, plantée dans le jardin du semeur, est peut-être allégorique pour indiquer la parole dans la terre du peuple de Dieu.
Peut-être aussi Luc a-t-il pensé que les oiseaux
figuraient les Gentils... » (Lagrange, *Lc.* 385, 386).

Etant donné les habitudes parénétiques de leur
exégèse, il n'est pas surprenant que les Pères aient
envisagé diverses applications de ce genre. De leurs
commentaires il ressort du moins qu'il n'existe pas
chez eux de tradition ferme et que leurs explications
sont des essais plutôt que des enseignements
dogmatiques. Saint Jérôme nous en est une preuve :
« L'homme qui sème dans son champ, dit-il, est la
plupart du temps entendu du Sauveur qui sème
dans les âmes des fidèles, *homo qui seminat in
agro suo a plerisque Salvator intelligitur, quod in
animis credentium seminet.* Mais d'autres l'entendent
de l'homme qui sème dans son propre champ, c'est-
à-dire en lui-même et dans son cœur, *ab aliis ipse
homo seminans in agro suo, hoc est, in semetipso et
in corde suo.* » Saint Jérôme a plus d'attrait pour
cette dernière interprétation, car il la développe avec
complaisance. « Celui qui sème, qui est-il sinon
notre intelligence et notre âme, lesquelles, une fois

reçue la graine de la prédication et la semence une
fois arrosée des eaux de la foi, la font *croître
dans le champ du cœur? *quis est iste qui seminat,
nisi sensus noster et animus, qui suscipiens granum
praedicationis, et fovens sementem humore fidei,
facit in agro sui pectoris pullulare?* » (xxvi, 90).

Dans cet ordre de choses, les applications sont
affaire de préférence personnelle. Plutôt que de s'essayer à une exégèse tâtonnante, peut-être serait-il
bon de s'abstenir, comme le font ici les PP. Valensin
et Huby, qui se contentent d'expliquer la parabole
comme une comparaison. Nous y sommes invités
par la discrétion des évangélistes. Que l'on compare
le rôle prépondérant du semeur dans la grande parabole *du semeur* et son rôle très secondaire dans cette
petite comparaison *du sénevé*. Ici, l'homme sème la
graine dans son champ ou la jette dans son jardin.
C'est tout; cela fait, il disparaît. Son rôle est si effacé
que saint Marc le supprime : *Il est semblable à un
grain de sénevé qui, mis en terre,* ὅταν σπαρῇ. La
petite semence n'est plus confiée à la terre que par
une main anonyme.

Ce manque de relief, nous le savons, n'est pas
favorable à la métaphore; il dénote que l'intention
allégorique est absente. C'est pourquoi nous avons
cru devoir traduire : *Le royaume des cieux est
semblable à un grain de sénevé que quelqu'un a pris
et semé dans son champ...*

Nous ne dirons pas avec la même assurance que
les oiseaux du ciel ne représentent pas les peuples
de la terre. La métaphore est classique dans le style
des prophètes depuis Ezéchiel (xxxi, 6) et Daniel
(iv, 9, 18). Pourtant on ne peut s'empêcher de penser que les oiseaux viennent uniquement se poser
sur les branches du sénevé pour nous faire voir à

quel point la petite graine est devenue un arbre magnifique. C'est l'avis de Maldonat qui fait preuve une fois de plus d'une véritable pénétration en matière d'exégèse parabolique. « Il n'y a pas lieu, dit-il, de rechercher ce que signifient les oiseaux du ciel, parce que le Christ les mentionne non pour nous révéler quelque mystère, mais uniquement pour signifier la grandeur et la résistance d'un arbuste capable de porter les oiseaux qui s'y perchent. *C'est pourquoi ce n'est pas un élément de parabole; comme j'ai coutume de m'exprimer, ce n'est qu'un emblème, itaque non est, ut soleo dicere, pars parabolae, sed emblema* » (*ibid.* 279²).

Plutôt qu'un *détail littéraire* ou un *emblème*, nous dirions un *trait parabolique,* attendu qu'il fait ressortir les qualités de l'arbuste issu de la graine. C'est en ce sens peut-être qu'il faut entendre la conclusion du P. Durand : « Encore que ce détail n'ait rien d'invraisemblable, il suffit pourtant que sa mention ici *donne du relief au caractère arborisant du sénevé* » (232).

Résumé. — Nous pouvons maintenant ramener la parabole aux deux termes d'une comparaison :

De même que la très petite graine de sénevé, mise en terre, se développe jusqu'à devenir un arbuste grand et fort,

ainsi le royaume de Dieu passera des plus humbles débuts aux accroissements les plus inattendus et les plus magnifiques.

Tel est, à peu d'exceptions près, le sentiment des commentateurs. Le P. Huby : « La pointe de la parabole ne porte pas ici... sur l'infaillibilité du développement du Règne de Dieu jusqu'à son complet achèvement, mais sur le contraste entre la petitesse des débuts et l'amplitude merveilleuse de l'expan-

sion » (105). Maldonat : « La parabole nous montre
l'étonnante force qu'a la bonne semence de l'évangile, et de quels débuts infimes il passe à quels
développements, *et ex quo parvo initio in quam
admirandam magnitudinem excrescat* » (278¹).

Que faut-il entendre au juste par royaume de
Dieu? Maldonat le dit encore : « Je ne doute pas
qu'ici, comme dans les paraboles précédentes, le
royaume de Dieu ne signifie l'évangile, ou, ce qui
revient au même, la foi, la doctrine évangélique, la
parole de Dieu, suivant ce qu'en disent Ambroise,
Chrysostome..., Jérôme, Bède, Augustin » (278¹).
On pourrait ajouter la *société des fidèles gagnés
à l'évangile.* En somme, tous les aspects que comporte la riche notion du royaume de Dieu.

Nous croyons même que la parabole peut être
appliquée dans un *sens compréhensif,* qui est encore
un *sens littéral,* au fidèle qui fait partie du royaume,
ce qui est vrai de la collectivité l'étant de l'individu.
On dira donc avec le P. Huby : « L'histoire du
Règne de Dieu dans le monde se reproduit dans la
vie personnelle des chrétiens. Du germe de grâce
qui semble dormir dans l'âme d'un enfant baptisé,
ou des premières inspirations, encore confuses, qui
attirent un jeune homme vers la sainteté, Dieu fera
s'épanouir toute une floraison de vertus. Comme
instruments de ses grands desseins, il se plaît à
choisir ce qui est faible, méprisable aux yeux du
monde, des êtres de rien : des plus petites graines
il fait sortir les plus grands arbres. Il emplit les
paroles et les exemples d'une sainte Marguerite-
Marie, d'un (saint) curé d'Ars, d'une (sainte) Thé-
rèse de l'Enfant-Jésus, d'une telle puissance de vie
que leur influence rayonne dans le monde entier »
(120).

Accommodations. — Aussi nombreuses que les applications littérales sont les applications accommodatices. Citons entre autres celle que nous propose saint Jérôme, mais en la reprenant d'un peu haut pour citer également tout son commentaire *du grain de sénevé*. « La prédication de l'évangile est la plus petite de toutes les disciplines. Au premier abord, ce n'est pas une vérité qui mérite créance, attendu qu'elle prêche un homme-Dieu, un Dieu mort et le scandale de la croix, *hominem Deum, Deum mortuum et scandalum crucis*. Rapprochez cet enseignement des dogmes des philosophes, de leurs livres à l'éloquence splendide, à la diction châtiée, vous verrez à quel point la semence de l'évangile est la plus petite des semences. Mais laissez pousser la doctrine des philosophes : il ne s'y révèle rien de mordant, rien de vif, rien de vital, seulement des choses flasques, languides et molles, passant en légumes et en herbes qui bientôt sèchent et tombent. La prédication de l'évangile, au contraire, si petite au début, mise en terre dans les âmes des fidèles ou dans le monde entier, ne pousse pas à la manière des légumes, elle devient un arbre, au point que les oiseaux du ciel — entendons les âmes fidèles ou les vertus déployées au service de Dieu — viennent habiter dans ses branches » (xxvi, 90).

Ce qui suit est davantage du domaine de l'accommodation. « Les rameaux de l'arbre évangélique sont, à mon sens, les dogmes variés où chacun des oiseaux susmentionnés peut venir se poser. »

Ceci est non moins agréable et non moins inattendu. « Prenons donc nous aussi les ailes de la colombe, volons au sommet et nous posons sur les rameaux de cet arbre, faisons-y notre nid doctrinal ; fuyons la terre, hâtons-nous vers le ciel, *assumamus et nos pennas columbae, ut volitantes ad altiora, possimus habitare in ramis hujus arboris, et nidulos nobis facere doctrinarum, terrenaque fugientes, ad caelestia festinare* » (ibid.).

Le ferment.

Saint Matthieu,
XIII, 33.

Il leur dit une autre parabole : Le royaume des cieux est semblable au levain qu'une femme prend et mêle à trois séahs de farine, jusqu'à ce que le tout ait fermenté.

Saint Luc,
XIII, 20, 21.

[20] Il dit encore : A quoi pourrais-je comparer le royaume de Dieu ?
[21] Il est semblable au levain qu'une femme prend et mêle à trois séahs de farine jusqu'à ce que le tout ait fermenté.

I. — TABLEAU

La parabole *du ferment* est propre à saint Matthieu et à saint Luc, qui la situent respectivement dans le même cadre que la parabole *du sénevé*. En saint Matthieu, elle appartient à la journée du lac. En saint Luc, il semble qu'elle ait été prononcée dans une synagogue de Galilée, un jour de sabbat; mais il se pourrait que ce ne fût là qu'une apparence résultant de transitions volontairement indéterminées : *il leur disait donc* (18), *il dit encore* (20). Si la parabole n'a été prononcée qu'une fois par le divin Maître, il conviendrait sans doute de l'attribuer à la journée du lac, la grande journée évangélique des paraboles.

Nous avons déjà dit que saint Matthieu, quand il groupe un certain nombre de paraboles, aime à les unir par des formules simples et souples : *Le royaume des cieux est semblable à...* Saint Luc retient volontiers la partie la plus imposante de la formule solennelle : *A quoi pourrais-je comparer le royaume de Dieu? Il est semblable à...*

La farine et la pâte. — A cette variante près, le texte de la parabole est absolument identique dans les deux évangélistes. *Le royaume... est semblable au levain qu'une femme prend et mêle à trois séahs de farine...* Les propriétés du levain sont connues. La préparation de la farine et la cuisson du pain sont, en Orient plus qu'ailleurs, l'affaire des femmes. Le matin, dans les villages que n'a pas encore envahis la civilisation occidentale des moteurs à pétrole, l'antique petit moulin à bras commence à bruire. La femme moud la farine qui servira aux besoins de deux ou trois jours; elle la pétrit de ses mains, et bientôt, après quelques heures de fermentation, les ruelles et les cours des maisons s'emplissent de ménagères qui s'acheminent vers les fours des particuliers ou vers les fours publics, portant sur leur tête le grand bassin de bois, aux bords évasés, rempli de pâte levée. Dans ces contrées, la rareté du combustible recommande la pratique des fours communs.

La parabole ne nous présente ici que la scène préliminaire : la femme mêlant à la pâte le levain qui doit la transformer et lui donner la saveur particulière du pain fermenté.

La quantité de pâte apprêtée, *trois séahs,* peut sembler énorme. Pour la réduire, les commentateurs répètent volontiers qu'à l'époque de Notre-Seigneur les mesures de capacité avaient perdu environ la moitié de leur valeur. Jülicher et Loisy évaluent ainsi *l'épha* à une vingtaine de litres. Cependant, d'après saint Jérôme, le *séah,* qui était le tiers de *l'épha,* valait un boisseau et demi, *unum et dimidium modium,* ce qui représente une capacité

de 13 lit. 131, le boisseau ou *modius* valant
8 lit. 754. C'est encore le chiffre de Strack et Billerbeck (1, 670), qui admettent pour l'épha la
capacité totale de 39 lit. 393. Le P. Barrois propose
également la valeur de 39 lit. 384 (*RB.*, 1931, 242).

Les savants juifs ont relevé ce détail concret.
Un *qab* de farine — le *qab* était la sixième partie
du *séah* — donnait trois galettes de pain, et le séah
dix-huit (*ibid.*). A ce compte, l'épha en aurait
donné cinquante-quatre.

Il faut croire que les galettes étaient beaucoup
plus volumineuses que celles d'aujourd'hui. De nos
jours, les ménagères de Bethléem avec deux *rotols*
et demi (sept kilos et demi) de farine font sept
fournées de sept galettes chacune, au total 49 galettes.
Avec un épha ou 39 lit. 393, elles en feraient 257.
Toute une boulangerie ! Que faire dans une famille
d'une telle quantité de pain ?

Nous avons demandé ce que mange en moyenne
aujourd'hui une personne adulte. Dans une famille
de quinze membres, chaque personne ne consomme journellement qu'une galette et demie ;
dans une autre de huit membres, chaque personne
en mange jusqu'à trois.

En admettant pour le foyer de la ménagère
évangélique le nombre fort de quinze à dix-huit
personnes, à raison de trois pains modernes par personne et par jour, la fournée d'un épha représenterait la provision de cinq jours. C'est encore trop.

Nos ménagères de Bethléem cuisent le pain pour
deux ou trois jours, été et hiver. L'hiver, le pain
de *taboun* se conserve plusieurs jours, à la rigueur
toute une semaine ; l'été il moisit après deux ou
trois jours. La règle, c'est qu'on fait le pain trois
fois par semaine.

Observons cependant que l'épha de farine est la
quantité constamment préparée pour les repas
bibliques. L'aimable candeur de Calmet se com-
plaisait au relevé des textes : « Il semble, dit-il,
que l'épha était la mesure ordinaire que l'on cuisait
à la fois. Abraham fit cuire trois *sata* pour donner
à manger aux trois anges qu'il reçut. Gédéon cuisit
la même quantité de pain lorsqu'il voulut traiter
l'ange qui lui était apparu. Anne, mère de Samuel,
apporta au tabernacle un épha ou trois séahs de
farine, lorsqu'elle y vint offrir le jeune Samuel »
(*saint Matthieu,* 311).

Mais on sait déjà que, dans ce commentaire,
nous ne sommes nullement gêné par une donnée
sortant de l'observation habituelle et dépassant la
nature. Le genre parabolique s'accompagne fort
bien d'éléments extraordinaires dont l'emploi se
justifie par l'intention pédagogique de l'auteur ou
de l'écrivain. En l'espèce, il convenait au divin
Maître de prendre comme exemple une quantité
de farine largement suffisante pour manifester la
vertu du levain, et il ne pouvait mieux faire que
de choisir l'unité de capacité, *l'épha ou trois séahs
de farine*.

La fermentation. — *La femme prend le levain et
le mêle à la pâte.* Nous dirions simplement dans
nos langues modernes que la femme mêla son
levain à la pâte. Mais un auteur sémitique relève
volontiers ce geste de *prendre,* préparatoire à l'action
de *mêler,* qui seule nous intéresse. Celle-ci est visiblement la principale; elle consiste à introduire le
levain dans la pâte et à pétrir le tout ensemble.
Le texte dit *cacher,* mais il faut entendre le mot
au sens adouci, comme l'expliquait déjà Maldonat,
miscuit, ita confudit ut non appareret, quasi

abscondisset (281¹). Le levain reste naturellement mêlé à la pâte et il y est en travail jusqu'à la fin de la fermentation. La formule employée pourrait peut-être donner le change. Mais le P. Joüon a montré par des analogies qu'il ne saurait subsister de doute sur le sens d'une expression nettement sémitique : « *Jusqu'à ce que* est employé à la manière sémitique... On se contente de noter l'action initiale. Comparez par exemple I Rois 3, 1 : Il l'introduisit dans la cité de David (*et l'y laissa*) jusqu'à ce qu'il eût fini de bâtir son palais; Act. 13, 21 : Ils introduisirent le tabernacle... (*et il y resta*) jusqu'au temps de David » (89).

Lorsque la pâte entière a fermenté, a-t-elle considérablement augmenté de volume? Les commentateurs semblent le supposer. A tort, semble-t-il, car nous n'avons pas le droit d'introduire après coup dans une parabole un élément essentiel que le divin Maître n'y a pas introduit. A tort encore, cet accroissement supposé ne répondant pas à la réalité. « C'est à peine si, après la fermentation, le pain des Orientaux a un peu plus de volume. La différence est dans le goût à la suite d'une transformation intérieure » (Lagrange, *saint Luc,* 386). Mieux que les commentateurs, les ménagères palestiniennes peuvent nous renseigner. Voici les informations que nous avons recueillies à cette source autorisée.

«Les *paysannes* et les *bédouines* utilisent un levain violent de *doura* (sorte de maïs) et d'orge. Dans une quantité ordinaire de farine, deux ou trois *rotols,* elles mettent jusqu'à sept boulettes de ce ferment. Aussi le levain saisit-il la pâte d'une manière virulente et en augmente-t-il le volume jusqu'à le tripler! En une heure et demie, la fermentation est accomplie. Mais il faut voir ce pain!

Noir, épais, grossier, acide, s'en allant très vite en
miettes et très vite atteint par la moisissure. Du
vrai pain de *fellaḥ !*

« Nous autres, à Bethléem, nous ne forçons
jamais la fermentation. Une petite boule de levain,
grosse comme une figue, pour deux *rotols* et demi
de farine. La fermentation se fait lentement, lentement. D'ordinaire, nous pétrissons la pâte le soir ;
elle fermente toute la nuit et se repose. Le matin,
au petit jour, on procède à la cuisson...

« Sous l'effet de la fermentation, le volume se
double environ. La pâte remplissait la moitié du
bassin ; après fermentation, le récipient est rempli.
S'il déborde, c'est que la fermentation a été trop
violente et le pain risque d'être acide comme du
pain de paysan... »

II. — Application

Leçon principale. — N'eût été le voisinage du
sénevé, les commentateurs se seraient mieux appli-
qués à l'étude directe de cette comparaison ; ils
n'auraient pas eu de peine alors à en relever les
caractères constitutifs et distinctifs. Malheureusement ce voisinage risque de donner le change. Puisque les deux paraboles ont un air de parenté, pourquoi *le levain* ne répéterait-il pas exactement la
leçon *du sénevé ?*

Nombreux sont les auteurs qui se sont engagés dans
cette voie. « Cette parabole a la même signification
que la précédente » (Calmet, *saint Matthieu,* 310).
« Le sens primitif de l'application pourrait être le
même que pour la parabole du sénevé : Jésus fait
valoir le contraste d'une cause chétive en apparence
et d'un petit commencement avec un grand résultat »

(Loisy, 772). Jülicher, qui partage ce sentiment, est
peut-être le seul qui essaie de le justifier. « Chaque
Israélite, dit-il, savait alors dans quel rapport étroit
la masse de levain était avec la masse de la pâte.
Un peu de ferment, disait Paul aux Corinthiens
(I Cor. v, 6; Gal. v, 9) corrompt toute la masse »
(577). Pour une fois, Jülicher se départ de l'exacte
observation des faits qui doit être la règle imprescriptible de notre exégèse parabolique. Il raisonne
comme si le ferment ne se prêtait qu'à une leçon
morale, et comme si Notre-Seigneur devait nécessairement s'exprimer comme saint Paul. C'est une
faute qui entraîne un contresens. Si le divin Maître
avait voulu nous inculquer un tel enseignement, il
se fût exprimé comme dans *le sénevé*, en insistant
sur la petitesse du levain par rapport à la quantité
de la pâte à lever, ou par rapport au développément
acquis par la pâte fermentée. Aucune indication de
ce genre. Il se contente de la vague formule : *Le
royaume est semblable au levain*... Grande ou petite,
nous ignorons la quantité du ferment employé. Si
on ne précise pas, c'est que la quantité est ici chose
négligeable et n'est pas un élément essentiel de la
parabole. On en fait abstraction. On n'envisage que
le ferment en lui-même, avec sa vertu transformante.
C'est la *force intensive* du levain qui nous est ici
présentée, au lieu que *le sénevé* nous montrait sa
force extensive. Les deux paraboles n'ont donc pas
la même signification, encore qu'elles se rapportent
à un même sujet : les vertus admirables du royaume.

C'est ce qu'ont bien compris les derniers exégètes.
« La parabole du grain de sénevé nous révélait la
future expansion du royaume; celle du levain
nous dit sa mystérieuse vertu » (Valensin-Huby,
263). La parabole du levain « ajoute l'idée d'éner-

gie... Il en sera du christianisme dans le monde,
comme du levain dans la pâte : force divine, cachée
et silencieuse, mais active, contagieuse, gagnant de
proche en proche et assimilatrice; jusqu'à ce que,
sous son action, toute l'humanité ait levé pour le
service et la gloire de Dieu. Ce jour-là, de même
que la pâte est devenue savoureuse par sa fermentation, le monde entier, transformé par l'Évangile,
aura regagné les complaisances de son Créateur,
parce qu'il aura retrouvé lui-même le goût des
choses de Dieu » (Durand, 233, 234).

Dès lors il est aisé de mettre en comparaison
l'enseignement de cette petite parabole :

De même que le levain introduit dans une certaine quantité de pâte suffit à la faire fermenter
tout entière,

ainsi le royaume de Dieu a la vertu de transformer
toutes les âmes qu'il réussit à atteindre.

L'analogie réside dans la vertu transformante du
levain et de l'évangile. Toute la pâte, fût-elle en
quantité considérable, le levain la transforme en
raison même de sa force interne, qui est contagieuse
autant que mystérieuse. Ainsi le royaume a-t-il une
vertu irrésistible de transformation par le dedans.
Des âmes qu'il touche, quel que soit leur nombre,
aucune ne lui échappe. Toutes celles qu'il atteint
sont radicalement transformées, comme toute la pâte
soumise à la contagion du levain. Et de même
qu'aucune partie de cette pâte n'échappe à l'action
du ferment, aucune fibre de ces âmes n'est sous-
traite à l'action surnaturelle du royaume.

Écoutons encore dom Calmet : « La doctrine
évangélique et la religion chrétienne, par des com-
mencements très faibles, ont insensiblement causé
dans le monde des changements extraordinaires.

On a vu une réforme visible dans les mœurs ; l'idolâtrie a été presque abolie ; la loi de Moïse perfectionnée, les coutumes des païens rectifiées, le règne du démon affaibli ou anéanti » (*ibid.* 310).

Les observations des PP. Valensin et Huby valent aussi d'être retenues. « Il en est du règne de Dieu, du christianisme, *comme du levain.* Partout où il pénètre, il exerce une action transformatrice. Individus, famille, cité, tout devient autre en devenant chrétien. Il n'est pas jusqu'à la notion antique du droit qui n'ait subi l'influence de l'Évangile. Et dans le monde où a été jeté le ferment du Christ, se manifeste une force divine pour le salut de tout homme qui croit » (263).

Loisy ne se défend de ces conclusions que par crainte de tomber dans l'allégorie. « On tomberait dans l'allégorie, écrit-il, en voyant figurées dans la parabole du sénevé la puissance extensive du royaume, et dans la parabole du levain sa force intensive, sa puissance de transformation, qui surmonteront toutes les difficultés » (772). Jülicher qui nous signifie d'avoir à renoncer à la thèse aimée (*beliebte These,* 579) *de la force extensive et intensive,* nous en donne aussi la raison : ce sont là *vieux restes d'exégèse allégorique* (580).

Les appréhensions de ces critiques sont parfaitement justifiées. Tout nous donne à penser que le levain, comme d'ailleurs le grain de sénevé, est la métaphore du royaume. De la comparaison à la métaphore, la distance est souvent imperceptible, la métaphore n'étant qu'une comparaison abrégée. Dans une parabole, la comparaison centrale qui prend tout le relief et supporte les analogies a toute chance d'être une métaphore. Si une parabole nous montre dans le royaume une vertu de croissance

semblable à celle du sénevé ou une vertu de transformation semblable à celle du levain, la présomption sera en faveur de la métaphore; nous n'hésite-
rons pas à dire que le royaume est un grain de
sénevé et un levain, entendant par là qu'il est représenté métaphoriquement par le levain et le sénevé.
C'est un sénevé qui croît et un levain qui transforme.

Accommodations. — Nous n'irons pas plus loin
dans la voie des applications allégoriques. Toutes
les autres applications — et elles abondent — saint
Jérôme les a lui-même qualifiées de pieux sentiments, *pius sensus,* nous dirions aujourd'hui de
pieuses accommodations. Lui-même, le saint Docteur, accumule les applications de ce genre, à propos de la femme ou des trois mesures de farine, pour
que le lecteur curieux ait de quoi choisir ce qui lui
plaît davantage, *ut curiosus lector e pluribus quod
placuerit, eligat* (xxvi, 91). Mais il nous avertit que,
si elle est douteuse, une exégèse de parabole n'aura
jamais l'autorité d'un sentiment dogmatique, *pius
quidem sensus, sed numquam parabolae et dubia
aenigmatum intelligentia potest ad auctoritatem
dogmatum proficere* (92).

Sous le bénéfice de ces précautions, saint Jérôme
rappelle que la femme de la parabole peut être la
prédication évangélique ou l'Église, *mulier ista, quae
fermentum accepit, et abscondit illud in farinae
satis tribus..., vel praedicatio mihi videtur apostolica
vel Ecclesia quae de diversis gentibus congregata est*
(91). L'Église met le ferment évangélique des saintes
Écritures dans les trois passions platoniciennes de
l'âme humaine, le *rationabile,* l'*irascibile* et le
concupiscibile, qui se trouvent ainsi être les trois
mesures de farine; ou bien elle mêle la foi de
l'homme à la foi au Père, au Fils et au Saint-Esprit...

C'est à la suite de ces applications que saint Jérôme formule son jugement : *pius sensus, dubia intelligentia...*

Les essais de Maldonat ne sont pas moins intéressants que ceux de saint Jérôme. Il se trouve partagé entre son intuition d'exégète et son désir avéré de conciliation. « Que la parabole mette en scène une femme plutôt qu'un homme, dit-il, j'estime que le seul motif à alléguer, c'est de dire que c'est l'office des femmes de pétrir le pain plutôt que celui des hommes. » Et cela est proprement de l'exégèse. La conciliation vient immédiatement après : « Cependant je ne saurais blâmer ceux qui entendent la femme de la sagesse divine, en quoi ils font de l'éloquence plutôt que de l'Écriture sainte, *etsi eos non reprehendo, qui concionantes potiusquam scripturam enarrantes, mulierem divinam sapientiam interpretantur* » (*saint Matthieu,* 280 [1]).

La suite n'est pas moins importante : « C'est pourquoi, ou bien la femme n'est pas un élément de la parabole, *aut pars necessaria parabolae non est,* et elle n'est mentionnée qu'à propos d'une occupation habituelle aux femmes », voilà pour l'exégète ; voici pour le conciliateur : « Ou bien, si c'est un élément de parabole, elle signifie le docteur évangélique qui introduit la parole de Dieu dans les âmes des auditeurs comme le ferment dans la pâte... »

Notons en terminant la belle application du P. Gratry : « Le principe est posé dans le monde : le ferment est mis dans la masse par cette femme qui a mis sur la terre le Fils de l'homme ; et lui, divin ferment, saura s'étendre à tout le genre humain. »

Le trésor

(saint Mathieu, xiii, 44).

Le royaume des cieux est semblable à un trésor caché dans un champ. L'homme qui le trouve l'enfouit (de nouveau); puis, dans sa joie, il s'en va vendre tout ce qu'il possède et il achète ce champ.

Les trois paraboles *du trésor, de la perle* et *du filet* sont propres à saint Matthieu. A juger sur les apparences, on conclurait que toutes les trois furent prononcées non plus dans la barque, sur le lac, mais dans la maison où le divin Maître venait d'expliquer à ses apôtres l'allégorie de *l'ivraie*. Toutefois les commentateurs ont observé que ces brèves comparaisons ne contiennent aucun point de la doctrine ésotérique réservée aux seuls disciples. La foule qui venait d'entendre *l'ivraie* pouvait aussi bien écouter *le filet*, qui renferme les mêmes enseignements. Quant à la valeur exceptionnelle du royaume, inculquée par les deux paraboles *du trésor* et *du filet*, les simples fidèles ont le même intérêt que les apôtres à en être instruits.

Maldonat qui envisage cette difficulté, nous en donne la solution. « Certains exégètes, dit-il, pensent que cette parabole (*le trésor*) fut proposée aux seuls apôtres, à la maison, et non pas à la foule des auditeurs. Personnellement, je tiens pour plus vraisemblable qu'elle a été dite auparavant, avec les paraboles précédentes, *ego vero similius esse arbitror ante dictam fuisse una cum superioribus*... Il en est de même des autres paraboles qui terminent ce chapitre » (281 [2]).

Notons seulement que *le trésor* est joint sans la moindre transition à l'explication de *l'ivraie*.

L'enfouissement du trésor. — *Le royaume des cieux est semblable à un trésor caché dans un champ...* Par trésor on entend certaine quantité de pièces de monnaie, or, argent ou bronze, ordinairement de l'argent, qui, serrées dans une boîte ou un vase, ont été, pour une raison inconnue, cachées quelque part, dans un jardin ou un champ. Dans tous les pays, sous la menace d'une guerre ou d'une révolution, chacun tâche de mettre en sûreté ce qu'il a de plus précieux. En Palestine, dans un danger public, nombreuses sont les personnes qui viennent confier aux *couvents* leurs bijoux ou leur argent. Quand les *couvents* eux-mêmes sont atteints par le fléau, toutes les cachettes sont bonnes : cols de citernes, murs en pierre sèche, grottes naturelles, ou simplement un endroit quel-conque en terre, le lieu étant soigneusement repéré. Que la catastrophe nationale se prolonge ou que les *enfouisseurs* viennent à disparaître, le trésor reste dans sa cachette jusqu'à ce qu'un heureux hasard, mille ou deux mille ans après, le fasse découvrir. Le sol de Palestine, si souvent foulé par les armées étrangères, recèle-t-il plus de trésors qu'un autre pays ? Toujours est-il qu'en Palestine, plus qu'ailleurs peut-être, l'imagination populaire est hantée par la pensée des trésors à découvrir. Combien de fois le paysan, qui laboure son champ ou retourne son jardin, a-t-il exécuté à la dérobée d'avides sondages, le cœur à l'espoir d'amphores pleines *d'antiquités!* Où le sol sonne plus creux, où le rocher semble entaillé, où la charrue ramène quelques cubes de mosaïques, c'est là peut-être...

Josèphe raconte qu'après la prise de Jérusalem, Titus mit la main sur de nombreuses cachettes à

trésors (*Bell. Jud.*, I, vii, 5, 2). Il est vrai qu'en cette
circonstance la peur du Romain avait déterminé des
précautions générales. — Le Talmud nous raconte
aussi des histoires de trésors découverts : « Quelques
jours après, Abba Judan se rendit à Antioche (vers 90)
pour y labourer la seconde partie de son champ.
Comme il labourait, le sol s'ouvrit devant lui, sa
vache tomba dans le trou, se brisant une jambe dans
la chute. Il y descendit pour en retirer la bête. Alors
Dieu lui éclaira les yeux et il y trouva un trésor. Il
dit : C'est pour mon bien que ma vache s'est cassé
la jambe ! » (Strack et Billerbeck, 674).

L'invention. — La parabole ne dit pas comment le
trésor fut découvert. Il n'importe du reste, car la
manière n'intéresse pas la leçon que le divin Maître
nous propose. D'ordinaire, les trésors se découvrent
fortuitement : le sol qui s'entr'ouvre, un trou creusé
pour la plantation d'un arbre, une tranchée pour les
fondations d'un édifice...

L'homme en question se garde bien d'ébruiter sa
trouvaille; il se hâte au contraire de recouvrir le
trésor et il s'en va tout heureux faire argent de tous
ses biens et acheter le champ.

Pourquoi recouvrir le trésor? Simple précaution
qui s'impose. Un scrupule retient l'homme de s'approprier le trésor sur l'heure ; mais il a raison de
craindre que ne survienne quelqu'un qui découvre
également la cachette et, moins timoré, s'adjuge le
trésor. Pas davantage l'enseignement doctrinal n'est
ici en cause. Nous sommes dispensés ainsi de trouver des applications à cet acte qui s'impose dans la
situation de la parabole et pour garder le naturel.
Personne ne l'a mieux dit que Maldonat : « Ce n'est
pas un élément de la parabole, c'est un emblème,
non est pars parabolae, sed emblema. Ce trait ne

comporte pas la moindre signification, mais il
achève la parabole, *nec dicitur ut aliquid significet,
sed ut parabolam impleat* » (281[2]). Nous dirions
aujourd'hui que c'est un détail littéraire, choisi à
l'effet de rendre le récit plus coulant et plus naturel.

Les commentateurs se montrent plutôt sévères
pour l'inventeur du trésor. « L'acte n'est pas très
délicat » (Lagrange, 276). « L'acte de cet individu
n'est ni loué ni blâmé; au point de vue de la morale
antique, il était discutable plutôt que condamné; au
point de vue de Jésus, qui n'en critique pas la valeur,
c'est ce que ferait, en pareil cas, un homme du commerce, qui ne passerait ni pour scrupuleusement
intègre ni pour voleur » (Loisy, 1, 784).

Mais l'homme a qui le défend : sa conduite.
Vulgaire voleur, il ne se fût pas donné la peine de
recouvrir l'endroit et d'amasser la somme nécessaire
à l'achat du fonds. Il eût emporté le trésor sans rien
dire, et nul n'en eût rien su. Il n'est donc pas malhonnête. Il veut s'approprier le trésor, mais par une
voie légale, et il en prend les moyens. Signaler sa
découverte au propriétaire eût été de sa part héroïque; il n'y est pas tenu. D'après la loi romaine, il
n'aurait touché que la moitié du trésor, l'autre moitié
revenant au maître du champ. Mais c'est le trésor
tout entier qu'il convoite; à cette fin, il doit se
porter acquéreur du fonds où le trésor est enfoui :
ce qu'il fait. L'acte n'est pas à proposer en exemple; il n'est pas condamnable non plus; il est
sur le plan de la moyenne morale populaire de
l'époque. Nous mettrions volontiers cet homme,
pour la moralité de ses actions, à côté *du juge inique* et *du riche insensé,* mais bien au-dessus *de l'économe avisé.* Le P. Durand le note à propos : « Le

procédé employé par l'homme de la parabole fût-il
incorrect, on n'aurait pas le droit d'incriminer à ce
sujet le paraboliste. Ce que celui-ci loue et propose à
notre imitation, ce n'est pas la manière de s'approprier les trésors trouvés dans le champ d'autrui,
mais le sens avisé et la diligence de l'homme qui
sacrifie *avec joie* tout ce qu'il a pour acquérir le
royaume des cieux, qui est un trésor d'une valeur
bien supérieure » (239).

L'achat. — *Dans sa joie, il s'en va vendre tout ce
qu'il possède,* ἀπὸ τῆς χαρᾶς αὐτοῦ. Ce dernier pronom
pourrait être *un génitif d'objet* et se rapporter à trésor, ou bien *un génitif de sujet* et se rapporter à
l'homme. On préfère aujourd'hui y voir un génitif
de sujet. — Nous traduisons en conséquence : *tout
joyeux, dans sa joie, il s'en va...*

Il vend tout ce qu'il possède et il achète le champ.
L'homme n'était pas riche. En faisant argent de tous
ses biens, meubles et immeubles, il a l'air de réunir
à peine la somme requise. Il y parvient cependant
et il achète. La loi juive reconnaissait au maître du
champ la propriété du sol et du sous-sol. Voilà donc
notre homme dûment propriétaire du cher trésor
convoité. La comparaison s'arrête là, car elle voulait
uniquement nous montrer comment, avec une chose
de peu, on arrive à la possession du tout.

II. — Application

Telle est, en effet, l'application indiscutable de la
parabole. Le royaume des cieux est d'un tel prix,
qu'on ne saurait, pour l'acquérir, s'imposer trop de
sacrifices. Le sacrifice de tout pour l'acquisition de
ce tout n'est pas exorbitant; il reste même inadéquat

à la valeur intrinsèque du royaume. Ce sacrifice
total, le moment venu, il faut savoir l'accomplir.

Relevons quelques expressions heureuses dans les
divers commentaires. *Pour la valeur du royaume :*
« C'est un trésor d'un prix inestimable, que l'on doit
acheter au prix de tout ce que l'on a » (Calmet, 314).
Pour la totalité du sacrifice : « Le trésor est d'un tel
prix, que qui le trouve doit tout faire pour arriver
à l'acquérir, *ut qui invenerit, nihil non, ut illud
obtineat, facere debeat,* même s'il lui faut tout vendre, même s'il lui faut tout perdre, même s'il y a
une infamie à subir, même s'il y a une vie à sacrifier, *etiamsi omnia bona vendenda, etiamsi perdenda,
etiamsi infamia subeunda, etiamsi amittenda vita* »
(Maldonat, 282 [1]). « C'est une excellente affaire que
de renoncer à tout pour se mettre en état d'y être
admis (au royaume), pour s'en emparer quand
Jésus le propose » (Lagrange, 276). « De même que
l'homme au trésor a fait un bon marché en sacrifiant
son petit avoir, de même le croyant fait une excellente affaire en sacrifiant pour le royaume tous les
biens de ce monde ; à ce prix, le royaume est encore
donné pour rien » Loisy, 1, 784).

Cette dernière comparaison a besoin d'être à peine
améliorée pour répondre aux exigences de l'exégèse
parabolique :

De même que l'homme n'hésita pas à vendre
tous ses biens pour acquérir le champ où le trésor
était enfoui,

ainsi devons-nous tout sacrifier pour acquérir le
royaume de Dieu.

« Le trésor dont on parle ici est la doctrine évangélique, la science du royaume de Dieu, la connaissance de Jésus-Christ » (Calmet, 314), plus encore
l'adhésion personnelle à cette doctrine, une science

du royaume, une connaissance de Jésus-Christ qui vient aux résolutions pratiques, qui se tourne à croire, à aimer, à servir.

Lorsque le Maître exige que tout soit sacrifié à l'acquisition du royaume, il ne parle pas en figures; il dit les choses comme elles sont, comme il les veut, comme il faut qu'elles soient. Il s'est expliqué avec une clarté cruelle :

Qui aime son père ou sa mère plus que moi,
   n'est pas digne de moi;
qui aime son fils ou sa fille plus que moi,
   n'est pas digne de moi;
et qui ne prend pas sa croix et ne suit pas derrière moi,
   n'est pas digne de moi (Mt. x, 36-38).

Si donc, pour acquérir le trésor inestimable du royaume, on se trouve dans la dure nécessité d'abandonner père, mère, frères ou enfants ou amis ou patrie ou une chose quelconque, Jésus exige qu'on vende toutes ces affections pour acheter le trésor, l'unique trésor. Il veut même que le sacrifice se fasse *dans la joie*. L'homme s'en alla tout joyeux de sa découverte, et il ne paraît pas que le sacrifice de ses biens ait apporté le moindre nuage à cette allégresse. C'est une joie de vendre pour acheter à ce prix.

Je sais bien qu'il faut se garder de toute exagération, quand il s'agit de transposer ces sacrifices dans l'ordre des affections et de la grâce. C'est le Sacré-Cœur de Jésus qui a prescrit cette immolation, et Jésus avait le cœur infiniment tendre et délicat, et Jésus a pleuré plusieurs fois d'émotion et de douleur, et Jésus a été immolé dans l'holocauste le plus cruel : pour obéir à son Père céleste, il a dû quitter

sa mère, ses frères, ses apôtres, ses amis, et donner
sa vie.

Cependant le précepte demeure. Et chaque jour
il est accompli par des milliers d'âmes généreuses
qui se donnent pour la première fois ou se redonnent
indéfiniment avec une joie renouvelée. Sacrifices de
larmes et de sang, et néanmoins sacrifices de joie et
d'enthousiasme. On trouve une joie supérieure à ce
broiement de tout l'être, parce que quiconque se
sacrifie à ce point, aime au degré suprême. Et quand
c'est à Jésus que sont immolés tous les biens de
la fortune, tous les biens du corps, tous les biens de
l'esprit, tous les biens du cœur, nous avons le droit
de dire à Jésus : Maître, voyez à quel point nous
vous aimons !

Sans presque nous en douter, nous rejoignons le
commentaire de saint Jérôme : « Ce trésor, en lequel
sont cachés tous les trésors de sagesse et de science,
c'est Dieu le Verbe, qui nous apparaît caché dans la
chair du Christ, *thesaurus iste in quo sunt omnes
thesauri sapientiae et scientiae absconditi, aut
Deus Verbum est, qui in carne Christi videtur abs-
conditus...* »

Il fallait s'attendre à trouver une autre application
sous la plume du prince de l'exégèse : « Le trésor,
ce sont encore les saintes Écritures, où se cache la
connaissance du Sauveur, *aut sacrae Scripturae,
in quibus reposita est notitia Salvatoris.* Quiconque
l'y aura découvert, doit mépriser tous les avantages
de ce monde pour entrer en possession de celui
qu'il a trouvé » (xxvi, 94). Cette application de
saint Jérôme n'est-elle qu'une pieuse accommodation, *pius sensus,* comme il s'exprime ? Nous aimons
mieux croire qu'elle peut rentrer sans effort dans ce
que nous avons appelé *le sens compréhensif,* qui est

une manière plus large d'entendre *le sens littéral*.

Nous en dirons autant de la célèbre application de saint Grégoire le Grand, popularisée par les leçons du bréviaire. Pour lui le trésor est l'application ou l'intensité des célestes désirs, *studium caelestis desiderii*. « Le trésor est le désir céleste; le champ où le trésor est enfoui, la discipline de ce goût céleste. Ce champ, celui-là l'achète au prix de tous ses biens, qui sait renoncer aux voluptés de la chair, qui sait fouler aux pieds les désirs terrestres grâce aux précautions de la discipline céleste; à tel point qu'il ne tolère plus rien de ce qui flatte la chair, et qu'il ne redoute plus rien dans son esprit de ce qui peut donner la mort à sa vie charnelle. *Thesaurus autem caeleste est desiderium; ager vero in quo thesaurus absconditur disciplina studii caelestis. Quem profecto agrum venditis omnibus comparat, qui, voluptatibus carnis renuntians, cuncta sua terrena desideria per disciplinae caelestis custodiam calcat, ut nihil jam quod caro blanditur libeat, nihil quod carnalem vitam trucidat spiritus perhorrescat* (LXXVI, 1115).

La perle

(saint Matthieu, XIII, 45, 46).

[45] De même, le royaume des cieux est semblable à un marchand qui cherchait de belles perles. [46] En ayant trouvé une de grand prix, il s'en va vendre tout ce qu'il possédait et il l'achète.

I. — TABLEAU

La recherche des perles. — La parabole de la *perle* est jointe à celle du *trésor* par la simple transition πάλιν, *encore, de même.* Autant dire que ce sont deux grains d'un même collier, passés au même fil souple. Pour le contexte évangélique, cette deuxième parabole suit le sort de la première. Maldonat nous a déjà informés qu'à son avis, l'une et l'autre avaient été adressées à l'auditoire du lac, et non pas, à huis clos, au groupe restreint des apôtres, et qu'elles avaient été prononcées sans doute avant le commentaire de *l'ivraie.*

L'homme à la perle n'est plus l'homme au trésor qui trouve sans chercher, par hasard. Celui-là est un professionnel du commerce, un *marchand* qui entreprend de longs voyages et qui passe les mers, ἐμπόρῳ, un spécialiste dont c'est le métier de chercher de belles perles, καλοὺς μαργαρίτας.

L'achat. — *En ayant trouvé une de grand prix, il s'en va vendre tout ce qu'il possédait et il l'achète.* Les commentateurs se montrent aussi sévères pour l'homme à la perle que pour l'homme au trésor. « Il faut supposer qu'il la trouve à bon marché, et

espérant y gagner beaucoup, il vend tout ce qu'il a
pour l'acheter » (Calmet, 314). « Ce marchand
n'est pas cité non plus comme un prodige d'honnêteté, mais comme un négociant habile... On doit
supposer que le détenteur de la perle n'était pas
un marchand; que l'acquéreur, tout en y mettant
son bien, l'a payée au-dessous de sa valeur réelle,
et qu'il la revendra à gros bénéfice » (Loisy, 1, 785).

C'est peut-être supposer beaucoup de choses.
En y mettant un peu de bonne volonté, serait-il
impossible de plaider cette fois encore l'entière
honnêteté et l'absolue bonne foi du marchand ?

Le plaidoyer est aisé si l'on se rend compte que
le personnage ne ressemble guère aux gens de son
espèce.

Bien que le concept en paraisse deux fois paradoxal, c'est un marchand qui achète sans frauder
et sans revendre. — Pourquoi vouloir qu'il fraude
en achetant au-dessous de la valeur marchande à
des gens inexpérimentés? Le texte sacré ne le dit
pas, et son enseignement doctrinal ne tire aucun
avantage de ces vaines suppositions. Sans doute
la perle est-elle d'un prix exceptionnel qui semble
hors de proportion avec les biens ordinaires de ce
monde; mais précisément, le marchand vend tous
ses biens pour en faire l'acquisition; et les ressources d'un marchand de perles ne sont pas sup-
posées modiques. On a l'impression qu'il en donne
le prix demandé, le prix que tout autre marchand
eût également donné à sa place. Il n'y a donc pas
de fraude.

Pourquoi vouloir encore que le marchand
revende sa perle et à un prix plus élevé? De nouveau
le texte évangélique n'en parle pas, et l'enseignement doctrinal exige qu'une fois acquise, le mar-

chand garde sa perle *par devers soi*. S'il la reven-
dait, ce serait fait de la parabole et de la doctrine
du royaume des cieux. Il la garde donc. C'est un
marchand qui achète sans revendre.

Soyons du reste sans inquiétude à son sujet.
Même de cette façon, il fait de fort bonnes opérations, il réalise même une affaire exceptionnelle.
Raison de plus pour ne point se méprendre sur le
caractère de son négoce. Il n'achète pas au-dessous
de la valeur réelle; il ne revend pas au-dessus
du prix d'achat; il ne revend même pas du tout.
Sa chance et son bonheur consistent à trouver la
perle extraordinaire et à pouvoir l'acheter même
au prix de toute sa fortune, à l'acheter, dis-je,
pour en jouir sans jamais songer à la revendre.

Un tel marchand est parfaitement en règle avec
la morale la plus sévère. Mais, j'en conviens, il ne
se rencontre pas dans le monde ordinaire du négoce.
Qu'on ne l'y cherche pas; on ne l'y trouverait
point. C'est un personnage de parabole, créé en
vue d'un enseignement spécial. Et la parabole
elle-même n'est pas le décalque de la nature;
c'est une libre composition, parfaitement accessible
à toutes les intelligences, mais imaginée à dessein
pour les besoins de la doctrine.

*Il s'en va vendre tout ce qu'il possédait et il
l'achète*. A la lumière de la démonstration qui précède, on appréciera le caractère gratuit des explications suivantes : « Comme il est censé pauvre et
décidé à s'enrichir par le trafic des perles, il ne
veut pas manquer l'occasion qui se présente; il
vend tout ce qu'il a pour obtenir la perle » (Loisy,
I, 785). Pourquoi le supposer pauvre? Et pourquoi
parler de trafic? Il faut le redire, à se tenir au
texte, le marchand ne spécule pas. Ayant trouvé

la perle précieuse, il met tout son bonheur à
l'acquérir, et il l'acquiert pour la posséder. Elle est
d'une telle qualité que ce n'est point trop la payer
au prix de toute sa fortune.

II. — APPLICATION

Les commentateurs s'accordent à reconnaître
que *la perle* et *le trésor* comportent le même
enseignement. « Cette parabole a exactement la
même signification que la précédente, *haec enim
parabola eamdem prorsus atque praecedens significationem habet* » (Maldonat, 282²). « Leur trait
commun, c'est qu'elles traitent de la valeur suprême
du royaume de Dieu » (Lagrange, 276). « La
morale du second récit est exactement la même
que celle du premier » (Loisy, 1, 785).

On pourrait, il est vrai, alléguer que l'homme
au trésor a trouvé fortuitement sa fortune, tandis
que l'homme à la perle faisait métier de chercher
les pierres de prix. Les exégètes modernes nous ont
heureusement débarrassés de ces subtilités qui
prennent leur appui sur des apparences ou des
rencontres de textes plutôt que sur des réalités ou
des différences essentielles. Le P. Lagrange a dit
le mot exact : « Cette exégèse est peut-être trop
subtile. Il était dans la nature des choses qu'un
trésor fût trouvé par hasard, et aussi qu'un marchand se donnât la peine d'acheter... » (276).

La substance de la parabole est assez belle pour
que nous n'ayons pas à regretter toutes ces interprétations parasites. Elle se ramène aux deux
termes de la comparaison suivante :

De même qu'un marchand de perles n'hésita pas

à vendre tous ses biens pour acheter la perle
précieuse qu'il venait de découvrir,

ainsi ne devons-nous pas hésiter à tout sacrifier
pour acquérir le royaume des cieux.

La leçon sous-jacente est l'estime en laquelle
nous devons tenir le royaume. La leçon exprimée
est que, pour acquérir un royaume de si grand
prix, nous ne devons pas hésiter à tout sacrifier.
On voudrait trouver des formules somptueuses
pour exprimer cette vérité. Voici celle de Maldonat : « Quand nous avons découvert le royaume,
nous ne devons épargner aucune dépense, aucun
effort, nous ne devons rien épargner pour l'acquérir,
*nullis sumptibus, nullis laboribus, nulli omnino rei,
ut illud habeamus, debemus parcere* » (282²).
Voici celle de dom Calmet : « C'est acheter bien
peu un si grand bien, que de l'acquérir aux dépens
de tout ce qu'on peut avoir ou qu'on peut espérer
en ce monde » (314). En voici quelques autres
encore : « Ce qu'il faut imiter, c'est la décision
du marchand qui abandonne tous ses biens pour
une seule perle » (Lagrange, 278). « Exemples de
marchés où l'on sacrifie le tout pour le tout, un
tout de peu pour un tout de valeur infiniment
supérieure » (Loisy, 1, 785).

Saint Grégoire le Grand a décrit l'état de celui
qui s'est épris de la perle précieuse : « Par comparaison, toute chose devient vile à ses yeux ; il
délaisse ce qu'il a, il dissipe ce qu'il a amassé, il
s'enflamme pour les biens du ciel, il se dégoûte
de la terre, il ne voit plus que laideur à la beauté
des choses de la terre auxquelles il se plaisait :
seule, brille à son esprit la clarté de cette perle
précieuse, *in comparatione ejus vilescunt omnia,
deserit habita, congregata dispergit, inardescit in*

*caelestibus animus, nil in terrenis libet, deforme
conspicitur quidquid de terrenae rei placebat
specie, quia sola pretiosae margaritae claritas
fulget in mente* » (*P. L.* LXXVI, 1115).

Saint Jérôme a découvert la pierre précieuse où
nous n'aurions sans doute pas songé à la chercher.
« Les bonnes perles, dit-il, que cherche le marchand, sont la Loi et les prophètes. Écoute, Marcion,
écoute, Manès : les bonnes perles, ce sont la Loi et
les prophètes et la science de l'Ancien Testament.
Mais il est une perle, précieuse entre toutes, c'est
la science du Sauveur, le sacrement de sa passion,
le mystère de sa résurrection, *unum autem est
pretiosissimum margaritum, scientia Salvatoris, et
sacramentum passionis illius, et resurrectionis
arcanum.* Le marchand qui le découvre, à l'exemple
de saint Paul, méprise comme des balayures et
des écailles, tous les mystères de la Loi et des prophètes, ainsi que toutes les observances anciennes,
afin de gagner le Christ. Serait-ce que la découverte
de la nouvelle perle soit la condamnation des
anciennes? Non, mais, au prix de celle-là, toute
autre pierre précieuse s'avilit... » (*P. L.* XXVI, 94,
95).

Les enfants capricieux

Saint Matthieu, xi, 16-19.

Saint Luc, xii, 31-35.

[16] A qui comparerai-je cette génération ? Elle ressemble à des gamins se tenant sur les places publiques, qui interpellent leurs camarades [17] en ces termes :

Nous vous avons joué de
[la flûte]
et vous n'avez pas dansé ;
nous avons chanté des
[lamentations]
et vous ne vous êtes pas
[battu la poitrine].
[18] Jean est venu en effet, ne mangeant ni ne buvant, et ils disent : Il a un démon. [19] Le Fils de l'homme est venu mangeant et buvant, et ils disent : Voilà un mangeur et un buveur de vin, un ami des publicains et des pécheurs.

Mais la sagesse a été justifiée par ses œuvres.

[31] A qui comparerai-je les hommes de cette génération et à qui ressemblent-ils ? [32] Ils ressemblent à des gamins se tenant sur la place publique et s'interpellant les uns les autres en ces termes :
Nous vous avons joué de
[la flûte]
et vous n'avez pas dansé ;
nous avons chanté des
[lamentations]
et vous n'avez pas pleuré.

[33] Jean-Baptiste est venu en effet, ne mangeant pas de pain ni ne buvant de vin, et vous dites : Il a un démon. [34] Le Fils de l'homme est venu mangeant et buvant, et vous dites : Voilà un mangeur et un buveur de vin, un ami des publicains et des pécheurs. [35] *Mais la sagesse a été justifiée par tous ses enfants.*

Cette petite parabole termine le panégyrique de saint Jean-Baptiste prononcé par le Sauveur. Le Précurseur prisonnier avait envoyé deux messagers à Jésus lui demander s'il était le Messie. Jésus avait répondu en signalant aux ambassadeurs les œuvres qu'il accomplissait. Quand ils furent repartis, il profita de la circonstance pour relever devant la foule le caractère et la mission de son Précurseur.

Mais il ne peut évoquer ce brillant ministère sans songer au malheur de ceux qui n'ont pas voulu en profiter. Et il prononce la parabole *des enfants capricieux* où les reproches se nuancent d'ironie.

Certains interprètes (Knabenbauer, Fonck) pensent que ces reproches s'adressent à la foule entière des auditeurs, peuple et pharisiens pris ensemble. Nous avons exposé ailleurs (*Introduction,* 162-165) pour quelles raisons ces invectives visent les seuls pharisiens, à l'exclusion de la multitude. S'il en était autrement, saint Luc se contredirait à quelques versets d'intervalle : les mêmes hommes qui croient au Précurseur et reçoivent son baptême (VII, 29), ne peuvent pas attribuer à une inspiration diabolique ses pratiques de pénitence (33). Le discours de l'évangéliste est parfaitement organisé. De la foule docile (29), il nous conduit aux pharisiens réfractaires (30), et c'est à l'adresse de ces derniers seuls que le divin Maître prononce sa parabole.

La pensée de saint Matthieu, qui ne nomme pas les pharisiens, n'est pas aussi nette. Mais ses reproches ne sont pas davantage pour la foule qui nous est représentée emportant d'assaut le royaume, sur la parole du Précurseur (XI, 12).

Les *hommes de cette génération,* dont la parabole ne parle qu'au style indirect, comme on fait de personnes absentes, ne sont donc que les pharisiens, nullement la foule docile et sympathique.

Entre le texte de saint Matthieu et celui de saint Luc on ne relève que des variantes de rédaction.

Nous examinerons tour à tour chacune des deux
formules, en commençant par celle de saint Matthieu.

I. — TABLEAU

Les gamins de Palestine. — *A qui comparerai-je
cette génération? Génération,* c'est-à-dire les contemporains, et, parmi eux, la classe particulière des
pharisiens antipathiques et retors.

*Ils ressemblent à des gamins se tenant sur les places
publiques...* Le terme grec (παιδίοις) désigne de petits
enfants. Mais il comporte une légère nuance péjora-
tive qu'on ne rend bien que par le terme *gamins,*
c'est-à-dire de petits espiègles qui sont toujours à
courir les rues et les places, à s'amuser bruyamment
et à se quereller.

Le texte grec, littéralement traduit par la Vulgate,
dit que ces gamins sont *assis* sur les places publiques,
et je suis surpris que ce soit la traduction généralement adoptée par les commentateurs. Comment
veut-on que les enfants de cette sorte restent tran-
quillement *assis* les uns à côtés des autres, ou les uns
en face des autres, cependant qu'ils sont en train de
s'expliquer sur le ton de la querelle? En pareille
rencontre, il est de rigueur que les gamins trépignent
et se démènent. — Le verbe original répond indubitablement au verbe sémitique *yâchab* qui signifie,
selon le contexte, *être assis, habiter,* ou simplement
se tenir, se trouver. C'est ce dernier sens qui
s'impose.

Dans saint Matthieu, les enfants semblent partagés
en deux groupes, ceux qui interpellent et ceux qui
donnent la réplique. Nous verrons s'il y a lieu de
s'arrêter à ces apparences et si cette distinction cache

quelque visée métaphorique, utilisable pour l'application de la parabole.

Entre ces gamins la discussion est vive. Au milieu de la querelle nous percevons le grief principal :

> Nous vous avons joué de la flûte
>   et vous n'avez pas dansé ;
> nous avons chanté des lamentations
>   et vous ne vous êtes pas battu [la poitrine].

Leurs jeux. — Pour saisir la portée de ces reproches, il faut connaître les jeux des petits Orientaux, spécialement des petits Palestiniens. Il est fait allusion à ces scènes dialoguées où un soliste chantant à plein nez, multipliant neumes et trilles, déroule ses couplets de joie ou de tristesse, tandis que ses compagnons lui donnent la réplique, battant des mains en cadence et répétant indéfiniment le même refrain. La Bible contient quelques spécimens remarquables de cette poésie dialoguée, par exemple le curieux psaume cxxxv *Confitemini Domino* avec son candide et fervent refrain : *Quoniam in saeculum misericordia ejus,* et le cantique des jeunes gens dans la fournaise (Dan. iii, 52-58, texte grec). Mgr le Camus en a recueilli d'intéressants échantillons modernes dans *Les enfants de Nazareth* (46-56 ; 100-117).

Si les grandes personnes excellent en ce genre littéraire, on est surpris de la perfection avec laquelle de tout jeunes enfants, un *keffieh* (voile de la tête) ou un bâton à la main, vont, viennent, gesticulent, improvisant leurs couplets sur le rythme initial.

Nous avons souvent l'occasion en Palestine d'assister à ces jeux enfantins. Je me souviens avec un plaisir particulier de la séance qu'offrirent, dans l'été de 1910, aux étudiants bibliques de Saint-Etienne, les garçons des écoles paroissiales de Jérusalem. Les enfants prenaient leurs ébats dans les jardins du monastère, sous les chaudes futaies des pins. La soirée était à la joie. Dans les pins, les cigales chantaient, l'air embrasé semblait filtrer un poudroiement de lumière chaude. Au signal du Père Curé, ces petits se rassemblent, ils ont compris. L'un d'eux déploie son *keffieh*, qu'il balance sur les *tarbouches* de ses camarades, comme une souple banderole au-dessus d'un tapis de coquelicots. Sans la moindre hésitation, il improvise un couplet en l'honneur de Sa Majesté très haute le Sultan ; ses camarades rangés en file indienne et se dandinant sur place en cadence, le convertissent sur-le-champ en refrain :

Vive Sa Majesté glorieuse, notre Sultan!

Le soliste alors de célébrer en de minuscules couplets, assurés et nasillards, les incomparables attributs du souverain de toutes les Turquies. Et les camarades de reprendre à chaque fois, scandé par le clair battement des mains, le refrain enthousiaste :

Vive Sa Majesté glorieuse, notre Sultan!

La louange du monarque achevée, le petit soliste s'arrête net, le *keffieh* retombe, et la troupe des chanteurs se répand à grands cris dans les allées du jardin.

Lorsque le chant est improvisé, les couplets ne peuvent être dits que par un soliste. Si la chanson est récitée de mémoire, ils sont débités par un petit groupe, tandis que le refrain est repris par la foule entière, au battement rythmé de toutes les mains, avec la plus parfaite consonance de tous ces trilles nasillards.

Dans leurs divertissements, les hommes chantent de préférence des idylles ou des épopées. Il faut les entendre en plein désert pour goûter cette étrange et forte poésie. En février 1912, la caravane biblique de Saint-Étienne achevait sa pittoresque excursion au rivage occidental de la mer Morte. Après avoir visité Engaddi, Masada, le djébel Ousdoum, elle avait regagné la région montagneuse par les gorges de l'ouâdy Zoueira. Le dernier campement sous *la maison de poils* devait se faire sur les bords du *bir Jakman*, à une petite journée d'Hébron. Pour manifester leur joie du succès de la caravane, les *moukres,* jeunes gens d'Aïn Kârem, offrirent aux voyageurs une séance de chants et de pantomimes de leur cru. La nuit était complète, sans lune. L'éclat des belles étoiles de Palestine était fréquemment barré par la course folle des nuages qui galopaient vers la cuvette profonde de la mer Morte. Tout autour du campement, des bandes de chacals déployaient une ceinture de glapissements maladifs. C'est dans ce décor désertique que les jeunes fellahs exécutaient les dessins figurés de leurs épopées et de leurs idylles. L'épopée était naturellement le récit d'une razzia, sabre dégaîné, avec les allures martiales d'un chant de guerre. L'idylle, c'était naturellement aussi une chanson d'amour. Les couplets étaient dits par trois ou quatre solistes. Et le chœur, composé d'une quinzaine d'hommes, de répondre obstinément, tantôt mélancolique et tantôt impérieux :

De l'amour tu boiras les eaux...

Les enfants sont déjà des petits hommes. Ils copient et reproduisent dans leurs jeux les scènes familières qui les frappent, surtout les danses, les *fantasias* des noces et les lamentations des funérailles.

Leurs disputes. — Mais les enfants n'attendent pas

davantage l'âge d'homme pour se trouver en désaccord. Il arrive qu'un jeu proposé par un groupe
n'est pas agréé de l'autre groupe. La mauvaise
humeur gagne parfois la bande entière, et toute proposition de jeu, de quelque côté qu'elle émane, est
égoïstement repoussée. Dans ce cas, le caprice ou
la bouderie sont manifestes.

C'était précisément le cas de la parabole :

> Nous vous avons joué de la flûte
>   et vous n'avez pas dansé ;
>   nous avons chanté des lamentations
>   et vous ne vous êtes pas battu [la poitrine].

La flûte devait être l'agreste et joli chalumeau dont
se servent encore aujourd'hui les paysans et les bergers de Palestine : deux roseaux accouplés, percés
de quelques trous, qui suffisent à moduler les mélo-
pées naïves de la race. Des enfants sont rarement
assez experts pour jouer des airs suivis. Mais les
enfants s'embarrassent-ils de si peu ? Nous les avons
vus maintes fois emboucher la *flûte* et souffler au
hasard des doigts remués. Il se pourrait aussi que
l'expression *jouer de la flûte* fût une métaphore générale pour désigner un chant de joie. Toujours est-il
que les petits camarades n'ont pas suivi l'impulsion
donnée, ils ont refusé de danser au son de la flûte
joyeuse.

Le jeu funéraire de la lamentation n'a pas davantage été accepté. Par lamentation il faut entendre tout le cérémonial oriental de la douleur. On
crie, on pleure, on fait mine de s'arracher les
cheveux, on trépigne sur place ; les mains battent la
poitrine ou encerclent désespérément la tête ; on se
frappe le visage et il semble qu'on le veuille labourer

des ongles. Ces spectacles sont de tous les jours en
Palestine. Pour en être témoin, il suffit de se rendre
aux abords d'un cimetière musulman, à Jérusalem
sur le Bézétha, à Bethléem au tombeau de Rachel.

C'est à des représentations de ce genre qu'étaient
conviés les enfants de la parabole. Mais ces petits
boudeurs déclinent la deuxième invitation comme
la première. Que veulent-ils donc, s'ils refusent la
tristesse comme la joie? Ce sont manifestement des
gamins capricieux.

Ici finit le tableau de la parabole.

Variantes des récits. — La lettre de l'application
n'offre pas de difficulté. Jean est venu ne mangeant
ni ne buvant, et son abstinence d'ascète a été attribuée par les pharisiens au démon. Le Fils de l'homme
s'est montré à son tour, et l'on dit de lui que c'est
un mangeur, un ivrogne, un ami des publicains et
des pécheurs. « Nous devons savoir gré à l'évangéliste de n'avoir pas craint de rapporter un propos si
énorme ; sans cela nous ne soupçonnerions pas même
jusqu'où la malice des hommes s'est portée contre
celui qui a traversé le monde en faisant le bien »
(Durand, 186).

Heureusement, conclut le Sauveur, la sagesse a
été justifiée par ses *œuvres* (plutôt que par ses
enfants), en l'espèce par les œuvres de Jean-Baptiste
et du Messie, toutes inspirées par la sagesse divine.

La rédaction de saint Luc, comparée à celle de
saint Matthieu, témoigne d'un plus grand souci de
perfection littéraire.

Il se sert pour l'introduction de la parabole de la
formule la plus solennelle et la plus développée : *A
qui comparerai-je les hommes de cette génération*
(noter le concret *les hommes de cette génération,* au
lieu de l'abstrait *cette génération*) *et à qui ressem-*

blent-ils? Ils ressemblent à des gamins... Étant
donné la gravité des circonstances, le divin Maître
a dû faire emploi de la tournure qui prêtait à sa pensée l'emphase la plus expressive.

Saint Luc parle de la place publique au singulier,
ἐν ἀγορᾷ, corrigeant ainsi le pluriel de saint Matthieu,
sans doute parce que les petites cités palestiniennes
n'avaient qu'une *agora*.

La variante la plus intéressante est celle où saint
Luc nous montre les enfants *s'interpellant les uns
les autres.* Il n'y avait donc pas sur la place publique un groupe d'enfants raisonnables et un groupe
d'enfants capricieux. Tous les enfants sont ici sur
le même pied, également revêches et turbulents,
refusant avec la même mauvaise humeur de prendre
part aux amusements proposés par leurs camarades.
Cette précision ne sera pas inutile pour dégager la
véritable leçon de la parabole.

Les autres variantes sont de moindre importance.
A la place de la formule : *Vous ne vous êtes pas
battu [la poitrine]*, saint Luc écrit : *Vous n'avez
pas pleuré.* — Il a estimé sans doute aussi que la
phrase de saint Matthieu : *Jean est venu ne mangeant ni ne buvant* était de nature à causer quelque
surprise en dehors du monde oriental, par exemple
chez les Grecs auxquels son évangile était destiné,
et il a mieux aimé prévenir les malentendus : *Jean-
Baptiste est venu, ne mangeant pas de pain ni ne
buvant de vin,* ce qui laisse entendre que le précurseur prenait tout de même quelque nourriture.

Enfin, à la place des *œuvres de la sagesse,* le
troisième évangéliste a mis *tous les fils de la sagesse,*
c'est-à-dire tous ceux qui sont avec la sagesse dans
un rapport intime, ceux qui lui obéissent intimement, comme on dit *les fils de la lumière.* Ces fils

de la sagesse sont assurément Jésus et Jean-Baptiste, mais encore ceux qui ont suivi les prescriptions du Précurseur et tous ceux qui suivent aujourd'hui les préceptes du divin Maître.

II. — Application.

On s'étonne qu'un texte aussi limpide en apparence ait donné lieu à tant d'interprétations diverses.

Opinions diverses. — L'embarras des exégètes, disons-le immédiatement, provient de deux causes. D'abord ils croient devoir partager les enfants de la parabole en deux groupes bien tranchés, ceux qui proposent les jeux et ceux qui les refusent. Ensuite ils entreprennent de rechercher à quels personnages historiques correspond chacun de ces deux groupes.

Avec ces éléments on réussit à créer un imbroglio parfait. Car les éléments peuvent se combiner de façon différente, et il va sans dire que chacune de ces combinaisons a ses partisans, et chacun des partisans ses raisons personnelles.

Rappelons du moins les combinaisons principales. Ou bien chacun des deux groupes propose son jeu préféré : « Les uns veulent former un cortège joyeux, les autres un convoi funèbre; chaque groupe s'obstine à suivre sa fantaisie, et les enfants finissent par s'asseoir en boudant et en s'invectivant » (Lagrange, *saint Luc*, 253). — Ou bien « les enfants sont partagés en deux groupes dont les uns veulent jouer et les autres ne veulent pas. Les premiers ont proposé un jeu gai, puis un jeu triste, mais leur bonne volonté s'est heurtée à la mauvaise humeur des autres » (*ibid.*).

Le P. Lagrange estime la seconde combinaison plus naturelle, et il pense que c'est la seule qui convienne à l'application. Mais elle a l'inconvénient de réserver un groupe d'enfants sages qui n'adressent à leurs petits camarades que des propositions raisonnables; d'où résulte cet autre inconvénient que ces enfants sages doivent être la métaphore ou du moins la figure de quelque personnage historique, pharisiens, Jean-Baptiste ou Messie.

Nous sommes plus près de la vérité avec la première combinaison : deux groupes, chacun avec sa proposition de jeu, — mais à la condition d'y apporter une réserve ou une condition expresse, c'est que les deux groupes ne composent qu'une même bande indisciplinée, également revêche et capricieuse, comme il sera dit un peu plus loin.

Telle était déjà l'interprétation de Maldonat qui a déduit du commentaire de Hugues de Saint-Cher une règle d'exégèse extrêmement précieuse, dont tous les exégètes modernes se réclament, encore que tous n'aient pas le courage de l'appliquer. Maldonat disait : « *Il ne faut pas, dans les paraboles, comparer les personnes aux personnes, ni les parties aux parties, mais le tableau en général au tableau, le tout au tout, non personas personis, sed negotium negotio; nec partes partibus, sed totum toti comparari.* » « Nous trouvons, continue Maldonat, maints exemples de cette manière, *sexcenta sunt exempla generis ejusdem.* Lorsqu'on nous dit : *Le royaume des cieux est semblable à un homme qui sema la bonne semence dans son champ,* ce n'est pas à un homme que ressemble le royaume, mais à la semence ou au champ; le sens est donc : il en est du royaume comme d'un homme qui jeta la bonne semence dans son champ, *itaque sensus est : idem accidit in regno caelorum atque si quis seminasset bonum semen in agro suo.* » La fin de la

itation est encore à retenir : « On se fatigue donc
vainement à chercher avec anxiété comment les
personnes répondent aux personnes et les parties
aux parties. Il faut regarder au sens général, et le
déduire tout entier de la parabole entière, et non
pas le diviser en morceaux au risque de l'altérer,
*totum sententiae corpus intuendum est, et integrum
ex integra parabola trahendum, ne in partes
divisum pereat atque dissolvatur* » (*saint Matthieu*, 238 [1]).

C'est la *méthode intégrale* que nous essayons
d'appliquer dans tout ce commentaire.

Il y avait matériellement sur la place publique
deux groupes d'enfants, puisque l'un·d'eux interpelle l'autre. Mais la pensée de Jésus est-elle
d'insister sur cette division et d'assigner un rôle
particulier à chacun des deux groupes? La question
a son importance. Si les deux groupes jouent
chacun un rôle spécifique dans la parabole, il est à
présumer qu'ils ont une portée allégorique et qu'ils
représentent chacun un ou plusieurs personnages
que l'exégète devra déterminer. Si, au contraire,
la pensée du paraboliste ne se porte en général
que sur les deux groupes réunis, l'exégète est
dispensé de rechercher la signification de chacun
d'eux en particulier; la place publique ne nous
offrira qu'une cohue indistincte de gamins boudeurs et récalcitrants.

Qu'en est-il en réalité? Notre méthode d'exégèse
parabolique nous permet de le discerner avec certitude. Si la division en groupes et l'invitation à
jouer étaient des métaphores, ou si seulement elles
renfermaient une signification particulière, ce
seraient des traits essentiels qui devraient être
repris dans l'application, comme le sont toujours

les traits essentiels qui supportent la principale
leçon parabolique. Or ces traits ne sont pas repris.

Que lisons-nous en saint Matthieu ? Seulement
ceci : « *Jean est venu ne mangeant ni ne buvant,
et ils disent : Il a un démon. Le Fils de l'homme est
venu mangeant et buvant, et ils disent : Voilà un
mangeur et un buveur de vin...* » Le Précurseur et
le Messie n'adressent pas la moindre invitation à
leurs concitoyens ; ils se contentent de mener au
vu et au su de tout le monde leur genre de vie
particulier.

Sans doute, dira-t-on, mais leur exemple n'était-il
pas une invitation implicite ?

Implicite, peut-être, mais cela ne compte pas
pour la parabole. Pour l'effet en question, il y faudrait une invitation explicite. Lorsque le Sauveur
veut insister sur un trait, il n'a pas coutume de le
sous-entendre ; quand il veut dégager une leçon,
il la formule en toutes lettres, sans laisser à l'auditeur le soin de la déduire. Et quand il formule
une leçon en termes exprès, il n'est pas recevable
de dire qu'il n'a pas voulu nous enseigner cela, et
que la véritable leçon est autre et qu'elle est sous-
entendue. Une méthode n'est assurée que par son
entière docilité aux faits qu'elle entreprend de commenter.

Nous prenons donc parti résolument contre la
division en deux groupes caractérisés et contre
l'allégorisation prétendue de l'histoire. Les traits
allégoriques ne peuvent se discerner qu'au relief
qu'ils acquièrent dans le discours. Ici le relief est
nul, et c'est une nouvelle raison de penser que ni
l'invitation à jouer, ni, par suite, la division en
deux groupes ne sont des éléments allégoriques.
Ce ne sont que des *traits paraboliques,* nécessaires

pour la mise en scène, mais qui ne possèdent aucune signification particulière. Du moment qu'on voulait parler d'enfants récalcitrants, il fallait qu'ils fussent invités au jeu par quelqu'un, un refus supposant toujours une invitation préalable. Le premier groupe des gamins ne propose que pour donner au second l'occasion de ne pas accepter.

Au fond, tous ces enfants se valent : ce sont des gamins indociles et boudeurs. L'intérêt de la parabole réside dans cette attitude. Tous les autres détails ne servent qu'à mettre en relief ce trait capital.

La scène entière, interprétée comme le voulait Maldonat, donne une impression d'ensemble, celle d'un caprice puéril, inexplicable. C'est la seule chose à retenir. On n'a plus à se préoccuper du premier et du second groupe, et pas davantage du chant et de la danse, des lamentations et des pleurs. Ces derniers traits ne sont pas plus allégoriques que les précédents. S'il existe une certaine analogie d'une part entre les lamentations et l'austérité de Jean-Baptiste, d'autre part entre les chants et le régime moins rigide du Sauveur, il faut se garder de presser des ressemblances en somme très contestables. En réalité, ni les lamentations ni les danses ne sont des métaphores et elles ne sont guère susceptibles de l'être. Les analogies signalées sont plutôt des rencontres littéraires qui ne changent rien au caractère parabolique de ces détails.

Leçon principale. — Sous le bénéfice de ces explications, nous ramènerons toute la parabole aux deux termes de la comparaison suivante :

De même qu'une troupe d'enfants capricieux trouve toujours à redire aux propositions des camarades, refusant par exemple de danser lorsqu'on les y invite par des chants, refusant de pleurer lorsqu'on es y invite par des lamentations,

ainsi scribes et pharisiens ont trouvé à redire tour à tour à la manière de vivre du Précurseur et à celle du Sauveur, traitant le premier de démoniaque, en raison de son austérité, le second d'ami de la bonne chère, parce qu'il mangeait et buvait comme tout le monde.

La leçon qui se dégage, c'est que les pharisiens qui regardent de haut l'humanité entière, y compris les envoyés de Dieu, ne se comportent pas même en hommes; ce ne sont que des enfants, pis encore des gamins capricieux et déraisonnables.

Cette morale dégagée du texte de saint Matthieu est très heureusement confirmée par la variante de saint Luc : « A qui comparerai-je les hommes de cette génération? Ils ressemblent à des gamins..., *qui s'interpellent les uns les autres*, καὶ προσφωνοῦσιν ἀλλήλοις. » Ici il n'y a plus l'apparence d'une séparation entre le camp des enfants raisonnables et celui des enfants capricieux. C'est la bande anonyme et criarde, dont toutes les unités s'agitent et s'interpellent à la fois. Ils sont tous mécontents les uns des autres et ils se le disent à la fois.

Nous sommes heureux de constater que cette interprétation a déjà été adoptée par un certain nombre de commentateurs. Dom Calmet : « Quand Jésus-Christ dit que le royaume des cieux est semblable à ces enfants, il ne prétend pas comparer le paradis ou la prédication de l'évangile à ces jeunes gens qui jouent, *mais simplement la conduite des Juifs incrédules à celle de ces enfants malplaisants, à qui rien n'est agréable, qui ne veulent ni pleurer ni danser* » (*saint Matthieu*, 260). Le P. Fonck : « Naturellement, la faute est des deux côtés à la

fois, sans que nous ayons pour cela à répartir
les paroles entre les deux catégories » (275). Loisy :
« Pour faire l'application de la comparaison, il ne
faut pas distinguer deux groupes d'enfants dont
l'un représenterait les Juifs, l'autre Jean et Jésus.
Deux parties ne se distinguent... que pour marquer
la versatilité de la génération qui a mal jugé
l'existence de Jean, comme elle juge mal à présent
la vie moins austère de Jésus » (677). Et encore :
« Étant donné que la comparaison vise uniquement
l'attitude contradictoire des Juifs, l'application
se ramène à l'analogie de deux enfantillages :
celui de vrais enfants que leur naturel capricieux
empêche de s'accorder sur un jeu quelconque;
celui des Juifs qui, aussi légers d'esprit que ces
enfants, se contredisent eux-mêmes dans les jugements qu'ils portent sur Jean et sur Jésus » (*ibid.*).

Cette exégèse est tellement simple et satisfaisante,
qu'on s'étonne de ne pas la voir adopter de tous les
commentateurs qui en ont eu connaissance et auraient
pu en bénéficier. Leurs hésitations peuvent du moins
nous servir de contre-épreuve et de confirmation.

Ces auteurs distribuent généralement les rôles
comme il suit : Jean et Jésus d'un côté, les pharisiens
et les sadducéens de l'autre.

Mais qui invite et qui refuse l'invitation ? A lire le
texte de la parabole suivant cet ordre d'idée, il semble
que Jean et Jésus défèrent l'invitation aux pharisiens moroses et boudeurs : Jean les inviterait à la
pénitence, et Jésus à la joie, tous les deux du reste
vainement (saint Jean Chrysostome, saint Jérôme,
le Camus, P. Durand). Ce dernier écrit : « La similitude est transparente. Jean-Baptiste est venu, de la
part de Dieu, pour appeler à la pénitence; lui-même
donnait l'exemple d'une vie austère... » (186).

Mais, à tant faire que d'entrer dans la voie des applications allégoriques, ne sont-ce pas plutôt les pharisiens qui invitent, au lieu qu'ils soient invités? N'est-il pas dit que les hommes de cette génération ressemblent à des gamins qui invitent au jeu leurs camarades? C'est pourquoi, d'après d'autres interprètes, ce sont les pharisiens qui provoquent Jésus à la pénitence, et ce sont les sadducéens qui provoquent le Précurseur à la joie (Euthymius, Plummer Fillion).

Cette fois, n'est-ce pas attribuer au Messie et au Précurseur le rôle d'enfants bouders? Car si les pharisiens et les sadducéens prennent l'initiative d'inviter à la joie et à la pénitence, ce sont bien eux, Jésus et Jean, qui, par leur refus, s'assimilent à des enfants capricieux.

Combien plus satisfaisante la solution à laquelle nous conduit la lecture objective de la parabole : un groupe indivis d'enfants capricieux qui n'acceptent jamais de jouer aux jeux proposés; une masse indivise de pharisiens et de scribes capricieux qui trouvent à redire à tout, aussi bien au genre de vie de Jean-Baptiste qu'à celui de Jésus!

De tels hommes, qui montrent une telle indocilité aux exemples aussi bien qu'aux enseignements, sauront-ils jamais se mettre dans les conditions requises pour entrer au royaume de Dieu?

Premier avertissement aux pharisiens, mais de quelle gravité!

III. — Appendice : **Les fils de la sagesse.**

La parabole se termine par une sentence de saveur mystique que les commentateurs se contentent généralement d'interpréter à cette place, sans s'informer de son caractère propre et de son rapport avec l'argumentation précédente.

Constatons qu'elle n'appartient à la parabole ni
comme partie essentielle ni comme partie intégrante.
Elle vient plutôt s'opposer à l'argumentation précédente comme une antithèse : *les pharisiens ont
toujours combattu les œuvres de la sagesse, mais les
fils de la sagesse l'ont justifiée,* ou bien : *mais la
sagesse s'est justifiée elle-même par ses propres
œuvres.* La polémique s'achève ainsi sur une perspective consolante.

A ce titre, la maxime se trouve bien à sa place,
et tout donne à croire qu'elle est authentique. Si on
la supprimait, la parabole finirait court et d'une
manière peu satisfaisante. Par ailleurs, le mouvement normal de l'argumentation postule que la passe
d'armes finisse sur une pensée moins attristante que
l'opposition pharisaïque.

Signalons encore l'analogie littéraire de cette
maxime avec les sentences qui terminent fréquemment les paraboles à la manière d'appendices ou de
compléments. Les divers exemples seront signalés
dans ce commentaire au fur et à mesure de leur
apparition.

Peut-être cette maxime n'est-elle qu'un fragment
de discours *extraparabolique.* Jésus, s'il l'a jugé
bon, a pu développer ce thème en opposant les fils
de la sagesse à ceux qui passaient leur existence à
la contredire.

Développée ou non, cette sentence nous est une
preuve qu'en certains cas, une parabole s'accommode
parfaitement d'une suite, de quelque nom qu'on
l'appelle : discours extraparabolique, appendice,
complément.

Contre de tels développements, la prudence et le
bon sens demandent que l'on évite de prononcer, sans
autre forme de procès, un verdict d'inauthenticité.

Le figuier stérile

(saint Luc, XIII, 6-9).

⁶ Or il disait la parabole suivante : Un homme avait un figuier planté dans sa vigne, et il vint y chercher du fruit et n'en trouva point. ⁷ Alors il dit au vigneron : Voilà trois ans que je viens chercher du fruit à ce figuier et je n'en trouve pas. Coupe-le : pourquoi épuise-t-il le sol ? — ⁸ L'autre de lui répondre : Maître, laissez-le encore cette année, que je bêche tout autour et que j'y mette du fumier. ⁹ Peut-être donnera-t-il du fruit l'année prochaine... Sinon, vous le couperez.

Parabola vero facilis est, nec longa indiget explicatione, disait Maldonat, la parabole est facile, il n'y faudra pas un long commentaire.

I. — Tableau

Pour bien comprendre le tableau, il suffit de rappeler quelques traits de la vie palestinienne auxquels il est fait allusion.

Vigne et verger palestiniens. — *Un homme avait un figuier planté dans sa vigne.* La présence d'un tel arbre au milieu d'une vigne surprendrait nos vignerons d'Occident, pour qui la vigne est, par définition, un alignement symétrique de ceps dont rien ne dérange l'impeccable ordonnance et d'où sont rigoureusement exclus tous les autres plants.

En Palestine, la ligne du vignoble n'est jamais tellement droite qu'elle ne s'infléchisse d'une manière inattendue, peut-être déconcertante. Les ceps noueux et séculaires rampent librement sur le sol, y prenant

113

la direction qu'ils préfèrent, sans que le vigneron
songe à les contrarier. Plutôt faire un petit détour
avec la charrue légère! Ou bien louer un mercenaire, femme ou enfant, qui déplacera à point
nommé le cep irrégulier à l'époque du labour! La
nature ou l'accoutumance ont pourvu le fellah palestinien d'une telle maîtrise pour contourner les obstacles! Et la bête de labour, haridelle ou mulet, est
si docile pour s'arrêter net ou repartir au commandement énergique et obsédant de celui qui la mène!

Retenons surtout qu'en Palestine toute vigne est
un verger. Entre les ceps d'une même rangée croissent à volonté figuiers, grenadiers, abricotiers,
amandiers. Le Palestinien entretient une vigne pour
en manger le raisin sur place. Quand il va s'y
reposer à la belle saison avec sa famille, il aime à
varier son ordinaire ou son dessert. N'eût-il qu'un
lopin de terre, il s'ingénierait à y réunir quelques
échantillons de toutes les productions du pays.

Il soigne sa vigne comme son olivette. Le champ
de blé sera obstrué de rochers ou de buissons, mais
la vigne sera minutieusement épierrée et sarclée,
terrasse par terrasse, sur le flanc du coteau. Si le sol
est marneux à l'extrême, on l'amendera en y trans-
portant, à grands renforts de bourriquets, de la terre
rouge qui corrige très heureusement la marne. Dès
la première pluie, on y passe la charrue pour fendre
et retourner la mince couche arable. On laboure une
deuxième fois lorsque le printemps a tapissé les
vignobles de pâquerettes et d'anémones, et encore
une troisième fois, lorsque les bourgeons, gonflés de
sève, sont près d'éclore au bon soleil de mars et
d'avril. S'il le faut, la bêche purifiera une dernière
fois le sol des folles herbes, vivaces et pâles, qui croissent dans la chaleur de mai et de juin. Après quoi,

le vigneron satisfait attendra patiemment l'époque des raisins mûrissants.

Les arbres profitent singulièrement à ce régime de faveur. Ailleurs, ils ne recevraient peut-être pas les soins les plus élémentaires ; ce serait à leur forte vitalité de triompher des obstacles accumulés par la nature. Dans le verger, ils deviennent des arbres de choix et de luxe, exigeant des soins particuliers. A leur tour, ils ajoutent au charme et au bénéfice.

Le figuier de la parabole ne donnait pas de fruits depuis trois ans. Pourtant ce n'était pas un figuier *desséché*. Tout le monde reconnaît un arbre mort ; nul ne s'aviserait d'aller chercher des figues sur un figuier qu'on saurait desséché depuis un an ou deux. Et puis, en Palestine, un arbre mort ne reste pas longtemps en place. Le fellah, qui est toujours court de combustible, a vite fait de le déraciner. Sur son dos ou sur son âne, vous le verrez qui en porte les branches à son foyer ou au marché de la ville voisine.

Ce n'était pas non plus un *jeune figuier,* dont le Lévitique interdisait de cueillir les fruits, les fruits *incirconcis* dit le texte sacré, durant les trois premières années (xix, 23-25).

C'était un arbre vivant, pareil au figuier maudit (Mt. xxi, 19), chargé de feuilles, mais ne produisant pas de fruits. Il est surprenant que les commentateurs, parlant de cette stérilité, n'en recherchent point la cause. Ce ne sont pourtant pas fictions de paraboles. Pareils figuiers existent ; les cultivateurs judéens les connaissent sous le nom de *figuiers sauvages.* Nous en avons naguère décrit quelques échantillons qu'il nous a été donné d'observer sur place (*Jérusalem, le figuier stérile,* 1931, 739-744). Ne rapportons ici que les traits principaux susceptibles d'éclairer la parabole.

Le figuier stérile d'El Athroun. — Le plus bel
échantillon de figuier stérile qui soit en Palestine, est
à notre connaissance celui de la Trappe d'El Athroun.
Figuier magnifique, tronc épais et lisse, écorce
blanche et luisante, ramure puissante faite de trois
maîtresses branches. Chaque printemps, il se pare
d'un feuillage nouveau, plus dense et plus noir que
celui des autres figuiers. A voir sa floraison de *figues-
fleurs* et de figues ordinaires, on le prendrait pour
le plus fertile des arbres. « Le 29 mai, fête de l'Ascension, l'arbre était dans toute la beauté de sa forte
jeunesse. A l'encontre du gros figuier voisin aux
feuilles lasses et languissantes, il déployait son pavillon de ramures et de feuilles drues. Il était couvert
de centaines de petites figues... On eût pris ces
embryons de fruits pour une floraison moqueuse de
petites verrues, au milieu desquelles se détachaient,
grosses, ventrues, les *figues-fleurs* qui se hâtaient
déjà vers l'épanouissement de la maturité. Stérile,
ce figuier ? »

Un mois après, le spectacle était tout autre.

« Le 3 juillet, je renouvelais mon pèlerinage parabolique. Hélas! Qu'était-il donc advenu? Et qu'y
avait-il dans les flancs de cet arbre ruisselant de santé?
Des centaines de figues gisaient à terre, complète-
ment desséchées, pauvres petits cadavres de plusieurs
semaines, de la grosseur d'une fève. Sur l'arbre,
quelques rares survivantes, touchées de la pâleur qui
annonce l'arrêt de la vie. Plus rares, une dizaine tout
au plus, quelques fruits qui semblaient avoir conservé l'apparence de la vie, mais qui seraient bientôt
frappés à leur tour. Je n'avais qu'à me rendre à l'évidence. Sous ce feuillage de rêve, le figuier était incapable de donner la vie. Il s'efforçait vers la fécondité,
paraissait devoir l'atteindre, et, soudain, s'arrêtait

dans son élan vital, frappé de stérilité et de mort. Vraiment, le figuier stérile » (*ibid.* 742).

Sur les origines du sujet, nous tenons du R. P. Paul Couvreur, prieur de la Trappe d'El Athroun, les renseignements suivants. Le figuier « est sauvage. Personne de nous ne l'a planté. Il n'est pas venu par bouture, comme viennent presque tous les figuiers de nos vergers. Il est né d'un simple pépin, tout seul. Un figuier qui vient par bouture ou par greffe, ressemble à l'arbre dont il procède et il est productif. S'il vient d'un pépin, il peut être productif encore, mais il n'est pas rare qu'il retourne à l'état sauvage. Pour devenir fécond, il aurait besoin d'être greffé, mais la greffe d'un figuier est chose difficile, réussissant rarement, et qui, pour ce motif, ne se pratique guère. On a plus vite fait encore de déraciner le sujet improductif et de planter à la place une bouture de figuier fécond... » (741, 742).

Revenons au récit sacré.

Le maître et le vigneron. — Le maître de la vigne est un riche propriétaire, puisqu'il paraît avoir en permanence un vigneron sous ses ordres. La vigne aussi doit être considérable, puisqu'elle suffit à occuper un homme. Nul ne s'étonnera qu'il en soit ainsi pour une vigne de parabole. Dans le cours ordinaire de la vie, la vigne ne serait qu'un verger de superficie restreinte, que le propriétaire travaillerait de ses mains aux époques voulues, à moins qu'il ne le fît labourer et bêcher par un ouvrier salarié.

Dans la parabole, c'est le vigneron qui cultive le clos, le maître n'y vient qu'à la saison des fruits. En Palestine, dès la fin de juillet, lorsque les premiers raisins commencent à mûrir, les petits propriétaires mettent une sorte de coquetterie à quitter la maison du bourg et à se retirer dans leur vigne, à la campagne. Toute la famille y vient en grande liesse. C'est un spectacle charmant que cet exode d'un nouveau genre; il n'est pas rare que la ménagère emmène avec elle ses poules et l'enfant son chat. Le tableau est complet, si le chameau, porteur du mobilier domestique, chemine lourdement suivi du bélier qu'on engraisse.

L'installation est le plus souvent fort sommaire à la campagne, attendu que la famille entière s'entasse dans l'unique pièce de la maisonnette ou de la tour de garde. A défaut de maison, c'est le figuier aux larges feuilles qui sert de pavillon, à l'aide de quelques toiles déployées en manière de tente.

Le maître était venu à la saison des fruits, mais nous ne savons s'il s'était installé dans sa vigne. Il va droit au figuier stérile. Sans doute fait-il l'inspection complète de sa propriété; mais comme il savait l'arbre sauvage, il s'empresse de voir s'il est redevenu fécond.

Sa déception est complète : pas une seule figue, rien que des feuilles. L'expérience est concluante, il n'y a plus qu'à déraciner le figuier stérile. Il en donne l'ordre immédiatement. Il n'attendra même pas la fin de la saison; l'arbre, avec son inutile parure de feuillage, sera sur-le-champ abattu. *Pourquoi rend-il le sol improductif?* (Valensin-Huby), ou mieux *pourquoi épuise-t-il le sol?* (καταργεῖ, verbe qu'Euthymius décompose en καθιστᾶ ἀργήν, Jülicher, II, 436). Le figuier stérile ne sème pas directement la mort autour de lui, mais il transforme en un vain feuillage les sucs du sol qui pourraient être convertis en fruits savoureux. Et c'est autant de perdu pour les arbres circonvoisins.

Le maître tient à motiver cette sentence capitale :

Voilà trois ans que je viens chercher du fruit à ce figuier et je n'en trouve pas! On serait tenté de croire à première lecture que l'expérience a été faite précédemment pendant trois années consécutives et qu'elle se renouvelle pour la quatrième fois.

Mais saint Cyrille avait déjà fait remarquer que le sens le plus naturel de la phrase est : *Voilà déjà trois ans que je viens, c'est la troisième fois que je viens...*

Pour aimer vraiment les arbres, il faut les avoir soi-même plantés ou soignés durant plusieurs années. C'est à croire que le maître ne s'intéresse que de fraîche date à ce malheureux figuier. C'est le vigneron qui l'a vu croître et lui a prodigué ses soins. Le vigneron ne peut pas croire que l'arbre soit irrémédiablement stérile. En pareil cas, on résiste à l'évidence, on entretient la plus petite lueur d'espoir, on se cramponne à la dernière chance, on sollicite un surcroît de preuve. Peut-être des soins particuliers lui rendront-ils la fertilité. Pourquoi ne pas prolonger l'expérience jusqu'à l'année prochaine? Si elle réussit, le profit sera plus grand que s'il fallait remplacer ce figuier et attendre que le nouveau plant fût en mesure de donner des fruits. Si elle échoue, le mal n'aura pas empiré. *Maître, laissez-le encore cette année...*

Ce vigneron a toutes nos sympathies. Nous souhaitons vivement que sa prière soit exaucée, qu'il réussisse à sauver l'arbre et à lui rendre sa fertilité. Car nous savons que c'est un figuier de *parabole,* chargé de réalités symboliques. Pour l'instruction des auditeurs, il est nécessaire que le délai imploré soit concédé. C'est pourquoi, le maître reviendra sur ses ordres, il permettra que le figuier occupe le sol de sa vigne une année encore et qu'on lui prodigue tous

les soins que l'Orient a coutume de prodiguer aux
arbres malades. Mais, alors même que ces détails
ne concorderaient pas avec les usages palestiniens,
ils s'imposeraient dans la présente parabole au nom
de la vérité pédagogique. Nul auditeur ne pouvait
s'en étonner.

*Maître, laissez... que je bêche tout autour et que
j'y mette du fumier*. Non content d'avoir labouré le
vignoble, le vigneron prendra sa bêche, il piochera
tout autour de l'arbre pour enlever dans le voisinage
les moindres herbes susceptibles d'amoindrir la
force vitale de l'arbre; la terre ainsi remuée recevra
jusqu'à la profondeur des racines les dernières
averses du printemps et les chauds rayons du soleil.
Ou bien le vigneron *creusera* tout autour de l'arbre
et y déposera le fumier vivifiant, qui sera ensuite
recouvert de terre.

Cette promesse de mettre de l'engrais au pied de
l'arbre suppose en Palestine un soin extraordinaire.
Les fellahs modernes soupçonnent à peine que le
fumier puisse avoir une valeur chimique. Ils ne songent pas à disposer une litière dans les écuries ou
les étables. Il est vrai, où prendraient-ils la litière?
Et lorsqu'ils se mettent en devoir de dégager le logis
des animaux, ils sont plutôt embarrassés de savoir
où consigner l'encombrant engrais. Dans les villages
galiléens, le fumier s'accumule, depuis le temps de
Job, sur la lisière des villages en de grands tas, qui,
avec les ans, deviennent des collines; ce sont les
mezbélés qu'on utilise parfois comme *silos* ou dépôts
à grain. Ou bien le fumier est utilisé comme combustible, véritable charbon des pauvres, et souvent
l'unique charbon.

Quant à penser qu'il pût servir à amender un
terrain, c'était de la part de ce vigneron une louable

initiative qui le range auprès des auteurs grecs et latins de l'antiquité qui ont disserté des choses de l'agriculture.

Après avoir bêché et fumé, il n'y aura décidément plus rien à faire. On ne saurait raisonnablement prolonger l'expérience au delà de cette nouvelle année.

II. — APPLICATION

Le récit peut se ramener à ce premier membre d'une comparaison :

De même qu'un propriétaire, décidé à couper un arbre depuis longtemps stérile, consentit à un nouveau et bref délai sur les instances de son vigneron,
    ainsi...

Le deuxième membre de la comparaison doit être demandé au contexte, lequel ne souffre pas de difficulté et qui nous parle ouvertement de pénitence. Relisons les premiers versets du chapitre :

[1] A ce moment survinrent quelques personnes qui lui parlèrent de ces Galiléens dont Pilate avait mêlé le sang à leurs sacrifices. [2] Il leur répondit : Pensez-vous que ces Galiléens fussent de plus grands pécheurs que tous les autres Galiléens, pour avoir ainsi souffert? [3] Non, je vous le dis. Mais vous, si vous ne faites pénitence, vous périrez tous de même. [4] Et ces dix-huit personnes sur qui s'est effondrée la tour de Siloé et qu'elle a tuées, pensez-vous qu'elles fussent de plus grands débiteurs que tous les autres habitants de Jérusalem? [5] Non, je vous le dis. Mais vous, si vous ne faites pénitence, vous périrez tous de même. [6] Et il disait la parabole suivante...

Notre-Seigneur profite de ces faits divers, massacre des Galiléens, effondrement de la tour de Siloé, pour inviter ses auditeurs à la pénitence. De ces paroles deux faits se dégagent. Le premier est que la foule entière (xii, 54), autant dire la nation, a grand besoin de faire pénitence; ses crimes sont sur le point de lui attirer le terrible châtiment d'une mort violente. Comme le châtiment doit être universel, on devine qu'Israël est menacé d'une catastrophe nationale. Le lecteur de l'évangile pense naturellement à la ruine de Jérusalem et à l'anéantissement de la nation. Le deuxième fait est qu'il existe encore un moyen d'éviter la catastrophe, et c'est que l'on se convertisse, la pénitence nationale ayant la vertu d'écarter le châtiment national.

Nous pouvons désormais compléter la comparaison :

De même qu'un propriétaire, décidé à couper un arbre depuis longtemps stérile, consentit à un nouveau et bref délai sur les instances de son vigneron,

ainsi Dieu menace de mort violente le peuple juif tout entier, s'il reste sourd à la voix du Sauveur qui l'invite à la pénitence.

Leçon principale. — Les termes de la comparaison s'harmonisent parfaitement. Il nous reste à commenter les leçons qu'ils contiennent.

La culpabilité des Juifs ressort des termes mêmes de la parabole. Israël n'est pas comparé à un arbre quelconque, mais à un arbre fruitier, et à un figuier, qui est, avec l'olivier, l'arbre royal de Palestine.

La culture de ce figuier n'a pas été livrée au hasard. Il est planté dans une vigne, bénéficiant

ainsi des soins particuliers que les vignerons prodiguent à leur verger. Il était naturel qu'il produisît
en abondance des fruits succulents. S'il en a jamais
produit, le texte ne le dit pas. Mais il affirme que,
depuis trois ans, l'arbre est stérile; sous les apparences de la vie, il est infécond et pour un arbre
de son espèce, la fertilité est la seule raison de
l'existence.

Malgré sa déception, le maître consent à ne pas
le déraciner sur-le-champ. Mais on sent que sa
patience est à bout. Passé le nouveau délai, personne n'arrêtera plus la décision inéluctable; si ce
dernier essai ne réussit pas, le vigneron lui-même
reconnaît inutile de prolonger l'expérience.

Ainsi en est-il des Juifs.

Ils étaient le peuple privilégié de Dieu. L'Ancien
Testament est rempli des prodiges accomplis en
leur faveur, autant dire de la continuelle sollicitude
de Dieu à leur égard. Le Seigneur était donc en
droit d'attendre les fruits des bonnes œuvres,
notamment la fidélité à son service, dans l'accomplissement de ses préceptes. Il n'en a rien été.
De temps immémorial, le peuple, en tant que tel,
est spirituellement infécond.

Devant ces résultats négatifs, le Seigneur aurait
pu le répudier, le disperser ou le détruire. Il a
préféré jusqu'ici se montrer patient, longanime,
épuiser les dernières chances de conversion.

Aujourd'hui la patience divine est à bout. Du
moment que la preuve est faite et qu'il n'y a plus
rien à espérer de ce peuple stérile, Dieu se dispose
à le châtier terriblement. L'heure est venue.

Voici néanmoins un nouveau délai, le dernier,
obtenu en sa faveur à la prière du Christ Jésus.
Dès l'ouverture de son ministère, il tente auprès

de ses compatriotes le dernier effort de la miséricorde divine. Il déploie pour cette œuvre de salut
la toute-puissance de ses miracles et les charmes
infinis de sa bonté. Ces bienfaits dépassent en
tendresse et en prodigalité toutes les faveurs dont
avaient été comblés les patriarches et les ancêtres.
Mais, qu'on le sache bien, la partie est définitivement engagée. L'enjeu n'est autre que le salut ou
le rejet d'Israël. Le Seigneur y a mis son va-tout.
S'il échoue, ni sa toute-puissance ne pourra rien
de plus, ni sa miséricorde. La conversion ou la
catastrophe !

On sait que cette tentative suprême du Sauveur
ne fut pas davantage couronnée de succès. Si
quelques Israélites se montrèrent dociles à sa voix,
Israël persista dans son obstination.

Aussi le châtiment ne se fit-il pas attendre.

Parabole, allégorie ou mélange? — On aura
remarqué que le commentaire qui précède côtoie
l'allégorie et l'on voudrait peut-être savoir quels
principes le guident et le maintiennent dans ce
juste milieu. Nous avons à nous expliquer là-dessus.

Les anciens commentateurs, il fallait s'y attendre,
traitaient la parabole en allégorie et cherchaient
un répondant particulier à chacun des traits de
l'histoire. « Le figuier, disait saint Augustin, c'est
le genre humain. Les trois ans sont trois époques :
avant la Loi, sous la Loi, sous la grâce... Le
vigneron, c'est toute âme sainte qui, dans l'Église,
prie en faveur de ceux qui sont hors de l'Église.
Qu'est-ce que de bêcher tout autour, si ce n'est
d'enseigner l'humilité et la pénitence? Le trou en
terre, c'est l'humilité; le couffin de fumier, ce sont
les bonnes œuvres. Des immondices oui, mais qui
portent des fruits! Le fumier du vigneron, ce sont

les regrets du pécheur... » (*P. L.* t. XXXVIII, 638, 639).

Dom Calmet se complaît encore et s'attarde sur les routes de l'allégorie. « Le figuier infructueux est le peuple juif. Le père de famille est Dieu qui, las d'attendre des fruits qui ne viennent jamais, menace de faire couper cet arbre. Les prophètes et les gens de bien retiennent sa main et font suspendre sa résolution, dans l'espérance que, par leurs soins et leurs exhortations, le peuple retournera enfin à Dieu et portera des fruits de pénitence. Jésus-Christ en dernier lieu prend soin lui-même de cultiver cet arbre, et menace de la part de son Père éternel de couper le figuier. Les menaces furent suivies de l'effet. Quarante ans après sa mort et sa résurrection, Jérusalem fut détruite, le temple brûlé et renversé, la nation juive dispersée et réduite presque à rien, les cérémonies abrogées, les peuples gentils appelés à la foi et plantés dans l'Église, en la place du figuier stérile. Voilà toute l'économie de la parabole » (216).

Cette économie de la parabole répugne aux commentateurs modernes, qui témoignent une appréhension marquée pour l'allégorie.

Si je ne me trompe, cette attitude est attribuable pour une bonne part à la vigoureuse offensive menée par Jülicher contre cette forme d'enseignement. « Ce n'est qu'une parabole, écrit Loisy, entièrement exempte de symbolisme » (II, 115). « Pas d'allégorie », déclare le P. Lagrange (380).

Chose assez piquante, la peur de l'allégorie semble toute de surface, à tel point que les auteurs qui s'en défendent le plus sont surpris en flagrant délit d'allégoriser. « L'application aux contemporains de Jésus, dit Loisy, se fait d'elle-même : depuis longtemps Dieu attend qu'Israël se repente. Encore un

peu de temps, et Israël périra, s'il ne se convertit »
(II, 116).

La vérité est que le préjugé, nous pourrions dire
la *phobie* allégorique de Jülicher est une mauvaise
disposition pour aborder et résoudre convenablement ce petit problème d'exégèse. Le préjugé écarté,
il reste que la comparaison et la métaphore sont
deux genres voisins, tout comme la parabole et l'allégorie; que, de l'une à l'autre, le passage est tout
naturel et les échanges sont très fréquents. Une
comparaison étudiée, soigneusement développée
d'après des analogies nombreuses et satisfaisantes,
s'épanouit spontanément en métaphore . A un certain moment du discours parabolique, bien avisé
serait le critique qui oserait prononcer que les frontières de la pure comparaison n'ont pas été franchies
et que l'orateur ne se trouve pas déjà dans le domaine
de la métaphore. Il est bien plus conforme aux faits
et à la psychologie, après avoir reconnu qu'entre la
comparaison et la métaphore s'étend une zone
commune, de se comporter en conséquence. Le
paraboliste dira donc à son gré : Israël *ressemble* à
ce figuier (comparaison) ou bien : Israël *est* ce figuier
(métaphore), si même il n'emploie les deux formules
conjointement au cours de son récit. Pour ma part,
je lui reconnais ouvertement le droit de les employer
l'une et l'autre, et je ne discerne pas au nom de
quelles lois littéraires on pourrait bien l'en empêcher.

Dans la parabole actuelle, les analogies entre les
figures et les réalités sont si nombreuses et si manifestes qu'on n'hésitera pas à y reconnaître certaines
métaphores centrales. Mais il est bien entendu qu'on
ne se départira pas, dans l'application de ces métaphores, du précepte de discrétion ou de bon sens
plusieurs fois énoncé par le sage Maldonat. Comme

il y a des allégories intégrales, il y en a de partielles. Et de même qu'une comparaison tourne facilement à la métaphore, il n'est pas rare que l'allégorie s'arrête pour se prolonger et finir en comparaison. Cette loi ne rentre pas, il est vrai, dans le code étroit et irréel de Jülicher; mais elle est de nature à rendre à l'exégète toute la liberté qu'il tient de la nature des choses.

Sous le bénéfice de ces observations, nous regardons comme certain que le figuier est la métaphore d'Israël, et que cette métaphore substantielle en entraîne quelques autres de détail. Si le figuier ne donne pas de fruits depuis un certain temps; si on lui concède un dernier délai pour qu'il se remette de sa stérilité; si, passé ce délai, il doit être coupé impitoyablement, c'est que le peuple d'Israël lui-même ne donne plus de fruits; c'est que à lui aussi un nouveau délai est concédé, après lequel il sera retranché sans merci. La correspondance de ces éléments est telle que la comparaison va jusqu'à la métaphore, sans que ces figures offrent rien de heurté.

Il n'y a pas davantage d'exagération à prétendre que le maître de la vigne est la métaphore de Dieu; il a prodigué à son peuple toutes les sollicitudes désirables; et devant la stérilité invétérée d'Israël, il s'apprête à le réprouver définitivement; toutefois il consent un nouveau et dernier délai sur les instances du Sauveur.

D'où nous concluons encore que le Sauveur est figuré par le vigneron qui intercède en faveur du figuier bien-aimé et obtient le dernier délai de miséricorde.

Là s'arrête le cycle des métaphores. Les autres détails demandent à être expliqués à la manière des comparaisons, non pas trait pour trait, mais collec-

tivement et dans leur ensemble. Si le figuier est
planté dans une *vigne,* nous ne dirons pas avec
Maldonat que la vigne est l'Église; ce détail *parabolique* évoque seulement les soins particuliers dont le
figuier a été l'objet et il rappelle qu'Israël fut aussi
un peuple privilégié. — Les trois années sont un
autre détail *parabolique.* Calmet l'a dit avec raison,
« les trois ans marquent simplement que Dieu leur
a donné (aux Israélites) tout le temps et tous les
moyens convenables pour les mettre hors d'excuse »
(217). Détail parabolique encore, les soins que le
vigneron s'apprête à prodiguer à l'arbre malade : il
va piocher tout autour du figuier et y mettre du
fumier, c'est dire qu'il fera tout ce que les ouvriers
diligents ont coutume de faire en pareil cas. « Ces
mots défient toute allégorie » (Lagrange, 381). Mais
ces soins signifient collectivement tout le ministère
du Sauveur auprès des Juifs obstinés. Plût au ciel
qu'ils eussent écouté sa voix et qu'ils se fussent
convertis !

Les trois années de stérilité. — Les trois années
de stérilité méritent un supplément d'information,
en raison du sens que les commentateurs leur
attribuaient. Dom Calmet résume en quelques mots
leurs hypothèses diverses. « Quelques Pères, écrit-il,
entendent ces trois ans des trois états sous lesquels
les hommes ont vécu : sans la loi naturelle, depuis
le commencement du monde jusqu'à Moïse; sous
la loi écrite, depuis Moïse jusqu'à Jésus-Christ;
sous la loi évangélique, depuis Jésus-Christ jusqu'à
la fin du monde. D'autres l'entendent du triple
gouvernement qui s'est vu sous les Juifs : le gouvernement des juges depuis Josué jusqu'à Saül; le
gouvernement des rois, depuis Saül jusqu'à la
captivité de Babylone; et le gouvernement des grands

prêtres, depuis la captivité jusqu'au siècle de Jésus-Christ. D'autres, des trois âges de l'homme : l'enfance, l'âge viril et la vieillesse... »

Combien, après cette nomenclature monotone, on se sent soulagé par la réflexion du judicieux Bénédictin : « Mais ces dernières explications sont toutes arbitraires... ».

Il ne serait pas moins arbitraire de penser que les trois années marquent « les trois années de la prédication de Jésus-Christ » (*ibid.*). Heureusement, depuis Maldonat et Calmet, tous les exégètes de profession, sinon tous les historiens, se tiennent en garde contre cette sollicitation allégorique.

Ils observent que le laps de temps prévu par la parabole convient parfaitement au cas du figuier stérile. La première année, on est surpris par l'absence de fruits ; on attend la deuxième année pour voir si l'infécondité est due à un accident passager ; la troisième année, on est fixé et il n'y a plus qu'à couper l'arbre. Que si l'on accorde un nouveau délai, il faut bien le prolonger une année entière et attendre le printemps suivant, époque des nouveaux fruits. On voit que tous ces chiffres sont imposés par la nature des choses ; dès lors on ne saurait prétendre que leur choix est symbolique et métaphorique.

S'il fallait un supplément de preuves, nous dirions que le champ visuel de la parabole dépasse l'horizon du ministère de Jésus, puisqu'il embrasse l'histoire universelle d'Israël. Ce n'est donc pas d'hier que la stérilité des Juifs a commencé.

Remarquons enfin que, si les trois premières années étaient de 365 jours, la dernière année de délai devrait avoir la même durée. A ce compte, on aurait quelque peine à montrer qu'à l'issue de cette nouvelle épreuve, le peuple juif a été déraciné, frappé

d'une catastrophe nationale, laquelle ne l'atteignit
qu'une quarantaine d'années après.

La leçon à retenir, c'est que nul exégète n'a le
droit d'arguer de cette parabole pour déterminer la
durée du ministère de Jésus. Le récit fictif, en
l'occurrence, n'a rien à voir avec l'histoire. Les
années du figuier n'ont rien à voir avec les années
de la vie publique. Le ministère, qu'il ait été de
deux ans et demi, comme nous le croyons, ou de
trois ans et demi, doit se calculer d'après des données
moins simplistes et plus sérieuses.

Mais si *le figuier stérile* n'a pas d'aptitude à
dirimer ce difficile débat, c'est assez pour son renom
parabolique d'avoir dressé une fois de plus devant
le peuple choisi l'étendard de la miséricorde, l'étendard du Sacré Cœur de Jésus, avant la catastrophe
qui allait tout emporter.

La brebis perdue

(saint Luc, xv, 1-7).   (saint Matthieu, xviii, 12-14).

¹ Cependant les publicains et les pécheurs s'approchaient tous de lui pour l'entendre. ² Et les pharisiens et les scribes murmuraient disant : Celui-là, il accueille les pécheurs et mange avec eux ! ³ Alors il leur dit cette parabole :

⁴ Quel est celui d'entre vous, s'il a cent brebis et qu'il en perde une, qui ne laisse les quatre-vingt-dix-neuf autres dans le désert et ne se mette à la recherche de la [brebis] perdue, jusqu'à ce qu'il l'ait retrouvée ? ⁵ L'ayant retrouvée, il la met sur ses épaules tout joyeux, ⁶ rentre chez lui, convoque amis et voisins, et leur dit : Réjouissez-vous avec moi, parce que j'ai retrouvé ma brebis, celle qui était perdue.

⁷ De même, je vous le dis, il y aura plus de joie au ciel pour un pécheur repentant que pour quatre-vingt-dix-neuf justes qui n'ont pas besoin de pénitence.

¹² Que vous en semble ? Si un homme a cent brebis et que l'une d'elles s'égare, ne laissera-t-il pas les quatre-vingt-dix-neuf autres sur les montagnes pour se mettre à la recherche de l'égarée ? ¹³ Et s'il lui arrive de la retrouver, je vous le dis en vérité, il y aura plus de joie à son sujet que pour les quatre-vingt-dix-neuf qui ne se sont pas égarées.

¹⁴ *Ainsi ce n'est pas la volonté de votre Père céleste que périsse un seul de ces petits.*

Avant d'examiner le problème que soulève la comparaison de ces deux paraboles, il convient de

les étudier l'une et l'autre séparément. Nous
commencerons par le tableau de saint Luc, qui est
plus développé, et dont le parfait équilibre nous
offre la garantie d'un authenticité plus littérale.

I. — Tableau (saint Luc).

Le troupeau palestinien. — Les Palestiniens sont
habitués au spectacle des bergers menant leur troupeau au pâturage. Si le berger est nomade, il gare
son troupeau, le soir venu, dans un parc bordé d'un
mur en pierres sèches ou d'une haie de branchages
épineux, plus souvent dans une des nombreuses
grottes du désert. Si le berger habite un village, il le
range pour la nuit dans le parc ou la grotte de sa
maison. Au petit jour, il ouvre la barrière, interpelle
ses brebis qui bêlent à sa voix, et, à leur tête, les
achemine vers des pâturages problématiques. Pour
un troupeau considérable, il n'est pas rare qu'un
deuxième berger, prêt à toute éventualité, surveille
par derrière la marche confuse de ces petites bêtes
inintelligentes.

Le troupeau palestinien se compose généralement
de brebis et de chèvres. Les unes et les autres
cheminent pêle-mêle sur les pas du conducteur, les
brebis plus graves, alourdies par leur énorme
queue, les chèvres indociles, perpétuellement tentées
par la moindre apparence de verdure le long des
sentiers ou sur le bord des talus. Au milieu des
mères, souvent aussi en marge du troupeau, agnelets
et chevreaux bêlent et gambadent. Les petits sont
sevrés de bonne heure; séparés des mères, ils constituent dès lors des troupeaux à part, qui ménagent
au spectateur, assez ingénu pour s'y complaire, les
caprices de leur primesautière sensibilité. Avant le

sevrage, il arrive que le berger masque agneaux et
chevreaux d'une sorte de muselière qui les empêche
d'aller s'abreuver au lait maternel aussi souvent qu'ils
en éprouveraient, au cours de la journée, le besoin
ou la fantaisie. Ou bien le pis des mères est enfermé
dans un petit sac que rattachent au dos des liens de
fortune.

Le Sauveur parlait d'un troupeau de mères et tout
spécialement d'un troupeau de brebis. La brebis
évoque une image plus sympathique que la chèvre,
sa sœur ; la Bible, quand elle mentionne le *petit
bétail*, sans autre précision, fait allusion de préférence à des troupeaux de brebis.

Un troupeau de *cent brebis* représente en Palestine
une petite fortune de berger. On ne rencontre pas
souvent des troupeaux aussi nombreux. Il était
naturel du reste que le Sauveur choisît un nombre
rond et assez élevé, pour mettre davantage en relief
la leçon à déduire.

Quelques auteurs, frappés de voir le berger de la
parabole tout faire par lui-même, écrivent : « Le
propriétaire d'un tel troupeau n'est pas un homme
riche, puisqu'il est en même temps son propre
berger, et qu'il n'a pas de serviteur pour courir après
la brebis perdue, ou pour rester, en son absence,
auprès des quatre-vingt-dix-neuf » (Loisy, II, 140;
après Jülicher, 316). C'est là un scrupule d'exégète
de cabinet, qui, de plus, oublie partiellement la
vraie notion de la parabole. Dans la réalité, il est
probable qu'un propriétaire de cent brebis aurait
un petit domestique pour mener le troupeau au
pâturage. Mais la leçon de la parabole, *qui veut
montrer la sollicitude du maître*, exige que ce soit
lui en personne qui conduise ses brebis, lui qui se
mette à la recherche de l'égarée, lui qui la retrouve

et la ramène sur ses propres épaules et convoque ses
amis et se réjouisse. Si ces diverses scènes étaient
confiées à des acteurs différents, le petit drame serait
manqué. La parabole de la brebis est essentiellement
une pièce à acteur unique. Qu'on se rassure donc
sur le bien-être du personnage parabolique : il a
de quoi vivre avec ses cent brebis; il est *content*,
diraient les Palestiniens modernes.

La recherche de l'égarée. — Sur les cent brebis,
on suppose que l'une s'égare. L'accident doit être
fréquent dans la vie des pâturages. Les collines de
Palestine étant parsemées de ruines, il s'y rencontre
quantité de trous béants, plafonds de cavernes
effondrées, rochers disjoints, citernes crevées. Notre-
Seigneur rappelle (Lc. xiv, 5) qu'il peut arriver
à un bœuf ou à un âne de tomber dans ces fosses.
A plus forte raison un accident pareil peut-il se
produire dans un troupeau de menu bétail. Sans
doute, il y a vingt siècles, les ruines n'étaient pas
aussi nombreuses que de nos jours. Pourtant, avant
la visite des Arabes, des Croisés et des Turcs, la
Palestine avait déjà connu assez d'invasions pour
être un vaste cimetière de villes mortes.

Qu'une brebis vienne à tomber dans un trou, ou
qu'elle reste prise par sa riche toison dans une
touffe de chênes-verts ou de buissons épineux, un
berger distrait ne remarque pas sur l'heure sa
disparition. Quand il s'en aperçoit, le troupeau est
peut-être déjà loin du lieu de l'accident. Car le
pâturage faisant partout défaut, les brebis ne
séjournent nulle part. On les voit errer de sommet
en sommet, de vallée en vallée, en une promenade
ininterrompue. Il faudra peut-être des heures au
berger contraint de repasser par tous les méandres
de la route parcourue.

Dès qu'il s'aperçoit de la disparition de sa brebis,
le berger laisse là les quatre-vingt-dix-neuf autres et
se met à sa recherche, sans le moindre retard. Il est
remarquable que cette hâte ne nous soit pas proposée
à titre d'exception, en raison de la tendresse particulière de ce berger pour cette brebis. Le divin
paraboliste entend bien énoncer une loi, la loi des
bergers, des pâturages et des troupeaux palestiniens.
La loi universelle est promulguée par la formule sans
réplique : *Quel est celui d'entre vous, s'il a cent
brebis et qu'il en perde une, qui ne laisse les quatre-
vingt-dix-neuf autres dans le désert et ne se mette
à la recherche de la [brebis] perdue?* Le berger
n'accomplit pas une action singulière; il ne se
conduit pas en héros de dévouement; il fait ce que
tout autre ferait à sa place. Heureuses brebis d'être
à ce point aimées de tous leurs pasteurs!

Si les quatre-vingt-dix-neuf brebis sont laissées
dans le *désert*, ce détail montre que la scène de
saint Luc se place aux lieux habituels des pâturages bibliques, où David et ses pareils menaient
les troupeaux paternels. C'est le *midbâr*, la solitude
sans culture où l'herbe fine pousse après les pluies
d'hiver, où se dressent l'été les hampes droites
des asphodèles émergeant chacune de sa petite
corbeille verte.

Parce que le texte sacré ne dit pas expressément
à qui fut confié le gros du troupeau, les interprètes
se demandent si le berger ne commit pas quelque
imprudence en le laissant sans gardien. Loisy ne
l'excuse qu'à grand'peine. « Ce berger, dit-il, serait
plus qu'imprudent s'il devait être longtemps absent,
mais on doit supposer que la poursuite dure au
plus quelques heures » (II, 140). L'atténuation
suppose chez son auteur une intention généreuse,

mais elle est insuffisante. S'il y a imprudence à
laisser le troupeau sans gardien, la faute n'est pas
diminuée du fait que l'absence ne sera pas de
longue durée. Il ne faut pas une heure à un troupeau
sans pasteur pour se disperser. Après quelques
heures, quand le berger reviendra avec sa centième
brebis retrouvée, c'est après les quatre-vingt-dix-
neuf autres qu'il devra courir; elles seront toutes
disséminées sur les tells et dans les ouadis.

Que les interprètes se rassurent, l'esprit de la
parabole et la situation envisagée par le paraboliste
ne comportent pas la moindre imprudence. Si l'on
nous contait un récit véridique, nous serions en
droit de demander ce que deviennent les quatre-
vingt-dix-neuf brebis, à quel auxiliaire elles sont
confiées, comment il est pourvu à leur subsistance
et à leur sécurité. Dans une parabole, ces questions
sont oiseuses. Il n'y a de danger pour le troupeau
et d'imprudence pour le berger que dans la mesure
où le narrateur les imagine, c'est-à-dire dans la
mesure où il en a besoin pour son enseignement
parabolique. En l'espèce, il n'avait besoin ni
d'imprudence ni de danger; ils n'existent donc pas
et le commentateur n'a pas à s'embarrasser d'hypothèses chimériques.

Le recouvrement. — Le berger cherche la brebis
perdue *jusqu'à ce qu'il la retrouve*. Il est parti à sa
recherche avec la certitude qu'il la retrouverait.
Il la retrouve en effet, vivante et intacte.

Aussitôt il *la prend sur ses épaules,* tout joyeux.
Il ne la morigène pas; il ne la frappe pas, il ne la
pousse pas devant lui, il la porte.

Le spectacle de ces bergers *criophores* nous est
familier en Palestine. Au printemps, à la naissance
des agneaux, les sentiers du *midbâr* sont sillonnés

de pasteurs portant avec précaution, dans leurs
bras ou sous leur manteau, les nouveau-nés, dont
la gracieuse tête émerge par un entre-bâillement
des habits. Quelques mois après, les mêmes
hommes repassent, gagnant le marché de la ville;
ils portent sur leurs épaules un agneau adulte, les
quatre pattes ramenées sur le devant de la poitrine,
tandis que la tête de l'animal se balance sur le côté,
abandonnée et indécise. Faut-il dire que le tableau
n'a rien de la grâce un peu mignarde des agneaux
symboliques portés sur les épaules du divin
Pasteur?

De brebis-mère portée sur les épaules d'un
berger, nous n'en avons point rencontré sur les
pistes du désert. Peut-être le pasteur de la parabole
était-il plus compatissant et affectueux que tous les
pâtres des solitudes palestiennnes...

Pourquoi donc celui-ci porte-t-il sur ses épaules
la brebis retrouvée? Bruce répond : Parce que la
brebis est épuisée. « Ce détail du tableau, dit-il,
exprime très probablement l'épuisement causé
par un long voyage, les dangers courus, le manque
de nourriture. La brebis errante a besoin d'être
portée, elle ne peut pas revenir sur ses pieds ; le
berger la retrouve la toison déchirée, gisant sur le
sol, émaciée, à bout de force... » (267). Cela
s'appelle un développement oratoire. Et Bruce,
satisfait, dit de son exposé : « Tout cela est intrin-
sèquement probable. » Tout cela, au contraire, est
souverainement improbable. La brebis égarée n'est
pas plus fatiguée que le reste du troupeau ; elle a
fait sans doute moins de chemin. Le texte ne dit
pas non plus qu'elle ait pâti de la faim ni qu'elle
soit blessée. Si le berger la prend affectueusement
sur ses épaules, c'est donc par un « sentiment

exquis » (Lagrange, 417) de délicatesse et de joie.
Le père de l'enfant prodigue se jette à son cou et
l'étreint dans ses bras ; le berger prend sa brebis
sur ses épaules et la porte. Ces deux traits de tendresse ont jailli du même cœur ; ils ont la même
signification symbolique.

Tout joyeux de son fardeau, le berger rentre
chez lui, où il convoque amis et voisins, leur
disant : *Réjouissez-vous avec moi, parce que j'ai
retrouvé ma brebis, celle qui était perdue...*

Convenons que tous ces traits nous paraissent
surprenants. Le P. Lagrange, après Bruce, s'efforce
de les justifier. « Le pasteur a ramené sa brebis
perdue vers les autres, cela va sans dire, et a
reconduit le troupeau vers le parc voisin de sa
maison, où il entre enfin. Le bruit s'était déjà
répandu qu'il avait perdu une brebis. Il suppose
qu'on avait déjà pris part à sa peine, puisqu'il
invite amis et voisins à prendre part à sa joie » (417).
Je crains que cette interprétation bienveillante ne
résiste pas aux objections de Jülicher : Le berger
rentre-t-il *à la maison* exprès pour se faire compli-
menter avec sa brebis retrouvée, ou réunit-il *au
désert* ses compagnons de pâturage ? Et puis n'y a-
t-il pas exagération à convoquer amis et voisins
pour un simple fait divers de tous les jours et pour
les deux ou trois heures de recherche que lui a
values sa brebis égarée ? (319).

Cependant Jülicher lui-même n'a pas entièrement
raison. La parabole a sa réalité à part qui mérite
d'être bien comprise, et qui ne veut pas être con-
fondue avec la réalité ordinaire de la vie. Le paraboliste s'arrange pour ne pas choquer ses auditeurs
par des invraisemblances trop criantes ; il veut
plutôt les charmer par ses traits piquants ou

agréables. Cela fait, il règle l'ordonnance de son récit au gré de sa fantaisie ou selon les besoins de son enseignement.

Certains exégètes trop exigeants devraient une bonne fois reconnaître cette liberté, partie littéraire, partie doctrinale. Du coup tomberaient la plupart de leurs objections, qui sont vaines, et de leurs étonnements.

Puisque nous sommes *en parabole,* pourquoi nous inquiéter du sort du troupeau? Disons résolument que les quatre-vingt-dix-neuf brebis ne sont confiées à personne; elles ne rentrent nulle part; elles disparaissent; ce sont des brebis de parabole; il ne faut plus s'occuper d'elles; il n'en est fait mention que pour le contraste, pour marquer la sollicitude du berger qui les laisse là et court après la brebis égarée.

Ce point acquis, nous concédons volontiers à Jülicher qu'effectivement les détails de la parabole sortent des bornes ordinaires. Dans le cours habituel de la vie, le berger rentrerait chez lui au village, avec son troupeau au complet. Là les choses se passeraient avec une simplicité pastorale, sans la moindre emphase. Un berger qui perd une brebis et qui la retrouve, ne va pas conter sa petite aventure à tout le voisinage et à toute la parenté. Il en éprouve de la joie, certes, mais modérée, l'exubérance n'étant pas de mise. Il en fait part aux connaissances qu'il rencontre, mais il n'assemble pas tout le village pour une pauvre brebis retrouvée. Le berger qui retrouve la centième brebis de son troupeau ne saurait se comparer au père qui retrouve, après une absence de plusieurs années, son fils prodigue.

Néanmoins la parabole n'a rien de choquant.

La réalité est dépassée, mais au profit d'une réalité supérieure. Nous devinons confusément, nous savons même que la brebis perdue n'est pas une brebis ordinaire, mais une âme d'un prix infini. Si nous nous intéressons si fort aux aventures de l'égarée, c'est que, du même coup, notre intérêt s'attache au sort des pauvres pécheurs. Et le pasteur si bon n'est autre que le *bon Dieu,* et les voisins conviés ne sont autres que les anges du ciel. Or donc, si la brebis est une âme et qu'elle soit retrouvée, il vaut certes la peine que le divin Pasteur convoque à la joie tous ses anges. Le P. Durand l'a dit en une formule qui mérite d'être retenue : « Il ne faut pas perdre de vue que Notre-Seigneur décrit les mœurs divines avec des traits humains » (307). Plus que les habitudes des bergers, la parabole nous apprend les habitudes de Dieu.

II. — APPLICATION (saint Luc)

Leçon principale. — Les analyses précédentes nous permettent d'apprécier les traits essentiels de la parabole. Le tableau nous présente un contraste fondamental entre les quatre-vingt-dix-neuf brebis fidèles qui ont bientôt l'air de ne plus compter aux yeux de leur maître, et la brebis perdue qui accapare toute sa sollicitude. Parmi toutes ces marques d'intérêt, celles qui prédominent sont incontestablement l'anxiété de la recherche et la joie du recouvrement. Ce sont là les traits capitaux, que tous les autres préparent et vers lesquels ils convergent. Pour que le berger eût l'occasion de chercher sa brebis, il était nécessaire que la brebis se perdît. Pour lui témoigner

sa tendresse, il était nécessaire qu'il se mît personnellement à la recherche de l'égarée et que la
recherche fût de quelque durée : voilà pourquoi
il est spécifié qu'il la cherche jusqu'à ce qu'il la
retrouve.

La joie du berger est exprimée par deux traits
également : il met la brebis sur ses épaules et il
convoque ses amis pour leur faire partager sa joie.

Essayons de résumer ces données diverses dans
le premier terme d'une comparaison :

De même que le berger d'un nombreux troupeau,
ayant perdu l'une de ses brebis, témoigne plus de
sollicitude dans la recherche, et, l'ayant retrouvée,
plus de joie que pour les autres qui ne s'étaient pas
égarées...

Le second terme de la comparaison nous est
indiqué par le divin Maître en personne :

ainsi, je vous le dis, il y aura plus de joie au ciel
pour un pécheur repentant que pour quatre-vingt-
dix-neuf justes qui n'ont pas besoin de pénitence.

La correspondance de ces deux membres de la
comparaison est très satisfaisante. Ils sont faits
manifestement l'un pour l'autre. Nul critique, même
parmi les plus exigeants, ne présente ici la moindre
objection. La parabole porte dans cette correspondance la marque indubitable de son authenticité.

Tout au plus pourrions-nous relever que l'application passe sous silence les *recherches* du berger
et ne parle que de sa joie, alors que la parabole
mettait simultanément en relief la *recherche* et la
joie de la découverte. Nous n'hésitons pas à inscrire
cette légère lacune au compte de la juste liberté du
paraboliste, qui n'est pas tenu de reprendre dans
son application tous les éléments — et dans le même
ordre — de sa démonstration.

Cette omission se trouve à l'avance réparée par l'introduction de la parabole, qui nous montre précisément la sollicitude du Sauveur traitant avec les pécheurs. De la sorte, la parabole entière se présenterait sous le schème suivant :

De même que le berger d'un nombreux troupeau, ayant perdu l'une de ses brebis, témoigne plus de sollicitude dans sa recherche, et, l'ayant retrouvée, plus de joie que pour toutes les autres qui ne s'étaient point égarées,

ainsi le Sauveur a raison de témoigner plus de sollicitude pour les pécheurs dans le dessein de les amener à résipiscence, et, après la conversion de l'un d'eux, de témoigner plus de joie avec le ciel réuni que pour tous les justes ensemble qui n'ont pas besoin de pénitence.

On le voit, la leçon est exprimée avec un relief qui frise le paradoxe. Dom Calmet éprouve même le besoin de nous prémunir contre la surprise, en nous assurant que le divin Maître use en cette rencontre de notre parler humain. « Jésus-Christ dit qu'il y aura une grande joie dans le ciel pour une telle conversion, parce qu'en effet les anges et les saints se réjouissent de la bonne vie des gens de bien et du retour des méchants, et qu'ils s'affligent — ils *pleurent,* selon les Hébreux — de leur égarement. *C'est une manière de parler populaire, mais fort significative* » (*saint Luc,* 239).

Au reste, cette psychologie populaire peut parfaitement se justifier. « Ce n'est pas à dire, écrit le P. Durand, que Dieu prenne plus de complaisance dans la conversion du pécheur que dans la persévérance du juste ; seulement, la conversion du pécheur donne à son cœur ce mouvement actuel qui s'appelle *la joie,* et que la persévérance du juste ne saurait lui procurer, précisément parce qu'elle est habituelle. Une mère éprouve plus de joie de voir guérir un de ses enfants malades, que de savoir les autres en bonne santé; sans qu'on puisse dire qu'elle aime plus cet enfant que tous les autres ensemble » (307).

Le *ciel*, c'est-à-dire Dieu et ses anges, se réjouit donc de la conversion des pécheurs plus que de la persévérance des justes. La fidélité des justes produit une joie discrète, tout intime : la conversion des pécheurs cause des transports d'allégresse.

Cette allégresse elle-même, quel en est le motif? Pourquoi se réjouir du retour d'un pécheur? Pourquoi le chercher avec sollicitude? La parabole nous l'explique. Comme l'égarée fait partie du même bercail que les autres brebis, le pécheur appartient à la même famille que les justes. Entre les justes et le pécheur, il n'existe pas de différence de caste; à peine une distance physique causée par l'éloignement. Le repentir supprime la distance; la *conversion*, c'est proprement le *retour*. Dès qu'il se convertit, le pécheur est réintégré dans la société des justes; il y reprend son rang, ses droits, ses privilèges, avec cette particularité que son retour est salué par une immense allégresse.

Le péché n'enlève donc pas au pécheur tout droit à l'estime et à l'affection. Qu'elle reste au troupeau ou qu'elle se perde, la brebis est toujours chère à son maître. L'égarement ne fera qu'aviver la tendresse avec la sollicitude. Semblablement le pécheur qui s'égare n'a pas rompu ses liens de famille.

Et puisque le ciel lui-même s'intéresse à la conversion des pécheurs, il vaut la peine de hâter de tous ses efforts leur retour.

Jésus et les pécheurs. — Ceci nous ramène à l'introduction de la parabole : *Cependant les publicains et*

les pécheurs s'approchaient tous de lui pour l'enten-
dre. Et les pharisiens et les scribes murmuraient,
disant : Celui-là, il accueille les pécheurs et mange
avec eux...

Saint Luc use peut-être de quelque hyperbole en
parlant d'un concours général de publicains et de
pécheurs. Nous en retiendrons du moins qu'il y
avait habituellement autour de Jésus affluence considérable. Et quelle consolation pour le Sauveur de
constater l'assiduité d'une pareille clientèle ! Il n'était
pas venu sauver des justes qui n'auraient pas eu
besoin de pénitence. Il était venu convertir les pécheurs, et voici que les pécheurs l'avaient deviné
et compris, ils subissaient le charme irrésistible de
sa parole et de sa personne, ils se pressaient en foule
auprès de leur Sauveur !

Jésus ne les repoussait pas; il les accueillait, il
leur parlait; à l'heure du repas, il les retenait à manger, ou bien il acceptait leur invitation, partageant
leurs provisions à la campagne ou s'asseyant à
leur table dans les villes.

Cela, pour les pharisiens et les scribes scrupuleux
observateurs de la Loi et gardiens des traditions,
c'était le grand scandale de la vie de Jésus. Ils en
murmuraient entre eux, ils s'en plaignaient à qui
voulait les entendre : *Celui-là, il accueille les*
pécheurs et il mange avec eux !

Cependant la Loi annonçait la future conversion
des pécheurs et leur entrée dans le royaume de Dieu.
Que voulaient-ils donc, les pharisiens, avec leur
opposition tenace? A qui les eût interrogés s'ils dési-
raient eux-mêmes la conversion des pécheurs, ils
eussent été sans doute fort en peine de répondre.
Leurs actes du moins répondaient à défaut de leurs
paroles. Soit souci de la pureté légale soit jalousie

d'une réputation croissante, ils murmuraient et contrecarraient le ministère de Jésus; nous assistons au spectacle de « l'esprit pharisaïque en contradiction avec la bonté de Dieu » (Lagrange, 416).

La parabole de *la brebis perdue* est la riposte de Jésus. Elle montre que les pécheurs sont dignes d'intérêt, d'estime, d'affection, puisqu'ils appartiennent à la même famille que les pharisiens et les scribes; leur âme vaut la peine qu'on entreprenne de les convertir, et le missionnaire a le droit, pour arriver à ce résultat, d'user de tous les moyens de miséricorde à sa disposition. En faisant l'apologie de la brebis, Jésus fait également celle du pasteur, c'est-à-dire la sienne propre. Il a bien le droit de se réjouir avec ses chers pécheurs, déjà convertis ou en voie de se convertir; il a le droit de les accueillir et de manger avec eux, puisque le ciel nous donne l'exemple de ces transports de joie à la conversion du moindre d'entre eux.

Les pharisiens eux-mêmes, loin de gêner ce ministère de miséricorde, seraient sages d'imiter la conduite du Sauveur, qui n'est autre que la conduite de Dieu. L'invitation reste encore implicite, bien qu'elle découle spontanément de la parabole à titre de corollaire. Elle sera expressément formulée dans *le fils prodigue*, qui, avec *la drachme perdue*, appartient au même groupe pédagogique que *la brebis égarée*.

I. — Tableau (saint Matthieu).

La période grecque de saint Matthieu est plus légère et mieux organisée que celle de saint Luc. Après une brève interrogation destinée à piquer l'attention de l'auditoire (*que vous en semble?*), la phrase est franchement conditionnelle : *Si un homme a cent brebis et que l'une d'elles s'égare, ne laissera-t-il pas*, etc.?

Certains commentateurs subtils relèvent une prétendue nuance entre le vocable de saint Matthieu *brebis égarée* et celui de saint Luc *brebis perdue*, comme si *l'égarement* supposait une volonté perverse, tandis que la *perte* pourrait n'être due qu'à un accident involontaire. La distinction nous paraît forcée; et de même, la différence entre les *montagnes* du premier évangéliste et le *désert* du troisième; et encore, malgré les apparences contraires, entre l'hypothèse de l'un : *s'il lui arrive de la retrouver* et l'affirmation absolue de l'autre : *jusqu'à ce qu'il la retrouve, l'ayant retrouvée.*

« Le ton est dubitatif, écrit le P. Durand, car il peut arriver qu'en dépit de toute sa bonne volonté, le pasteur ne réussisse pas à rapporter la brebis égarée. » Il ajoute, renchérissant : « Dieu veille sur les *petits...;* mais sa bonne volonté à leur égard suppose qu'ils voudront se laisser sauver » (307). — Nous ne réussissons pas, à retrouver ces subtilités dans le texte. Il nous semble préférable de regarder le *tour dubitatif* de la phrase comme une forme plus adoucie d'affirmation. Nous pensons que toutes ces variantes de saint Matthieu sont ici de simples rencontres littéraires, sans qu'il y faille reconnaître la moindre portée doctrinale. C'est aussi l'avis de Klostermann (518, 519).

Il est intéressant de noter que saint Matthieu a dépouillé la scène de ces détails emphatiques qui donnent un si heureux relief au tableau de saint Luc. Il n'est pas dit que le berger prenne la brebis sur ses épaules ni qu'il rentre chez lui pour y convoquer amis et voisins et leur faire partager sa joie. Ces traits omis, le paraboliste se hâte de conclure de

la manière la plus abstraite : *Je vous le dis en vérité,
il y aura plus de joie à son sujet que pour les quatre-
vingt-dix-neuf qui ne sont pas égarées.* Comme dans
saint Luc, il n'est question que de joie. L'objet
égaré est toujours celui qui excite en nous le plus
de regrets ; l'objet retrouvé est celui qui nous apporte
le plus de joie. Cependant plus de joie ne signifie
pas plus d'amour.

II. — Application (saint Matthieu).

A lire le v. 14 qui termine la parabole de saint
Matthieu et qui possède toutes les apparences d'une
application normale, nul ne se douterait des difficultés qu'il nous ménage. J'estime cependant que
ces difficultés ne sont pas chimériques et qu'elles
posent même l'un des problèmes les plus intéressants de l'exégèse des paraboles. Elles valent la peine
qu'on les examine.

Tout ce début du chap. xviii constitue une petite
somme des égards dus aux enfants. Les critiques
y reconnaissent volontiers un de ces *groupements
synthétiques* habituels au premier évangéliste,
comme le montre du reste une simple énumération.

Prenant occasion d'une dispute survenue entre
ses disciples au sujet des premières places du
royaume (xviii, 1), le Sauveur appelle un petit enfant
et le leur propose comme modèle. Il faut, leur dit-
il, devenir semblable à l'un de ces petits pour entrer
dans le royaume (3). La première place, objet de
tant d'ambitions, n'est accordée qu'à l'humilité des
enfants (4). Ces petits, qu'on ait soin de les accueillir
en son nom (5), et que l'on se garde bien de les
scandaliser (6), car il serait préférable d'être jeté à
la mer, une meule au cou (7), ou de perdre un

membre, une main ou un pied, au besoin un œil
(8, 9), ainsi que l'avait déjà déclaré *le discours sur
la montagne* (v, 29, 30). Semblablement, que l'on
évite de mépriser ces petits, attendu que leurs anges
contemplent la face du Père céleste (10).

C'est ici qu'intervient la parabole de *la brebis
perdue* (12, 13), terminée par la conclusion suivante :
*Ainsi ce n'est pas la volonté de votre Père céleste que
périsse un seul de ces petits.*

Je m'excuse d'avoir à le dire, puisqu'aussi bien
tous les commentateurs ne semblent pas s'en être
aperçus, la présence de cette parabole en cet endroit
et dans cette argumentation entraîne plusieurs anomalies, qui ne sont certainement pas imputables au
divin Maître.

Ces anomalies se ramènent à deux principales :
1° la parabole cadre imparfaitement avec le contexte
qui précède; 2° ainsi qu'avec le contexte qui suit,
car le v. 14 qui a l'air de lui servir de conclusion,
n'en fait réellement point partie. En sorte que la
parabole proprement dite ne comprend que deux
versets (12 et 13), et elle doit, pour être bien comprise, s'interpréter indépendamment de son contexte
actuel.

Je voudrais présenter en quelques mots la preuve
de ces deux assertions qui sont peut-être de nature
à modifier l'exégèse habituelle de ce passage.

**La parabole cadre imparfaitement avec le contexte
qui précède.** — Remarquons en premier lieu la place
que la parabole occupe dans l'argumentation du
Sauveur. Au lieu que les paraboles ont coutume de
nous offrir un enseignement indépendant et complet,
thèse à développer, difficulté à résoudre, *la brebis
perdue* n'envisage qu'un aspect de la doctrine générale concernant les enfants, elle n'ajoute qu'un argu-

ment nouveau aux autres arguments. Voici la suite
de la démonstration : la petitesse et l'humilité des
enfants leur assurent le royaume ; il faut bien recevoir ces petits et se garder de les scandaliser ; il faut
même les respecter à cause de leurs anges et — c'est
la parabole — à cause de la sollicitude paternelle
que leur témoigne Dieu. Si je ne me trompe, c'est
le seul exemple évangélique d'un rôle aussi diminué
assigné à une parabole.

On pourrait peut-être y signaler encore une sorte
de disproportion interne. Le contexte mettant une
insistance exceptionnelle à nous parler des *petits
enfants* (παιδίον, παιδία), des *petits* (μικρῶν, 6, 10, 14),
nous sommes légèrement surpris de voir ces petits
représentés par une *brebis*, laquelle évoque plutôt
l'idée d'une grande personne. Saint Luc nous a
épargné cette impression désagréable, en faisant de
la brebis le symbole du pécheur en général.

Autre déception : ce début de chapitre semblait
nous promettre le tableau des *démarches* entreprises
par le berger pour retrouver sa brebis perdue, symbolisant la sollicitude de Dieu à la recherche d'un
petit enfant qui aurait eu le malheur de s'égarer. Le
contexte nous préparait beaucoup moins à la description de la *joie* qu'apporte au pasteur le recouvrement de sa brebis. Toutefois si l'on étudie le
tableau indépendamment de son contexte, il est évident que cette joie du berger est un *élément essentiel*
de la parabole. Il se rencontre donc qu'un élément
essentiel n'est point postulé par ce qui précède et
n'est pas davantage repris dans l'application qui
suit (v. 14), je veux dire dans le verset qui passe
communément pour être l'application de la parabole.

On ne peut s'empêcher de reconnaître dans cet
embarras un nouvel indice que la parabole n'occupe

plus aujourd'hui la place qui lui était assignée originellement.

La comparaison est ici tout à l'avantage de saint Luc qui a mis en relief dans son *application* cette allégresse extraordinaire du berger. Saint Matthieu ne pouvait pas isoler la *joie* dans la deuxième partie de la parabole sans ajouter à l'embarras de son argumentation. Ne voulant pas davantage omettre un trait qui lui paraissait essentiel, il a essayé de contourner la difficulté en l'insérant dans la première partie (1). Nous venons de voir que ce procédé littéraire n'a pas réussi à diminuer l'embarras; *la joie, élément essentiel de la parabole, ne cadre pas dans ce contexte.*

Le v. 14 ne fait point partie essentielle de la parabole. — Voici enfin notre déception la plus considérable; elle nous vient de la *réalisation* de la parabole, dès que nous essayons de la résumer en les deux termes d'une comparaison. Le premier terme où l'on ne peut s'empêcher d'inclure la joie du berger en même temps que ses recherches, nous donne la proposition suivante :

De même que le berger d'un nombreux troupeau, si l'une de ses brebis s'égare, laisse là ses quatre-vingt-dix-neuf autres pour courir après l'égarée, et, quand il la retrouve, témoigne plus de joie de ce recouvrement que de la fidélité de toutes les autres, ainsi...

Essayons de prendre le deuxième terme de la comparaison en ce v. 14 où l'on nous assure qu'il se trouve :

ainsi n'est-ce pas la volonté de votre Père céleste que périsse un seul de ces petits.

(1) A moins que le trait ne fît déjà partie du *tableau* dans la parabole originale.

Que dire du rapprochement de ces deux parties?
Le P. Lagrange le juge très satisfaisant : « L'application (v. 14) est en parfaite harmonie avec le début.
Dieu ne veut pas qu'un de ces petits périsse définitivement. Il faut donc aller à leur recherche pendant
qu'ils sont égarés. — οὕτως fin très naturelle pour une
parabole » (352, 353).

Au contraire, je ne puis m'empêcher de penser
que ce rapprochement souffre violence, malgré
l'*analogie du sujet* qui harmonise de quelque
manière la parabole et sa conclusion prétendue.
Pour se déclarer satisfait, il faut se contenter de l'analogie la plus *générique,* qui est la sollicitude de Dieu
pour le salut des petits. Mais si l'on descend à l'application *spécifique*, qui seule convient à l'exégèse
des paraboles, on se trouve en face d'une disproportion notoire. Les *recherches actives* du berger
auraient pour correspondant la *non-volonté passive
de Dieu : ainsi n'est-ce pas la volonté de Dieu que
périsse...* Chose plus grave peut-être, la *joie du
berger* reste sans l'ombre d'un correspondant dans
les sentiments attribués à Dieu.

N'est-il pas préférable de ne pas dissimuler ce
défaut caractérisé de correspondance? Le défaut
n'est pas criant comme en certaines autres conclusions apparentes de paraboles, parce que l'analogie
générique du v. 14 avec le tableau de la brebis retrouvée est susceptible jusqu'à un certain point de
donner le change. Le déséquilibre est néanmoins
indiscutable. Nous pensons que l'exégèse parabolique doit le reconnaître, en prendre son parti et en
tirer les conclusions qui s'imposent.

Ces conclusions pourraient être les suivantes :
1° Le v. 14, malgré les apparences contraires, ne
contient pas l'application de la parabole; il n'ap-

partient pas à l'essence de la parabole, et n'a avec
celle-ci qu'une analogie de sujet. Rien ne s'oppose
du reste à son authenticité, mais il semble qu'il ait
été adjoint à ce groupement synthétique après que
celui-ci eut été constitué. Il vient actuellement après
la parabole, mais il pourrait se déplacer impunément et se mettre par exemple après le v. 6 sur le
scandale. Nous aurions ainsi la suite naturelle :
*6 Celui qui scandalise l'un de ces petits, il vaudrait
mieux qu'il fût jeté à la mer une meule au cou,
14car ce n'est pas la volonté de Dieu que périsse le
moindre de ces petits.* Cette combinaison ne serait-
elle pas meilleure que l'arrangement actuel?

2º La parabole de saint Luc est notablement plus
harmonieuse; elle est d'une venue littéraire beaucoup plus satisfaisante. Tout nous porte à croire
qu'elle nous a été conservée à sa vraie place. Par
contre, la disproportion intérieure de saint Matthieu
nous invite à conclure à un déplacement, dont
l'évangéliste ou mieux peut-être sa catéchèse aurait
la responsabilité littéraire. « Le texte de Mt., a dit
le P. Lagrange, représente une catéchèse conservée
dans un milieu juif » (351).

La parabole primitive concernait la recherche
des pécheurs et la joie procurée par leur salut, telle
que saint Luc nous l'a conservée.

L'une des accommodations les plus intéressantes
fut celle qui appliqua au salut des petits enfants
ce qui avait été dit des grandes personnes. On ne
s'étonnera pas que cette adaptation ait causé quelque embarras. La gêne est encore visible et nous
pensons qu'elle est attribuable de préférence à la
catéchèse qui réalisa, avec des enseignements authentiques de Jésus, le groupement synthétique du
chap. xviii de saint Matthieu.

La drachme perdue

(saint Luc, xv, 8-10).

[8] Ou bien quelle est la femme ayant dix drachmes, si elle en perd une, qui n'allume sa lampe, ne balaye sa maison et ne cherche avec soin jusqu'à ce qu'elle l'ait retrouvée? [9] Et l'ayant retrouvée, elle convoque amies et voisines, disant : Réjouissez-vous avec moi, car j'ai retrouvé la drachme que j'avais perdue...

[10] De même, je vous le dis, il y a joie parmi les anges de Dieu pour un pécheur qui se repent.

L'histoire de *la drachme* présente de grandes analogies avec celle de *la brebis perdue*. La seule différence notable, c'est qu'au lieu d'une scène de bergerie, elle nous décrit un tableau d'intérieur, une scène de ménage. Mais, sur cette trame diverse, le même fil dessine la même broderie. Au regard, ce sont deux tapis pareils.

Pour montrer à quel point la facture littéraire est identique, Jülicher rapproche et compare les moindres détails en une page qu'on prendrait pour un tableau synoptique à l'usage de l'esprit. Si nous voulons rendre sensible à la vue cette démonstration, il suffit de disposer en deux colonnes parallèles les principales analogies de l'original. Les voici du moins dans une traduction littérale :

Quel homme de vous, ayant cent brebis et en ayant perdu une, ne laisse pas... jusqu'à ce qu'il la trouve?	Quelle femme, ayant dix drachmes, si elle perd une drachme, n'allume pas... jusqu'à ce qu'elle la trouve?

153

Et l'ayant trouvée,	Et l'ayant trouvée,
il convoque les amis	elle convoque les amies
et les voisins,	et voisines,
leur disant :	disant :
Réjouissez-vous avec moi,	Réjouissez-vous avec moi,
parce que j'ai trouvé	parce que j'ai trouvé
ma brebis,	la drachme
la perdue.	que j'avais perdue.
Je vous dis que, ainsi,	Ainsi, je vous le dis,
il y aura joie	il y a joie
au ciel	devant les anges de Dieu
pour un pécheur	pour un pécheur
qui se repent.	qui se repent.

Les commentateurs relèvent à la louange littéraire de saint Luc qu'il a su introduire d'heureuses
variantes de style dans là répétition manifestement
intentionnelle du même canevas. Il est possible
effectivement que ces nuances soient voulues; mais
il se pourrait aussi qu'elles ne soient point cherchées
et qu'elles se soient présentées spontanément sous
sa plume. Un conteur populaire, sûr de sa mémoire,
entremêle en la fixité du récit ces légères variantes,
mi-volontaires, mi-spontanées, qui sont un jeu et
comme une coquetterie de sa juste fantaisie.

Un bref commentaire nous fera saisir les particularités du récit.

I. — TABLEAU

La perte de la drachme. — Une ménagère, qui avait
dix drachmes, vint à en égarer une.

C'était une pauvre femme du peuple, ayant sa
petite maison et quelques petites économies pour
parer aux nécessités du ménage.

Elle ne possédait pas un trésor; la drachme,

équivalent grec du denier romain, valait environ
un franc-or de notre monnaie, c'est-à-dire le salaire
journalier d'un ouvrier. Dix drachmes ne représentaient pas même le salaire de deux semaines.

Les maisonnettes de village ne possédant pas de
meubles fermés à clé, ces quelques pièces d'argent
sont habituellement enroulées dans un chiffon et
déposées parmi les hardes ou au fond de quelque
vase.

La parabole n'avait pas à spécifier comment la
pièce de monnaie s'était perdue, le fait n'ayant pas
d'importance pour la leçon. Il n'y a pas eu vol,
puisque les neuf autres drachmes n'ont pas quitté
leur cachette; un voleur ne se serait évidemment
pas contenté de prélever la dîme.

La femme devait porter sur elle cette unique
pièce. On s'est même demandé si elle ne portait
pas toutes ses drachmes à son front, enfilées dans
un bandeau et fixées à sa coiffure. Les Orientales
ont toujours aimé cette assujettissante et lourde
parure, qu'elles ne quittent pas le jour, même pour
leurs plus pénibles travaux, et sur laquelle elles
disposent leur voile blanc d'apparat pour les réceptions et les visites.

On comprendrait que de ce bandeau frontal une
pièce eût rompu son fil et se fût détachée, les autres
restant en place.

Y a-t-il une réponse à cette question de détail?
Assurément la morale de la parabole resterait la
même, si les dix drachmes représentaient un article
de luxe plutôt qu'un modeste fonds d'économies
domestiques.

Mais, outre que la parabole ne nous donne nullement l'impression ni du luxe ni de l'aisance en ce
pauvre foyer, la comparaison avec *la brebis égarée*

semble plutôt favorable à l'hypothèse d'une petite
provision de ménage où la femme puiserait au fur
et à mesure de ses besoins. Réflexion faite, cette
explication semble de tout point préférable.

Le recouvrement. — Si nous ne savons pas comment la drachme s'était égarée, par contre nous
sommes abondamment renseignés sur les mesures
prises pour la retrouver : la ménagère allume la
lampe, balaye la maison et poursuit ses recherches
jusqu'à ce qu'elles soient couronnées de succès.

Lorsqu'on a perdu un objet, la première chose
à faire, c'est de se rappeler en quels lieux il a pu
s'égarer. On y revient et l'on cherche. La femme
est sûre de n'avoir pas quitté la maison. Aussi
n'a-t-elle pas l'idée de chercher au dehors.

Si une première inspection reste sans résultat,
on explore systématiquement tous les recoins de
l'appartement; on dérange les meubles; en Orient,
on regarde sous les nattes et les tapis; si le sol est
en terre battue, on en palpe des yeux et de la main
toutes les inégalités, surtout les nids de poussière;
on balaye toute la salle, on tamise les balayures;
au besoin, pour mieux scruter les endroits obscurs,
on allume la lampe.

Ce trait de la parabole décèle que les recherches
n'avaient pas lieu pendant la nuit, puisque la lampe
n'était pas encore allumée et que les Orientaux
n'aiment pas à rester dans les ténèbres. Il est
visible d'ailleurs que le paraboliste veut nous
montrer par ce détail la sollicitude de la recherche,
ce qui suppose que la lampe a été allumée durant
le jour.

La demeure à explorer devait être une maisonnette. Si l'on se représente un appartement
bien éclairé, avec porte et fenêtres donnant libre

passage à la belle lumière orientale, on imagine
difficilement qu'il y ait en plein jour des recoins
d'ombre qui nécessitent la clarté d'une lumière
artificielle. Mais combien de pauvres maisons,
dans nos pauvres villages palestiniens, qui n'ont
d'autre ouverture qu'une porte basse et une fenêtre
exiguë donnant sur une impasse obscure! Les
ruines romaines ou byzantines de Jérusalem, de
Jéricho, de Capharnaüm révèlent pour les premiers
siècles de notre ère un fouillis inextricable de ruelles
étranglées et de maisonnettes surbaissées. Dans de
pareils taudis, une exploration méthodique, même
en plein jour, demandait d'être faite une lampe à la
main.

Il semble bien que, dans la symbolique juive,
la lampe allumée fût devenue la formule obligée
d'une recherche diligente. Le Talmud nous a conservé cette curieuse comparaison de R. Pinchas
ben Jaïr (vers 200 de notre ère) : « (L'étude de la
Thora) est semblable à un homme qui, ayant égaré
dans sa maison une pièce de monnaie, allume
lumières et lampes en quantité, jusqu'à ce qu'il la
retrouve. Voyez, nous avons là une conclusion du
moindre au plus grand. Si un homme, pour
l'amour d'objets pareils, qui appartiennent à la vie
et à l'heure fugitive de ce monde, allume lumières
et lampes en quantité, jusqu'à ce qu'il les retrouve,
combien plus dois-tu rechercher comme des trésors
perdus les paroles de la Thora qui concernent la
vie de ce monde et de l'autre! » (Strack-Billerbeck,
212).

Ce trait de la lampe allumée se justifie donc sans
peine. Alors même qu'il ne correspondrait pas à la
réalité historique, il s'imposerait comme une convention littéraire, surtout en une parabole qui veut

nous dépeindre l'activité peu ordinaire d'une femme du peuple.

L'exploration à la lampe et au balai ne saurait tarder à donner des résultats, vu l'exiguïté de la demeure. Soit que la drachme ait été reconnue au bruit mat du métal glissant sur le sol, soit que les balayures aient été palpées et tamisées, la femme est au bout de sa peine, elle a retrouvé la pièce égarée.

L'allégresse. Explication des anomalies. — Vite, elle court l'annoncer à ses amies et voisines et leur faire part de sa joie : *Réjouissez-vous avec moi, car j'ai retrouvé la drachme que j'avais perdue...*

Nous rencontrons de nouveau ici le petit problème d'exégèse parabolique : Les détails d'une parabole doivent-ils être naturels en ce sens qu'ils soient pris nécessairement dans la réalité commune et dans le cours ordinaire de la vie ? La plupart des commentateurs le pensent encore de nos jours, puisqu'ils se donnent la peine de justifier un à un tous ces traits, comme si la parabole était le décalque obligé de la nature, comme si la perfection littéraire du genre exigeait cette conformité.

On ne saurait trop le répéter, une parabole n'est pas obligatoirement la reproduction de la vie courante. Il suffit que chacun des détails de ces charmants tableaux soit vrai et réel de quelque manière. Mais chacun d'eux peut être extraordinaire, rare, spécialement choisi en vue de l'enseignement parabolique. A plus forte raison ne faudra-t-il pas s'étonner si l'ensemble de ces traits ne répond pas à une réalité vécue, leur arrangement étant dû peut-être à la libre fantaisie ou à l'intention pédagogique du paraboliste.

Ainsi libellée, la parabole reste vraie, puisque

tous les détails pris isolément sont réels et que
tous les auditeurs la comprennent. En même temps,
elle pique l'attention par la singularité des traits
choisis. Les auditeurs eux-mêmes se laissent
prendre à ce jeu de l'imagination, parce qu'ils
savent qu'il s'agit d'un récit fictif. Par une sorte
de convention tacite, ils deviennent les complices
du paraboliste, parce qu'ils veulent avec lui que les
choses évoquées servent à un enseignement doctrinal ; ensemble ils captent et asservissent la
nature, ils la plient à un usage supérieur. De la
sorte, tout est profit pour le maître et les disciples ;
c'est un gain spirituel et intellectuel sans perte
d'aucune sorte.

Si les commentateurs y consentent, cette simple
observation débarrassera leur exégèse de quantité
d'objections stériles qui traînent depuis des siècles
et qu'on se passe inutilement d'un commentaire à
l'autre. Qu'ils consentent à se mettre à l'école parabolique de Maldonat. « Il n'est pas nécessaire,
dit-il, que le Christ tire sa similitude d'une chose
usitée ; c'est assez que ce soit d'une chose qui se
produit habituellement ou qui pourrait se produire.
Parfois ces similitudes ne se transposent pas, elles
s'inventent de toute pièce, *aliquando enim non
transferimus, sed fingimus similitudines* » (saint
Matthieu, 237 [2]).

Le P. Lagrange a dit de cette femme : « Il serait
étonnant qu'elle n'ait pas mis ses commères au
courant de sa peine. Elle convoque donc ses amies,
comme le pasteur » (418). Et le P. Sáinz : « Avec
la même légèreté fébrile qui l'avait poussée à com-
muniquer sa peine à ses voisines, elle va maintenant leur faire part de sa découverte » (390).

De telles observations ne font-elles pas la partie

belle à certaines objections ironiques? Y a-t-il une
ménagère qui, s'apercevant de la disparition d'une
drachme, laisse là son ménage et s'en aille narrer
à tout le voisinage une nouvelle aussi peu sensa-
tionnelle? Jésus ne le disant pas, pourquoi le supposer? Qu'elle prenne plutôt la lampe et le balai,
qu'elle cherche la monnaie dans son appartement
exigu ; elle l'aura retrouvée en moins de temps qu'il
ne lui en faut pour visiter une à une toutes les
maisons de sa ruelle.

Si l'on dit que la drachme était la dixième partie
de son petit trésor, et que, pour ce motif ou pour
tout autre, elle y tenait beaucoup (Valensin-
Huby, 283), cette circonstance ne change rien à la
situation.

Et quelle est la femme qui, pour un événement
domestique de si minime importance, témoigne
une allégresse si extraordinaire? Pour avoir
retrouvé une pièce d'un franc, nos ménagères n'ont
pas coutume de convoquer tout le voisinage ou
toute la parenté. A l'occasion, on dit la chose à une
personne que l'on rencontre, tout simplement,
sans la moindre emphase, puisque la chose n'en
comporte pas; mais on ne va pas chez autrui narrer
l'événement. Encore moins organise-t-on des ras-
semblements à l'effet de recueillir des félicitations.

La justification de la parabole est moins sur le
terrain des faits que des idées. Il faut tout simplement le reconnaître, *la drachme perdue* n'est pas
une scène ordinaire de ménage. Les traits en sont
réels, mais rares, et leur assemblage dépasse
manifestement la nature. Nous savons tous ce
qu'est une drachme, ce que sont lampe, balai,
recherches et joie. Mais nous n'aurions sans doute
jamais imaginé que, pour une drachme perdue,

les recherches se feraient à la lampe, en plein jour, et que, la pièce retrouvée, amies et voisines seraient convoquées à prendre part à l'allégresse de la découverte.

La seule justification de ces exagérations littéraires est dans l'intention pédagogique du Sauveur. La parabole se meut sur un plan supérieur à la vie, celui de la doctrine. Le recouvrement d'une drachme n'est chose si importante que parce qu'elle représente la conversion d'une âme de pécheur, laquelle est d'un prix infini. Si l'on convoque à l'allégresse les amies du voisinage, c'est que les anges du ciel se réjouissent du retour du plus misérable pécheur, et que le Sauveur lui-même partage leur joie.

De même, je vous le dis, il y a joie parmi les anges de Dieu pour un pécheur qui se repent.

Cette formule est toute remplie des précautions chères à la théologie juive. On voulait dire : *il y a joie pour Dieu.* Mais la révérence que les Juifs professaient à l'égard de Dieu en rendait le nom ineffable; leur scrupule avait imaginé d'ingénieuses équivalences : *les cieux, les anges, les puissances du ciel.* De même, pour éviter le rapport direct avec la divinité, ils recouraient à des formules protocolaires : au lieu de l'expression *pour Dieu*, ils disaient *devant Dieu;* au lieu de *parmi les anges*, ils disaient *devant les anges.* La phrase *il y a joie pour Dieu* est ainsi devenue : il y a joie *devant les anges* ou *devant les anges de Dieu.*

Dalman pense que l'expression originale de la parabole était : *il y a joie devant les cieux;* l'expression aurait été conservée partiellement à la fin de *la brebis perdue : il y aura joie au ciel;* ici elle revêtirait une forme plus évoluée, peut-être à

l'effet de varier le style : *il y a joie devant*, c'est-à-
dire *parmi les anges de Dieu*.

En tout cas, soyons assurés que les sentiments
attribués ici aux anges représentent les sentiments
mêmes de Dieu.

II. — Application

Leçon principale. — La morale de *la drachme*
reproduit à peu près textuellement celle de *la
brebis*, avec cette différence que la joie produite
par le retour du pécheur n'est pas ici déclarée
supérieure à la joie causée par la persévérance des
justes.

« Les deux paraboles, à cette légère différence
près, qui n'est pas essentielle, ont... le même sens.
Dans toutes les deux on insiste sur la recherche et
sur la joie » (Lagrange, 419), recherche de l'objet
égaré et joie qui accompagne le recouvrement.

Si la morale de *la drachme*, comme celle de *la
brebis*, ne fait mention que de l'allégresse, cette
prétérition relève plutôt de l'esthétique littéraire
ou pédagogique.

La leçon entière pourrait se ramener aux deux
membres de la comparaison suivante :

De même que la ménagère, ayant égaré une
drachme, fait les plus actives recherches et, l'ayant
retrouvée, convoque ses amies pour leur faire part
de son allégresse,

ainsi les anges de Dieu se réjouissent de la conversion du moindre pécheur.

C'est l'application du Sauveur lui-même en sa
parabole. Pour mentionner les recherches à côté
de l'allégresse, nous dirions :

ainsi le Sauveur a raison de témoigner toute sa

sollicitude aux pécheurs pour les amener à résipiscence, et, après la conversion de l'un d'eux, de se
réjouir avec les anges de Dieu.

La correspondance est aussi satisfaisante que
possible.

Les pharisiens reprochaient à Jésus de frayer
avec les pécheurs. Il répond qu'il a parfaitement
le droit de se réjouir de leur conversion. Mais si la
conversion est chose si précieuse, il a également
le droit de la préparer. La fin étant bonne, les
moyens le sont aussi. Jésus a le droit de chercher
ses pécheurs, comme la ménagère a le droit de
chercher sa drachme perdue. Car une âme de
pécheur n'a pas moins de prix à ses yeux que les
pièces d'argent n'en ont aux yeux de cette femme.

Il ne viendra à l'esprit de personne que l'intérêt
qui s'attache à la conversion des pécheurs diminue
en proportion de leur nombre, comme il est possible que diminue le désir de retrouver un objet
perdu en proportion de son abondance. Maldonat
en faisait déjà la remarque, le nombre *dix* n'a pas
ici la moindre valeur de mystère ou de symbole.
La drachme n'est pas cherchée avec une telle sollicitude, parce que la femme n'en possédait que dix.
Les recherches n'auraient pas été moins actives si,
au lieu de dix, la ménagère en eût possédé *cent* ou
mille. Il est parlé de *dix*, en nombre rond, parce
qu'une femme du peuple n'a guère une plus forte
somme sous la main pour les besoins du ménage.
Le berger cherchait sa brebis avec la même conscience, bien qu'il lui en restât quatre-vingt-dix-neuf
au troupeau. L'argumentation serait donc la même,
si la femme avait été en possession d'une fortune
plus considérabe.

L'esprit de la parabole est qu'un objet égaré est

recherché par son propriétaire avec la même sollicitude que s'il était le seul de son espèce, mise à part
la question de la richesse ou de la pauvreté. Et la
morale est que le divin Maître travaille à la conversion de chacun de ses chers pécheurs, comme
si chacun était le seul égaré; et qu'il se réjouit de la
conversion de chacun, comme si chacun était le
seul converti. Car chacun est aimé comme s'il était
l'unique et le bien-aimé.

Avec quel soin le divin Maître ne recherche-t-il
pas l'égaré ! Les détails domestiques qui traduisent
l'activité de la ménagère ne sont évidemment que
des traits paraboliques dénués de toute valeur
allégorique et pourvus seulement d'une signification
collective. Ils expriment d'une manière concrète
cette pensée essentielle que la ménagère fait tout
son possible pour retrouver sa pièce de monnaie.
Ils nous donnent ainsi à entendre que le Sauveur
fait lui-même tout ce qui est en son pouvoir pour
ramener le pécheur égaré.

Parmi ces traits paraboliques, n'y aurait-il pas
au moins une métaphore? Convenons que la
drachme serait une métaphore admirablement
choisie du pécheur, de « l'âme humaine, marquée
à l'effigie divine, mais égarée dans les ténèbres »
(Valensin-Huby, 284). « Elle n'est pas de médiocre
valeur, dit saint Ambroise, cette drachme qui porte
l'effigie du prince, *non mediocris haec drachma est,
in qua principis est figura* » (xv, 1756).

Accommodations. — Sur cette voie des applications, il est tout naturel à un orateur de poursuivre. « Ce que signifie le pasteur, dit saint Grégoire le Grand, la femme le signifie également.
Et c'est Dieu, c'est la sagesse de Dieu. Et parce que
la drachme porte une image gravée, la femme perd

sa drachme, lorsque l'homme, créé à l'image de Dieu, s'éloigne par le péché de la ressemblance de son Créateur, *mulier drachmam perdidit, quando homo, qui conditus ad imaginem Dei fuerat, peccando a similitudine sui Conditoris recessit*. Mais la femme allume sa lampe, parce que la sagesse de Dieu est apparue parmi les hommes. La lampe est une lumière dans un vase d'argile; comme la lumière est dans l'argile, la divinité est dans la chair... » (LXXVI, 1249).

Le procédé est facile; il peut donner des résultats agréables. En somme, il est dangereux, et les orateurs modernes sont sages d'entendre le conseil de Maldonat qui recommande la discrétion dans l'usage de l'allégorie, même s'il s'agit de la drachme seule.

A plus forte raison, si nous venons à l'allégresse que témoigne la femme de sa drachme retrouvée. Nous disons résolument qu'il n'y a là qu'un terme de comparaison, susceptible de justifier la joie du Sauveur recevant ses chers pécheurs à résipiscence.

Quelle que soit la valeur intrinsèque de ces malheureux, la joie du Sauveur s'expliquerait déjà par le zèle qu'il a mis à les ramener, puisque le plaisir d'une découverte se mesure, autant qu'à la valeur de l'objet, à l'ardeur de la recherche.

Mais une âme de pécheur possède un prix infini. Que nous parlait-on d'une drachme modique! et que nous parle-t-on d'une pauvre brebis d'un modeste troupeau! Le Sauveur ne donnerait point sa peine à qui ne la mériterait pas. Le Fils de l'homme est venu sauver ce qui était perdu. Une âme de pécheur ne vaut rien de moins que l'Incarnation du Fils de Dieu.

Cependant Jésus n'attire pas directement l'attention sur lui-même, en quoi nous ne saurions assez admirer sa divine modestie. Il ne conclut pas : *C'est ainsi, je vous le dis, que j'ai le droit de me réjouir avec mes chers pécheurs retrouvés.* Il conclut : *C'est ainsi qu'il y a joie parmi les anges de Dieu pour un pécheur qui se repent.* Pour n'être pas direct, l'argument est aussi fort.

Ou même il l'est davantage, car les anges nous sont ainsi présentés comme se réjouissant de la conversion des pécheurs. Puisque les anges se réjouissent, Jésus n'a-t-il pas aussi le droit de se livrer à l'allégresse ?

A suivre le mouvement naturel de la parabole, on s'attendrait ici à voir Dieu lui-même entrer directement en scène : *Ainsi, je vous le dis, à chaque conversion de pécheur, Dieu invite ses anges à se réjouir avec lui...* Nous avons dit le scrupule littéraire ou théologique qui a mis les anges à la place de Dieu.

Trilogie de la conversion. — Cette substitution, si c'en est une, ne persistera pas jusqu'au bout de la trilogie des paraboles consacrées à la conversion des pécheurs. *Le fils prodigue*, qui fait suite à *la drachme*, nous dira si Dieu lui-même prend part à la conversion des pécheurs, et quelle part.

La première parabole, *la brebis*, nous apprenait qu'il y avait grande joie au ciel pour un retour de pécheur ; la seconde, *la drachme*, spécifie que le ciel, ce sont les anges de Dieu ; la troisième enfin, *le fils prodigue*, nous montre Dieu présidant avec une allégresse paternelle à ces chœurs des anges.

Ce que la première formule avait de général et d'imprécis, elle le rachetait par la déclaration très circonstanciée : *Il y a plus de joie au ciel pour un pécheur qui se repent que pour quatre-vingt-*

dix-neuf justes qui n'ont pas besoin de pénitence.

La drachme omet cette comparaison, suffisamment inculquée par la parabole précédente. *Le fils prodigue* la reprendra, en comparant l'allégresse d'une conversion au calme bonheur d'une vie sans égarement.

Nous venons de nommer les trois paraboles de cette admirable trilogie de la pénitence. « Selon notre manière de comprendre la composition littéraire, écrit le P. Lagrange, on suivrait un ordre différent. D'abord la drachme, exemple emprunté à la nature insensible; puis la brebis, qui appartient au monde sensible et amorce déjà la comparaison des pécheurs et des justes, comparaison qui serait traitée dans la troisième parabole. Luc, fin littérateur, a pu y penser, mais il aura respecté l'ordre traditionnel, plus spontané : d'abord un homme, comme serait un des auditeurs; puis une femme dont l'exemple n'est qu'une confirmation, et enfin la grande parabole qui n'est même plus appliquée, tant les traits en sont saisissants et clairs » (419).

Ces trois paraboles ont un trait de commun, la miséricorde de Dieu. Quel pécheur, s'il la comprenait, pourrait y tenir ?

Saint Ambroise a dit le mot de la fin : « Brebis, gagnons les pâturages; drachmes, sachons notre prix; fils, hâtons-nous vers le Père, *oves sumus, petamus pascua; drachma sumus, habeamus pretium; filii sumus, festinemus ad Patrem* » (*ibid.*).

Le prodigue

(saint Luc, xv, 11-32).

[11] Il dit encore : Un homme avait deux fils. [12] Le plus jeune dit à son père : Père, donnez-moi la part de fortune qui me revient. [Le père] leur partagea son bien. [13] Quelques jours après, le plus jeune fils, ayant réalisé tout son avoir, partit pour un pays lointain, et il y dissipa son argent en vivant dans la débauche. [14] Lorsqu'il eut tout dépensé, il survint une grande famine dans ce pays, et il commença à sentir le besoin. [15] Et il alla se mettre au service d'un habitant de cette contrée, qui l'envoya dans ses terres paître des porcs. [16] Il aurait eu bien envie de se rassasier des caroubes que mangeaient les porcs, mais personne ne lui en donnait. [17] Alors, rentrant en lui-même, il se dit : Combien de mercenaires de mon père ont du pain à satiété, tandis que moi, ici, je meurs de faim! [18] Je me lèverai et j'irai à mon père et je lui dirai : Père, j'ai péché contre le ciel et contre vous. [19] Je ne suis pas digne d'être appelé votre fils, traitez-moi comme l'un de vos mercenaires. [20] Et s'étant levé, il s'en revint vers son père.

Comme il se trouvait encore à une grande distance, son père l'aperçut, il fut ému de compassion, et il courut se jeter à son cou et il le couvrit de baisers. [21] Alors le fils lui dit : Père, j'ai péché contre le ciel et contre vous, je ne suis plus digne d'être appelé votre fils. [22] Et le père dit à ses serviteurs : Vite, apportez la robe la plus belle et l'en revêtez; mettez-lui un anneau au doigt et des souliers aux pieds, [23] et amenez le veau gras, tuez-le, mangeons et réjouissons-nous, car mon fils que voici était mort et il est revenu à la vie, il était perdu et il est retrouvé. [25] Et les réjouissances commencèrent.

Or son fils aîné était aux champs. A son retour, comme il approchait de la maison, il entendit un bruit de musique et de danse. ²⁶ Ayant appelé un serviteur, il s'enquit de tout cela. ²⁷ Le serviteur lui dit : C'est ton frère qui est revenu, et ton père a tué le veau gras pour l'avoir retrouvé en bonne santé. ²⁸ [L'aîné] fut pris de colère et ne voulut pas entrer. Alors son père sortit et il l'y engageait. ²⁹ Mais lui de répondre à son père : Voilà tant d'années que je vous sers, et je n'ai jamais enfreint l'un de vos ordres, et à moi, vous ne m'avez jamais donné un chevreau pour me divertir avec mes amis ! ³⁰ Mais, dès que revient votre fils que voilà, lui qui a mangé votre bien avec les courtisanes, vous tuez pour lui le veau gras ! ³¹ Le père lui dit : Mon enfant, toi, tu es toujours avec moi, et tout ce que j'ai est à toi ! ³² Mais il fallait bien se livrer à la joie et à l'allégresse, puisque ton frère que voilà était mort et il est revenu à la vie, il était perdu et il est retrouvé !

Voici la perle des paraboles, celle qui, à elle seule, constitue un petit évangile dans l'évangile (Jülicher, II, 374). Le contexte que lui assigne saint Luc est exactement le même que celui des deux paraboles précédentes, *la brebis égarée* et *la drachme perdue. Le fils prodigue* n'est rattaché à cette dernière que par la très vague indication : *Et il dit, il dit encore.* Nous pouvons donc aborder le commentaire du récit, sans nous arrêter davantage à décrire les circonstances de temps et de lieu, l'auditoire de Jésus étant censé être toujours le même.

I. — TABLEAU

A. Le fils prodigue. La faute. — *Un homme avait deux fils.* Avec le père, ils seront les héros de l'histoire. L'un jouera le rôle de fils économe et fidèle, l'autre celui de prodigue. Si le plus jeune assume le rôle moins sympathique de dissipateur, nous pour-

rions en chercher la raison dans quelque arrière-
pensée d'allégorie; mais il suffit de savoir que la
jeunesse est l'âge des passions et des folles aventures
(Maldonat).

Jusque-là, le père avait gardé le domaine de tous
ses biens, et ses fils avaient travaillé à les faire valoir
avec lui. Un jour, le plus jeune lui dit : *Père,
donnez-moi la part de fortune qui me revient.* Le
terme grec que nous traduisons par *fortune* (οὐσία),
désigne la *nature,* la *substance* des choses, et, par
extension, tout ce qu'on possède, *biens* ou *héritage.*
Il a pour synonyme le terme suivant *substantiam,*
βίον.

Cette demande dut contrister le cœur du père.
Pourquoi sitôt diviser l'héritage ? Si le jeune homme
avait eu dessein de se marier ou de se lancer dans
quelque entreprise commerciale, on comprendrait
qu'il sollicitât sa part des biens paternels. Comme
il ne manifeste aucune intention de ce genre, sa
requête doit cacher d'équivoques projets. Il ne les
dévoile pas. Mais ce mutisme, venant d'un fils
adulte, ne présage rien de bon ; il constitue à l'égard
du père un acte de défiance et il présage une dangereuse crise morale.

Le père ne repousse pas la requête, bien qu'il en
sente l'indélicatesse et le péril. On en donne généralement pour raison que le jeune homme, en ce
faisant, restait strictement dans son droit. Un fils
pouvait réclamer sa part quand bon lui semblait
et en disposer à son gré. Rabbi Juda ben Simon
(vers 320) alléguait dans un *mâchâl* l'exemple d'un
roi qui avait distribué son avoir à ses douze fils en
avantageant son préféré (Strack- Billerbeck, 212).

Je m'étonne seulement que le père ne fasse pas
la moindre objection, qu'il n'essaie pas de dissuader

son fils d'un funeste projet, qu'il n'essaie pas de le
retenir sur le chemin de la perdition. Les commentateurs qui n'envisagent pas la difficulté n'ont pas à
la résoudre. Les réponses, du reste, seraient inadé-
quates ou mauvaises, à moins d'alléguer, comme il
convient de le faire une fois de plus, la juste liberté
de la parabole. Un père ordinaire n'eût pas manqué
de retenir son fils, et il l'eût fait en refusant de lui
avancer sa part d'héritage. Le père de la parabole
ne l'essaie pas, parce qu'il importe au but dogmatique de l'histoire que le jeune homme reçoive sa
part, qu'il ne soit pas retenu, qu'il s'en aille et qu'il
se livre à tous les débordements, pour revenir
ensuite pécheur contrit. Nous le répétons, l'intention
pédagogique est la meilleure justification, souvent la
seule, de tous les traits extraordinaires ou anormaux
qui émaillent ces jolies histoires. Nous en trouve-
rons d'autres exemples en cette même parabole.

Le partage eut donc lieu. La loi mosaïque (Deut.
XXI, 17) réservant à l'aîné une double part, le cadet
dut recevoir un tiers de l'héritage, et son frère les
deux autres tiers.

Argent, immeubles ou terres, le cadet touche sa
part sur-le-champ, puisqu'il est en mesure de réaliser le tout sans délai et de partir avec tout son avoir.
Quant à l'aîné, il semble bien qu'il n'ait rien reçu
et que toute sa part reste encore aux mains de son
père. Il se plaindra bientôt de n'avoir rien en propre,
pas même un chevreau pour festoyer avec ses amis.
Et son père n'y contredira pas; il le consolera seulement en lui représentant que lui, l'aîné, il est aussi
le maître de tout le bien paternel. En attendant,
c'est le père qui continue de gérer la maison, puisque c'est lui qui ordonne le festin, commande aux
serviteurs, sans prendre l'avis de son héritier, qui

n'est guère loin cependant et n'est même pas prévenu.

Ce serait néanmoins une exagération et une erreur de prétendre que le partage n'est que provisoire, qu'il ne sortira son effet définitif qu'à la mort du père, et qu'en attendant, celui-ci reste maître de tout son bien. Jülicher allègue en ce sens (337) le mot de l'aîné disant à son père, à l'adresse du prodigue, qu'il a mangé *son bien, le bien paternel*, avec les courtisanes. Qui ne voit que c'est là argument d'avocat plaidant une cause mauvaise ? Pour indisposer le vieillard, on lui rappelle que c'est *son bien à lui*, son bien péniblement et honorablement amassé, qui a été dévoré de cette façon ignoble. L'argument est habile, et l'expression est juste, puisque c'est le bien gagné par le père qui a été follement dissipé par le fils ; mais on a tort d'en conclure que le père reste le maître de l'avoir concédé au prodigue.

Le cas de l'aîné est autre. Il a fallu faire l'estimation globale du tout et le diviser en trois parts, pour donner au jeune étourdi le tiers qui lui revenait. Mais les deux autres tiers, prévus pour l'héritage de l'aîné, ne subissent aucune modification ; c'est la part de l'héritier, mais qui reste aux mains et sous l'administration du père, du consentement et de l'aveu de l'intéressé. Il en va généralement ainsi lorsqu'un fils puîné reçoit par anticipation sa part d'héritage ; le reste des biens continue d'être géré par le père et les frères restés à la maison.

Que s'il fallait une autre explication pour cette situation où il reste malgré tout quelque chose d'anormal, je dirais que l'anomalie était postulée par le haut enseignement à déduire de la parabole. Il fallait que le prodigue reçût sa part et qu'il la

gaspillât pour avoir l'occasion de faire pénitence. Il
fallait que le père gardât l'entière disposition de tout
le reste, pour être en mesure de recevoir chez lui le
pécheur venu à résipiscence et de lui faire fête. Il
fallait enfin que l'aîné n'eût qu'un rôle passif à jouer
dans les réjouissances de la réconciliation, sur quoi
son dépit et sa jalousie pussent se détacher en
relief.

De la sorte, la scène entière, tout en restant un peu
extraordinaire, est parfaitement agencée. Mais c'est
la doctrine qui règle l'histoire.

Ce qui était prévu arriva. Quelques jours à peine
après le partage, le jeune fol avait réalisé tout son
avoir et il partait pour l'étranger. Allait-il au loin
tenter fortune? Voulait-il voir des pays inconnus?
Il est plus probable, d'après tout ce qui suit, que,
résolu de se livrer à la débauche, il cherchait avant
tout à se mettre à couvert de la surveillance et des
reproches paternels. Là-bas, à l'étranger, il pourrait
s'en donner à cœur joie, sans craindre de réprimande.

Où s'en alla-t-il? L'histoire ne le dit pas, et nous
n'avons aucun intérêt à le savoir. Dans le Talmud,
le pays lointain est toujours situé *au delà des mers*
(Strack-Billerbeck, 212, 213). Qu'il ait passé les
mers ou qu'il se soit avancé à l'intérieur des terres,
nous savons du moins ce qu'il y fit, et c'est assez.
En un rien de temps, il eut dissipé tout son avoir
dans *une vie de débauche*.

On remarquera la pudeur et la rapidité avec lesquelles il est parlé de ces désordres. Le fils aîné,
dans son accès de jalousie, n'aura pas la même délicatesse; il appuiera lourdement sur ces choses, en
affectant de les appeler par leur nom et de les détail-
ler. Le terme de l'évangéliste (ἀσώτως) désigne le

dérèglement des mœurs en général, sans spécifier les excès auxquels on se livre.

A peine le prodigue avait-il dévoré ses derniers restes, qu'une famine survint. La narration est admirablement conduite. De chute en chute, en trois ou quatre bonds : le gaspillage, la famine, les pourceaux, les caroubes, l'écervelé se trouve au fond de la misère. Celui qui a su trouver ces traits et cette sobriété et cette force, est un écrivain et un maître.

Le premier effet de la famine est de faire hausser le prix des vivres et par suite de rendre très précaire la situation des pauvres. « Dans ce cas, les gens du pays peuvent avoir des provisions, des ressources; le jeune étranger était obligé de se mettre dans la dépendance de quelqu'un » (Lagrange, 422). Et quelle dépendance! Chacun réduisant au strict minimum les nécessités de la vie, quantité de petits emplois honorables se trouvaient supprimés. Bientôt réduit à la dernière misère, le dissipateur fut heureux de trouver chez un habitant du pays une place de porcher.

Pasteur d'un tel troupeau, alors que le porc était pour les juifs, comme il l'est pour les musulmans, l'animal impur, c'était bien pour les auditeurs de la parabole le bas-fond de la dégradation. Aujourd'hui, lorsqu'un musulman se met en service, il n'est pas rare qu'il pose comme condition de n'avoir pas contact avec les animaux dont parle la parabole. Que s'il vient à les toucher, il n'est pas assez d'eau dans les fontaines pour laver cette impureté. Le prodigue, s'il ne consentait pas à mourir de faim, n'avait pas le choix. Il accepta la seule chose qu'on lui offrit, cela! L'héroïsme de la faim est plus rare que l'héroïsme de l'action.

Le prodigue, lui, n'était plus qu'un héros d'abjection. Ne pouvant plus résister, il s'abandonna.
Non seulement il ne parvint plus à se garder des
souillures passagères, mais sa société habituelle, ce
furent les porcs que le législateur hébreu avait
officiellement rangés dans la catégorie des animaux
prohibés. « Maudit soit l'homme qui élève des
porcs », dira le Talmud (*baba kama* 82^b).

Ces détails nous montrent que, si le prodigue
était juif, le maître de la ferme devait être païen,
puisqu'il entretenait pareil troupeau. Du reste, *le
pays éloigné* pouvait-il être autre chose qu'une
terre païenne?

Voici maintenant le dernier mot de la misère :
*Il aurait eu bien envie de se rassasier des caroubes
que mangeaient les porcs, mais personne ne lui en
donnait!* L'emploi déshonorant que le malheureux
avait été contraint d'accepter ne l'empêchait donc
pas de mourir de faim! *Il eût désiré, il aurait eu
une forte envie* (en grec, à l'imparfait d'habitude,
ἐπεθύμει) : ce n'était d'ailleurs qu'un désir inefficace et qu'il ne pouvait satisfaire. Il eût voulu
se rassasier, se repaître; les anciens disaient sans
scrupule *se remplir le ventre,* et c'est le mot de
l'original; c'est là que le misérable avait mal et
c'est là qu'il eût voulu porter remède. En cette
extrémité, on éprouve le désir animal de combler
à tout prix et par n'importe quoi le vide qui s'est
creusé là et qui nous torture.

Le famélique n'était vraiment pas difficile. Il
enviait *les petites cornes* (κερατίων, diminutif de
κεράς, corne) dont se nourrissaient les pourceaux. Il
n'y a plus d'hésitation parmi les commentateurs,
ces gousses, terminées en pointe, sont *les caroubes,*
fruit *du caroubier,* dit vulgairement *arbre de saint*

Jean, qui ont les dimensions de nos grosses fèves, avec une couleur plus foncée et un aspect plus bossué. La caroube mâchée a un goût de miel fade. On la réserve généralement aux animaux; mais les gens du pays la pilent aussi pour en faire une sorte de gâteau, nourriture des pauvres. Un proverbe disait : *Le juif qui mange des caroubes fait pénitence* (cité par Klostermann, 521).

Heureux encore qui peut manger des caroubes! Le misérable ne le pouvait même pas. Ses porcs en mangeaient, et lui, on ne lui en donnait point! Une objection irrésistible se présente à l'esprit : « *Mais il n'avait qu'à en prendre, puisque c'est lui qui paissait le troupeau!...* » Et de nouveau, à propos des caroubes, les exégètes entrent en discussion.

Les uns estiment que le trait est forcé. « De savoir comment il se trouve empêché de prendre aux porcs quelques gousses de caroubier, et si ses compagnons auraient pu lui venir en aide, c'est ce qui importe peu au but de la parabole. Mais le trait manque de vraisemblance » (Loisy, II, 148).

D'autres s'efforcent de le justifier. « Luc n'a pas voulu dire que le prodigue n'eût pas pu dérober quelques caroubes. On s'occupait de nourrir les porcs, on ne lui donnait rien, pas même cette nourriture; il en était réduit à les envier, ne mangeant jamais à sa faim » (Lagrange, 423).

La réponse n'est peut-être pas très bonne, mais c'est que la question est mal posée.

L'objection porte : cela n'arrive pas, le trait manque de vraisemblance ou de naturel. — A quoi l'on répond : cela arrive, du moins d'une certaine manière; sinon tous les jours, du moins quelquefois. — Et la difficulté demeure, parce qu'on ne consent pas à suivre le paraboliste sur son véritable terrain, qui est celui de la parabole. Là tout s'arrange, et le détail anormal devient un élément important du chef-d'œuvre littéraire qui s'élabore sous nos yeux. Dans la réalité, il serait *invraisemblable* qu'un valet de ferme ne pût se procurer à discrétion les gousses qu'il sert aux animaux pour leur nourriture. Dans une parabole, ce détail anormal est une trouvaille du plus bel effet littéraire et psychologique. C'est cela seul qui importe. Être réduit, juif misérable, à garder les pourceaux d'un *goy*, et n'avoir rien à se mettre sous la dent, non pas même les caroubes de ses porcs, parce qu'on les lui refuse! C'est là le comble, c'est là que le prodigue en est venu! Point extrême de la misère! Mais c'est de là qu'il va repartir sur le chemin du retour et de la conversion.

Le repentir. — Nous sommes au second acte de la tragédie. Rien ne suscite la réflexion et le repentir comme le malheur. Tant qu'il avait eu la bourse garnie, le voluptueux s'était volontairement étourdi pour ne pas songer à la maison paternelle ni à son vieux père. Il en avait encore tenu sa pensée obstinément éloignée, tant qu'il s'était senti la force de résister à son infortune. Lorsqu'il est à bout et qu'il s'abandonne comme une pauvre chose allant à la dérive, le passé rentre subitement en lui. Il se compare à ce qu'il était jadis, et ce contraste emprunte aux circonstances actuelles une éloquence poignante. La famine lui rappelle l'abondance de la maison paternelle, qu'il a quittée pour cette extravagante équipée; et dans la maison, il finit par se souvenir qu'il a laissé un père. Cette gradation dans le sentiment est notée avec une grande finesse de psychologie.

Rentrant en lui-même, il se dit : Combien de mercenaires de mon père ont du pain à satiété, tandis que moi, ici, je meurs de faim!

Ces sentiments sont bien ceux qu'on pouvait atendre d'un prodigue en détresse. Sur le bord de la fosse, il a une réaction qui le jette en arrière et le sauve.

Il se décide à rentrer à la maison pour ne pas achever de mourir de faim.

Pourtant, ce serait le calomnier de croire qu'il se résout à la démarche salutaire uniquement pour avoir du pain. Dans toute conversion, il convient de distinguer le sentiment initial, qui n'est pas toujours de qualité supérieure, et les autres sentiments auxquels celui-là ouvre la porte. Le prodigue a faim, mais la famine le conduit au repentir, et le repentir s'épanouit en amour filial. S'il demande à être traité comme un simple serviteur, ce n'est pas qu'il songe proprement à gagner un salaire. Il souhaite avant tout de reprendre sa place au foyer paternel, n'importe comment, à n'importe quel titre, si ce n'est comme fils, du moins comme mercenaire. Mais cela encore, c'est de l'amour filial. Le fils s'est éloigné; il a paru oublier; il n'était pas mort; son cœur n'a jamais cessé de battre sous l'attirail de la volupté non plus que sous les haillons de la misère.

Relevons quelques expressions caractéristiques de son examen particulier et de ses résolutions. *Combien de mercenaires ont du pain à satiété!* « Les mercenaires de son père, ouvriers à la semaine, d'après l'usage actuel, se nourrissent à leurs frais, avec des pains qu'ils apportent, mais le peuvent aisément, grâce au salaire, et le père le distribuait largement » (Lagrange, 423). Ce n'est peut-être là qu'une jolie subtilité d'exégète, et qui sent le terroir palestinien. A côté des mercenaires à la journée, l'Orient connaît aussi les serviteurs, engagés pour un mois, pour une année ou indéfiniment, qui vivent et couchent à la maison, et mangent le pain du maître. Le prodigue fait plutôt allusion à cette catégorie, puisqu'il médite de rentrer définitivement au foyer paternel. Pour lui, il n'y a que des fils et des mercenaires. Il consent à servir, pourvu que ce soit chez son père.

Je me lèverai! Le mot pourrait n'être qu'un hébraïsme. Mais, en la circonstance, il est préférable de lui garder toute sa saveur corporelle et morale. « Le pauvre enfant est plongé dans des réflexions tristes, comme un homme abattu ; il va se redresser » (Lagrange, 424).

J'ai péché contre le ciel et contre vous. Le P. Lagrange a dit ici encore le mot qui convenait : « Pour un israélite, tout péché est un péché contre Dieu (Gen. xx, 6 ; xxxix, 9, etc.). Le péché de débauche était spécialement celui dont on doit rougir devant son père et sa mère (Eccli. xli, 17) ; mais ce qu'il y avait de plus offensant envers le père, c'est de s'être éloigné après avoir reçu sa part, comme si ce père ne comptait plus pour rien » (424).

Je me lèverai, j'irai... Aussitôt dit, aussitôt fait. La parabole ne raconte ni la manière dont le valet improvisé prit congé de son maître, ni la manière dont s'accomplit le retour. De cette sobriété de bon goût, de cette rapidité dans la narration, nous savons gré au divin paraboliste ; ces détails seraient un hors-d'œuvre dans un récit si bien ordonné. Supprimant toute distance, on nous transporte tout à coup aux abords de la maison paternelle où le prodigue est sur le point de rentrer.

Le retour. — Là nous assistons à un spectacle
d'inoubliable tendresse. Si le fils a trop longtemps
oublié son père, celui-ci n'a pas oublié son fils. Du
fils au père, l'amour remonte, et l'on conçoit que ce
sentiment ascendant puisse être intercepté ; mais,
du père au fils, l'amour descend, et il serait inouï que
la tendresse paternelle ne suivît pas sa pente naturelle.
C'est pourquoi le père n'est pas aux champs, avec
son fils aîné, parmi ses ouvriers, où serait sa place
si la vie, pour lui, après le départ de l'aventurier,
pouvait avoir gardé son cours normal ; il ne se trouve
même pas à la maison, dans le désœuvrement de la
tristesse. Il s'est avancé sur le chemin, au-devant
de son fils. Il l'attend toujours ; son cœur lui dit
qu'il reviendra ; il voudrait hâter de quelques
instants l'heure si cruellement attendue de ce revoir.

Qu'on veuille bien le remarquer, le prodigue n'a
pas prévenu son père de son prochain retour. Il n'est
pas dit non plus que le vieillard ait été instruit de la
famine qui sévissait au pays de l'égaré. Il est même
censé ignorer sur quel théâtre se dissipe la folle
jeunesse de son enfant. Il ne sait qu'une chose, et
ceci nous révèle la merveilleuse acuité de son
instinct paternel, c'est que son fils lui reviendra. Et
il l'attend.

Ce n'est sans doute pas la première fois qu'il
faisait le guet à ce poste d'observation. Ce devait
être chez lui une habitude et un besoin. Que ferait-il
ailleurs ? Incapable de vaquer à ses occupations
ordinaires, il s'en va sur les chemins du retour voir
si son enfant ne revient pas.

Et si l'on objecte derechef que le trait paraît forcé,
je réponds encore que, dans cette *parabole*, c'est
une autre merveilleuse trouvaille. Seule, elle vaut
un tableau.

Le voilà enfin! C'est lui! Le père ne s'y trompe
pas. C'est sa taille, son allure! C'est bien lui! Le
regard du père, pour l'acuité et la sûreté, vaut celui
de la mère. Et sa tendresse est d'autant plus touchante qu'on ne s'attendait pas à cette délicatesse
et à cette fraîcheur. Il le voit, le reconnaît, s'émeut,
court, se jette à son cou et l'étreint passionnément.

Comme il se trouvait encore à une grande dis-
tance, son père l'aperçut. Je crains bien que le souci
de la réalité ne déflore, sous la plume de certains
commentateurs, ces traits divins de la parabole.
Qu'importe que cela ne soit jamais arrivé et que
cela n'arrive jamais! Dans une parabole, cela arrive.
Qu'importe que, transposés sur le terrain plat et
vulgaire de la réalité, quelques-uns de ces détails
admirables paraissent légèrement se heurter! Dans
une parabole, ils s'harmonisent parfaitement. Que
la grande distance reste donc une grande distance,
comme le dit le texte, et non pas « une certaine distance » (Loisy, 149). Qu'on ne nous explique pas que
les serviteurs sont « venus sur les pas du père »
(*ibid.*), ou qu'ils « sont accourus » (Lagrange, 425).
On est peut-être revenu à la maison, mais on ne le
dit pas. Ces notations vivantes et ces bonds aisés
par-dessus la réalité, ces suppressions des perspectives et des distances sont du meilleur effet littéraire
dans une parabole. Gardons-nous de toucher à cette
fantaisie aérienne par des explications massives. Le
vieillard s'était avancé à une grande distance, et
néanmoins les serviteurs sont là à point nommé,
pour exécuter ses ordres. Constatons le fait, goûtons
la saveur piquante de cette petite contradiction
irréelle, et passons.

Le père l'avait vu partir en son brillant équipement
de jeune homme empanaché pour l'aventure. C'est

cette image qui lui était restée. Il avait eu beau se
dire, depuis, que l'être chéri aurait beaucoup changé,
ayant sans doute beaucoup souffert, rien n'est capable d'amortir le premier choc de l'affreuse réalité.
Quelle ne dut pas être l'émotion du vieillard, lorsque, sous les haillons du prodigue, il eut reconnu son
dernier né, son benjamin ! Les entrailles émues, il se
précipite, il *court !* C'est le trait le plus humain de cette
parabole qui en contient un grand nombre d'exquis,
et l'un des plus touchants de tout l'évangile.

Le père ne dit pas un mot; mais son geste vaut
tous les discours : il se jette à son cou, il l'embrasse;
suivant la nuance de l'original (κατεφίλησεν), il le
couvre de baisers.

Le prodigue pouvait s'attendre aux plus amers
reproches, et peut-être s'y était-il préparé. Mais,
sous l'étreinte paternelle, il sent qu'il est toujours
aimé et qu'il est pardonné. La profondeur de son
repentir sera accrue de la tendresse de ce pardon.

Se jeter à son cou est l'expression exacte. Les
Orientaux ne se baisent pas, ils s'embrassent. La
tête de l'un s'incline sur le cou de l'autre, se relève,
s'abaisse encore un nombre de fois indéterminé,
suivant le degré d'affection, pendant que les bras
posés sur les épaules ou serrés autour de la poitrine
dessinent un enlacement affectueux.

Ici, c'est le père qui prend l'initiative de la tendresse. Le fils se laisse faire sans la moindre résistance; mais gardant tout son sang-froid au milieu
de son émotion, il récite exactement les formules
préparées dans les lointains pays de la misère :
*Père, j'ai péché contre le ciel et contre vous, je ne
suis plus digne d'être appelé votre fils...* Il n'eut pas
le temps d'achever. Peut-être eut-il l'intuition que
parler de mercenaire au contact d'un père qui l'ac-

cueillait comme un fils, serait faire une nouvelle
insulte à l'amour paternel.

*Vite, vite, qu'on apporte la plus belle robe et
qu'on l'en revête!* Qu'on remarque l'énergie et la
beauté dramatique de cet adverbe mis en tête de la
phrase. Il gouverne tout le cérémonial de la réhabi-
litation. Vite, cela presse, il n'y a pas un instant à
perdre! Qui parle ainsi, si ce n'est la tendresse
la plus passionnée ? On a dit que c'était à cause des
esclaves accourus. Je crois plutôt que c'est à cause
de sa tendresse à lui, le père, qui ne peut supporter
un seul instant le spectacle de cette déchéance de
son fils. Il l'eût habillé de ses mains, s'il eût été seul,
avec le même empressement fébrile.

Le père a fait du premier regard l'inventaire de la
misère de son enfant. Il lui manque non seulement
la robe, mais les sandales, même l'anneau. Le malheureux avait fait argent de tout ce qui était susceptible d'être vendu; à la place du fils de famille, il
ne revenait qu'un va-nu-pieds couvert de haillons.
Le père ne constate et ne détaille ce dénuement que
pour y remédier sur l'heure.

Vite, la plus belle robe qu'il y ait à la maison,
« celle des jours de cérémonie » (Valensin-Huby,
289), et non pas une robe que le prodigue aurait
portée auparavant.

Vite, un anneau au doigt! Que parlait-il d'être
traité comme un mercenaire, le malheureux enfant !
L'anneau est l'emblème des fils! Vite, l'emblème de
sa condition; et qu'il ne puisse plus être confondu
avec un esclave !

Et des souliers pour ses pieds ! « Les souliers sont
l'indice d'une existence oisive, car les gens du
commun les quittent pour travailler la terre et pour
marcher » (Lagrange, 425).

*Et qu'on tue le veau gras, et qu'on mange et qu'on
se réjouisse!* Ces détails encore et les suivants ne
trouvent leur complète et harmonieuse justification
que dans le style des paraboles. On n'a pas à se
demander si tous les propriétaires réservaient un
veau gras dans leur étable pour parer aux réjouissances éventuelles. Le maître de céans se trouvait
en avoir un, et il devait l'avoir pour donner tout
l'éclat possible à cette fête du retour. Dans les circonstances ordinaires, on ne tue qu'un chevreau
(v. 29) ou qu'un agneau. L'apparition d'un mouton
sur la table de famille suppose un degré plus élevé
dans la joie domestique. Lorsqu'on tue le veau
gras, c'est une solennité exceptionnelle, comme la
visite des anges au temps d'Abraham (Gen. xviii, 7)
ou le retour d'un prodigue...

Nous ne savons rien des convives, si ce n'est qu'ils
sont là et qu'ils prennent part au festin. La parabole
exige qu'ils aient pu être invités en temps utile et
qu'ils aient pu se rendre libres de toutes occupations
pour venir, en plein jour, s'asseoir à ce banquet
improvisé, comme elle exigera que le fils aîné reste
aux champs, ignorant du retour de son frère.

Le vieillard devait redire à chacun : *Mangeons
et réjouissons-nous, car mon fils que voici était mort
et il est revenu à la vie, il était perdu et il est
retrouvé!* On sent qu'il a dû répéter ces formules à
satiété tout le long du jour, et à qui voulait les
entendre; il les redira encore à son fils aîné. Il
semble qu'il n'ait pas su dire autre chose, comme
il arrive dans les moments de tristesse profonde ou
de joie extrême, sans prendre garde que sa seconde
formule (*il était perdu*) était moins forte que la
première (*il était mort*). Aux auditeurs de Jésus la
perte du fils avait du moins l'avantage de rappeler

celle de *la brebis* et celle de *la drachme*. La métaphore s'imposait en cette trilogie du recouvrement des pécheurs.

Et les réjouissances commencent.

B. Le fils aîné. La jalousie. — On était à table et le festin semble avoir été déjà avancé, lorsque le fils aîné revint à la maison.

Pourquoi ce retard de l'aîné et pourquoi cette ignorance? Pourquoi ne l'avoir pas prévenu aussitôt du retour de son frère? Après son père, n'était-il pas le premier intéressé, avant la foule des voisins et des amis? Si l'on répond qu'il était absent, les convives ne l'étaient-ils pas aussi une heure auparavant? Pourquoi n'être pas allé le chercher? Les serviteurs ne manquaient pas à la maison, et l'un d'eux aurait dû sur l'heure prendre le chemin de la campagne. Qu'on ne dise pas que la distance était considérable. Pour un pareil événement, elle ne l'est jamais trop. Et puis, l'aîné était occupé aux travaux des champs, et les *champs* ne sont jamais bien éloignés de la *maison*.

Ce petit problème met de nouveau aux prises les antagonistes habituels. Le P. Lagrange justifie le trait. « Pourquoi ne l'avoir pas mandé? Il était loin sans doute, on savait qu'il reviendrait vers le soir... » (426). Jülicher au contraire conclut à un « petit manque dans la composition » (357).

Nous répondons que la composition est parfaite en sa dramatique rapidité et que le trait ne saurait se justifier par aucune des raisons ordinairement alléguées. La seule explication est une fois de plus l'intention pédagogique du narrateur. Le fils aîné ne devait vraiment revenir à la maison que le festin commencé. Il est vrai, on aurait pu le prévenir en même temps que les convives; survenant au milieu

des préparatifs du festin, il aurait eu encore occasion
de s'offenser et de faire éclater sa jalousie. Mais combien l'effet se trouve scéniquement mieux ménagé par
la combinaison adoptée ! L'aîné est aux champs et il
ne sait rien ; il rentre et il se trouve subitement en
face du fait accompli. La surprise est ainsi plus forte
et la jalousie explose avec plus d'éclat.

Je suis sûr que personne, dans l'auditoire galiléen,
ne remarqua le moindre défaut dans cet émouvant
récit. Les lecteurs de l'évangile auraient mauvaise
grâce de se montrer plus difficiles. « Il est particulièrement pénible, a dit le P. Lagrange, de voir des
savants distingués s'exercer à grignoter un pareil
chef-d'œuvre » (426).

Comme il approchait de la maison, l'aîné
entendit un bruit de musique et de danse. Le mot
grec (συμφωνία) ne signifie pas un instrument particulier, tel que la *cornemuse ;* il désigne l'ensemble
des instruments et des voix. On chantait, on jouait,
on dansait. Peut-être quelque poète à gages redi-
sait-il en des strophes improvisées la joie de la
famille, car la présence d'un aède est de rigueur en
de pareilles réjouissances, aussi bien sous la tente
du bédouin que dans la maison du villageois. Et
sans doute musique et poésie étaient-elles rythmées,
sur la fin du repas, par le clair battement des mains
qui scande toute chanson orientale. Le père n'avait
rien négligé de l'ordonnance classique d'un festin.

Intrigué comme l'on pense de cette clameur
inusitée, l'aîné appelle un serviteur et l'interroge.
Pourquoi ? Loisy en propose une explication originale. « Si l'on reçoit un grand personnage que l'on
n'attendait pas, il n'est pas lui-même en costume
présentable » (ii, 151). Mais ce scrupule de toilette
n'est sûrement pas venu à l'esprit de l'évangéliste,

lequel ne dévie pas en sa narration d'un seule ligne.
Le serviteur répond avec le respect et l'indifférence
convenables. Il n'a pas une allusion aux désordres
du cadet, ni une critique à l'endroit du banquet.
Seulement, une savoureuse explication populaire de
cette réjouissance inaccoutumée. Quand on revient
en bonne santé après une si longue absence, n'est-
ce pas pour les bonnes gens du peuple un motif tout
à fait déterminant de se réjouir? Le veau gras a été
tué précisément parce que le fils du maître est rentré
en bonne santé.

A ces mots, l'aîné ne se possède pas de colère et
de jalousie, et il refuse d'entrer.

Le père, prévenu de son arrivée et de sa mauvaise
humeur, a beau sortir pour l'en prier (παρεκάλει, à
l'imparfait de répétition), il s'obstine dans son refus
et répond insolemment : *Voilà tant d'années que je
vous sers et je n'ai jamais enfreint l'un de vos ordres,
et à moi, vous ne m'avez jamais donné un chevreau
pour me divertir avec mes amis! Mais, dès que
revient votre fils que voilà, lui qui a mangé votre
bien avec les courtisanes, vous tuez pour lui le veau
gras!*

Pauvre père! et pauvre, pauvre fils! Qu'il ait servi
les intérêts paternels avec le zèle dont il se glorifie,
ce n'est pas le moment d'entrer en discussion là-
dessus. La chose est peut-être exacte, mais avec cette
particularité que les intérêts servis sont ceux du fils
aussi bien que ceux du père. On ne lui a rien donné
pour se divertir? Mais il n'avait qu'à prendre, il a
tout sous la main, et tout est à lui...

Où l'aîné est sans excuse pour son indélicatesse,
c'est dans l'énumération détaillée de l'inconduite
fraternelle. Cela, c'est tout simplement le cynisme
de la jalousie. Il affecte d'appeler les choses par leur

nom, et chaque détail est perfidement choisi pour
offenser le prodigue et plus encore son père.

Lorsque revient votre fils que voilà! Il a l'air
d'oublier que le fils de son père est son frère. Et l'on
sent le dédain de la bouche et des yeux et de la
main, dont il enveloppe ce pronom démonstratif :
ce fils que voilà! Le narrateur avait dit que le
prodigue avait *dispersé* son avoir, l'aîné précise qu'il
l'a *mangé* et *dévoré* (χαταφαγών). Le narrateur avait
dit que le prodigue avait dispersé sa *part d'héritage*,
l'aîné avance que c'était toujours *le bien paternel*
(σου τὸν βίον). Le narrateur avait discrètement voilé
les désordres du malheureux jeune homme, l'aîné
n'a pas la même pudeur, il arrache le voile, et il ne
craint pas d'insulter à l'honneur du vieillard en lui
jetant à la face que son fils, reçu à son de trompes
et de tambourins, vient de manger son bien en la
compagnie des *courtisanes!*

L'argumentation est aussi habile que méchante :
*Moi, le modèle des fils, vous n'avez pas un misérable
petit chevreau à me donner! Mais pour ce vagabond,
ce prodigue, ce voluptueux, déshonneur de la
famille et de vos cheveux blancs, ce n'est pas assez
du veau gras!*

La leçon. — Quel accent de douceur et de gravité
dans la réponse du père! Quelle possession de soi!
et quel tact parfait! *Mon enfant, toi, tu es toujours
avec moi, et tout ce que j'ai est à toi...*

Mon enfant, τέχνον, et non pas *mon fils*, υἱός, comme
s'il invoquait l'inexprimable tendresse du père pour
celui qu'il a engendré (τίχτω). Ce mot du cœur est
un cri d'amour et une protestation contre l'insinua-
tion de l'aîné, à savoir que son père ne l'aimait pas
ou qu'il lui préférait le prodigue. Outre que l'aîné a
la jouissance de tout le reste de l'héritage, ne

compte-t-il pour rien l'intime satisfaction de vivre toujours à côté du père? On ne se livre aux transports de la joie qu'après les longues absences. Il y a quelque chose de plus doux que ces fêtes du retour, c'est le bonheur de ne s'être jamais séparés. Comme aussi il existe quelque chose de supérieur au repentir, et c'est la joie de n'avoir jamais péché.

Cela dit pour la consolation de l'aîné, le vieillard se hâte de passer à la justification du prodigue et à la sienne propre. *Ne fallait-il pas se livrer à la joie et à l'allégresse?* Le père a conscience d'émettre un principe universel et indiscutable qu'il s'étonne de voir contester. Les circonstances dans lesquelles il retrouve son enfant, plus encore que la pitié naturelle, commandent l'allégresse. Il est bien indélicat et bien égoïste, celui qui n'a pas l'abnégation de s'oublier à cette heure pour prendre sa part de la joie commune. Et de constater que l'indélicatesse et l'égoïsme viennent de son fils aîné à l'adresse de son benjamin retrouvé, quelle mélancolie au cœur du père, et quelle douleur!

On ne s'étonnera pas que le vieillard redise une fois de plus la formule qui enclôt toutes les raisons de son cœur. Il l'a tellement répétée au cours de la journée, qu'elle lui remonte spontanément aux lèvres : *Mais il fallait bien se livrer à la joie et à l'allégresse, puisque ton frère que voilà était mort et il est revenu à la vie, il était perdu et il est retrouvé!...*

II. Application

Parabole, allégorie ou mélange. — Au moment de rechercher quelle est l'application de cette histoire, il est indispensable de se demander s'il faut l'en-

tendre d'une allégorie ou d'une simple parabole,
ou d'un mélange d'allégorie et de parabole. Disons
dès à présent que c'est cette dernière interprétation
qui doit prévaloir. D'un côté, il y a des métaphores
qui transparaissent à l'œil nu sous le voile léger
du récit. De l'autre, si l'on ne sait s'arrêter à temps
dans cette voie des applications allégoriques, on a
vite fait de tomber dans le mauvais goût et l'erreur
manifeste. La vérité sera une fois de plus que les
métaphores se mêlent ici aux détails paraboliques,
et même, Maldonat nous en avertit, aux détails
emblématiques, simples ornements d'un récit littéraire.

Dans quelle mesure ? Sans essayer de le déterminer
en ce moment, reconnaissons dans cette histoire
trois métaphores certaines *le père, le fils prodigue,*
et *le fils aîné.*

Le père, est indubitablement la métaphore de
Dieu. Loisy l'a contesté pour un motif subtil.
Lorsque le prodigue soupire : J'ai péché contre
le ciel et contre vous, « le *ciel* représente Dieu, ce
qui exclut l'identification du père du prodigue avec
le Père céleste » (ii, 148). Subtilité, avons-nous dit.
Sur les lèvres du prodigue, le Père doit paraître
différent du *ciel,* puisque c'est une histoire que
l'on raconte, et qui est censée se passer quelque
part sur la terre. En réalité, tout le monde comprend que le père n'est autre que Dieu.

Que *le prodigue* soit également la métaphore
des pêcheurs en général et des publicains en particulier, je ne crois pas que la chose puisse être
aujourd'hui raisonnablement révoquée en doute.

Le fils aîné, figure des pharisiens. — Reste *le
fils aîné.* Nous avons la sensation physique, en
écoutant la parabole que lui aussi, lui surtout, il

doit être la métaphore de quelque chose. Mais
de quoi? Nous sommes à l'un des endroits les
plus discutés de l'exégèse des paraboles. Nous
avions essayé naguère d'apporter un peu de lumière en cette controverse, en motivant la solution
qui nous paraissait devoir être préférée (*RB.*, 1917,
188-192).

Depuis lors, le P. Lagrange est intervenu pour
contester ces conclusions (420), si bien que les PP.
Valensin et Huby n'osent plus se prononcer (289).
Ils résument parfaitement du reste l'état de la
controverse : « Cet épisode du fils aîné a été diver-
sement expliqué. Les uns ont vu dans ce personnage
le symbole des pharisiens qui murmuraient contre
la condescendance de Jésus envers les pécheurs;
pour d'autres, il représente les justes. » Ils terminent disant : « Aucune de ces explications, prise
séparément, n'épuise le sens du passage et ne peut
s'accorder jusqu'au bout avec la lettre de la parabole » (289).

En une question si controversée, c'est une bonne
fortune de connaître l'avis de saint Jérôme. Le
pape saint Damase l'avait questionné précisément
sur ce problème d'exégèse, et il l'avait posé dans
les termes mêmes où nous le posons : « Qui est
ce père de l'évangile, qui partage son héritage à
ses deux fils? qui sont ses fils? qui est l'aîné? et
qui est le cadet? *Qui est iste in evangelio pater...?
qui duo filii? qui major? quive minor?* » Le fils
aîné surtout préoccupait le pontife. « Je sais, ajoutait-il, que beaucoup d'exégètes ont émis là-dessus
des avis divers, *scio multos in hac lectione diversa
dixisse* » (XXVII, 379, 380). Qu'eût-il dit aujourd'hui?
— Saint Jérôme répondait en écartant les interprétations proposées, après quoi il établissait la sienne

qui consiste à voir dans le fils aîné la métaphore
des pharisiens. C'est aussi la nôtre.

Au temps de saint Jérôme, l'opinion la plus en
vogue voyait dans le fils prodigue le représentant
des gentils, tandis que le fils aîné figurait les juifs.
Nul aujourd'hui ne prendrait à son compte cette
exégèse périmée.

Les modernes préfèrent voir dans l'aîné la métaphore des *justes,* et le P. Lagrange a naguère
éloquemment exposé cette thèse : « Les justes eux-
mêmes ne soupçonnaient pas, et souvent encore ils
se refusent à admettre jusqu'où va la tendresse
paternelle de Dieu sollicitant le pécheur au repentir,
la satisfaction et la joie de son cœur quand le
pécheur revient à lui. C'est cette miséricorde que
Jésus a mise en scène, et avec un accent qui a ému
et converti bien des âmes. Ce sont les droits de
cette miséricorde, le bien-fondé de cette joie, que
Jésus défend contre les objections de justes esti-
mables, mais dont le cœur, malgré toutes leurs
bonnes qualités, est nécessairement moins paternel
que le cœur de Dieu » (420, 421).

Ces derniers mots dissimulent mal la faiblesse de
l'explication. Saint Jérôme l'avait découverte et il
l'avait déclaré avec sa coutumière franchise : « *Si
autem, ut ais, de justo et peccatore voluerimus esse
parabolam, justo non poterit convenire, ut salute
alterius et maxime fratris contristetur, si le fils aîné
est le juste, vous ne pourrez jamais expliquer qu'il
s'afflige et s'irrite du salut du prochain, surtout
du salut de son frère.* » S'il s'irrite, il n'est pas
juste ; s'il est juste, il ne s'irritera pas. Le sens
chrétien n'admettra jamais d'exception sur ce point
fondamental.

La métaphore des justes souffre d'un autre vice

rédhibitoire ; c'est qu'elle ne tient pas compte de l'introduction historique du v. 1, qui stigmatise les murmures des pharisiens à l'endroit des pécheurs.

L'embarras a été senti et on a cherché à l'expliquer : « Une introduction historique, dit-on, peut marquer l'occasion d'un enseignement sans en conditionner le sens » (Lagrange, 421). Saint Jérôme n'admet pas l'explication : « De même que, dans les autres paraboles, qui n'ont pas été dites par le Sauveur, nous avons coutume de rechercher pour quel motif elles furent dites, ainsi devons-nous savoir ici pourquoi le Sauveur a prononcé ces paroles, à quelle question répond la parabole. Les scribes et les pharisiens murmuraient disant... » (380) Jülicher ne l'admet pas davantage : « Le sens que Luc attache à la parabole, dit-il, il l'a exprimé sans le moindre doute dans l'introduction qui affecte tout le chapitre, mais surtout, à ne pas s'y méprendre, les vv. 11-32 » (II, 359), c'est-à-dire notre parabole.

Nous ne pouvons ici que nous rallier au sentiment de saint Jérôme et de Jülicher. Le contexte historique de la parabole ne nous présente pas des justes en général ; il nous montre des pharisiens en chair et en os, et qui murmurent contre l'accueil ménagé par le divin Maître aux publicains et aux pécheurs convertis.

La parfaite analogie qui règne entre ces personnages historiques et le fils aîné de la parabole, également murmurateurs et jaloux, nous oblige à conclure, d'après les règles constantes de l'exégèse, à l'existence d'une métaphore. Ces deux valeurs se correspondent littéralement et se superposent : le fils aîné est la métaphore des pharisiens. Substituer ici les justes que rien ne postule dans le contexte aux pharisiens qui nous barrent l'horizon de toute part,

serait une gageure. Du point de vue littéraire et parabolique, la métaphore des pharisiens paraît incontestable.

Le P. Lagrange la récuse au nom d'un sentiment
très respectable. « C'est, dit-il, rabaisser étrange-
ment cette page incomparable que d'en faire une
pièce de polémique » (420). Mais en quoi cette page
incomparable est-elle rabaissée, si, au lieu de faire
la leçon aux justes en général, elle la fait aux pharisiens en particulier ? — On nous dit que « la première
partie, si touchante, a sa valeur propre qui est même
la principale » (*ibid.*). Le divin Maître s'est en effet
longuement étendu sur les désordres et le relèvement
du prodigue ; mais dans *les deux débiteurs* il
décrit avec la même complaisance la scène de la
pécheresse venant briser à ses pieds le vase fragile
de ses parfums ; cependant la scène ne fait que
préparer la conclusion théologique sur le pardon
des péchés. L'importance de pareils tableaux ne se
mesure pas à leur longueur, et pas davantage à la
ferveur sensible que leur lecture suscite au cœur des
fidèles. Dans une basilique, telle chapelle retient la
dévotion des pèlerins, qui n'est cependant qu'un
élément secondaire du temple. Les auditeurs de la
parabole et ses modernes lecteurs peuvent effectivement être plus frappés de la première partie que
de la seconde ; il n'est pas moins vrai que la première
fait seulement office d'introduction et prépare l'enseignement de la seconde qui est paraboliquement
la principale.

Voici une objection autrement redoutable. Le fils
aîné ne se contente pas de jalouser son frère ; il se
vante, sans en être repris, de n'avoir jamais transgressé un ordre paternel. Qui plus est, son père lui
décerne cette étonnante louange : *Toi, tu es toujours*

avec moi et tout ce que j'ai est à toi. Autant dire
qu'auprès du prodigue, l'aîné est le fils modèle,
auprès du pécheur, le juste.

Les pharisiens seraient-ils maintenant devenus des
justes ? Comment accorder ces déclarations avec ce
que nous savons des pharisiens par l'évangile lui-
même ?

Il est vrai, il ne suffit pas, pour ce faire, de solli-
citer les textes de la parabole, comme on l'a essayé
trop souvent, en disant par exemple que le père ne
ratifie pas les prétentions de son fils et que ses propres
paroles doivent s'entendre en un sens large des privilèges religieux d'Israël (Sáinz). Ces interprétations font violence aux textes. Nous ne ferions
d'exception que pour la fine remarque de saint Jérôme
trouvant dans les paroles du fils aîné plus de vantar-
dise que de vérité, *licet mihi videatur magis se jac-
tare Judaeus quam vera dicere* (390), et ajoutant :
*Je ne m'étonne pas qu'il ose mentir à son père, celui
qui est capable de jalouser son frère* (391).

La seule attitude respectueuse est de prendre les
textes tels qu'ils sont, en leur conservant leur signification naturelle. Dès lors, il n'y a qu'une conclusion légitime : le Sauveur consent provisoirement à
reconnaître aux pharisiens les qualités qu'ils s'attribuent, à les regarder comme des justes, les fils aînés
et chéris de Dieu, des créatures privilégiées.

Je le sais, le premier énoncé de cette proposition
est de nature à surprendre, peut-être à scandaliser
quelques âmes pieuses qui ont retenu les anathèmes
portés par Jésus contre les pharisiens. Notre actuelle
sensibilité chrétienne n'est pas tendre pour ces hypocrites dont l'orgueil froissé ne cessa de gêner le
ministère du divin Maître jusqu'à l'ignominieuse fin
du Golgotha. Et c'est justice. Mais nous oublions

que Jésus lui-même reconnut à maintes reprises
la sainteté légale de ces pharisiens honnis. La parabole actuelle n'est qu'un épisode de cette longue
argumentation de Jésus contre ses adversaires, argumentation au visage tantôt sévère et tantôt conciliant.

Il existe des textes qui distinguent nettement,
sur la question de la justice, le point de vue des pharisiens et celui du Sauveur : « Il dit la parabole suivante à l'adresse de certains qui *avaient l'intime
persuasion* d'être des justes et qui méprisaient les
autres » (Lc., xviii, 9). A la fin de cette parabole, *le
pharisien et le publicain,* Jésus lui-même marquera
la supériorité de la véritable justice sur la justice
légale : « Je vous le dis, celui-ci (le publicain) descendit chez lui plus justifié que l'autre (le pharisien) » (14).

Mais il est d'autres textes où les points de vue
semblent fondus, les distances supprimées, où Jésus
paraît ratifier le jugement flatteur que les pharisiens
portaient modestement sur leur valeur morale.
Saint Jérôme en avait fait la remarque, et, déjà, dans
sa réponse à saint Damase, avait relevé ces textes.
Celui-ci, par exemple, qui est de saint Matthieu :
Les pharisiens interrogent : « Pourquoi votre maître
mange-t-il avec les pécheurs et les pharisiens ? »
Jésus répond : « Ce ne sont pas *les bien portants* qui
ont besoin du médecin, mais les malades... Je ne
suis pas venu appeler *les justes,* mais les pécheurs »
(ix, 11-13). De cette réponse les pharisiens n'ont-ils
pas dû conclure que Jésus les reconnaissait pour
bien portants et pour *justes?* — C'est encore Jésus
qui nous fait du pharisien le portrait que voici :
« O Dieu, je vous rends grâces de ce que je ne suis
pas comme le reste des hommes, qui sont voleurs,
injustes, adultères, et, en particulier, comme ce

publicain. Je jeûne deux fois la semaine, j'offre la dîme de tout ce que j'acquiers » (Lc., XVIII, 11, 12).

S'étonnera-t-on après cela que, dans une autre parabole, les mêmes hommes soient peints derechef sous les mêmes couleurs, et que le fils aîné ose se vanter de n'avoir jamais enfreint un ordre de Dieu? Un *juste* pratique toute la justice, il ne viole aucun commandement, il fait tout ce qu'on lui ordonne. Ou bien s'étonnera-t-on que le père de famille, continuant la fiction de la parabole, dise à ce fils aîné : *Tu es toujours avec moi, et tout ce que j'ai est à toi?* On ne cherchera pas à expliquer comme des *métaphores* tous les mots de cette réponse, demandant en quoi le pharisien est avec Dieu, ou quels sont les biens que Dieu lui communique. Ces paroles sont avant tout, du point de vue littéraire, le prolongement d'une situation irréelle. Elles conviennent plus à ce père et à ce fils de la parabole qu'elles ne conviennent à Dieu et aux pharisiens. Ce sont des *éléments paraboliques* plutôt que des *métaphores*. Mais enfin, tels qu'ils sont, ils expriment la conception de la sainteté légale que s'attribuaient les pharisiens, que leur reconnaissait le peuple et que le divin Maître pouvait avoir un intérêt provisoire à ne pas leur contester.

Aucun esprit réfléchi ne s'y trompe, Jésus s'étant très nettement expliqué sur le fond. Le Sauveur a engagé une controverse avec ses adversaires; il les suit sur leur terrain et les combat avec leurs propres armes. Il prend dans leur conception de la sainteté un départ pour une conclusion qui se retournera contre eux : il fait un argument *ad hominem*.

Cette interprétation une fois établie, toutes les difficultés tombent. Le fils aîné se vante de n'avoir jamais transgressé les ordres paternels; les phari-

siens se glorifiaient aussi d'être les scrupuleux observateurs de la Loi. Le père ne proteste pas contre
l'affirmation de son fils, laquelle est censée conforme
à la vérité; de même le Sauveur veut bien admettre
pour le moment que les prétentions des pharisiens à
la justice ne sont pas démenties par les faits. Lorsque le père ajoute : *Mon enfant, toi, tu es toujours
avec moi,* il proclame que son fils aîné lui est toujours resté fidèle; pour le moment le divin Maître
consent à ne pas contester le certificat de fidélité
que les pharisiens s'octroyaient et qu'ils affichaient
en toute rencontre. Enfin le père dit à son fils :
Tout ce que j'ai est à toi. Nous avons conjecturé
que ce dernier trait pourrait n'être qu'un *détail
parabolique,* résultant de la situation imaginée dans
l'histoire et dépourvu de toute application particulière. S'il devait s'expliquer métaphoriquement,
on se souviendrait que les pharisiens avaient encore
la prétention de se croire les candidats officiels, les
sujets-nés du royaume de Dieu, autant dire les pos-
sesseurs ou les héritiers présomptifs de tous les
trésors divins.

Il convient d'ajouter ici une nouvelle remarque.
Il n'est pas rare que les commentateurs partagent
cette parabole en deux tableaux, respectivement
consacrés au prodigue et à l'aîné. Le premier, qui
serait le plus important, contiendrait une leçon sur
la pénitence ou la miséricorde; le second, qui ne
serait qu'un corollaire du premier, accentuerait cet
élément principal. C'est l'interprétation du P. Fonck
et du P. Lagrange.

Cette exégèse ne nous semble pas conforme à la
réalité. La parabole actuelle forme un tout, admirablement organisé. On y célèbre la miséricorde de
Dieu à l'égard des pécheurs repentis, mais cette

apologie est historiquement à l'adresse des pharisiens qui se scandalisaient de l'accueil fait aux publicains.

Pour la troisième fois et avec une insistance renouvelée, Jésus fait savoir aux pharisiens que leurs murmures sont inqualifiables. A cet effet, il nous raconte l'histoire du prodigue. Mais cette conversion, quelque intéressante qu'elle soit, n'est pas racontée pour elle-même; elle sert littérairement d'occasion aux murmures des pharisiens et fournit au Sauveur l'occasion d'en faire bonne justice.

Résumé de la parabole. — Il ne reste plus qu'à résumer la parabole en les deux termes d'une comparaison :

De même que le fils aîné fut repris de son injustifiable jalousie à l'égard de son frère cadet qui, après une période d'égarements, était reçu par son père non seulement avec cordialité, mais avec la plus vive allégresse,

ainsi les pharisiens sont à bon droit repris de leurs injustifiables sentiments d'envie à l'égard des pécheurs qui, venus à résipiscence, sont accueillis par le Sauveur avec des transports de joie.

Jülicher en a fait la remarque, *le fils prodigue*, plus encore que *la brebis égarée* et *la drachme perdue*, répond à l'introduction historique de ce début de chapitre; c'est la seule de ces trois paraboles qui s'en prenne directement aux murmures des pharisiens. Dans *la brebis perdue*, les quatre-vingt-dix-neuf brebis étaient laissées au désert, mais ni ces bêtes n'étaient en mesure de se plaindre et de murmurer, ni le Sauveur ne prenait la peine de s'expliquer sur cet abandon apparent. Dans *la drachme perdue*, la recherche de la pièce égarée ne cause pas le moindre préjudice aux neuf autres qui n'ont pas bougé de leur cachette. Jusque-là les murmures des pharisiens qui avaient occasionné la *trilogie de la miséricorde* n'avaient pu être abordés de front. *Le fils prodigue* crève l'abcès de jalousie et en montre la laideur. De ce chef, c'est celle des trois paraboles qui nous offre les plus satisfaisantes garanties d'authenticité.

Conversion des pécheurs et jalousie pharisaïque. — Cette fois nous apprenons expressément que la jalousie pharisaïque n'est pas défendable. On n'organise pas de fête pour célébrer la fidélité des justes. Mais pourquoi se montrer jaloux, alors que les pharisiens reçoivent l'équivalent, et bien davantage? Ils jouissent continuellement de tous les bienfaits divins : cela ne passe-t-il pas l'agneau ou le chevreau que l'on mangerait avec ses amis? Ils jouissent continuellement de la présence de Dieu : cet inexprimable bonheur permanent ne passe-t-il pas toutes les autres joies éphémères? Le pharisien qui ne comprendrait pas et ne saurait pas goûter ce bonheur serait plus à plaindre, avec toute sa justice prétendue, que le publicain en haillons qui reviendrait d'un douloureux voyage au pays de l'iniquité.

Et puis, cette fois, les choses sont dites avec toute la clarté souhaitable, le pécheur est et reste le frère du juste. Le pécheur a beau l'oublier, et le juste faire semblant de ne plus s'en souvenir ou de s'en scandaliser, la fraternité est gravée en caractères ineffaçables dans la nature humaine. Séparés par la distance, nous restons les fils du même père. Si l'estime perd quelquefois ses droits, l'amour n'abdique jamais les siens. Nous devons le garder à nos frères les pécheurs jusque dans leurs égarements. Que sera-ce lorsqu'ils se représenteront contrits à la maison paternelle pour y reprendre leur place de fils

de famille? Car la pénitence est aussi une noblesse,
et, après la fidélité, il n'est rien de si beau que le
repentir.

De cette estime et de cet amour obstinés le Seigneur nous donne l'exemple. Il aimait le pauvre
égaré, le vieux père, puisqu'il attendait son retour,
puisqu'il se portait à sa rencontre, puisqu'il courait
se jeter à son cou et le couvrait de ses baisers, et
puisqu'il lui restituait sur-le-champ tous les privilèges dont l'avait privé sa déchéance. Ce n'est pas
qu'il ignore ses désordres. Mais, outre qu'ils n'ont
jamais atteint son amour, ils lui apparaissent aujour-
d'hui transfigurés par la pénitence, et leur souvenir
n'est qu'un nouveau titre à sa tendresse.

Les sentiments du frère devraient se modeler sur
ceux du père. S'il agit autrement, il commet un
crime contre l'amour fraternel qu'il renie et contre
l'amour paternel qu'il offense. En s'indignant contre
les fêtes qui se célèbrent en l'honneur du prodigue,
il fait injure à son frère qui en est le héros et à son
père qui les a commandées. Sa jalousie et sa mauvaise humeur sont deux fois condamnables, rien
ne saurait les excuser.

Détails secondaires de la parabole. — Nous ne pouvons conclure ce commentaire sans dire un mot de
la signification qu'il convient d'attribuer aux autres
détails de la parabole. Les anciens, est-il besoin de
le dire, profitaient de l'exceptionnelle occasion qui
leur était offerte *d'allégoriser*. Comment, avec les
habitudes de l'exégèse alexandrine, résister à la
tentation de rechercher ce que pouvaient bien
signifier le pays lointain, et la famine, et les pourceaux et les caroubes; et, lorsque le prodigue se
réhabilite, la robe la plus belle, et l'anneau, et les
sandales, et le veau gras, et les musiques et la

danse ? La tentation était vraiment trop forte. Tous
les auteurs anciens y ont succombé, même saint
Jérôme. La robe, nous dit-il, nous représente le
vêtement qu'Adam perdit par son péché, c'est-à-
dire le vêtement de l'Esprit-Saint ; l'anneau figure
le sceau de la ressemblance du Christ ; les sandales
évoquent la dignité de l'époux ; « le veau gras,
immolé pour le salut du converti, c'est le Sauveur
lui-même dont la chair est notre quotidienne nourriture, et le sang notre breuvage, *vitulus saginatus
qui ad paenitentis immolatur salutem, ipse Salvator
est, cujus quotidie carne pascimur, cruore potamur* »
(387, 388).

Maldonat est le premier qui ait vigoureusement
réagi contre cette tendance allégorisante, laquelle,
poussée à un certain excès, ne va pas sans péril pour
la vérité de l'exégèse. Il y a, dit-il, trois figures principales autour desquelles gravitent tous les autres
détails, à savoir le père et les deux fils. Le commentaire achevé, il conclut par cette phrase lapidaire
qui mériterait de servir d'épigraphe à toute l'exégèse
des paraboles : « *Cela est simple, mais certain ; le
reste est ingénieux, mais incertain, hoc simplex,
sed certum est ; caetera ingeniosa, sed incerta* »
(272 [2]). C'est encore Maldonat qui, inaugurant la
méthode ici préconisée, nous invite à discerner les
éléments qui ont une signification de ceux qui ne
sont là que pour la parure du récit, *sive significationis, sive ornatus causa.* « Distinguons soigneusement, dit-il, comme nous avons souvent recommandé
de le faire premièrement en toutes les paraboles, ce
qui a valeur de signe et ce qui a valeur d'ornement
ou de complément du récit, *diligenter discernen-
dum, quod saepe monuimus in omnibus parabolis in
primis fieri oportere, quid ad aliquid significandum,*

*quid ad ornandam explendamque parabolam dictum
fuerit* » (259¹).

Relevons encore cette invite à la discrétion. « J'ai
souvent recommandé, et c'est une méthode absolument sûre, de ne pas trop presser les paraboles; en
les pressant on les brise, et l'on voit alors se réaliser
le proverbe : qui serre trop fait jaillir le sang, *qui
nimium emungit, sanguinem eliciat* » (259¹).

Ces recommandations nous mettent à l'aise pour
ranger parmi les *détails paraboliques* la plupart des
autres éléments de cet admirable récit. On ne
recherchera plus ce que pourrait bien signifier tel
détail en particulier, l'anneau, les sandales, le veau
gras, la musique, comme si c'étaient des métaphores;
un trait ne répond plus spécifiquement à un trait;
mais toute une scène, prise dans son ensemble,
répond à une scène.

Nous dirons donc, à la manière des comparaisons
ou des paraboles :

De même que le fils cadet, après avoir touché sa
part d'héritage, s'en va dans une région éloignée, s'y
livre à tous les excès et tombe dans la plus noire
misère,

ainsi le pécheur, chargé de bienfaits, ne craint
pas de s'éloigner de Dieu, de quoi il est aussitôt
puni par le tyrannique esclavage du péché et de ses
passions.

De même que furent aussitôt rendus au converti
les habits convenables à sa dignité de fils de famille,

ainsi le pécheur recouvre tous les privilèges dont
il avait été dépouillé par le péché.

Et de même que le père commande, pour fêter
le retour du prodigue, un festin rehaussé de tout
l'appareil de son rang,

le Seigneur fait éclater d'une manière digne de lui

l'allégresse que lui cause la conversion des pauvres
pécheurs.

A côté de ces détails *paraboliques*, signalons au
moins deux détails *d'ornementation littéraire*, à
savoir la question adressée par le fils aîné au serviteur et la réponse de ce dernier. Attendu que l'aîné
revenait des champs, il devait s'informer de ce qui
se passait à la maison : le serviteur est chargé de le
lui apprendre. Cet épisode sert à rendre la narration
plus coulante et plus naturelle. Il n'y faut pas chercher de raison plus profonde.

Cette exégèse simplifiée sera peut-être, sur plus
d'un point, libératrice.

Nous ne saurions trop répéter qu'elle se met sous
le patronage du grand Maldonat.

Les ouvriers de la vigne

(saint Matthieu, xix, 30-xx, 1-16).

xix, ³⁰ Beaucoup de premiers seront derniers et beaucoup de derniers premiers. xx, ¹ Car le royaume des cieux est semblable à un maître de maison qui sortit au petit jour louer des ouvriers pour sa vigne, ² Ayant convenu avec les ouvriers d'un denier pour la journée, il les envoya à sa vigne. ³ Etant sorti vers la troisième heure, il en vit encore qui stationnaient sur la place, inemployés. ⁴ Il leur dit : Allez, vous autres aussi, à ma vigne, et je vous donnerai ce qui sera juste. Ils y allèrent. ⁵ Etant de nouveau sorti vers la sixième et la neuvième heure, il fit de même. ⁶ Enfin, étant sorti vers la onzième heure, il en trouva d'autres qui stationnaient, et il leur dit : Pourquoi stationnez-vous ici tout le jour à ne rien faire? ⁷ Ils lui disent : C'est que personne ne nous a loués. — Il leur dit : Allez, vous autres aussi, à la vigne.

⁸ Le soir venu, le maître de la vigne dit à son intendant : Appelle les ouvriers et distribue[-leur] le salaire, en commençant par les derniers, jusqu'aux premiers. ⁹ Ceux de la onzième heure s'étant donc présentés, ils reçurent chacun un denier. ¹⁰ Quand fut venu le tour des premiers, ils crurent qu'ils allaient recevoir davantage; mais eux aussi, ils reçurent un denier chacun. ¹¹ Tout en le recevant, ils murmuraient contre le maître de maison, ¹² en ces termes : Ces gens-là, les derniers, n'ont travaillé qu'une heure, et vous les faites pareils à nous qui avons porté le poids du jour et de la chaleur! — ¹³ Lui de répondre à l'un d'eux : Mon ami, je ne te fais aucun tort. ¹⁴ N'est-ce pas un denier dont tu es convenu avec moi? Emporte donc ton dû et retire-toi. Ce dernier, je veux lui donner autant qu'à toi. ¹⁵ Est-ce qu'il ne m'est pas permis de faire ce que je veux dans

les choses qui me regardent? Ou faut-il que ton œil soit mauvais, parce que, moi, je suis bon?

[16] *Ainsi les derniers seront premiers et les premiers derniers. Car il y a beaucoup d'appelés et peu d'élus.*

I. — TABLEAU

Le lien qui rattache cette parabole aux sujets précédents est très lâche. La conjonction *car* semble la joindre plus intimement à la sentence sur les premiers et les derniers. Toutefois il sera plus sage d'interpréter la parabole d'après ses propres données, sauf à rechercher ensuite les rapports qui l'unissent à ce proverbe.

Car le royaume des cieux est semblable à un maître de maison. Nous sommes maintenant habitués à ce genre de formules. En réalité ce n'est pas au maître de maison que ressemble le royaume, c'est à la scène entière, où le maître joue le rôle principal.

Un maître de maison qui sortit au petit jour louer des ouvriers pour sa vigne. Ceci est un tableau des mœurs palestiniennes qui se perpétuent jusqu'à nos jours.

L'embauchage des ouvriers. — Il n'est pas rare que les ouvriers se présentent chez le propriétaire rural afin de s'engager pour la semaine. Ils viennent s'offrir ainsi à la porte des couvents, de préférence le dimanche, même s'ils sont musulmans, car ils se plient aisément aux exigences de la semaine chrétienne.

Qui veut assister à l'embauchage traditionnel des ouvriers, doit se transporter de bon matin, de préférence un lundi, sur la place publique, au *bazar* ou *souq*. Les ouvriers inemployés, qui n'ont

pas de références et s'en remettent à Dieu pour le
bon emploi de leur semaine, sont rassemblés là
dès le petit jour : groupes bariolés, vêtements
rapiécés au rebours du bon sens, visages vulgaires
et timides, bras ballants gênés par l'inaction.
Ensemble, ils se soutiendront contre les exigences
de l'employeur.

Le voici précisément qui arrive et va droit à ces
groupes, où il a généralement le choix de la qualité
et de la quantité. Aujourd'hui, sur la place de
Bethléem, il aurait le choix entre les Syriens ou
Mossouliens, hommes des grosses besognes, les
bédouins du désert et les paysans du massif
hébronais, qui descendent à des époques déter-
minées pour les semailles et la moisson, pour la
vendange du raisin ou la cueillette des olives.

La première chose à débattre avec l'ouvrier
qu'on engage, c'est le salaire de la journée. Le
genre de travail ne vient qu'au second rang, nos
ouvriers agricoles étant *bons à tout faire :* bêcher,
épierrer, amender le terrain, planter. Ils n'exigent
de salaire plus élevé que s'ils ont une spécialité
qui les classe au-dessus des ouvriers ordinaires.
Un laboureur se paie plus qu'un simple terrassier ;
davantage, le spécialiste qui taille la vigne ; davantage encore, celui qui connaît le soin et la greffe
des arbres.

Le contrat se passe en quelques mots rapides.
Question de l'employeur, réponse du salarié,
discussion et conclusion, tout se règle d'après un
rythme classique.

— Combien veux-tu ?
— Quinze piastres.
— Huit.
— Non, douze.

— Dix.

— Va pour dix.

Le salarié demande toujours beaucoup plus qu'il n'espère, et l'employeur offre toujours moins qu'il n'est résolu à donner. Progressivement, l'un rabat, l'autre monte. Et l'on s'accorde sur le tarif final, qui est du reste le tarif conventionnel.

Aujourd'hui, un ouvrier ordinaire touche dix piastres palestiniennes ; exceptionnellement douze ou quatorze, ou même davantage en raison d'une spécialité. Au temps de Notre-Seigneur, le salaire journalier semble avoir été d'un denier, l'équivalent romain de la drachme, le quart du sicle juif, environ un franc-or, ou un peu moins. Salaire de misère qui permettra tout juste au rude bêcheur des vignes de manger son pain, lui et sa famille, en l'assaisonnant de quelques olives ou de quelque légume vert. L'ouvrier palestinien est par nécessité et par habitude d'une sobriété exemplaire. Laborieux et résigné, il n'a pas la moindre notion des exigences ou revendications de notre moderne *question sociale.*

Les ouvriers s'engagent habituellement pour la semaine ou pour la durée du travail. Mais l'employeur reste toujours libre de congédier n'importe quel jour, à n'importe quelle heure, un ouvrier fainéant ou indélicat. Les travailleurs peuvent également ne s'engager que pour un jour. Dans ce cas, ils sont payés à la fin de la journée. S'ils travaillent la semaine entière, on ne les paie que le samedi soir. Lorsque le travail vient à finir au cours de la semaine, on les paie à la fin du travail.

Les ouvriers de la parabole ne furent engagés que pour la journée. La mise en scène adoptée par

le paraboliste ne permettait pas une autre combinaison. Puisqu'on voulait nous montrer des
ouvriers ayant travaillé des laps de temps différents, toute l'histoire devait se passer en une
journée. Le contraste entre les diverses durées du
travail et l'uniformité du salaire recevait ainsi tout
son relief, lequel se fût considérablement atténué
si le travail eût été prolongé la semaine entière.

Ainsi l'engagement est d'un jour ; le travail aussi ;
et le salaire sera distribué à la fin de l'unique journée.

Anomalies de la parabole. — Jusqu'ici tous les
détails de la parabole concordent avec la réalité. Ils
s'en écartent dans les épisodes suivants. A parler
franc, je m'étonne que les exégètes, qui semblent
s'être fait une spécialité des objections contre nos
paraboles, n'aient pas remarqué cet écart. Je n'hésite
pas à leur signaler ce qu'ils appelleraient peut-être
une mine de difficultés. Ils pourraient dire par
exemple :

La vigne était-elle si grande qu'il y fallût une
main-d'œuvre si importante? D'ordinaire trois ou
quatre terrassiers suffisent à la besogne la plus
pressée du printemps.

Et à qui fera-t-on croire que des ouvriers désireux
de s'engager pour la journée, ne se soient pas trouvés
sur la place dès la première heure? Ont-ils attendu
pour se décider au travail, de constater que la
provision de farine s'achevait dans la jarre ou la
provision de blé dans le silo domestique? S'ils
voulaient travailler, ils auraient dû être là avec la
première équipe. Il n'est pas admissible qu'ils se
présentent à 9 heures du matin, alors que l'engagement a coutume de se faire au petit jour, avant le
lever du soleil. A 9 heures, avaient-ils seulement une
chance de trouver qui les employât? A plus forte

raison, à midi et à 3 heures du soir... Quant à se
présenter à 5 heures de l'après-midi, pour des
ouvriers, c'est tout simplement insensé.

Non moins étrange la conduite de l'employeur.
Comment n'a-t-il pas trouvé dès le matin tous les
travailleurs qu'il désirait? Et puis quel besoin
avait-il de finir en un jour le travail de sa vigne?
Dans nos vignobles palestiniens, quelques ouvriers
laborieux entreprennent le piochage le lundi matin
et ils le poursuivent à grandes journées tout le long
de la semaine. Quel motif plausible pouvait donc
avoir ce vigneron de revenir au bazar à 9 heures, à
midi, le soir encore, et d'y recruter des travailleurs,
dont le moins qu'on puisse dire, c'est qu'ils sont
inutiles?

L'anomalie la plus surprenante est réservée pour
la fin. On dit aux ouvriers de la onzième heure :
*Pourquoi stationnez-vous ici tout le jour à ne rien
faire?* Ils avaient donc passé toute la journée sur la
place, attendant qu'on les engageât? Et le maître, qui
est venu racoler tous les ouvriers disponibles à quatre
reprises différentes, ne les a pas aperçus? Il ne les
découvre qu'à la cinquième fois : ils étaient donc
dissimulés! Et ces gens-là n'avaient pas davantage
aperçu le vigneron en quête de travailleurs! Et
personne, parmi leurs compagnons, ne les avait
prévenus qu'il y avait demande réitérée de travail!...

Ces faciles objections, on le voit, se présentent en
série. Il faut savoir gré à Jülicher et à Loisy de nous
les avoir épargnées.

Exprimées ou non, elles recevraient du reste la
même réponse : jusqu'à un certain point de sa
narration, Jésus se contente de transcrire la scène
coutumière, parce que son enseignement s'en
a ccommode; mais, lorsque sa leçon parabolique

l'exige, il n'hésite pas à combiner les choses à son
gré en marge de la nature. En quoi il use de son
droit de paraboliste. Pour son enseignement, il avait
besoin d'équipes successives arrivant à diverses
heures de la même journée, fournissant par suite
un travail inégal. Il fallait donc que le vigneron se
rendît au bazar à diverses heures et procédât à des
enrôlements successifs. Que les choses se passent
ainsi ou non dans la nature, il n'importe. Nous
concédons volontiers qu'elles se passent autrement.
Mais dans une parabole, l'anomalie n'est pas un
obstacle; la leçon parabolique, qui postule ces
combinaisons, les justifie. L'auditeur accepte les
faits qu'on lui présente sans la moindre récrimination. Il ne demande pas comment des ouvriers, en
quête de travail, ne se trouvent sur la place que par
échelons à la troisième, à la sixième, à la neuvième,
à la onzième heure. Il a conscience de la fiction et
il y donne son assentiment. La critique ne doit pas
se montrer plus exigeante.

*Il leur dit : Allez, vous autres aussi, à ma vigne,
et je vous donnerai ce qui sera juste.* Autant l'ouvrier
oriental attache d'importance à la détermination
précise du salaire, quand il s'engage pour la journée
entière, autant il aime à laisser les choses dans
l'imprécision, quand la journée est déjà entamée.
Dès qu'il n'a pas droit au salaire intégral, il s'en
rapporte volontiers à la générosité de l'employeur.
Aussi bien celui-ci prend-il les devants, en assurant
que les choses se passeront à la fin du jour selon
les règles de l'équité. Et il en va généralement ainsi
avec de la bonne volonté de part et d'autre.

Depuis que les automobiles affluent sur les routes
d'Orient, nous assistons journellement à de petites
combinaisons de ce genre. Un voyageur qui fait

tout le trajet, s'engage implicitement à payer le tarif
réglementaire. Un voyageur qui monte en cours de
route, demande généralement quelle somme il aura
à payer. Le conducteur lui répond : « Montez,
montez *seulement.* » Un geste, un regard s'ajoutent,
qui signifient : « Nous arrangerons cela, au bout de
la course, en toute justice et à l'amiable. » Ils
s'arrangent effectivement

Les commentateurs constatent avec quelque surprise qu'aux ouvriers de la troisième, de la sixième
et de la neuvième heure le vigneron promet un
salaire, alors qu'il ne promet rien à ceux de la
onzième. Nous pensons que l'omission est d'ordre
littéraire et qu'elle a pour dessein unique de varier
le discours en le faisant plus rapide. En réalité, la
convention est tacite, car nul ne songerait à employer
un ouvrier, ne fût-ce qu'une heure, sans lui offrir
quelque rétribution.

Enfin, voilà tous les ouvriers au travail, quoique
l'engagement se soit fait à des heures très différentes.
Les premiers travaillent les douze heures de la
journée, décompte fait d'un quart d'heure pour le
petit déjeuner de 8 heures, et d'une heure ou d'une
heure et demie pour le dîner de midi. Les autres
travaillent respectivement neuf heures, six heures,
les derniers une heure à peine.

*Le soir venu, le maître de la vigne dit à son
intendant...* Le maître a donc un subalterne qui le
seconde dans l'administration de sa vigne ? C'est
bien à cette heure ou jamais que l'intendant doit
intervenir. En Palestine, la distribution des salaires
est l'instant le plus difficile de la journée. Heureux
les propriétaires dont les comptes sont à l'abri de
toute contestation ! Mais bien rares sont les comptes
si bien établis que l'esprit de chicane n'y trouve à

redire. Un assistant indigène, bien au fait de la
psychologie de ses compatriotes, n'est généralement
pas de trop pour régler les questions litigieuses.

Quelques exégètes s'étonnent de la brusque
apparition de cet intendant au soir d'une journée
pendant laquelle il n'a pas donné signe de vie. Son
rôle n'était-il pas de se rendre au bazar, au lieu et
place de son maître, pour engager les ouvriers ? —
L'explication de cette anomalie est encore d'ordre
littéraire, et elle sera utilement anticipée. L'intendant
n'est qu'un personnage de second plan et il figure
dans cet unique épisode à la seule fin de varier la
composition du récit. Il ne prononce pas une parole ;
c'est à peine s'il agit, après quoi il se hâte de
disparaître pour céder de nouveau toute la place au
maître de la vigne.

C'est contre le maître, non contre l'intendant, que
murmurent les ouvriers envieux ; et c'est le maître
qui intervient directement pour défendre sa propre
cause. S'il l'avait voulu, le maître aurait pu distribuer en personne le salaire, comme il a lui-même
racolé les ouvriers, parce que c'est Dieu qui appelle
les élus et les récompense. Mais du point de vue
littéraire, la création de ce subalterne introduit une
heureuse variété.

La distribution du salaire. — *Appelle les ouvriers
et distribue-leur le salaire, en commençant par les
derniers jusqu'aux premiers.* Cette préséance ne
figure pas au protocole des travailleurs. En pareil
cas, les ouvriers de la première heure se présentent
et touchent leur salaire les premiers ; les autres ne
viennent qu'ensuite et à leur tour. Jamais les derniers
ne s'aviseraient de se présenter les premiers. Reconnaissons aux ouvriers palestiniens cette pudeur et
ce sens de la justice.

Si, dans la parabole, les derniers s'avancent les premiers, ce changement dans les usages constitue une nouvelle anomalie, qui, du reste, n'a pas l'air de jeter dans la surprise ce monde des travailleurs. Fantaisie de propriétaire, pensent-ils sans doute! En exégèse parabolique, cette anomalie est justifiée par l'intention pédagogique. Tout à l'heure, lorsqu'éclatera la crise de jalousie, ils n'auront pas une réclamation rétrospective pour ce passe-droit; ils se plaindront non de ce que les derniers ont été payés les premiers, mais de ce qu'ils ont reçu le salaire de toute une journée. C'est cela qui leur importe; c'est à cela seulement qu'ils regardent.

Il faut avoir assisté à ces petites scènes une soirée de paiement, un samedi de préférence, pour en connaître et savourer tous les détails. Vous les avez là autour de vous, tous les ouvriers, malpropres et gauches; ils épient vos moindres gestes et perçoivent la valeur des moindres indices. Rien ne leur échappe. Ils savent ce que vous donnez à chacun, et tout de suite ils font dans leur tête les opérations les plus compliquées pour vérifier si le salaire répond à la stricte justice. Mieux vaut pour le maître régler les comptes au grand jour et à haute voix. La moindre cachoterie serait aussitôt soupçonnée d'injustice. Si l'équité est gardée, ils se taisent. Mais si vous donnez à l'un plus que de raison, tout de suite, fuse la récrimination acerbe, à moins que les autres n'espèrent bénéficier de la même libéralité.

On le voit, c'est exactement la psychologie de la parabole. Les ouvriers de la première heure laissent s'avancer les derniers venus. Seulement ils sont tout yeux pour voir ce qui va se passer. L'intendant ne se cache pas, n'ayant rien à cacher. Le but de la parabole réclame au contraire que la distribution des

salaires se fasse au grand jour. Quand ils voient que
les derniers reçoivent un denier, les premiers en
tirent spontanément la conclusion qu'ils vont eux-
mêmes recevoir davantage. Aucun ouvrier palestinien, à leur place, ne se déroberait à cette conséquence. Ils pensent que c'est une bonne aubaine,
agréable autant que rare, d'un maître satisfait qui
rétribue magnanimement; l'idée ne leur vient pas
qu'ils puissent être exclus de cette distribution de
bakchiches.

*Ceux de la onzième heure s'étant donc présentés,
ils reçurent chacun un denier.* Satisfaits, ceux-là se
retirent. S'ils attendent leurs compagnons sur place,
ils ne prendront point part à la discussion qui va
s'engager à leur sujet. Nos ouvriers palestiniens se
comporteraient aujourd'hui exactement de la même
manière.

*Quand vinrent les premiers, ils crurent qu'ils
allaient recevoir davantage; mais eux aussi ils reçurent un denier chacun.* Par souci de brièveté litté-
taire, la narration omet ce qui advint aux catégories
intermédiaires. Il est évident que tous ces ouvriers
reçurent indistinctement la même solde. Mais comme
ils n'avaient point droit au denier, ils se gardent bien
d'élever la moindre protestation, encore que leurs
compagnons paraissent plus avantagés qu'eux. Pour
la leçon de la parabole, il suffisait que fussent retenus
les deux extrêmes : les ouvriers de la onzième et
ceux de la première heure.

Les travailleurs palestiniens ne sont pas hommes
à dissimuler leurs sentiments. Autant ils sont crain-
tifs, polis, voire obséquieux, au moment de l'engagement et tout le long de la journée, c'est-à-dire aussi
longtemps qu'ils espèrent tirer quelque profit de leur
politesse, autant, sur la fin de la journée, ils se mon-

trent, pour le moindre prétexte, impolis et arrogants.

L'intendant n'étant qu'un sous-ordre, c'est au maître que les mécontents s'en prennent. Et ils ne craignent pas de lui dire son fait en face, brutalement. *Ces gens-là, les derniers, n'ont travaillé qu'une heure, et vous les faites pareils à nous qui avons porté le poids du jour et la chaleur!* L'argument est concret et direct. Convenons que, aux yeux d'une logique élémentaire, il est efficace. Les ouvriers l'estimaient irréfutable. Sans doute, après cela, s'attendaient-ils à une nouvelle distribution de deniers...

Tout le monde, en Palestine, sait à quoi s'en tenir sur la qualité de ces emportements. Aujourd'hui ou demain, il n'est pas un ouvrier qui ne joue de la colère, feinte ou véritable, dans l'espoir de voir son salaire augmenté, ne fût-ce que d'une piastre. Effets de théâtre, et souvent d'un comique achevé ! Les gens les plus paisibles s'emportent, crient, profèrent des imprécations, finalement refusent de toucher leur solde, quelquefois la projettent au loin, sauf à bien regarder l'endroit où elle tombe. Cela fait, et leur indignation exhalée, ils quittent rageusement le chantier. Passée la porte, s'ils ne se croient plus observés, leurs traits se détendent; ils redeviennent sereins et rieurs, et ils se félicitent avec leurs compagnons de leur réussite ou s'amusent de leur échec.

Réussie, la pièce ne l'est pas toujours. Il faut entendre les vigoureuses réactions que provoquent chez le maître ces protestations des ouvriers! Le maître, lui aussi, sait à quoi s'en tenir sur la signification de cette éloquence. Il en connaît le jeu, la langue, la couleur, et il est généralement outillé pour manier des arguments opposés dans le même style. Quand il a lui-même épuisé les procédés de rhétori-

que, il n'est pas rare qu'il procède à l'expulsion
immédiate, parfois accompagnée de voies de fait.

A ce point de vue, le maître de la parabole était
un modèle de douceur. Au plus insolent des protes-
tataires, il répond avec mansuétude : *Mon ami* (ἑταῖρε,
compagnon) *je ne te fais aucun tort. N'est-ce pas un
denier dont tu es convenu avec moi? Emporte donc
ton dû et retire-toi.*

Il faut le répéter, nous ne sommes plus ici dans
les scènes familières de la nature. Si les choses se
passaient ainsi dans la réalité, elles auraient quelque
chose d'odieux. Une telle libéralité à l'égard des
derniers, étalée sous le regard des autres qui sont
au régime de la simple justice, équivaudrait à une
provocation. Les gens du peuple n'y résisteraient
pas. Ils s'écrieraient : *Ce n'est pas juste !* Au fond, les
murmures des ouvriers reviennent à cela : ce n'est
pas juste !

Précisément sur ce terrain de la justice, le maître
est inattaquable. *N'est-ce pas un denier dont tu es
convenu avec moi? Emporte-le donc et retire-toi.*
Rien ne tarit les sources de la libéralité comme les
appels à la justice.

Pour que nul n'en ignore, le maître va jusqu'à
déclarer son dessein en termes explicites : *Ce dernier, je veux lui donner autant qu'à toi. Est-ce qu'il
ne m'est pas permis de faire ce que je veux dans les
choses qui me regardent?* La justice est une chose,
la libéralité une autre. Le maître entend observer,
même à l'égard de gens mal élevés, les conventions
de la justice. Il ne sera que plus autorisé à revendiquer ensuite les droits de sa liberté. Libéralité et
liberté ont même radical. L'une vient de l'autre. Le
maître est parfaitement libre de se montrer libéral
quand il lui plaît. Ce n'est pas une basse jalousie de

camarades qui mettra des bornes à sa bonté. *Ou faut-il que ton œil soit mauvais parce que moi, je suis bon?*

Au passage, nous aurons observé la rapidité, la vivacité, la vigueur, l'éloquence dramatique du récit. Cette parabole de saint Matthieu est comparable aux plus belles de saint Luc.

Les sentences finales. — Le récit s'achève par deux sentences : *Ainsi les derniers seront premiers et les premiers derniers. Car il y a beaucoup d'appelés et peu d'élus.* D'une intelligence facile pour qui se contente du sens littéral, ces maximes posent de difficiles problèmes, dès qu'on les rapproche de la parabole qu'elles terminent et à laquelle elles semblent se référer. Ces problèmes seront examinés ci-après avec tout l'intérêt qu'ils comportent.

Disons seulement ici que la deuxième sentence, ou bien n'est pas tenue pour authentique, ou bien est mise par les éditeurs entre crochets. C'est user peut-être d'une rigueur excessive. Si elle est omise par quelques manuscrits importants (Sinaiticus, B, L, Z), elle figure dans la plupart des manuscrits et des versions. Nous enregistrons avec satisfaction parmi les exégètes modernes une réaction en faveur de l'authenticité. « L'addition pourrait être authentique » (Loisy, II, 230, à la suite de Jülicher); « on peut estimer que l'omission est trop purement égyptienne, ayant contre elle tous les autres témoins et Origène » (Lagrange, 390). Nous verrons que sa place à côté de l'autre proverbe est également une présomption en faveur de son authenticité.

II. — APPLICATION

Divergence des commentateurs. — Un lecteur peu au fait des errements exégétiques aurait peine à nous croire, si nous lui disions que cette parabole, si belle littérairement et si facile en apparence, est l'une de celles qui traînent après soi le plus d'embarras et peut-être de fautes. A lire les divers commentateurs, on éprouve un lourd malaise en présence de tant de contradictions. Est-il possible que, sur un terrain qui invite à l'entente, on s'accorde si peu ?

Il faut dire tout de suite la cause de ce désaccord : c'est que la parabole ne cadre pas avec sa conclusion apparente du v. 16. Et le malheur est que bon nombre de commentateurs ne s'en rendent pas compte, et qu'ils abordent la difficulté sans en soupçonner l'existence. Ils ajustent la conclusion à la parabole, comme si c'étaient les deux pièces complémentaires d'un même tout; bien plus, ils entreprennent d'expliquer la parabole par la conclusion.

Et comme tout de même ils sentent que le récit ne cadre pas parfaitement avec sa finale, ils n'hésitent pas à changer le récit.

Au total, il se commet habituellement ici deux fautes d'exégèse, non moins préjudiciables l'une que l'autre : 1° on ne respecte pas les données actuelles de la parabole; 2° on prend une conclusion apparente pour la conclusion réelle; on explique tout le récit à la lumière d'un appendice.

Une fois de plus, nous demandons qu'on s'en tienne aux données actuelles de la parabole sans y rien retrancher ni ajouter; nous demandons que la véritable conclusion soit discernée des

additions postérieures ou appendices, de ce que
nous pouvons appeler les *conclusions apparentes*.
Ces deux points recevront leur preuve au cours
des pages suivantes; nous commencerons par le
dernier.

La sentence sur les premiers et les derniers. —
L'espèce de fascination qu'exerce sur maints commentateurs *une conclusion apparente*, placée au
bon endroit en fin de parabole, est telle qu'ils s'y
abandonnent sans essayer la moindre résistance.
Voici quelques citations prises presque au hasard.
Maldonat : « Le père de famille, quand le moment
est venu de payer les ouvriers, *donne l'ordre de
commencer par les derniers. Ce point intéresse
grandement le sens de la parabole, hoc ad parabolae significationem maxime pertinet.* Le sens est
facile : les derniers ont un tour de préférence; ils
passent les premiers, parce que, en une heure, *ils
ont travaillé autant que les autres en une journée...* »
(414'). Dom Calmet : « Tout ceci tend à prouver
ce que Jésus-Christ a avancé, que plusieurs de
ceux qui sont les premiers, deviennent les derniers ;
*c'est-à-dire que les Juifs seront exclus de l'Église
et du royaume de Dieu, pendant que les Gentils y
tiendront la première place.* Car c'est le vrai sens
de ces paroles : *Erunt novissimi primi et primi
novissimi...* » (433). Le P. Fonck : « Pour l'exacte
interprétation de la parabole, Jésus en personne
nous fournit une claire indication, quand, à la fin
de la parabole, il répète la vérité expliquée dans
tout le récit, vérité qu'il adressait précédemment à ses
apôtres : *Ainsi les derniers seront les premiers et
les premiers seront les derniers* » (355).

Les auteurs qui précèdent regardent la sentence
sur les premiers et les derniers comme une partie

intégrante, voire comme une partie essentielle de la parabole. Saint Jean Chrysostome s'était montré plus clairvoyant, lorsque, dans sa 64ᵉ homélie, il avait déclaré : « *Jésus ne déduit pas cette sentence de la parabole... Les premiers ne deviennent pas les derniers; au contraire, tous reçoivent la même récompense*, οὐ γὰρ ὡς ἐκ τῆς παραβολῆς τοῦτο συναγαγών φησιν... ἐνταῦθα μὲν γὰρ οὐκ ἐγένοντο οἱ πρῶτοι ἔσχατοι, ἀλλὰ τῶν αὐτῶν ἅπαντες ἀπήλαυσαν » (LVIII, 614).

Le sens exégétique de saint Chrysostome lui a indiqué la vraie solution : la sentence ne découle pas de la parabole; elle a été ajoutée là « par simple analogie », nous dirions à cause de l'analogie du sujet.

Pour ne pas retarder davantage la preuve d'une constatation dont on ne saurait exagérer le prix, essayons de rapprocher le proverbe de la parabole qu'il est censé devoir expliquer : il saute tout de suite aux yeux que celui-là ne découle pas de celle-ci, et que ces deux choses ne peuvent pas aller ensemble.

D'après la sentence, il faudrait que les derniers devinssent réellement les premiers, et les premiers les derniers. Saint Chrysostome notait judicieusement que le récit actuel ne satisfait pas à cette double exigence. A la rigueur et dans un sens, on pourrait soutenir que les derniers passent les premiers, puisqu'ils sont les premiers appelés à recevoir le salaire. Mais ce classement lui-même n'est qu'apparent. Au fond, les ouvriers, recevant la même récompense, sont tous sur le même pied. Pour les ouvriers, c'est l'argent seul qui compte. Des enfants pourraient se croire avantagés d'un tour de faveur, des hommes tiennent ces anticipations pour quantité négligeable. C'est pourquoi,

si la parabole semble justifier le proverbe, ce n'est
qu'en apparence et par une sorte de jeu de mots
plutôt qu'en réalité. Le proverbe dit : renversement des places ; la parabole dit : uniformité des
traitements.

Le récit nous offre une précieuse confirmation
de cette exégèse. Les premiers ouvriers qui se
montrent jaloux de leurs droits jusqu'à la suscep-
tibilité, de quoi se plaignent-ils? De passer au
dernier rang à l'heure de la paye? d'être rejetés en
queue de la file des travailleurs? Nullement, sur
ce point pas un murmure, pas une protestation.
Il faut le répéter, cela leur est indifférent; pourvu
qu'ils touchent, que ce soit un peu avant ou un
peu après, il n'importe. Ils murmurent de ce que,
ayant travaillé beaucoup plus que les autres, ils
reçoivent le même salaire que ces derniers.

A ce murmure le maître oppose la seule réponse
qui convienne : *Mon ami, je ne te fais aucun tort.
N'est-ce pas un denier dont tu es convenu avec
moi?... Ce dernier, je veux lui donner autant qu'à
toi. Est-ce qu'il ne m'est pas permis de faire ce que
je veux?* Le P. Durand a raison d'écrire : « Tout le
sens de la parabole tient dans cette apostrophe du
maître de la vigne » (329). Or il n'y est pas question
de préséance; uniquement de parité dans le salaire.
Les mots décisifs sont incontestablement : *Mon
ami, je ne te fais aucun tort... Ce dernier, je veux
lui donner autant qu'à toi. Ne suis-je pas libre?...*
La parabole ne coïncide donc pas avec la sentence
finale. Celle-ci n'a d'autre rapport avec la parabole
qu'une analogie du sujet, plutôt verbale. C'est *une
conclusion apparente*. Les conclusions apparentes,
disions-nous, qui sont des mots authentiques de
Jésus, n'appartiennent pas à l'essence de la parabole;

elles ne contiennent pas la leçon de la parabole, elles ont été ajoutées au récit, peut-être par le Sauveur lui-même, peut-être par l'évangéliste ou sa catéchèse; elles doivent s'interpréter à la lumière de la parabole, mais avec la liberté et la souplesse qui conviennent à un pareil genre littéraire.

Nous ne pouvons omettre de rapporter ici l'interprétation de Jülicher, qui se présente comme une déformation grossière de la pensée de saint Chrysostome. D'après le critique allemand, tout reviendrait à dire que l'évangéliste entend la parabole dans un autre sens que Jésus. La parabole nous offrirait l'interprétation de Jésus, la sentence celle de l'évangéliste. Jésus aurait voulu dire que les derniers arrivés, les convertis, reçoivent la même récompense que les chefs officiels d'Israël; l'évangéliste aurait compris que les derniers devaient se substituer aux premiers, qui allaient être exclus du royaume et damnés (II, 470). Ainsi le désaccord est aussi violent que possible.

Loisy a repris la pensée de Jülicher : « Matthieu, dit-il, ne considérant dans la parabole que les derniers versets et l'antithèse des premiers et des derniers, voit dans la sentence : *Les premiers seront les derniers et les derniers seront les premiers*, la substitution d'un peuple à un autre, de nouveaux élus du royaume à l'Israël incrédule; c'est pour ce motif qu'il répète, à la fin de la parabole, la sentence qui termine le chapitre précédent et dont la parabole même est censée le commentaire » (II, 229, 230).

De cette interprétation du v. 16 selon Jülicher et Loisy, il faut dire résolument qu'elle est fantaisiste et inacceptable. Si le sens primitif de la parabole est tellement clair, comment supposer que l'évangéliste se soit fourvoyé dans un pareil contresens ? Contre-

sens qui n'avançait guère la doctrine de la substitution des pécheurs aux pharisiens, attendu qu'elle est
exposée très nettement ailleurs, par exemple dans
le festin de noce; contresens qui serait vraiment
trop timide et embarrassé, qui rôderait aux abords
de la parabole, gauchement exprimé au début et à la
fin, sans oser pénétrer dans la parabole même et
sans oser y rien modifier. Les critiques ne nous
ont pas habitués à tant de réserve à l'occasion des
prétendus remaniements du texte sacré.

Pour ces raisons, nous ne saurions reconnaître
tant d'importance ou tant de malice à la sentence sur
les premiers et les derniers. Le proverbe est venu là
simplement en appendice, appelé par l'analogie du
sujet. Il n'a pas été joint sournoisement à la parabole pour la contredire et l'annuler. Loisy l'a dit
lui-même en termes excellents : « La mention de
premiers et derniers dans la parabole aura appelé la
sentence sur les premiers qui deviennent les derniers, et les derniers qui deviennent premiers »
(229).

Comme tous les proverbes, celui-ci a une portée
générale qui se concilie très bien avec une certaine
imprécision. Le mieux serait peut-être de se contenter ici de cette vague analogie.

Que si l'on désirait un lien plus étroit, on n'en
trouvera pas de plus rationnel — en sa subtilité —
que celui qu'y découvre Loisy lui-même : « (La
conclusion) peut s'entendre, à la vérité, conformément à l'idée dominante de la parabole, et par conséquent elle pourrait y avoir été rattachée dès l'origine, ou du moins dans la source de Matthieu.
Comme tous les élus, justes irréprochables ou
pécheurs convertis, participent au même bonheur,
on peut dire, et avec une nuance de paradoxe qui

n'est pas inouïe dans le langage de l'Évangile, que
les premiers arrivés sont les moins bien récompensés, puisqu'ils n'ont rien de plus que les autres,
et que les derniers venus sont les plus favorisés, eu
égard au peu qu'ils semblent avoir fait pour mériter
le royaume des cieux » (II, 228).

De ces observations retenons uniquement que la
sentence finale est accessoire par rapport à la parabole. Une fois rattachée à la fin de l'histoire, peut-
être est-elle également passée en tête pour servir
d'encadrement littéraire à la parabole et suppléer au
défaut d'introduction historique.

La sentence sur les appelés et les élus. — Si la
sentence sur les premiers et les derniers n'est pas
une conclusion réelle, à plus forte raison la sentence sur les appelés et les élus ne sera-t-elle
qu'une conclusion apparente, appelée elle aussi
par l'analogie du sujet. Il est évident à la première
lecture que celle-ci n'appartenait pas primitivement
à la parabole *des ouvriers de la vigne;* elle se rattache plutôt à l'histoire *du festin de noce.* Les
convives qui n'avaient pas répondu à l'invitation
avaient été exclus du festin et remplacés par le
rebut de la société. Là aussi, d'une certaine manière,
les premiers étaient passés derniers, et les derniers
premiers. Nous avions ainsi dans *les convives,* à
côté *des ouvriers,* une deuxième catégorie de premiers et de derniers. L'analogie était suffisante
pour que les deux sentences fussent jointes à la fin
des ouvriers de la vigne, comme un appendice ou
un petit agglomérat.

Les exégètes qui n'envisagent pas cette explication et regardent ces deux sentences finales
comme partie essentielle de la parabole, se voient
contraints, nous l'avons dit, de modifier les données

de l'histoire pour la faire cadrer avec les sentences
finales.

Classement des ouvriers. — La modification la plus
ancienne consiste à soutenir que les ouvriers de la
onzième heure ont travaillé en une heure autant
que les autres en toute la journée. C'est l'interprétation de Maldonat qui la soutient avec un curieux
mélange de candeur et d'assurance. Il veut prouver
que tout se passe dans la parabole selon les lois
de la stricte justice commutative, chacun étant
rémunéré selon son travail. « Les ouvriers de la
dernière heure ont travaillé autant que ceux de la
première; voilà pourquoi ils touchent la même
solde. » Maldonat le répète à toutes les colonnes
de son texte très dense. Citons au hasard : « Le
but de la parabole est que la récompense de la vie
éternelle répond, non pas au temps que l'on a travaillé, mais au travail que l'on a fait, *finis ergo
parabolae est mercedem vitae aeternae non tempori,
quo quis laboravit, sed labori et operi quod fecit,
respondere* » (410[1]). Et encore : « Les derniers
deviennent les premiers, parce qu'ils ont travaillé
en une heure autant que les autres en tout le
jour, *fiunt primi, quia tantum una hora, quantum
alii toto die laboraverunt* » (414[1]). Maldonat ne
sait pas s'arrêter à moitié chemin. Après avoir
exagéré le travail des uns, il diminue celui des
autres. « Beaucoup de premiers deviennent les
derniers, parce qu'ils ont beau être arrivés les premiers à la vigne, ils ont fourni moins de travail,
en suite de quoi ils reçoivent un moindre salaire,
*quamvis primi venerunt ad vineam, minus tamen
laboraverunt, ideoque minorem mercedem recepe-
runt...* » (409[2]).

Si l'on avait demandé à Maldonat d'où il tirait

cette conclusion, il aurait sans doute répondu que, sans être formellement exprimée, elle était sous-entendue et, en somme, qu'elle s'imposait. Les exégètes modernes s'engagent dans la même voie tout en recourant à une autre supposition. Comment, se demandent-ils, les premiers ouvriers sont-ils passés les derniers ? — Parce qu'ils ont été exclus du salaire. — Pourquoi en ont-ils été exclus ? — A cause de leurs murmures. Privés de tout salaire, ils sont manifestement désavantagés ; de premiers qu'ils étaient, ils passent en réalité après tous leurs compagnons de travail, même après ceux de la onzième heure, qui touchent leur denier et le gardent.

C'était déjà l'interprétation de Bruce. A son avis, la leçon de la parabole ne comporte pas un nivellement des différences sociales, mais seulement un renversement des situations morales : ceux qui étaient les premiers au service de Dieu deviennent les derniers, dans l'estime divine, par l'orgueil, la vaine gloire, l'estime de soi (186, 188).

Le P. Durand va plus loin, il prononce le mot décisif d'exclusion : « Par son murmure, la synagogue s'est exclue du royaume de Dieu. *Les premiers passent derniers;* ils ne réussiront même pas à entrer, à l'exclusion d'un petit nombre » (329).

Le P. Lagrange reprend cette affirmation, il la développe et la propose comme l'un des deux enseignements principaux de la parabole. « Ceux qui croyaient avoir des droits du chef de leurs œuvres, d'une vie entière consacrée à la justice, continuaient à murmurer contre cette justice qui leur paraissait imparfaite. Par là même ils s'excluaient. Cela n'est pas dit dans la parabole ; cela résulte de sa conclusion, et le plus naturellement du

monde » (385). Et encore : « Les premiers seront
les derniers, autant dire qu'ils ne seront pas
reçus... Telle est bien la pensée de Matthieu...
Or la parabole elle-même y conduit, par cette
scène d'explication qui en est le point culminant.
Elle met vraiment en jeu ceux contre lesquels est
dirigée la parabole, et ceux-là se mettent eux-mêmes
en révolte contre le plan de Dieu. L'égalité qu'il
leur promettait, ils n'en sont plus dignes. Mieux
vaut suivre les détours ingénieux du genre très
souple de la parabole que d'en briser la contexture
par une analyse trop logique » (390).

Il est nécessaire de répéter que cette manière
d'interpréter les paraboles par des suppositions ou
des sous-entendus ne paraît pas la bonne. « Cela
n'est pas dit dans la parabole; cela résulte de sa
conclusion, et le plus naturellement du monde »
(*ibid.* 385). Au contraire, cela, n'étant pas dit dans
la parabole, n'en découle pas du tout, cela ne
peut ni se supposer ni se sous-entendre. Une
supposition de ce genre entraîne fatalement des
changements qui parfois, comme c'est présentement
le cas, compromettent l'interprétation générale.

Les auteurs dont nous devons nous séparer ici,
se sont mépris sur le sens à donner aux *premiers*
et aux *derniers*. Ils pensent que, pour passer derniers, les premiers doivent être dépouillés de leur
salaire. Tel n'est pas l'avis de saint Chrysostome
pour qui le renversement numérique consiste
uniquement dans la *parité* accordée à tous les
ouvriers sans distinction. Ce n'est pas davantage
l'avis de saint Augustin, qui résume sa pensée
dans un agréable cliquetis d'antithèses : « Ils ont
tous été mis sur un pied d'égalité; les derniers sont
passés premiers et les premiers derniers, en raison

même de cette égalité, *aequando non praeposte-rando...* Premiers et derniers, ils ont touché le même salaire, *quia tantumdem acceperunt et primi et novissimi* » (xxxviii, col. 535).

Le murmure. — Non moins que sur le classement des ouvriers, certains commentateurs se méprennent sur la valeur parabolique du *murmure*. Ils y découvrent une faute grave de révolte ou de jalousie, méritant la damnation éternelle. — La damnation étant le châtiment suprême, comment oser la supposer dans un texte qui ne la mentionne, ni ne l'exige, ni ne la suppose ? Ou il n'y a rien d'assuré en exégèse parabolique, ou il faut tenir pour indiscutable ce principe qu'une leçon essentielle est toujours exprimée, et que, si elle n'est pas exprimée, elle n'est pas essentielle.

Et comment ne voit-on pas que l'exclusion supposée contredit le texte de la parabole ? *Mon ami, je ne te fais aucun tort. N'est-ce pas un denier dont tu es convenu avec moi ? Emporte donc ton dû et retire-toi.* — *Emporte ton dû ;* le denier ne lui est donc pas enlevé ! *Retire-toi,* l'homme se retire donc avec son denier ! Le maître va-t-il maintenant faire courir après ce misérable pour l'arrêter et le dépouiller ? Ces choses-là, quand elles ne sont pas dites, ne se sous-entendent point. Lorsque le convive qui n'avait pas la robe nuptiale est exclu du festin, on le dit en toutes lettres : *Liez-lui les pieds et les mains et le jetez dans les ténèbres extérieures* (Mt. xxii, 13). Lorsque le serviteur est puni pour avoir laissé son talent improductif, on le dit en termes formels : *Enlevez-lui le talent et le donnez à celui qui a dix talents* (Mt. xxv, 28). De même, ne doutons pas que, si les ouvriers insolents s'étaient vu retirer leur salaire, le verdict eût été catégoriquement exprimé :

*Enlevez-leur le denier et le donnez aux ouvriers de
la onzième heure.*

Résumé de la parabole. — Ainsi débarrassée des
additions ou explications injustifiées, la parabole
retrouve toute sa simplicité et sa beauté. En voici
les lignes principales.

Le maître appelle à sa vigne diverses troupes
d'ouvriers à des heures différentes. A ceux de la première heure il promet un denier pour salaire. Aux
autres il ne promet en général qu'une juste rétribution. Le soir venu, il ordonne que l'on paye d'abord
les derniers arrivés et qu'on leur remette un denier.
A cette vue, les premiers s'imaginent que leur propre
salaire va être augmenté. A leur grand désappointe-
ment, ils ne touchent eux-mêmes qu'un denier suivant la convention du matin. De là des plaintes, des
murmures, qui amènent le maître à revendiquer
hautement sa liberté. N'a-t-il pas le droit d'avanta-
ger qui bon lui semble, pourvu que les droits de
personne ne soient lésés? d'être libéral pour quelques-uns, tout en ne se montrant injuste pour personne? *Est-ce qu'il ne m'est pas permis de faire ce
que je veux? Ou faut-il que ton œil soit mauvais
parce que moi, je suis bon?*

Ramenée aux deux membres d'une comparaison,
la parabole donne le résumé qui suit :

De même qu'après une journée de travail pendant
laquelle les ouvriers avaient fourni des sommes de
travail très inégales, le maître leur fit donner à tous
le même salaire, se montrant libéral pour quelques-
uns, tout en n'étant injuste pour personne,

ainsi, sans jamais manquer à la justice, le Seigneur
a le droit de prodiguer ses libéralités à qui il lui plaît,
et nul n'a le droit d'y trouver à redire.

Cette interprétation, qui est celle de saint Chrysostome est également celle de dom Calmet : « Dans toute la conduite qu'il tient ici envers ses ouvriers, il suit les lois d'une justice exacte et rigoureuse. Il leur donne à chacun ce qui leur est dû; mais, outre ce qui leur est dû dans la rigueur, il exerce sa libéralité envers quelques-uns d'entre eux » (438).

Destinataires de la parabole. — Est-il possible de discerner à l'adresse de qui cette parabole a été prononcée ? A défaut du contexte immédiat qui est muet, le contexte général de l'évangile, ainsi que la direction normale du récit, nous suggère d'y voir un nouvel épisode de la lutte contre les pharisiens, à l'occasion de la conversion des pécheurs. Les pharisiens, qui se glorifiaient d'avoir passé toute leur vie dans la justice et l'observation de la Loi, au service de Dieu, se scandalisaient des facilités accordées aux publicains et aux pécheurs pour leur admission au royaume. C'était l'une des espèces les plus monstrueuses du *scandale pharisaïque*. A ces murmurateurs incorrigibles Jésus fait savoir que l'accès du royaume n'est pas réservé à une vie de labeur et d'efforts; il peut être accordé à des actes de peu de durée. Dans ce cas il est manifeste que la libéralité divine intervient; mais Dieu ne s'en cache pas; il s'intitule lui-même le Dieu bon, le Dieu libre, le Dieu généreux et magnanime.

En somme la parabole est la justification de la libéralité divine à l'endroit des pécheurs et des convertis.

Saint Chrysostome dont les observations brèves et justes nous servent de guide en ce difficile commentaire, élargit l'horizon de la parabole; il enseigne que la leçon visait à la fois l'instruction des justes, serviteurs de Dieu dès leur enfance, et des pécheurs qui se convertissent sur le tard. Aux uns, Jésus fait savoir qu'ils n'ont pas à s'enorgueillir ni à mépriser les nouveaux convertis. Aux autres, surtout à ceux-là qui se sont convertis « dans l'extrême vieillesse », il fait savoir « qu'ils ne sont pas inférieurs aux premiers », et que « tout peut s'acquérir en peu de temps ».

S'il demeure entendu que les premiers destinataires sont les pharisiens et les publicains, nous concéderons que le prolongement du sens littéral nous conduit dans cette voie, jusqu'aux justes et aux convertis de tous les temps.

Applications principales. — A la faveur de ces explications, les identifications suivantes nous paraissent hautement probables. Le maître de la vigne, c'est Jésus ; les ouvriers, ce sont les hommes appelés au service de Dieu à divers âges de leur vie ; les ouvriers de la première heure sont les pharisiens, ceux de la onzième, les pécheurs. Le travail de la vigne, ce sont en général les bonnes œuvres qu'on peut regarder comme préparatoires au royaume. Le denier, c'est l'accès au royaume avec la participation de tous les biens spirituels qui en découlent. Le murmure, c'est la jalousie qui saisit les pharisiens à la vue de la libéralité avec laquelle les pécheurs d'hier sont admis au royaume, en compagnie des justes de toujours.

Je conviens volontiers que certaines de ces applications ne vont pas sans difficulté. En un sujet dont la variété des systèmes a fait une sorte de maquis exégétique, aucune des interprétations ne peut vraiment se flatter de représenter une tradition ferme. Cependant, toute chose bien pesée, le système que nous proposons nous paraît le plus rationnel et le seul entièrement cohérent.

Nous tenons pour certain que les ouvriers de la

première heure représentent les pharisiens. Il faut noter seulement que toutes les allusions qui les concernent sont rédigées dans le style de la polémique et de l'apologétique habituelles à l'évangile, avec les concessions et les condescendances accoutumées que nous appelons argument *ad hominem*. Comme ailleurs ils sont appelés les justes, les saints, les fils aînés, les premiers invités, etc., ici les pharisiens passent pour être les ouvriers de la première heure et pour avoir travaillé toute leur vie au service du Seigneur. De même, ils sont représentés comme recevant leur salaire, c'est-à-dire comme participant à tous les biens d'ordre spirituel. Que la réalité historique ait été différente, il n'importe présentement. Cette mise en scène n'offrait pas d'inconvénient théologique et elle avait l'avantage de donner tout son relief à la conversion des pécheurs.

Les ouvriers de la onzième heure sont également les pécheurs récemment convertis.

Pour les ouvriers des heures intermédiaires, nous n'avons pas d'identification à proposer. Peut-être n'y en a-t-il pas. Maldonat pensait que la mention de ces diverses catégories n'avait pour but que d'orner la parabole, *ut parabolam ornaret.* — Il proposait également une interprétation très ferme au sujet des *heures* de la journée. « Je ne saurais douter, écrivait-il, que les diverses heures de la journée ne représentent, non les diverses époques du monde, mais les divers âges de chaque homme en particulier, *ego non dubito quin diversae horae, non diversas mundi, sed diversas cujusque hominis aetates significent* » (412[1]).

La distribution du salaire en fin de journée est assurément le point le plus difficile à expliquer pour qui perd de vue le contexte historique de la parabole.

Dans le système auquel nous nous sommes arrêté, cet élément se trouve au premier plan. Le denier représente l'entrée au royaume de Dieu, que le Sauveur accorde à toutes les âmes de bonne volonté, sans égard à la durée du travail antérieur : aux pharisiens qui servent ou croient servir depuis toujours, mais aussi aux nouveaux convertis qui viennent à peine d'être appelés et ont à peine commencé leur besogne spirituelle.

Dans cette interprétation la *fin de la journée* n'est pas un trait métaphorique signifiant la mort individuelle ou le jugement universel. L'élément principal est la durée plus ou moins longue du temps que l'on a déjà passé au service de Dieu et par lequel on mérite le royaume. Ce temps est comparé à une journée de travail qui, par la diversité de ses heures, évoque la différence des années de service. En suivant la figure, les convertis se trouvent être naturellement les ouvriers de la onzième heure. De même la distribution du salaire se place naturellement à la fin du travail, mais on aurait pu tout aussi bien la mettre à un autre moment du jour ou de la semaine ; en sorte que la distribution du salaire est chose beaucoup plus importante que l'heure de cette distribution.

L'un des avantages de cette interprétation — et non l'un des moindres — c'est d'expliquer correctement le murmure des ouvriers, qui donne tant de peine à ceux qui font du denier la figure de la vie éternelle. Saint Chrysostome avait résolument affronté la difficulté et il était arrivé à cette explication ingénieuse : Ce n'est certes pas qu'il y ait place pour le murmure au ciel, « ce lieu est pur de toute envie et jalousie ». Mais on veut nous montrer que les convertis jouissent au ciel d'un tel bonheur qu'il aurait de quoi donner de l'envie aux autres saints...

Cette explication plaisait à Maldonat qui la regardait comme véritable, à moins, ajoutait-il, que le murmure n'eût pas d'explication du tout. Ce n'est peut-être, concluait-il, qu'un emblème, *emblema*, c'est-à-dire un de ces détails qui ajoutent à la clarté ou à l'ornement de l'histoire, *alia quasi adjuncta, et, ut ego vocare soleo, emblemata, vel ad explicandam vel ad ornandam parabolam* » (412[1]) ; disons des détails littéraires ou des ornements.

Cette fois, Maldonat pèche par excès d'ingéniosité. Le murmure n'est pas un ornement littéraire, c'est un des principaux éléments de cette parabole, comme il ressort du relief qui lui est accordé dans le récit sacré. Il symbolise la jalousie des pharisiens à la vue des pécheurs convertis, jalousie contre laquelle le Sauveur n'a cessé de s'élever tout au cours de son ministère.

On sera peut-être surpris que la vigne soit différente du *denier*, car la vigne pourrait aussi bien que le denier symboliser le royaume. Cette distinction est ici une conséquence de l'image centrale de la parabole : le royaume étant une *récompense*, en l'espèce un *denier*, il se donne à qui l'a gagné par son *travail*, en l'espèce par *le travail de la vigne*.

Parabole ou allégorie ? — A l'issue d'une démonstration de ce genre, les exégètes ont coutume de se demander si le récit qu'on vient d'expliquer est une parabole ou une allégorie. Nous répondons que c'est plutôt une allégorie, mêlée d'éléments paraboliques et de simples ornements littéraires. Tel est le sentiment de saint Chrysostome, de Maldonat, de dom Calmet. Nous ne pouvons que nous y rallier.

Les commentateurs anciens, avant que Maldonat n'eût opéré une première sélection dans la multiplicité de leurs systèmes, allaient beaucoup plus loin que nous dans la voie de l'allégorisation. Dom Calmet, qui a soigneusement parcouru toutes les opinions, les résume ainsi : « Le Père de famille est Dieu; le royaume des cieux est l'église chrétienne; la vigne est la synagogue. Les ouvriers qu'il y a envoyés à toutes les heures du jour sont les prophètes et les saints de l'Ancien Testament. Les derniers envoyés à la culture de la vigne sont les apôtres qui y ont appelé les gentils en leur prêchant l'Évangile. Les gentils reçoivent la même récompense et sont admis dans le royaume, de même que les Juifs, quoique ceux-ci aient porté tout le poids du jour » (433).

Le commentaire des diverses heures de la journée retenait particulièrement l'attention des anciens exégètes. Dom Calmet résume encore les principales opinions : « Tout le temps qui s'est écoulé depuis le commencement du monde, ou plutôt celui qui s'est passé depuis que le Seigneur a transporté la vigne de l'Égypte, comme parle le psalmiste, et qu'il l'a plantée dans la terre de Canaan, est marqué par les diverses heures du jour. La dernière heure, suivant cette hypothèse, est celle de la venue du Messie et de la manifestation de sa gloire. Ce temps est souvent désigné dans l'Écriture par *les derniers jours*. Ce fut alors que les Juifs furent réprouvés et les gentils appelés dans l'Église. Alors on vit que les premiers devinrent derniers et les derniers les premiers » (413, 414).

Parabole rabbinique. — Citons, en finissant, la parabole des *ouvriers* d'après le Talmud de Jérusalem : « A quoi ressemble le cas de R. Boun bar R. Hiya? A un roi qui aurait engagé à son service beaucoup d'ouvriers, dont l'un était plus actif à son travail. En voyant cela, que fait le roi? Il l'emmène et fait avec lui des promenades en long et en large. Au soir, les ouvriers arrivent pour se faire payer, et il paye également au complet celui avec lequel il s'était promené. A cette vue, ses compagnons se plaignent en disant : Nous nous sommes fatigués au travail toute la journée, et celui qui ne s'est donné de la peine que pendant deux heures reçoit autant de salaire que nous ? — C'est que, répondit le roi, celui-ci a accompli davantage en deux heures que vous dans une journée entière. De même, lorsque R. Boun eut étudié la Loi jusqu'à l'âge de vingt-huit ans, il la connaissait mieux qu'un savant ou qu'un homme pieux qui l'aurait étudiée jusqu'à l'âge de cent ans » (trad. Schwab, *Berakhoth*, t. l, ch. ii, p. 48 s.).

Cet exemple nous permet de mesurer une fois de plus la distance qui sépare les paraboles hiératiques du Talmud des purs chefs-d'œuvre de l'évangile.

La pécheresse et les deux débiteurs

(saint Luc, VII, 36-50).

[36] Un pharisien le priait à dîner chez lui. Étant donc entré chez le pharisien, il se mit à table. [37] Et voici qu'une femme vivait dans la ville en pécheresse. A la nouvelle qu'il était à table chez le pharisien, elle apporta un vase d'albâtre rempli d'huile parfumée; [38] et, se tenant derrière lui, à ses pieds, toute en pleurs, elle se mit à lui arroser les pieds de ses larmes, et elle les essuyait de sa chevelure, et elle lui baisait les pieds et les oignait de l'huile parfumée. [39] A cette vue, le pharisien qui l'avait invité se dit en lui-même : S'il était prophète, celui-là, il saurait qui est la femme qui le touche et de quelle espèce elle est, attendu que c'est une pécheresse. [40] Jésus lui répond : Simon, j'ai quelque chose à te dire. Et lui : Maître, parlez.

[41] Un créancier avait deux débiteurs : l'un devait cinq cents deniers et l'autre cinquante. [42] Comme ils n'avaient pas de quoi le rembourser, il leur remit leur dette à tous deux. Quel est celui d'entre eux qui l'aimera davantage ? [43] Simon répondit : Je suppose que c'est celui à qui il a remis davantage. Jésus lui dit : Tu as bien jugé. [44] Et, se tournant vers la femme, il dit à Simon : Tu vois cette femme ? Je suis entré chez toi : tu ne m'as pas donné de l'eau pour les pieds; mais elle, c'est avec ses larmes qu'elle m'a arrosé les pieds, et c'est avec ses cheveux qu'elle me les a essuyés. [45] Tu ne m'as pas donné de baiser; mais elle, depuis que je suis entré, elle n'a cessé de me baiser les pieds. [46] Tu ne m'as pas oint la tête d'huile; mais elle, c'est avec de l'huile parfumée qu'elle m'a oint les pieds.

[47] C'est pourquoi, je te le dis, ses nombreux péchés lui sont pardonnés, puisqu'elle a beaucoup aimé. Celui au contraire à qui l'on pardonne peu, aime peu.

[48] Et il lui dit : Tes péchés te sont pardonnés. [49] Et les convives se mirent à dire en eux-mêmes : Qui est celui-là qui va jusqu'à remettre les péchés ? [50] Et il dit à la femme : Ta foi t'a sauvée. Va en paix.

I. — La pécheresse et le pharisien

La pécheresse. — Avant d'aborder le commentaire de la parabole, il est indispensable de connaître celle qui doit y jouer le rôle principal. Malheureusement l'évangile ne la nomme pas. Est-il possible d'écarter le voile de l'anonymat en l'identifiant avec un personnage connu par ailleurs, ou faut-il se résoudre à ne pouvoir mettre de nom sur ce visage obstinément voilé ?

Ceux qui ont cru la reconnaître ont proposé de l'identifier soit avec Marie de Magdala, soit avec Marie de Béthanie, sœur de Marthe et de Lazare. Il existe même bon nombre de commentateurs ou d'historiens pour lesquels ces trois noms ne désignent qu'une seule et même personne.

Ces identifications sont-elles justifiées par l'évangile ?

Rappelons que la question ne peut se décider par un simple recours à la tradition, attendu que chacune des opinions en présence revendique pour elle un nombre imposant de Pères et d'auteurs divers. Dans cet état des choses, le mieux est de s'en tenir aux indications de l'évangile, recueillies par une étude directe.

La pécheresse de la parabole est-elle la même que Marie de Magdala ou Marie-Madeleine ? Il semble qu'il ne soit pas possible de les identifier. La principale raison qui s'y oppose, c'est que saint Luc nous présente Marie-Madeleine deux versets après l'his-

toire de la pécheresse, sans laisser entendre le moins
du monde qu'il veuille parler de la même personne.
Si la pécheresse se confondait avec Marie de Magdala,
pourquoi ne pas nous en prévenir dès la scène du
festin, à propos de la pécheresse, ou au début du
chapitre VIII, à l'occasion de Madeleine?

On allègue que l'évangéliste a pu taire ce nom,
au chapitre VII, par délicatesse, pour n'avoir pas à
dire expressément à toute la chrétienté que Marie-
Madeleine, si avantageusement connue, avait été
une pécheresse publique dès ses premières années.

Mais les faits se chargent aussitôt de contredire
cette explication. Deux versets plus loin, le même
évangéliste, que l'on suppose si réservé, ne craint
pas d'écrire en toutes lettres et sans la moindre
atténuation, que Marie-Madeleine était une ancienne
possédée. Or la possession passait chez les anciens
pour être à peine moins ignominieuse que l'état
de pécheresse. Puisque saint Luc ne voyait pas
d'inconvénients à nous instruire de la possession,
en aurait-il trouvé davantage à nous révéler le nom
de la courtisane? Après coup, l'état de pécheresse,
comme celui de possédée, tournait à la gloire du
Sauveur, et celles qui avaient été l'objet de telles
faveurs recevaient plutôt de leur passé une sorte de
noblesse surnaturelle. L'innocence seule est plus
belle que le repentir. Encore le repentir est-il parfois
plus méritoire.

La pécheresse de saint Luc peut-elle être du moins
identifiée avec Marie de Béthanie? Plusieurs auteurs
le croient, principalement à cause du quatrième
Évangile, qui dit, parlant de la sœur de Lazare :
Marie était celle qui oignit le Seigneur (ἡ ἀλείψασα, à
l'aoriste) *et lui essuya* (ἐκμάξασα) *les pieds de ses
cheveux* (XI, 2). Comme ces verbes sont au passé,

nous dit-on, ils ne peuvent se référer à l'onction du chapitre suivant, qui est encore dans le futur ; ils doivent faire allusion à un fait déjà accompli, déjà connu du lecteur, et ce fait n'est autre que l'onction de la pécheresse racontée par saint Luc.

Pour éluder ce raisonnement, les opposants ne manquent pas d'excellentes raisons. La première est qu'il n'y a pas de répugnance grammaticale à ce qu'une action non encore racontée, qui est par conséquent dans le futur de la narration, soit exprimée par un verbe au passé. Il est vrai qu'on n'en trouve pas d'exemple incontesté dans saint Jean ; mais les trois autres évangélistes nous en offrent au moins un spécimen chacun, à propos de Judas, dont il est dit, au passé : « Celui qui a trahi », « celui qui a été traître » (Mt. x, 4 ; Mc. iii, 19 ; Lc. vi, 16), et cela, longtemps avant le récit de la trahison.

A cette première raison s'ajoutent d'autres indices. Par exemple, il serait très étrange que saint Jean (xi, 2) fît allusion à l'onction de saint Luc, alors qu'il parle lui-même d'une onction au chapitre suivant. De fait, lorsqu'il vient à raconter l'onction de Marie, au chapitre xii, il n'insinue même pas que cette onction soit la deuxième. Enfin, dans son allusion du chapitre xi, il ne mentionne aucune circonstance qui soit particulière à l'onction de saint Luc. Celui-ci relevait quatre détails dans l'acte de la pécheresse : les larmes, la chevelure déployée, les baisers et l'onction. Saint Jean, au chapitre xii, ne signale que la chevelure et l'onction, avec ce trait observé que toute la maison fut remplie de l'odeur du parfum. Le chapitre xi ne signale, lui non plus, que l'onction et la chevelure.

Toutes ces remarques ont la même convergence :

elles établissent que le quatrième Évangile, aux chapitres XI et XII, fait allusion au même événement, l'onction de Marie, sœur de Marthe et de Lazare. Elles fortifient également la conclusion que la pécheresse de saint Luc ne doit pas être identifiée avec Marie de Béthanie.

Jusqu'ici nous n'avons obtenu qu'un résultat négatif. Si nous savons ce que la pécheresse de Galilée n'était pas, nous ignorons encore ce qu'elle était.

Qu'était-elle? Sans doute l'une de ces pécheresses anonymes comme il s'en rencontre partout, comme il s'en trouvait même en Palestine au temps de Notre-Seigneur. Nous ignorons tout de sa famille, de sa condition sociale, de son âge. Elle menait depuis quelque temps du moins sa vie de péché, puisqu'elle porte le stigmate public de la pécheresse, et sa conduite faisait scandale, puisque sa seule vue offusque les gens réputés honnêtes.

Avait-elle jamais vu le Sauveur? L'avait-elle aperçu dans la foule exhortant et catéchisant? Avait-elle assisté à l'une de ces guérisons individuelles ou collectives qui soulevaient l'enthousiasme du peuple? Jésus lui-même lui avait-il jamais parlé? L'avait-il discernée dans la multitude? L'avait-il rencontrée sur les chemins de la cité, et son regard s'était-il abaissé sur elle, comme il se fixera sur Pierre renégat, la nuit de la Passion?

On ne sait. Peut-être simplement cette femme se sentait-elle attirée vers celui qui se disait envoyé aux brebis perdues d'Israël, qui faisait profession d'admettre en son royaume les pécheurs et les courtisanes. Il est probable pourtant qu'elle l'avait déjà vu, puisqu'elle semble le reconnaître sans hésitation au milieu des convives.

Était-elle bourrelée de remords ? Ou la conversion se préparait-elle presque à son insu par une grâce imperceptible ?

Tumultueuse ou latente, toujours est-il que la crise se dénoua brusquement par une de ces résolutions subites qui parfois font irruption dans notre vie morale, nous surprennent nous-mêmes et décident impérieusement de notre avenir. Elle apprend que Jésus dîne chez le pharisien Simon, qu'il est déjà à table. L'occasion est propice à souhait. Une pensée se présente, une résolution violente, qu'il faut mettre sur-le-champ à exécution. Elle prend son vase d'albâtre, elle part, elle entre, et la voilà aux pieds de Jésus. Tout ici est spontané et rapide. Il n'est pas rare que les longues crises aient un dénouement instantané.

Le pharisien. — Du pharisien nous ne connaissons que le nom et quelques traits de caractère. Il s'appelait Simon, vocable trop fréquent chez les Juifs pour être un indice patronymique suffisant. Il n'était pas hostile à Jésus, puisqu'il l'invitait à dîner. On lui a parfois reproché de l'avoir invité pour lui tendre ses pièges plus à loisir. Un tel calcul d'hypocrisie n'est pas vraisemblable. Mais il ne faudrait pas non plus regarder cette invitation comme une marque indiscutable de sympathie. Les omissions que le Sauveur va signaler bientôt dans son hospitalité montrent qu'il ne se comportait pas à l'égard de son hôte avec une absolue franchise, du moins qu'il ne le recevait pas à bras ouverts. A son acte de courtoisie il y avait des sous-entendus ou des réserves.

Son attitude pourrait peut-être se définir ainsi : On lui avait beaucoup parlé du nouveau prophète. On lui avait rapporté que les foules se pressaient autour de lui, avides de l'entendre, et qu'elles se laissaient

captiver au charme de sa parole et de ses miracles.
Or si Jésus se prodiguait aux petits, il était beaucoup moins assidu à la porte des grands. Pour le
voir et l'entendre, c'était aux grands à se déplacer,
ou bien ils devaient le convier expressément à leur
table. Bien qu'il ne recherchât pas de telles invitations, on disait néanmoins que le jeune rabbi savait
se montrer complaisant et qu'il se rendait parfois à
des instances gracieuses.

C'est pour mieux le considérer que Simon l'invita.
A l'écart des attroupements vulgaires, dans l'abandon
et la familiarité d'un long repas oriental, ils pourraient l'observer à loisir, lui et quelques invités de
marque (v. 49). On l'étudierait et l'on pourrait voir
s'il justifiait les flatteuses appréciations de la multitude. Simon serait poli, mais sa civilité elle-même
servirait les intérêts de sa diplomatie. En somme,
il l'invitait en observateur et en curieux.

Est-il vraisemblable que Simon ait négligé
quelques prescriptions du protocole ? Tout à l'heure
le Sauveur lui reprochera d'avoir oublié le lavement
des pieds, le baiser de bienvenue et jusqu'à l'huile
de senteur dont on parfumait la tête des convives.
Comment justifier ces omissions dans l'hypothèse
d'un accueil bienveillant ?

En effet, ces manquements sont difficiles à
expliquer. Le pharisien n'était sans doute pas à son
premier dîner officiel. D'ailleurs un hôte ne serait
pas excusable d'omettre les pratiques de la politesse
commune. Quant à supposer une prétérition volontairement blessante dès le début du dîner, cela n'est
pas davantage plausible : en indisposant son invité
dès le seuil de la maison, le pharisien se serait exposé
à le voir se retirer sur-le-champ, ou bien il l'eût mis
en garde, ce qui n'eût pas été très avisé de sa part.

L'explication la plus satisfaisante semble être celle-ci. Les pratiques dont le Sauveur signale l'omission n'appartenaient pas au protocole ordinaire; elles n'étaient usitées que dans les réceptions exceptionnelles de l'amitié ou des honneurs, lesquelles n'entraient pas présentement dans les intentions du pharisien. Le Sauveur ne pouvait pas se froisser qu'on ne lui fît qu'un accueil ordinaire. Il ne semble pas qu'il se soit lui-même attendu à un plus grand apparat.

Mais les reproches de Jésus ne montrent-ils pas que Simon s'est rendu coupable d'une omission offensante pour sa dignité?

Il y a encore une explication qui concilie les reproches avec cette conception de l'hospitalité. Elle consiste à dire que les observations de Jésus ne sont pas à proprement parler des reproches. Elles constituent plutôt une défense de la pécheresse qu'un réquisitoire contre le pharisien. Ce sont des façons de parler pittoresques et piquantes, tout en contrastes et antithèses, par quoi les démonstrations extraordinaires de la femme sont opposées à la réception ordinaire de Simon. Simon a reçu le rabbi comme un invité ordinaire; il ne l'a traité ni en ami ni en maître. La pécheresse, elle, a répandu à ses pieds toutes les marques de sa tendresse, le regardant comme son ami, son bienfaiteur et son Seigneur. Si le pharisien ne s'était pas montré si sévère pour la femme, le repas se serait déroulé sans autre incident. Parce qu'il l'attaque, Jésus la défend. Il est de bonne tactique, en pareille occurrence, de prendre ses arguments chez son adversaire, dût-on pour cela sacrifier quelques nuances. Simon a fait tout juste ce qu'il fallait, et de cela Jésus ne saurait lui tenir rigueur. Mais la pécheresse a fait davantage, et

Jésus se plaît à le proclamer dans ce dîner de pharisiens et à leurs dépens.

Ce n'est pas la première fois que Jésus acceptait
de dîner chez un pharisien. Après tout, les pharisiens aussi faisaient partie du peuple choisi. Quand
ils n'étalaient pas une malveillance incurable, le
Sauveur n'avait pas de raison de les éviter systématiquement. En paraissant de temps à autre
dans leur société, il trouverait l'occasion de leur
prêcher à eux aussi la grande nouvelle du royaume
de Dieu. Ils entendraient l'évangile et pourraient
y adhérer, s'ils étaient de bonne volonté.

L'onction. — La pécheresse apprit sans doute par
la rumeur publique que le Sauveur dînait chez
Simon. La vie de Jésus se déroulait au grand jour,
et la foule s'attachait à ses pas, contrôlant ses
moindres démarches. Simon au besoin eût embouché
la trompette pour divulguer une nouvelle si flatteuse pour sa vanité. Tout le monde, dans la petite
bourgade, sut bientôt qu'il recevait le jeune rabbi
à sa table.

Peut-être le repas était-il déjà avancé; en tout
cas, les convives étaient déjà couchés et accoudés
sur les riches divans, lorsqu'ils virent entrer la
pécheresse. Cette femme, en ce lieu! Tous la connaissant, la surprise fut énorme. Ce fut de la stupéfaction.

Les mœurs orientales excluaient les femmes des
salles où festoyaient les hommes. Encore de nos
jours, dans les repas de noces ou de réjouissances
quelconques, les femmes mangent à l'écart dans
des appartements séparés. La présence d'une femme
respectable eût choqué les pharisiens; que dut être
la vue d'une courtisane publique?

Cette femme n'eut pas un instant d'hésitation.

Du premier regard, sur le divan du milieu, qui était la place d'honneur, elle reconnut Jésus et se dirigea vers lui. Les tables des anciens étaient disposées en fer à cheval, le long de la salle, le milieu restant libre pour le service. Derrière les convives, du côté du mur, un chemin était laissé pour permettre aux invités d'accéder à leurs divans. La pécheresse alla droit aux pieds du Sauveur.

Muette, les yeux baissés avec modestie, la chevelure déjà dénouée peut-être, un petit flacon d'albâtre serré dans les mains, ce n'était pas l'attitude de la courtisane dans ses tristes fonctions de séductrice.

Le Sauveur dut l'apercevoir comme tous les convives. Il ne la repoussa point. Brusquement saisie par l'émotion, baissée ou agenouillée, la femme se mit à pleurer, et ses larmes tombèrent sur les pieds du divin Maître, et elle les essuyait de sa chevelure déployée. Puis, s'enhardissant dans son amour et sa reconnaissance, elle répandit des baisers brûlants sur les pieds de Jésus. Et quand les larmes et les baisers eurent préparé l'onction, elle brisa le col fragile de l'albâtre et versa l'huile parfumée sur les pieds embrassés.

Le P. Lagrange a bien noté cette scène : « A la présence du Maître, la pécheresse repentante fond en larmes, et comme elle s'était déjà penchée pour l'onction, ses larmes inondent les pieds. N'ayant point elle-même prévu cette explosion, elle ne sait comment les essuyer. Il eût été inconvenant pour une juive d'entrer avec des cheveux épars; rapidement elle dénoue sa riche chevelure et s'en sert comme d'un linge, puis emportée par son amour, elle ose ce qu'elle n'avait pas sans doute projeté d'avance, elle baise les pieds de Jésus avant de les

oindre de son huile parfumée » (229). Je croirais
plutôt intentionnel le geste de la chevelure. Une
Orientale n'est jamais embarrassée pour essuyer ses
larmes. Elle a toujours son voile et la largeur
démesurée de ses manches. Si la femme dénoue
sa chevelure et s'en sert « comme d'un linge », elle
le fait à dessein pour marquer sa conversion : elle
entend désaffecter cet instrument de péché et le vouer
désormais exclusivement au service du Seigneur.

Entre temps, le pharisien est servi à souhait.
En invitant le rabbi de Nazareth, il voulait surtout
savoir à quoi s'en tenir sur son compte. Il est renseigné maintenant. L'épreuve est concluante. C'est
bien ce qu'il avait pensé, lui, Simon. *S'il était
prophète, celui-là, il saurait qui est la femme qui le
touche...* Puisqu'il la laisse faire, évidemment, il
ne sait pas qui elle est. Puisqu'il ne le sait pas,
il n'est pas prophète.

Le raisonnement semblait rigoureux. Il n'avait
qu'un tort, celui de pécher par la base. Simon
jugeait la pécheresse d'après la rumeur publique,
qui était loin d'être flatteuse pour elle. Il jugeait
d'après l'extérieur. Encore son habitude de sévérité
et de mépris à l'endroit des pécheurs l'empê-
chait-elle de remarquer ce qu'il y avait de changé
dans les apparences elles-mêmes. Il n'apercevait
pas les signes manifestes d'une transformation
morale ; il ne se rendait pas compte que cette femme
n'était plus une pécheresse, puisque c'était une
convertie et une pardonnée.

II. — Tableau

Le Sauveur entendit la pensée du pharisien,
audivit pharisaeum cogitantem (saint Augustin). —

Simon, lui dit-il, *j'ai quelque chose à te dire.* — *Parlez, Maître.* — Et Jésus lui raconta la petite parabole des deux débiteurs.

Cette histoire n'a rien en soi de difficile. Un créancier avait deux débiteurs, dont l'un lui devait cinq cents deniers et l'autre cinquante. La valeur du denier n'est pas déterminée avec certitude. Les estimations varient de 0 fr. 80 à 1 fr. Dernièrement le P. Prat se prononçait pour la valeur de 1 fr. 07 avec des précisions nouvelles qui paraissent très vraisemblables [1]. Disons que le denier valait un franc or environ. A ce compte, le premier débiteur avait une dette de cinq cents francs et le deuxième de cinquante.

Les dettes n'étaient pas énormes, surtout la dernière. Cependant, afin de dramatiser la situation, la parabole suppose les deux débiteurs insolvables. Elle prête également au créancier une générosité exceptionnelle, cette fois dans le dessein d'ajouter à la valeur pédagogique et doctrinale du récit. Comme les débiteurs n'étaient pas en mesure de le rembourser, il leur remit gracieusement leur dette à tous deux.

Quel est celui des deux, interroge le Sauveur, *qui l'aimera davantage?* La question ne souffrait pas de difficulté, si elle contenait un piège. Simon n'a pas l'air de soupçonner le danger. Et comme sa vanité tient à fournir sur-le-champ la réponse juste, en présence de tous les invités, il se hâte de répondre : *Je suppose que c'est celui à qui il a remis davantage.* — *Tu as bien répondu, Simon.*

Et tandis que Simon se rengorge dans la petite satisfaction de sa vanité, soudain, coup de théâtre

1. *Recherches de sciences religieuses*, 1925, 443.

et changement de décor. Le rabbi passe à l'application directe.

Simon a oublié de lui présenter l'eau fraîche pour la purification des pieds, en sorte que, délassé, il pût s'étendre plus délicieusement sur les moelleux coussins du divan : la femme remplace l'eau par ses larmes et le linge par sa chevelure. Simon a oublié le baiser de bienvenue : la femme le remplace par ses baisers et ses caresses. Simon a oublié l'huile parfumée : la femme la remplace par le parfum de son vase d'albâtre.

Simon était loin de s'attendre à cette offensive ; chacun de ces contrastes le frappait comme un coup de marteau. L'accablement fut à son comble, quand il entendit le rabbi conclure : *C'est pourquoi, je te le dis, ses nombreux péchés lui sont pardonnés, puisqu'elle a beaucoup aimé...*

Le verset 47. — Ce verset mérite une attention spéciale, car il soulève de nombreuses difficultés.

Un lecteur qui a suivi sans préoccupation exégétique ou dogmatique le développement de la parabole ne saurait douter que les premiers mots de ce verset *c'est pourquoi* (οὗ χάριν) ne se rapportent à tout ce qui précède : Parce qu'elle m'a baigné et essuyé les pieds, parce qu'elle me les a baisés et parfumés, *c'est pourquoi,* je te le dis. Et de même il est évident que le verbe *je te le dis* forme une parenthèse. Ces constatations grammaticales sont regardées aujourd'hui comme acquises. Elles ne l'étaient pas encore il y a une vingtaine d'années. Voici, par exemple, la traduction que proposait à cette époque le P. Rose : « C'est *parce que* des péchés sans nombre lui ont été pardonnés, je te le déclare, qu'elle a beaucoup aimé. » Aujourd'hui cette traduction est universellement abandonnée au nom de la grammaire, la locution adverbiale *c'est pourquoi* devant se rapporter à ce qui précède, non à ce qui suit.

Le verbe grec qui énonce le pardon (ἀφέωνται) est un parfait dorien, qui équivaut parfois à un simple présent et parfois à un véritable parfait. Dans un autre passage de saint Luc, analogue à la situation actuelle, il a manifestement le sens du présent. Au paralytique qu'on avait descendu par l'ouverture de la terrasse le Maître déclare : « Homme, tes péchés te sont pardonnés » (ἀφέωνται, v, 20). *Pardonnés en ce moment,* car il ne saurait être question d'un pardon antérieur. C'est donc un *présent,* mais qui va se continuer ; donc un état durable, et, en somme, une manière de *parfait.*

Nous entendons dans le même sens la déclaration faite à la pécheresse. Ses nombreux péchés lui sont pardonnés. *En ce moment,* car il serait gratuit de supposer une absolution antérieure. *En ce moment,* ce qui ne marque pas néanmoins la minute précise où le pardon est octroyé. Un *parfait* de ce genre doit se prendre avec une certaine latitude ; il signifie *l'état* de pardon plus encore que *l'acte* de pardonner. Et la formule entière peut s'entendre de deux manières : ou bien c'est la déclaration formelle par laquelle la toute-puissance de Jésus remet à la femme ses péchés sur l'heure même, — ou bien c'est la promulgation officielle, publique, d'un pardon accordé quelques instants auparavant.

Cette dernière interprétation n'est pas fantaisiste. Les cas ne sont pas rares d'un pardon accordé dans le secret du cœur un temps plus ou moins long avant d'être rendu public. Jésus aussi peut avoir absous la pécheresse dès ses premières larmes et

ne lui signifier son pardon qu'à la fin de cette
muette et poignante confession.

La plus grosse difficulté concerne la conjonction
finale ὅτι. Faut-il la traduire *parce que* ou bien
puisque, attendu que? Cette fois, la querelle n'est
pas seulement grammaticale. Par delà le lexique
et la syntaxe, c'est la doctrine qui est en jeu, car,
entre les deux traductions, s'affirme toute la différence de *la cause à l'effet*. Avec *parce que*, c'est
l'amour qui est cause de la rémission des péchés;
avec *puisque, attendu que,* l'amour n'est plus qu'un
effet de la manifestation du pardon.

Du point de vue grammatical, l'une et l'autre
traduction est autorisée. La conjonction ὅτι a plus
souvent le sens causal de *parce que,* et c'est sans
doute la raison pour laquelle un si grand nombre
d'auteurs le préfèrent ici. Mais il n'est pas rare
non plus qu'elle ait le sens adouci d'une *indication*
ou d'un *signe*, ce qui, dans le langage courant,
passe souvent pour une espèce ou une nuance de
causalité.

Un jeune Dominicain espagnol, mort préma-
turément, le P. Crespo, a signalé plusieurs
exemples de cet emploi dans le Nouveau Testament
(Lc. xi, 18; Act. v, 38; Jo. ix, 16)[1]. Nous y ajoutons l'analogie la plus caractéristique, qui, semble-
t-il, n'a pas encore attiré l'attention des exégètes,
bien qu'elle appartienne à l'histoire même de la
pécheresse : *S'il était prophète, celui-là, il saurait
bien qui est la femme qui le touche, attendu que* (ὅτι)
c'est une pécheresse (39). C'est là, pensons-nous,
la traduction la plus limpide et la plus respectueuse

---

1. *La Ciencia tomista,* Exégesis de san Lucas, VII, 47, 1925,
pp. 289-301.

du texte, encore qu'elle s'écarte du sens que lui
prêtent aujourd'hui bon nombre de commentateurs. Par exemple, Crampon et le P. Lagrange
traduisent : « Il saurait qui et de quelle espèce est
la femme qui le touche, *et que c'est* une pécheresse. » N'y a-t-il pas une légère contorsion dans
ce gallicisme qui pare la phrase d'une élégance fort
en vogue de nos jours? Fillion serre davantage :
« Il saurait..., *car* c'est une pécheresse » ; et Loisy
mieux encore : « Il saurait..., *puisque* c'est une
pécheresse ». Cette fois, l'analogie des deux phrases
est parfaite : « Il saurait qui est cette femme,
attendu que, puisque c'est une pécheresse. Ses
nombreux péchés lui sont pardonnés, *puisque,
attendu qu'*elle a beaucoup aimé. »

Je tiens extrêmement à faire remarquer que cette
dernière traduction ne fait aucune violence au v. 47.
Elle pourra donc être préférée, si l'on établit tout à
l'heure par de solides raisons qu'elle doit l'être.
Nous serions néanmoins disposé à tolérer la traduction habituelle, à la condition de donner à ce
parce que le sens de *puisque*, que cette conjonction
a souvent dans le langage courant. Le style familier
de la conversation prend volontiers le signe et
l'indice pour des espèces ou des variétés de causalité ; il emploie *parce que* là où un style plus châtié
mettrait *puisque, attendu que*. Quand on dit : Il est
mort *parce qu'*il est décapité, cela veut dire *attendu
que*. De même si on dit : Il est mort parce qu'il ne
bouge plus, parce qu'il ne respire plus, parce que
son cœur a cessé de battre. Et encore : Il est mort
parce qu'il vivait au moyen âge. Les exemples
pourraient se multiplier, si la démonstration n'était
satisfaisante.

Pour finir avec le v. 47, il nous reste à expliquer

le verbe *dilexit,* ἠγάπησεν, *elle a aimé.* Le verbe
grec est à l'aoriste, et, à ce titre, désigne une action
passée. Mais on aurait tort de chercher cette action
dans un passé lointain, en supposant un amour
antérieur à la rémission des péchés, car le verbe
elle a aimé se réfère uniquement aux actes que la
pécheresse vient d'accomplir dans la salle du festin.
Le meilleur appui de cette interprétation, c'est que
le Sauveur se sert à plusieurs reprises de ce même
temps du verbe pour désigner ces actes d'amour :
« C'est avec ses larmes qu'elle m'a *arrosé* les pieds
(aoriste) ; c'est avec ses cheveux qu'elle me les a
essuyés (aoriste) ; c'est avec de l'huile parfumée
qu'elle m'a *oint* les pieds (aoriste). » Jésus résume
toutes ces marques d'amour d'un seul mot : *Elle a
aimé* (aoriste). Le mouvement naturel de la pensée
nous invitant à rapporter ce verbe à ces actes, il est
évident qu'il faut l'y rapporter.

III. — Application principale

L'amour, effet du pardon. — Nous sommes
désormais en mesure de saisir la portée de la parabole. L'histoire se résume en ce premier membre
d'une comparaison :

De même que les débiteurs insolvables à qui l'on
remet gracieusement leurs dettes, témoignent à
leurs créanciers une gratitude et une affection proportionnées à la somme remise, le débiteur le plus
endetté témoignant l'affection la plus vive, ainsi...

Nous avons là une vérité de sens commun. Quoi
qu'il en soit des exceptions, le principe demeure
incontestable : pour des cœurs bien nés, la reconnaissance et l'amour se proportionnent aux bienfaits
reçus.

Le second membre de la comparaison est postulé par le premier. Nous attendons une application du principe général et nous sommes tentés de poursuivre :

ainsi, parce qu'il lui a été pardonné exceptionnellement, cette femme témoigne au divin Maître une gratitude et un amour extraordinaires.

Pourquoi faut-il que le v. 47 vienne en apparence décevoir cette attente et troubler cette harmonie? On sait déjà que ce verset est susceptible d'une double interprétation. La Vulgate s'est prononcée pour le sens causal de la conjonction ὅτι. Elle porte : *Propter quod dico tibi : Remittuntur ei peccata multa, quoniam dilexit multum, c'est pourquoi je te le dis, des péchés lui sont remis en grand nombre, parce qu'elle a beaucoup aimé.*

C'est aussi le sens adopté par plusieurs Pères et un grand nombre de commentateurs catholiques.

Les Pères, il est vrai, ont envisagé ce passage moins en exégètes qu'en orateurs ou en théologiens. Ils profitaient parfois de l'excellente occasion qui leur était offerte dans ce verset de proclamer l'efficacité souveraine de la charité, qui efface tous les péchés et à laquelle rien ne résiste. L'avantage doctrinal de ce commentaire les rendait moins sensibles aux difficultés scripturaires d'une telle interprétation.

Les modernes, eux, ne se dissimulent pas ces difficultés. Mais ils cherchent à les expliquer en justifiant l'inversion inattendue que subit, dans leur interprétation, la pensée du Sauveur. La conduite de la pécheresse au festin de Simon, disent-ils en substance, proclamait assez haut qu'elle était pardonnée, convertie. Le divin Maître juge inutile d'attirer l'attention des convives sur une conclusion

si manifeste. Il préfère montrer la supériorité de la
femme sur les débiteurs de la parabole. A la différence de ces derniers, qui aiment parce qu'on leur
a remis leurs dettes, la pécheresse aime avant
d'être pardonnée, et c'est son amour qui est cause
de la rémission de ses fautes. Et certes, cette
apologie valait la peine que la parabole infléchît en
sa faveur la ligne austère de sa démonstration. Il
eût été sans profit de faire observer que l'amour
était chez cette femme le fruit de sa rénovation
morale. Mais il convenait grandement de faire
savoir au pharisien et à tous les convives que
cette transformation elle-même avait d'abord été
opérée par l'amour.

Disons-le avec tout le respect que comporte le
sujet, ces explications sont parfaitement plausibles
au point de vue théologique, mais, au point de vue
exégétique, elles nous paraissent extrêmement défec-
tueuses. Entendue en ce sens, la parabole est
manquée; elle porte à faux; l'application ne correspond pas.

Le tout se ramènerait dans ce cas aux deux termes
de la comparaison suivante :

De même que le débiteur le plus endetté témoigne
l'affection la plus vive,

ainsi l'amour exceptionnel de cette femme lui
obtient le plus large pardon.

Il ne faut pas craindre de le déclarer, cette application contredit les règles les plus assurées de
l'exégèse parabolique. On ne trouverait une faute
de ce genre ni dans le Nouveau Testament, ni dans
la littérature rabbinique, ni, je pense, dans aucune
littérature profane. Pour découvrir une inversion
analogue, avec un tel manque de correspondance,
il faudrait remonter à Ézéchiel, au symbole *des*

flèches que Nabuchodonosor mêle au carrefour
des chemins pour décider par le sort s'il portera
d'abord ses armes contre Jérusalem ou contre
Rabbath Ammon (xxi, 24 ss.). Mais nous avons
montré naguère[1] que l'interprétation courante de
ce symbole était inexacte et que le véritable sens
conservait à la vision toute sa beauté. L'anomalie
de notre parabole resterait donc singulière.

Et c'est déjà pour nous une raison suffisante de
ne pas admettre cette explication. Cette raison est
d'ailleurs appuyée par tous les indices du contexte,
qui vont à maintenir la pensée du divin Maître dans
sa ligne régulière, sans la moindre déviation.
L'exemple du débiteur qui, dans les versets précédents, témoigne une reconnaissance plus vive, parce
que le créancier lui a remis une dette considérable,
ne présage-t-il pas déjà que la pécheresse témoignera
elle aussi un amour plus fervent en proportion des
péchés qui lui auront été pardonnés ?

La deuxième partie du v. 47 vient à son tour
montrer que le Sauveur n'a pas perdu de vue l'objet
de sa démonstration : *Celui au contraire à qui l'on
pardonne peu, aime peu.* Que l'on remarque l'opposition, l'antithèse contenue dans ces mots : *Celui
au contraire...* (ᾧ δὲ ὀλίγον). L'antithèse exige grammaticalement que le premier membre de l'opposition
soit exprimé, exigence qui n'est pas satisfaite dans
l'interprétation ordinaire. Et je crains bien que
celle-ci, en définitive, ne soit contrainte de prêter
au divin paraboliste une faute de syntaxe, après lui
avoir attribué une faute de logique.

Dans l'explication proposée, le développement se
poursuit sans le moindre heurt : *a*) le débiteur le

1. *Les Symboles de l'Ancien Testament*, p. 254 ss.

plus endetté manifeste l'amour le plus reconnaissant ; *b*) cette femme aussi, attendu qu'une dette
énorme lui a été remise ; *c*) quant au débiteur moins
endetté, il est naturel que sa gratitude soit moins
vive.

Ramenons toute l'histoire aux deux termes de la
comparaison classique :

De même que les débiteurs insolvables à qui le
créancier remet gracieusement leurs dettes, lui
témoignent une gratitude et un amour proportionnés
à la somme remise, le débiteur plus endetté témoignant l'affection la plus vive,

ainsi, parce qu'il lui a été pardonné exceptionnellement, la pécheresse témoigne au divin Maître une
reconnaissance et un amour extraordinaires.

Nous ne pouvons passer sous silence l'objection
redoutable que le P. Lagrange a élevée naguère
contre cette interprétation. Il lui reproche d'être
en désaccord avec l'histoire, où la pécheresse nous
fait l'impression d'une pénitente qui vient implorer
son pardon, plutôt que d'une convertie qui vient
remercier pour le pardon obtenu. « Si la parabole,
dit-il, doit être appliquée strictement, il faut aussi
conclure que la pénitente a donné plus de signes
d'amour parce qu'on lui avait pardonné davantage
et qu'elle le savait. Or elle ne le savait pas, puisque
Jésus va le déclarer non seulement aux autres,
mais à elle-même » (231, 232).

Cette contradiction prétendue paraît à son tour
contestable. En réalité, il n'y a d'opposition avec la
situation historique que si l'on sépare des sentiments
unis et qui doivent le rester. La pécheresse est le
modèle des convertis ; son repentir est tout imprégné
de *contrition parfaite*, et l'on sait qu'une telle
contrition est aussi bien un acte d'amour et de

gratitude qu'un acte de regret. La femme s'était
présentée aux pieds de Jésus, et le Maître ne l'avait
pas repoussée. Puisqu'il la laissait faire, n'était-elle
pas déjà exaucée et pardonnée? Ne lisait-elle pas le
pardon dans son regard, dans son attitude, dans sa
divine tolérance, avant même que le mot d'absolution fût tombé de ses lèvres? C'est pourquoi ses
actes exprimaient déjà sa reconnaissance en même
temps qu'ils continuaient d'implorer la sentence
officielle du pardon. Il en va parfois de même,
toutes proportions gardées, au tribunal de la pénitence. Un pécheur qui a la contrition parfaite est
pardonné avant de recevoir l'absolution sacramen-
telle, laquelle ne sera pour lui que la proclamation
officielle et juridique du pardon anticipé. Si ce
pénitent a conscience de l'efficacité des actes qu'il
produit, on peut dire que son repentir est déjà
transfiguré par la gratitude et l'amour.

Le tableau historique (vv. 36-40) nous présentait
la conduite de la pécheresse surtout sous l'aspect
du repentir. La parabole (vv. 41-50) nous la montre
plutôt sous l'aspect de la reconnaissance. Les deux
points de vue ne se contredisent pas. Ce sont les
deux faces de la même réalité. La parabole prolonge
l'histoire et la complète.

Cette interprétation concorde donc parfaitement
avec la doctrine catholique sur la rémission des
péchés.

Ce serait une mauvaise plaisanterie et une
injustice d'essayer de la disqualifier aux yeux des
catholiques, comme on le fait parfois, en la traitant
d'opinion protestante.

La vérité est que la plupart des critiques protestants ou rationalistes la préfèrent à l'opinion rivale.
Quelques-uns d'entre eux ont pu jadis se laisser

guider en cela par la satisfaction de mettre en
échec certaines thèses catholiques sur la rémission
des péchés ou de mettre à l'abri certaines thèses
luthériennes sur la justification par la foi seule.
Mais qui oserait soutenir aujourd'hui que la
plupart des critiques protestants se laissent encore
mener par de telles préoccupations doctrinales ?
Nous croyons que leur adhésion ne s'inspire plus ici
que de raisons exégétiques, celles-là mêmes qui
ont motivé notre choix.

Voici, par exemple, la paraphrase de Jülicher :
« C'est pourquoi, je te déclare, puisqu'elle a témoigné tant d'amour, ses péchés, quelque graves qu'ils
aient été, ont dû lui être pardonnés » (1, 298). Celle
de Bruce est plus pénétrante : « Simon, que je te
dise la vérité sur le compte de cette pauvre femme.
Toute sa conduite montre que c'est une pénitente
que j'ai amenée à l'espérance de voir sa vie coupable
pardonnée. Cette vie, dans ton opinion, a été toute
remplie de péchés. Je vois qu'en cela tu ne t'es pas
trompé. Que ses péchés aient été nombreux, sa
conduite à mon égard l'atteste, car par tous ces actes
(énumérés dans les versets précédents) elle a
témoigné beaucoup d'amour ; et beaucoup d'amour
est le signe assuré d'un grand pardon, tout comme
peu d'amour... est le signe certain d'un léger
pardon » (247, 248).

Nous pourrions multiplier de pareilles citations.
Mais ce qu'il importe davantage de préciser, c'est
que, bien avant les protestants, la voie de cette
interprétation avait été largement ouverte par les
Pères de l'Église. Pour s'en convaincre, il suffit de
lire la brillante dissertation que Suarez a consacrée
à la justification de cette pécheresse (ix, 355-363).
L'abondante érudition du théologien espagnol cite

les témoignages de saint Augustin, de saint Ambroise, de saint Chrysostome, de saint Grégoire. Et l'érudition moderne est en mesure d'allonger encore cette liste. Reproduisons les textes les plus intéressants.

Saint Cyprien intitule le chapitre 116 de son troisième livre contre les Juifs : *Plus ab eo diligi Deum, cui baptismo plura peccata dimittuntur.* Et il allègue cette preuve : *In evangelio cata Lucam : Cui plus dimittitur, plus diligit ; et cui minus dimittitur, modicum diligit* (IV, 778, 779).

Saint Ambroise interprète franchement tout l'épisode dans le sens de la gratitude pour le pardon octroyé. « C'est pourquoi, conclut-il, rendons l'amour pour les dettes, la charité pour le bienfait, la reconnaissance pour le prix du sang ; car celui-là aime davantage à qui on a remis davantage, *reddamus ergo amorem pro debito, charitatem pro munere, gratiam pro sanguinis pretio ; plus enim diligit cui donatur amplius* » (XV, 1675).

Saint Grégoire, écrivant à la dame Gregoria pour calmer ses peines de conscience, lui cite le cas de la pécheresse et du pardon obtenu : « Que les péchés lui aient été pardonnés, dit-il, les faits suivants le prouvent aussi, *in hoc etiam monstratum est...* » (LXVII, 877). Et il montre cette pardonnée dans sa maison de Béthanie, au Calvaire, au saint Sépulcre. Tolet notait déjà, à cause du mot *etiam*, que, pour saint Grégoire, la reconnaissance de la pécheresse commençait dès le festin du pharisien.

Parmi les auteurs plus récents, nommons en faveur de la même opinion Albert de Lyre et les deux grands jésuites espagnols Tolet et Salmeron. Tolet a écrit : « Dès leur apparition, ces actes d'amour montrent qu'ils ont été précédés

d'une grande rémission des péchés. Le raisonnement va de l'effet à la cause. Grâce à cette interprétation, la parabole s'accommode parfaitement à
la réalité » (in h. l.).

Le P. Sáinz s'est naguère rallié avec résolution
au sentiment de ses illustres confrères. « Comme
cette opinion, dit-il, est la seule qui s'harmonise
avec la parabole, nous y adhérons sans hésiter, *no
dudamos adherirnos a ella* » (533).

C'est peut-être aussi le sentiment préféré des
PP. Valensin et Huby (143).

La société de pareils exégètes est de tout point
rassurante, et leur témoignage ajouterait, s'il en
était besoin, une précieuse confirmation à l'évidence
interne de la parabole.

IV. — Leçons secondaires

La parabole bien comprise, les leçons jaillissent
spontanément.

La pécheresse. — La première pensée du Sauveur
était sans contredit de défendre la pécheresse contre
la surprise scandalisée de Simon. Une courtisane
l'approcher, lui! lui infliger le contact prolongé de
ses lèvres, de sa chevelure, de son parfum! C'était
un scandale.

A ces insinuations malveillantes le Sauveur oppose
le démenti le plus formel. Cette femme n'est plus
une pécheresse; et sa conduite dans la salle du
festin, loin de s'inspirer de sentiments désavouables,
procède de la plus exquise et de la plus véhémente
charité.

D'abord, ce n'est plus une pécheresse. Simon
retarde. Il en est encore aujourd'hui à ses jugements
de la veille, comme si, entre hier et aujourd'hui, il

n'y avait pas la belle et franche coupure d'une
rénovation morale. Il croit avoir en sa présence la
courtisane, dont il est de bon ton que s'offusquent
les chastes pharisiens. Il ne comprend rien ou fait
semblant de ne rien comprendre à la merveilleuse
transformation qui est en train de s'opérer sous
ses yeux. Sous les mêmes apparences, l'âme a
changé, l'âme qui seule compte aux regards de
Dieu. Que dis-je ? L'extérieur lui-même m'est-il pas
profondément modifié ? Dès que l'âme s'éclaire,
elle rayonne ; l'attitude, le visage, le corps, l'être tout
entier devient lumineux. Si le pharisien n'avait pas
son siège fait, s'il n'englobait pas dans un dédain
immuable les personnes de cette espèce, il aurait
remarqué au seul aspect de la femme qu'il y avait
en elle quelque chose de changé. Mais un pharisien
s'intéresse-t-il aux mystères des âmes dégradées ?

Cette femme n'est plus pécheresse, comme le débiteur le plus endetté de la parabole n'est plus débiteur.
Elle avait contracté vis-à-vis de la justice divine des
dettes énormes. Comme elle était insolvable, le
Seigneur les lui a remises, gracieusement, par pure
bonté, pour manifester sa libéralité divine. A cette
heure, tous ces péchés sont pardonnés. Ils étaient
un fait ; ils ne sont plus qu'un souvenir. Encore
Dieu, quand il pardonne, fait-il profession de tout
oublier.

Sans essayer de déterminer ce qu'elle pense exactement de Jésus, si elle l'adore comme son Dieu, si
elle le tient pour le Messie, ou si elle le considère
seulement comme un prophète et un thaumaturge,
il est indubitable que ses sentiments sont marqués
de la plus haute piété, et que, par l'intermédiaire de
Jésus, elle entend faire remonter ses hommages
jusqu'à Dieu.

Et que lui offre-t-elle, à Jésus? D'abord ses larmes,
le sang de son âme, comme s'exprime magnifiquement saint Augustin, ensuite sa chevelure, qu'elle
humilie au plus vil des usages, les caresses de ses
baisers et l'arome de ses parfums. Autant d'ex-voto,
rappelant ce qu'elle fut et symbolisant ce qu'elle veut
être. C'était une débitrice, c'est une acquittée; c'était
une pénitente, c'est une pardonnée; c'était un objet
de mépris, c'est un vase d'amour.

Par là sont justifiées les extraordinaires effusions
dont les convives sont scandalisés. Il n'y a rien là
de suspect ou de déshonnête; tout y procède de la
source la plus pure. Le Sauveur rehausse encore ces
hommages en les comparant aux nobles devoirs de
l'hospitalité. Tous ces actes, dit-il à Simon, réparent
tes oublis. L'eau pour rafraîchir les pieds, je la
trouve dans ses larmes; le linge pour m'essuyer,
dans sa chevelure; le baiser de bienvenue, dans ses
caresses; le parfum de l'onction, dans le vase dont
elle vient de briser le col fragile. Et, pour qu'il ne
demeure aucune hésitation sur la nature de sentiments si délicats, Jésus prononce le mot qui les
résume et les inspire : l'amour. Ses nombreux
péchés lui sont pardonnés, puisqu'elle vient de me
donner de telles marques d'amour.

C'est l'amour profane qui avait perdu cette femme;
elle vient de se racheter par l'amour divin.

Simon n'avait plus rien à dire. Ou plutôt, s'il eût
été noble et loyal, il eût ajouté : Maître, j'estime que
vous avez bien parlé. On regrette que ce mot n'ait
pas été prononcé.

Le Sauveur. — Dans cette apologie, il est impossible que Jésus ne songe pas en même temps à sa
propre justification. On se souvient de l'observation
désobligeante du pharisien : *S'il était prophète,*

celui-là.... Simon contestait sa qualité de prophète.
Son jugement était téméraire; Jésus lui montre en
outre qu'il était faux. C'est le pharisien qui manquait de clairvoyance en se fiant à l'extérieur et en
appréciant à contresens les apparences elles-mêmes.
Et c'est Jésus qui était dans le vrai, et il était prophète vraiment, puisqu'il pénétrait le secret des âmes
et se montrait au courant des transformations
opérées par Dieu.

Mais quelle délicatesse de touche! Au fond, si la
remarque du pharisien atteignait à la fois le Sauveur
et la femme, c'est surtout à la femme que l'erreur
était préjudiciable, le Sauveur n'étant visé qu'à son
occasion et par contre-coup.

La réponse de Jésus gradue les faits de la même
manière. Il ne prend pas ouvertement sa propre
défense; il semble tout entier à l'apologie de la pécheresse. Pourtant il se disculpe excellemment et
rétablit sa réputation compromise.

Et tout cela est empreint d'une délicatesse virgi-
nale, d'un charme auquel on ne résiste pas. Le
tableau entier est pur comme la grâce sanctifiante,
vibrant et frais comme une âme de converti. Jésus
s'efface à plaisir. Nous sommes remués de l'intime
joie qu'il éprouve lui-même à produire en cette
pécheresse transfigurée les trophées de sa miséricorde et de son pardon. Tel le bon Pasteur ramenant au bercail la brebis égarée et conviant ses amis
pour leur montrer celle qu'il presse encore sur ses
épaules, docile et pardonnée. Il n'y a rien de plus
beau dans saint Luc, si ce n'est encore l'histoire
du jeune prodigue. A elles seules, ces trois paraboles
représentent l'évangile de l'amour, c'est-à-dire
l'évangile.

Le pharisien. — Le moment est venu de nous

demander si le débiteur de cinquante deniers n'est
pas la métaphore de Simon. Le P. Fonck semble le
croire (680), et généralement les exégètes qui appliquent au pharisien le trait final de la parabole :
*Celui au contraire à qui on pardonne peu, aime
peu.*

J'avoue qu'en entendant parler de ces deux débiteurs, et en supposant établi que le premier est la
métaphore de la pécheresse, on pense instinctive-
ment que le second aussi est la figure du pharisien.
A la réflexion, on s'aperçoit que cette application
n'est pas justifiée. Si elle l'était, il faudrait établir
que les péchés de Simon étaient par rapport à ceux
de la courtisane dans la proportion de 5o à 5oo, c'est-
à-dire de 1 à 10. Qui oserait le soutenir, après toutes
les invectives du Sauveur contre les pharisiens ?
Jésus n'a-t-il pas proclamé maintes fois qu'un franc
pécheur, un publicain par exemple, valait mieux
qu'un de ces justes hypocrites ? Il faudrait établir
également que Simon a eu lui aussi ses péchés pardonnés, comme le deuxième débiteur a eu remis
ses cinquante deniers. Qui osera le soutenir, d'après
les données de la parabole ? Nous ne voyons pas à
quel moment il aurait reçu l'absolution, attendu qu'à
aucun moment il n'a confessé ses fautes. Quant à
l'invitation à dîner, elle ne peut par elle-même s'interpréter comme un acte d'amour ou de reconnaissance. En somme, l'analogie se réduit à ceci : Simon
est certainement pécheur, comme l'autre est débiteur. Cela n'est pas suffisant pour une métaphore.

Toutefois, s'il n'était pas directement visé sous
les voiles de la parabole, Simon ne pouvait pas se
plaindre d'être négligé, car l'application de l'histoire
lui ménageait d'assez importantes leçons dont il
pouvait faire son profit. Nous ne reviendrons pas là-

dessus. Nous voulons signaler seulement une instruction d'une plus haute portée que lui offre Jésus
en finissant.

Simon s'était demandé si Jésus était vraiment
prophète. Jésus lui a prouvé surabondamment
qu'il l'est. Il est même plus que prophète. Car, se
tournant vers la convertie, il lui dit avec autorité :
Tes péchés te sont remis. Si le Rabbi a l'audace de
pardonner les péchés, c'est sans doute qu'il en a le
pouvoir. Mais alors, qui est-il donc ? Car il est inouï
qu'un homme, un prophète, un thaumaturge puisse
remettre les offenses faites à la majesté divine. Et ils
se disaient entre eux : *Qui est-il donc, celui-là, qui
va jusqu'à remettre les péchés?*

Nous serions heureux de savoir à quelles conclusions aboutirent les réflexions du pharisien. Elles
n'aboutirent à rien probablement, sinon à augmenter le trouble de son esprit et à grandir le mystérieux
prestige qui auréolait déjà la personne et la réputation de Jésus.

Pour s'élever à une conclusion plus ferme, il eût
fallu à Simon plus de sincérité et de simplicité.
L'orgueil de caste lui interdisait la pratique de ces
vertus.

La pécheresse, au contraire, se trouvait dans les
dispositions requises. Lorsqu'elle entra dans la salle
du festin, elle croyait déjà en lui et l'aimait de tout
son amour transfiguré. En sortant, elle tenait l'assurance officielle que Jésus l'aimait aussi de son amour
divin, car il lui avait dit : *Tes péchés te sont remis :
ta foi t'a sauvée, va en paix*. Elle avait vu et entendu :
elle pouvait rendre témoignage aux hommes de sa
génération et aux générations de tous les siècles.

Le pharisien et le publicain

(saint Luc, XVIII, 9-14).

⁹ Il dit la parabole suivante à l'adresse de certains qui avaient l'intime persuasion d'être des justes et qui méprisaient les autres.

¹⁰ Deux hommes montèrent au Temple pour prier : l'un était pharisien et l'autre publicain.

¹¹ Le pharisien, bien installé, priait de la sorte en son cœur : « O Dieu, je vous rends grâces de ce que je ne suis pas comme le reste des hommes, qui sont voleurs, injustes, adultères, et, en particulier, comme ce publicain.

¹² « Je jeûne deux fois la semaine, j'offre la dîme de tout ce que j'acquiers... »

¹³ Quant au publicain, se tenant à distance, il n'osait même pas lever les yeux au ciel, mais il se frappait la poitrine, disant : « O Dieu, ayez pitié de moi, pauvre pécheur... »

¹⁴ Je vous le dis, celui-ci descendit chez lui plus justifié que l'autre.

Car quiconque s'élève sera abaissé, et quiconque s'abaisse sera exalté.

I. — Tableau

On souhaiterait difficilement tableau plus sobre et plus réel. Ces deux hommes montant au Temple y font chacun leur prière et s'en retournent chez eux. Nous les voyons marcher, nous les entendons prier. Ce sont deux individus pris au hasard dans l'immense multitude des Israélites qui, au moment des deux sacrifices quotidiens, à la troisième et à la neuvième heure, ou encore à n'importe quel moment de la journée, montaient de l'Ophel, du Gareb ou de

Bézétha vers le lieu saint. Aujourd'hui encore, le
jour du sabbat, les Israélites pieux descendent à
diverses heures dans l'ancienne vallée du Tyropéon,
parmi les plantureuses haies de cactus épineux, et
là, au pied des gigantesques assises du Temple, réci-
tent des prières, se balancent et pleurent...

Le pharisien et le publicain appartenaient à cette
foule anonyme d'Israélites pieux. Notre-Seigneur les
a choisis aux deux points extrêmes de la société
juive.

Le premier est un de ces docteurs qui se croyaient
réellement justes, parce qu'ils avaient un vernis
extérieur de justice légale. Le second comptait parmi
le rebut du peuple. A titre de publicain, c'est-à-dire
de péager, douanier ou percepteur des impôts, il
avait la réputation, d'ailleurs méritée, d'usurier et
d'exacteur. Il faisait métier de manier la monnaie
exécrée de l'étranger aux images profanes. Et puis
se mettre au service du fisc, c'est-à-dire du procura-
teur romain, attendu que, à cette époque, la Judée
dépendait directement de Rome, n'était-ce pas faire
profession de servilisme à l'égard des pouvoirs
établis, en abdiquant la cause sainte de l'indépendance juive ?

Tel était le contraste suggéré à l'esprit des auditeurs par les premiers mots de la parabole : *deux
hommes, l'un pharisien, l'autre publicain;* le premier,
type de la sainteté officielle et légale; le second, type
du pécheur public, parfois associé dans la littérature
de l'époque aux femmes de mauvaise vie.

Les deux montent au Temple pour prier. Vont-ils
prendre part à la prière publique ou s'acquitter
d'une dévotion privée ? Il n'importe. La prière était
pour les pharisiens l'un des éléments officiels de la
sainteté; et elle favorisait trop l'ostentation, pour

n'être point assidûment pratiquée par ces zélotes de
la justice. Les publicains ne priaient pas pour se
faire voir; ils priaient cependant; car s'ils étaient
tenus à l'écart de la bonne société, ils n'étaient pas
excommuniés des assemblées religieuses ni de la
prière. D'ailleurs, le publicain de la parabole n'était
pas une âme banale; il montait au Temple mû par
un sentiment extraordinaire de componction. Pécheur, il l'était; mais il le reconnaissait; et, sans
faire étalage de pénitence publique, il allait demander
à Dieu le pardon de ses fautes.

Le contraste de ces deux caractères et de ces deux
vies s'accuse davantage dans la prière. Nous avons
là un diptyque d'une saisissante psychologie qui fait
littérairement honneur à qui sut choisir et ordonner
ces détails.

Le pharisien. — Le pharisien se met bien en évidence. Nous savons que ses pareils aimaient les premières places à la synagogue, sur l'estrade ou *bêmâh,*
au-dessus du peuple, et à se laisser surprendre dans
la rue par l'heure de la prière (Mt. vi, 12). Le verbe
dont se sert l'évangéliste en cet endroit fait tableau.
Le pharisien ne se tient pas seulement debout
comme on le dira tout à l'heure du publicain (ἑστώς,
13); il *se place*, il *s'installe*, il *s'étale* (σταθείς). Le
voilà dans la cour des Israélites, séparé de la foule,
debout, non loin de la balustrade qui donne sur la
cour des femmes, avec d'énormes phylactères au
front et aux poignets, les franges de son manteau
méticuleusement emmêlées et prodigieusement pendantes (Mt. xxiii, 5).

Écoutons-le maintenant, il prie. Mais quelle
prière singulière! Loin que sa prière soit une louange
à Dieu, ce n'est qu'une glorification de soi, une
longue pensée de vanité étalée devant le Seigneur

avec complaisance. *O Dieu, je vous rends grâces...*
Et de quoi? *De ce que je ne suis pas comme le reste
des hommes,* οἱ λοιποὶ τῶν ἀνθρώπων... L'humanité est
ainsi sommairement partagée en deux : lui, d'un
côté, tout seul, ou avec la catégorie de ses pareils;
de l'autre, le reste des hommes. Partage à la fois
énorme et candide. Calmet a trouvé les mots de la
situation. « Cet homme parle comme s'il se
croyait seul juste. Sa prière n'est point une vraie
action de grâces; c'est une ostentation pleine de
vanité. Au lieu de rapporter à Dieu la gloire de ce
qu'il est, il se vante et se préfère à tous les autres.
Il croit avoir la réalité de la vertu; il n'en a que
l'ombre... » (292).

*Je ne suis pas comme le reste des hommes qui
sont voleurs, injustes, adultères.* Le pharisien, par
ailleurs si fier de sa race, s'oublie jusqu'à calomnier
sa nation. Évidemment tous ses congénères ne
cumulaient pas ces vices dont il se plaît à les charger.
Mais en ce moment où sa propre personnalité occupe
tout le devant de sa conscience, il prend les choses
en gros, sans souci du détail, et il les projette sur
l'écran du fond. En gros, le monde, y compris le
monde juif, est pour ce juste pudique un ramassis
de brigands et de débauchés. L'orgueil a la justice
sommaire et ses verdicts sont sans appel.

En revanche, sa justice à lui brille d'un éclat
immaculé. Il n'a pas la moindre faute à se reprocher,
n'étant ni voleur, ni injuste, ni impudique : c'est
l'innocence faite homme. *O Dieu, je vous rends
grâces en particulier* (ἢ καί) *de n'être pas comme ce
publicain!* Il l'avait donc aperçu au fond opposé de
la cour, isolé dans quelque coin, amenuisé, les
épaules serrées, confessant par son attitude sa qualité
de pécheur. Tandis que lui... (292).

Après qu'il a victorieusement supporté la comparaison avec autrui, il rentre en lui-même pour s'y complaire et passer à la contemplation de ses vertus. Elles se résument en deux mots : les jeûnes et les dîmes. Non content de pratiquer le jeûne prescrit par la loi, au jour de *Kippur* ou expiation, ou par la tradition au 9 *âb* pour commémorer le sac du Temple par Nabuchodonosor, sa piété s'affiche en des abstinences de surérogation, car il jeûne deux fois la semaine. Quant aux dîmes, il paye non seulement celles qui sont d'obligation, mais encore celles qui ne le sont point.

Le pharisien ne se vante d'aucun acte de vertu intérieure, humilité, charité ou douceur. Ces pratiques ne rentraient pas dans sa morale, elles ne relevaient pas à ses yeux de la sainteté, celle-ci n'étant que du for extérieur. Était saint quiconque en avait les dehors : le reste ne comptait pas.

N'est-ce pas le plus beau portrait de pharisien que nous ayons ?

On pourrait se demander, à la lecture de ces traits, si le divin paraboliste n'a pas forcé le tableau, jusqu'à en faire une charge. Il n'en est rien. Ce type de pharisien dévot, scrupuleux observateur des jeûnes et des dîmes, n'était pas rare au temps de Notre-Seigneur; il formait des catégories, presque des confréries qu'on pourrait appeler les zélotes des observances. Il suffisait à Jésus d'ouvrir les yeux pour noter au hasard leurs originalités les plus singulières.

Un petit traité du jeûne, *m^egillath Ta'anith*, sorte de manuel du jeûneur, qui est précisément du premier siècle de notre ère, mentionne une catégorie de gens qui jeûnaient deux fois la semaine.

Nous sommes même renseignés sur l'incidence

de ces jeûnes hebdomadaires. Si le Juif accomplissait un jeûne isolé de dévotion, il le faisait au jour de son choix, à la condition que ce ne fût ni un sabbat ni un jour de fête. Lorsqu'on avait voué une série de jeûnes à répartir sur un certain espace de temps, on en pratiquait deux par semaine, le lundi et le jeudi, les jours de fête exceptés. Enfin, ceux qui avaient la coutume de jeûner toute l'année deux fois la semaine le faisaient également le lundi et le jeudi, toujours en dehors des fêtes.

Nous connaissons les raisons de la préférence israélite pour ces deux jours de la semaine. Les rabbins, qui rattachaient volontiers au passé toutes les institutions pieuses de leur temps, attribuaient à Moïse la désignation de ces jours. C'est un jeudi, disaient-ils, que Moïse était monté au Sinaï, et c'est un lundi qu'il était descendu quarante jours après. Cette raison était de nature à contenter la piété nationale; mais il va de soi qu'elle a été trouvée après coup.

Le vrai motif, d'après Strack et Billerbeck (II, 243), est d'ordre plus pratique : le jeûneur devait se trouver en pleine possession de ses forces le jour du sabbat pour célébrer le repos du Seigneur. De ce chef était exclu le vendredi ou *parascève*. Le dimanche l'était également comme étant trop rapproché du jour légal du repos. Par ailleurs, au cours de la semaine, il convenait que les deux jeûnes fussent espacés le plus possible. De la sorte ils se plaçaient naturellement le lundi et le jeudi.

Cette habitude des deux jeûnes hebdomadaires et aux jours dits était si répandue au premier siècle de notre ère, que la *Doctrine des Apôtres* (*Didachè*), désireuse de codifier les coutumes chrétiennes naissantes, spécifiait que les chrétiens jeûneraient égale-

ment deux fois la semaine pour ne pas faire moins
que les Juifs, et qu'ils jeûneraient le mercredi et le
vendredi, pour ne pas le faire les mêmes jours que
« les hypocrites » (viii).

Les jeûnes du pharisien de la parabole ne sont
donc pas une invention du divin Maître.

Ce qu'il note de la dîme ne l'est pas davantage.
La Loi ordonnait d'offrir la dîme des produits de la
terre et des produits du bétail. Tout Israélite s'y
montrait fidèle. Ceux qui sentaient le besoin de
renchérir par des offrandes de surérogation don-
naient la dîme des plus humbles revenus. Jésus
signale le zèle des pharisiens à offrir la dîme de la
menthe, de l'aneth et du cumin (Mt. xxiii, 23). Ces
spécifications *concrètes* signifient qu'ils offraient la
dîme de tout.

Un cas se posait à la conscience dévote. Était-ce
suffisant de donner la dîme de tout ce qui viendrait
sur ses terres ou dans sa maison? Et la dîme de ce
que l'on achetait, fallait-il la payer encore? Assurément l'on pouvait estimer que le vendeur l'aurait
déjà offerte. Mais s'il ne l'avait pas offerte? S'il avait
l'âme d'un païen? Si le précepte n'était pas accompli?
Pour ne pas s'exposer au danger de consommer une
denrée qui n'eût pas payé sa dîme, on aimait mieux
la payer deux fois. Au temps de Notre-Seigneur, il
existait une association de Juifs qui s'engageaient à
offrir la dîme des fruits qu'ils achèteraient.

Le pharisien de la parabole devait faire partie de
cette association.

Ainsi tous les traits du tableau évangélique sont
justifiés. Rien n'est inventé; tout est noté avec une
précision judicieuse. Je ne veux pas dire qu'il faille
écarter de ces paroles le demi-sourire qui dut les
accompagner. Volontiers on leur accorderait même

le bénéfice d'une savoureuse ironie. *Je jeûne deux
fois la semaine, j'offre la dîme de tout ce que j'acquiers...*

Une vertu si éclatante devait s'attirer la louange
universelle. « Tout est pour le mieux, écrit Loisy, si
Dieu est aussi content du pharisien que le pharisien
est content de lui-même » (II, 192).

Le publicain. — Le publicain, lui, se place au
hasard, dans un coin isolé, au fond de la cour, à
distance (μακρόθεν). Il ne s'y étale pas, il s'y tient
simplement (ἑστώς). Sans doute on aurait tort de se
le représenter à genoux, prosterné le front dans la
poussière. Le juif, comme le grec orthodoxe de nos
jours, ne priait jamais que debout. Mais toute son
attitude reflète les sentiments de componction qui
l'animent. Il n'ose pas même lever les yeux au ciel et
il se bat la poitrine. *O Dieu*, soupire-t-il, *ayez pitié
de moi, pauvre pécheur !* Quelques commentateurs
observent que, s'il n'osait pas lever les yeux, encore
moins devait-il oser lever les mains. C'est trop
raffiner sur les attitudes. La scène toute simple se
passe de cette subtilité. S'il n'avait pas les mains
occupées à se battre la poitrine, il devait les tenir
levées à la manière des *orants,* qui est aussi la
manière orientale. Il reconnaît ses fautes, les con-
fesse au Seigneur et lui en demande très humble-
ment pardon. Sa prière n'est pas, en effet, une louange d'amour-propre ; ce n'est pas non plus une
litanie de ses vertus : il pense d'abord à Dieu, ensuite
à soi-même à cause de Dieu.

Il ne tarda pas à en être récompensé. *Je vous le
dis,* poursuivit le divin Maître, *celui-ci redescendit
chez lui plus justifié que l'autre* (δεδικαιωμένος παρ'
ἐκεῖνον). Cette formule surprenante divise les commentateurs. Comme elle est capitale pour le sens de la

parabole, la traduction ou l'explication qu'on en
donne se ressent par avance de l'interprétation générale qu'on réserve à la parabole elle-même.

La formule grecque est en réalité le décalque d'une
expression sémitique. Pour rendre l'idée de *compa-
ratif*, les sémites se servent du *positif* et de la préposition *min*. Au lieu de dire *plus justifié que l'autre*,
ils diront : *justifié en comparaison de l'autre, justifié
plus que l'autre*. Le positif araméen dont le Sauveur
a dû se servir a été servilement traduit par le positif
grec (δεδικαιωμένος), et la préposition araméenne l'a
été par la préposition servilement correspondante
(παρά).

Au reste, la tournure appartient à la langue de la
koinè, et le même saint Luc n'a pas craint de l'employer une autre fois : « Pensez-vous, fait-il dire à
Jésus, que ces Galiléens (mis à mort par Pilate)
étaient de plus grands pécheurs que tous les autres
Galiléens : mot à mot, *étaient pécheurs plus* (παρά)
que tous les autres Galiléens? » (XIII, 2).

Cette tournure marque donc une comparaison,
que tous les exégètes de nos jours reconnaissent.
Mais où se manifeste l'explication personnelle, c'est
lorsque le P. Lagrange, qui me fait d'ailleurs
l'honneur de me contredire, écrit : « De même
que *prae*, παρά peut signifier non seulement *plus
que*, mais *plutôt que, de préférence à*. C'est nécessairement le sens ici, puisque la comparaison est
entre deux personnes, non entre deux justices.
Le publicain par sa prière est devenu agréable à
Dieu plutôt que le pharisien ; c'est-à-dire que la prétendue prière de ce dernier n'a pas avancé ses
affaires : tout ce qu'on peut dire c'est qu'il n'est pas
condamné... » (478). Ces explications portent une
gêne. On reconnaît qu'il y a comparaison, mais l'on

s'arrange pour que la comparaison soit affaiblie, atténuée. La comparaison serait, dit-on, entre *deux personnes* et non entre *deux justices,* mais le texte assure que la comparaison est entre *deux personnes justifiées,* dont l'une l'est plus que l'autre. Cette dernière observation nous semble capitale.

Avec la plupart des commentateurs, reconnaissons donc que la formule de la parabole affirme nettement une comparaison (Bruce, Jülicher, Loisy, Klostermann, Fonck). Il faudra sans doute se garder d'en exagérer la portée; mais il faudra également éviter d'en affaiblir le sens.

Est-ce à dire qu'il faille refuser au pharisien la justification qui est attribuée au publicain, comme s'il y avait : *Celui-ci descendit justifié, mais non pas l'autre?* C'était déjà la traduction de la version arabe. C'est celle de dom Calmet qui écrit : « Il descendit juste, et non pas le pharisien... Ce dernier sens est la vraie explication » (295).

Le P. Fonck est aussi d'avis que le pharisien ne possédait aucune justice : « La justification de l'un, écrit-il, doit plutôt s'entendre par rapport à la non-justification de l'autre. On rencontre souvent dans l'Ancien Testament cette manière sémitique de présenter les comparaisons, où le deuxième membre n'est mentionné que pour mieux accentuer le premier, sans qu'il possède aucunement lui-même la propriété qui est reconnue au premier » (449, 450).

Le P. Sáinz va plus loin. Il est bien près de penser que le cas du pharisien s'aggravait encore, car il reproduit, en l'approuvant, cette interprétation de Maldonat : « On ne dit pas que le pharisien ait été condamné... *Il est vraisemblable cependant qu'en réalité le publicain fut justifié et le pharisien condamné,* parce que, d'un côté, une si grande humilité ne pouvait manquer de mériter la justification, et de l'autre, *un si grand orgueil devait s'attirer la réprobation* » (585).

On pourrait, en effet, hésiter entre ces deux interprétations, si le texte sacré n'en suggérait une troisième. En disant que le publicain sortit *plus justifié* que le pharisien, la parabole atteste que le pharisien sortit avec sa justice aussi. Supposer qu'il n'avait aucune justice et, à plus forte raison, qu'il était condamné, c'est s'engager en des hypothèses qui ne reposent plus sur le texte. La formule évangélique n'est pas apte à signifier cela.

Que signifie-t-elle donc ? Tout simplement que l'effet a suivi de près l'humble prière du publicain. Il s'en revient justifié, plus justifié même que le juste pharisien. Ce n'est pas le lieu d'écrire la dissertation qu'exigerait la détermination détaillée des sens divers que comportent le mot grec *justifier* (δικαιῶ) et son correspondant hébreu. Cette dissertation a été écrite par le P. Lagrange (*R. B.* 1914, 321 ss. et 481 ss.). Il suffit à notre dessein de noter que le mot comporte, dans ce contexte, son acception la plus commune et la plus profonde, celle de *rendre juste, rendre saint.* Le publicain se trouve justifié, sanctifié par sa prière. C'est évidemment le Seigneur qui l'a justifié, lui à qui il s'était adressé dès le début de sa supplique : *O Dieu, soyez-moi propice, ayez pitié de moi !* Le Seigneur l'a entendu et exaucé.

Cette justification est évidemment tout intérieure ; elle ne change rien à la face des choses ; le publicain continue d'être, aux yeux de tous, ce qu'il était à son entrée au Temple, ce qu'il est par métier et définition : un pécheur public. Son âme seule ne répond plus à son état, et c'est dans l'âme que réside la vraie justice. celle que le divin Maître a toujours préconisée, par opposition à la sainteté tout extérieure, tout en surface, des pharisiens.

Quant au pharisien, ne s'en revint-il pas exaucé lui aussi, puisqu'il est dit que le publicain *fut plus justifié que lui* ?

A la rigueur, il ne serait pas étonnant que sa prière eût été entendue. Elle est orgueilleuse, naïve à force de vanité, mais sincère. Ce pharisien ne demande rien expressément, ni que Dieu lui pardonne, puisqu'il n'a rien à se reprocher, ni que sa justice soit augmentée, puisqu'il a conscience qu'elle n'est pas susceptible de l'être. Mais il suffit en soi que quelqu'un se présente devant le Seigneur, pour que celui-ci, touché de cet acte, lui accorde de nouveaux bienfaits. La meilleure des suppliques est parfois celle qui ne demande rien.

Tel ne fut pas assurément le cas du pharisien. Pour recevoir un accroissement de justice, il est nécessaire de plaire au Seigneur et de lui demander au moins implicitement. Or, non seulement le pharisien ne formule aucune demande, mais il exclut même, par le ton de sa conviction intérieure, toute requête. Comment le Seigneur lui accorderait-il ce dont il professe qu'il n'a nul besoin ? En quoi cette attitude pourrait-elle plaire à Dieu et l'incliner à de nouvelles largesses ?

Au fait, le texte sacré ne dit pas que le pharisien soit retourné plus justifié qu'il n'était venu, ni qu'il ait reçu le moindre accroissement de justice. Il dit seulement que le publicain se trouve, au sortir du Temple, plus justifié que le pharisien. Celui-ci avait donc une sainteté que le Sauveur reconnaît ? Oui, la prétendue sainteté légale, celle des observances externes, celle des jeûnes et des dîmes. Celle-là, Jésus ne l'a jamais contestée aux pharisiens;

mais il a toujours proclamé que, sans l'autre, sans la justice intérieure, celle-là n'était que mensonge et hypocrisie.

Il n'affirme pas autre chose en cet endroit. Le pharisien rapporta du Temple la sainteté rituelle qu'il y avait apportée ; le publicain en rapporta la sainteté spirituelle qu'il y avait acquise. Le Sauveur ajoute en manière d'observation que celle-ci est supérieure : *Je vous le dis, le publicain s'en revint chez lui plus justifié que le pharisien.*

Il est piquant de voir des exégètes non catholiques, tel que Bruce et Jülicher, protester que la grâce ou la justice comporte effectivement divers degrés. Jülicher fait même cette remarque qu'il en est, à ce point de vue, de la grâce comme du péché. Ces différents degrés autorisent et justifient la comparaison. C'est assez pour la leçon de la parabole.

Un théologien catholique a le droit d'aller plus loin, en appelant les choses par leur nom. Il dira donc que ces différents degrés constituent en réalité deux espèces différentes de justice, à savoir la justice légale et la justification intérieure.

Aussi bien n'est-ce pas le Sauveur lui-même qui a proclamé cette différence ? « Je vous le dis en vérité, si votre justice n'est pas supérieure à celle des scribes et des pharisiens, vous n'entrerez pas au royaume des cieux » (Mt. v, 20).

II. — La sentence finale

Humiliés et exaltés. — La parabole s'achève par une sentence qui semble destinée à en fixer la leçon dans les esprits : *Quiconque s'élève sera abaissé, et quiconque s'abaisse sera exalté.*

Un lecteur non averti poursuit la lecture de la

parabole jusqu'à la sentence finale inclusivement.
De même un commentateur qui s'abandonne à
l'attrait des apparences, inclut la sentence finale
dans l'essence de la parabole, s'il ne va pas jusqu'à
lui demander l'explication de tout le tableau.

Peut-être pressent-il la difficulté, mais une certaine dextérité dans le maniement des textes lui
permet d'en venir à bout. La difficulté ne résulte
pas du publicain qui, s'étant humilié, se trouve
effectivement exalté ; elle provient du pharisien qui,
s'étant exalté, ne se trouve ni humilié ni amoindri.
Tel il était venu au Temple, tel il en sort. Comment
prétendre qu'il ait été abaissé ?

Je l'écrivais moi-même naguère : « Le contexte
montre qu'il s'agit avant tout dans ce proverbe
d'une élévation et d'un abaissement relatifs, quoi
qu'il en soit, par ailleurs, du progrès ou du recul
absolu que chacun réalise. Le pharisien n'a pas
perdu à sa prière ; mais il n'y a rien gagné non
plus. Resté stationnaire, il perd tout d'un coup la
supériorité qu'il possédait sur le publicain, parce
que le publicain, lui, vient de recevoir une justice
plus haute et meilleure. Au moment où ils entraient
au Temple, le pharisien l'emportait sur le publicain,
parce que le premier possédait la justice et que le
second en était totalement dépourvu. Quand ils en
sortent, les rôles sont changés : le publicain est
plus juste que le pharisien. Ainsi peut-on être abaissé
sans descendre, si les autres montent. Ainsi encore
peut-on s'élever sans monter si les autres descendent » (*Jérusalem*, 1929, 559).

Aujourd'hui, à la lumière des autres paraboles,
cette exégèse me paraît trop subtile. Si le publicain
est monté, il reste que le pharisien n'est pas réellement descendu, ni dans l'estime des hommes, ni

dans celle de Dieu, seul juge des vrais sentiments
intérieurs. La parabole justifie la première moitié
de la sentence finale, mais non la seconde moitié.

Il est beaucoup plus simple de regarder la sentence finale comme un appendice, dont la présence
en cet endroit est certes bien justifiée par l'analogie
très sollicitante du sujet. Ce n'est point une partie
essentielle de la parabole ; elle ne contient pas non
plus l'explication de la parabole, laquelle ne cadre
pas avec la vérité énoncée dans le proverbe. La parabole doit être expliquée d'après ses propres données
et celles de son introduction.

La conclusion apparente ne doit intervenir que
l'explication faite ; même alors, elle restera à sa
place, en marge de la parabole. Le résultat immédiat sera la disparition de ce sentiment de gêne
qui provenait d'un élément adventice. Nous serons
libérés en même temps des subtilités qui nous
forçaient à dire que les pharisiens ont été abaissés
pour s'être exaltés.

III. — Application

En une parabole aussi lumineuse il ne devrait
pas subsister la moindre obscurité. Il en subsiste
néanmoins, puisque les exégètes, parvenus à ce
point de leur commentaire, se partagent sur la
nature de la leçon parabolique et prennent deux
voies opposées. Les uns pensent que Jésus a voulu
nous donner avant tout une leçon sur la prière ; les
autres avant tout une leçon sur l'humilité. Et si la
parabole contient une leçon d'humilité, encore faut-
il discerner à qui cette leçon s'adresse et quelle en
est la portée exacte. D'où une nouvelle subdivision
dans les opinions des commentateurs.

Autant de raisons qui postulent que la leçon ne soit pas dégagée au hasard, d'après les apparences, mais avec précaution et selon les règles de l'exégèse parabolique.

Leçons contestables. — On a l'impression que plusieurs commentateurs se sont tenus aux apparences et ont procédé presque au hasard. D'après le P. Fonck, la leçon porterait sur *l'efficacité de la prière humble.* Le Sauveur nous l'inculquerait « en nous représentant les effets de la prière humble auprès de Dieu, effets qui demeurent cachés aux yeux des hommes ; grâce à cette prière, le publicain a été *plus* justifié que le pharisien, lequel, dans la conscience de sa justice personnelle, ne pensait pas avoir besoin de la justification divine » (449).

Le P. Sáinz reproduit substantiellement la même exégèse. Pour lui aussi, la parabole est avant tout *une leçon sur la prière :* « On nous propose la prière de l'orgueilleux avec toutes ses vertus apparentes comme mauvaise et défectueuse, et celle du pécheur et de l'humble comme bonne et digne d'être exaucée » (585).

Reconnaissons que, dès l'abord, la leçon de la parabole paraît correctement exprimée. Pourtant, à la réflexion, on croit s'apercevoir que le but en est différent : ce n'est pas un enseignement sur l'efficacité de la prière humble ; *c'est une leçon d'humilité à l'adresse des pharisiens.* Pour s'en convaincre, il suffit de bien se pénétrer du contexte immédiat.

L'intention du Sauveur nous est spécifiée au v. 9 : *Il dit la parabole suivante à l'adresse de quelques-uns qui avaient l'intime persuasion d'être des justes et méprisaient les autres.*

Quelles sont ces personnes auxquelles la parabole est destinée ? Tout le contexte évangélique nous

autorise à les désigner par leur nom, ce sont les
pharisiens. Ce sont eux qui nourrissaient l'intime
conviction de leur justice individuelle, ce sont eux
qui, dans leur orgueil, en venaient à mépriser tout
ce qui n'était pas pharisien. Leur mépris allait en
première ligne au rebut d'Israël, à ces publicains,
asservis à la finance et à l'étranger.

S'il est exagéré de spécifier que Jésus s'adressait
à un groupe de ces pharisiens présents parmi ses
auditeurs, comme le voudraient quelques exégètes
modernes, il nous paraît certain que la parabole
était dite à leur adresse.

Il se rencontre en outre que cette petite introduction historique cadre parfaitement avec la direction normale de la parabole. Nous pouvons nous
en féliciter d'autant plus que ces sortes d'introduction n'ont pas coutume de nous prêter secours
d'aussi bonne grâce. Enregistrons le fait et hâtons-
nous, à la lumière de ce cadre historique, de fixer
le schème de la parabole :

Le fait qu'à leur retour du Temple, où ils avaient
prié, le premier avec jactance, le second avec humilité, le pharisien et le publicain, un juste légal et
un pécheur, se trouvèrent soudain vis-à-vis l'un de
l'autre en des proportions morales absolument ren-
versées, le publicain étant plus juste que le pharisien,
et par suite plus estimable,

ce fait est un *exemple* tendant à montrer aux pharisiens qu'ils ont grand tort de se glorifier de leur
justice et de mépriser les autres, fût-ce les publicains.

Ce rapprochement suffit à montrer que la parabole ne traite pas *ex professo* de l'efficacité de la
prière humble. Il y est sans doute question de prière
et de prière humble, mais la leçon dépasse la prière

pour aller droit à la justification. L'humilité de la
prière n'est que la condition ou l'occasion, à peine
une étape sur le chemin à parcourir.

La leçon parabolique traite de la justification et
compare deux de ses degrés ou deux de ses espèces.
Loisy écrit : « Un publicain repentant est plus près
de Dieu qu'un pharisien orgueilleux » (190); et le
P. Lagrange : « Dieu préfère un pécheur repentant
à celui qui se décerne un brevet de justice » (478).
Formules exactes, à la condition de les bien entendre. Elles cesseraient de l'être, si on les privait
de la lumière qui leur revient de l'introduction
historique du v. 9. La parabole regarde les pharisiens; elle contient à leur adresse une leçon d'humilité; non pas une leçon d'humilité en général,
mais une invitation formelle à ne pas se complaire
en leur justice et à ne pas mépriser les autres.

Leçon véritable. — La parfaite concordance de
la parabole avec son cadre historique nous est une
preuve qu'ils sont faits l'un pour l'autre. Nous avons
le droit de profiter des lumières dont elles s'éclairent
mutuellement. Nous en profitons, en effet, et nous
disons que la leçon parabolique porte sur deux
vérités étroitement reliées entre elles : 1º les pharisiens ont tort de se complaire en leur justice légale,
comme si elle constituait la justice véritable et
qu'il n'y eût rien au-dessus d'elle ; 2º ils ont tort
de mépriser les autres, fût-ce les publicains, qui
peuvent valoir mieux qu'eux-mêmes.

Quelques mots d'explication sont nécessaires.

1. *Les pharisiens ont tort de se complaire en
leur justice légale*. Jésus, nous l'avons déjà dit, n'a
jamais contesté aux pharisiens une telle justice. En
plusieurs rencontres il a reconnu qu'ils fréquen-
taient les synagogues, prolongeaient leurs prières,

multipliaient leurs jeûnes, offraient spontanément les dîmes, observaient scrupuleusement les règles des purifications et du sabbat. Dans la parabole actuelle, il est notoire qu'il ne conteste au pharisien en question aucune des vertus ou des pratiques dont il se glorifie. Jésus ne relève pas qu'il ait menti en se vantant de n'être ni voleur, ni injuste, ni impudique. Assurément il aurait eu bien des réserves à faire, si ce pharisien était le représentant de toute son espèce. Il reprochera bientôt à ses pareils de dévorer les maisons des veuves (Mt. xxiii, 14), ce qui constitue un vol et une injustice. Il leur reprochera d'être des sépulcres blanchis, remplis d'ossements et de toute sorte d'impureté (*ibid.* 27), ce qui ne se concilie pas avec leur chasteté prétendue. Pourtant aucun de ces griefs n'est ici retenu.

Ce qu'on leur conteste implicitement, c'est que ces vertus, à les supposer véritables, suffisent et qu'ils puissent s'en contenter. Elles ne suffisent pas, et, pour s'en contenter, il y faut un incroyable aveuglement, une déplorable perversion du sens moral. Ces vertus sont ou bien négatives, comme l'absence de vol ou d'impureté, ou purement extérieures, comme l'assiduité au jeûne ou à la dîme. Toute cette justice n'est que superficielle et hypocrite ou fardée. La sainteté véritable consiste, non dans l'attitude ou l'ostentation, mais dans un sentiment qui, jailli des profondeurs de l'être, règle par surcroît les gestes du corps et abîme l'homme dans le mépris de soi et l'adoration de Dieu. A ce compte, la justice intérieure l'emporte — et de combien ! — sur la justice légale.

Qu'on ne s'y trompe pas, la sainteté pharisaïque n'est pas une sainteté incomplète, à laquelle il suffirait d'ajouter quelque chose, par exemple les sentiments intérieurs, pour la rendre parfaite. Elle n'est pas incomplète; au fond elle est nulle, étant radicalement viciée par un orgueil vain et sot. Si le pharisien paye la dîme, c'est pour paraître dévot; s'il jeûne, c'est pour qu'on l'admire; s'il fait l'aumône, il sonne de la trompette, pour qu'on le sache. « Veillez, disait le divin Maître, veillez à ne pas faire vos œuvres de justice devant les hommes, pour être vus d'eux; autrement vous ne recevrez pas de récompense de votre Père qui est aux cieux. Je vous le dis, ces gens-là ont déjà reçu leur récompense » (Mt. VI, 1-2).

Dans leur dégradation, les publicains conservaient du moins le germe de l'humilité. Les pharisiens, au contraire, sont infestés d'orgueil, et le propre de l'orgueil est de vicier tout ce qu'il touche.

La sainteté pharisaïque est radicalement fausse. Dès qu'on gratte le crépi de la façade, l'édifice apparaît ruineux et chancelant. *Et il disait cette parabole à l'adresse de certains qui avaient l'intime persuasion d'être des justes...* La leçon était sévère, mais combien méritée !

2. *Les pharisiens n'ont le droit de mépriser personne, pas même le rebut d'Israël, pas même les publicains.* C'est à dessein que le Sauveur a choisi pour terme de comparaison un publicain. S'il avait pris un autre pharisien, honnête celui-là, voire humble, comme il aurait pu s'en rencontrer, comme on aurait pu du moins en imaginer pour les besoins de la cause, la leçon eût été inefficace. Un pharisien qui vaut peut-être un peu mieux qu'un autre pharisien, qu'y a-t-il d'étonnant à cela ?

Voici la surprise, sinon le paradoxe. Le pharisien est comparé non pas à un autre pharisien, mais à un publicain.

En laissant de côté la question théorique si un pécheur avéré vaut mieux qu'un saint hypocrite, il est sûr qu'en certains cas un publicain est préférable à un pharisien.

Et c'est lorsque l'un et l'autre se mettent en prière. Avant même que n'intervienne la sentence de Dieu, il suffit d'entendre la prière de l'un et de l'autre, la comparaison est décisive en faveur du publicain. Il n'est pas un homme de sens et de bon goût qui ne préfère l'attitude spirituelle du publicain repenti.

Dieu ne pense pas autrement que les hommes. Il exauce la prière du publicain, alors qu'il ne regarde même pas à celle du pharisien. A ses yeux, les dispositions qui conduisent à la sanctification sont déjà une justification anticipée. La sentence de justification ne saurait tarder : *Je vous le dis, celui-ci descendit chez lui plus justifié que l'autre.*

On a dit parfois — plusieurs Pères sont de cet avis — que cette parabole était une comparaison entre les juifs et les gentils, les premiers étant représentés par le pharisien et les seconds par le publicain.

Cette application est recevable à titre d'accommodation. Si on la donnait comme le sens littéral de la parabole, elle ne serait pas justifiée.

Il n'y a rien dans ces tableaux qui rappelle les gentils; pharisiens et publicains sont deux catégories bien tranchées d'Israélites. Nous savons parfaitement par le contexte que le Sauveur entendait, en ce moment, faire la leçon non pas à tout le peuple juif, mais aux seuls pharisiens. Pour cela, il n'avait pas à aller prendre ses exemples chez les *nations;* les pécheurs d'Israël lui fournissaient matière excellente à démonstration.

Néanmoins la leçon de la parabole s'applique à tous les temps et à tous les hommes. Il y a malheu-

reusement des pharisiens ailleurs que chez les juifs,
et combien de publicains, hélas ! Aux premiers le
divin Maître fait savoir qu'ils n'ont que trop de
motifs de se mépriser eux-mêmes, et il les avertit
qu'ils n'ont aucune bonne raison de mépriser les
autres, fût-ce les derniers de la société. Car même
là le Seigneur a ses élus.

Aux publicains, aux pécheurs de toujours et de
partout, il montre la voie du relèvement moral.
Ici-bas il n'est pas de péché dont on ne puisse
obtenir miséricorde ; les fautes ne sont jamais ni trop
considérables ni trop nombreuses. Dieu ne frappe
personne d'ostracisme perpétuel. L'excommuni-
cation, la damnation éternelle ne sont pas de ce
monde. Il ne lui en coûte pas plus de remettre des
péchés énormes que de légères offenses. Il suffit
qu'on se frappe la poitrine, qu'on dise d'un cœur
sincère : *Seigneur, ayez pitié de moi, pauvre pécheur*,
pour qu'aussitôt l'on s'en revienne absous et justifié.

Parmi les paraboles de la miséricorde divine et de
la misère humaine, celle-ci est l'une des plus con-
solantes pour les pauvres pécheurs.

Il va sans dire que ce procédé sommaire de pénitence, qui était l'unique confession de l'Ancien
Testament, ne préjuge pas la procédure plus circonstanciée imposée par le divin Maître lui-même
dans le sacrement de pénitence. Mais, même dans
la nouvelle Loi, c'est un fait avéré qu'un seul acte
de contrition parfaite, joint au désir explicite ou
implicite de la confession, justifie le pécheur coupable, avant même qu'il ait accusé ses fautes et
qu'il en ait reçu l'absolution.

Tellement efficace est la vertu d'humilité qu'elle
attire instantanément la grâce de Dieu dans une
âme.

Le festin de noce :

Les invités discourtois et les invités homicides

(saint Matthieu, xxii, 1-10).

[1] Et Jésus, reprenant son discours, leur parla de nouveau en paraboles. [2] Le royaume des cieux est semblable à un roi qui célébrait les noces de son fils. [3] Il envoya ses serviteurs convier aux noces les invités, mais ils ne voulurent pas venir. [4] De nouveau il dépêcha d'autres serviteurs avec ce message : Dites aux invités : Voici que j'ai préparé mon festin ; mes bœufs et mes animaux gras sont tués, tout est prêt, venez aux noces. [5] Mais eux, n'en tenant aucun compte, s'en allèrent qui à son champ, qui à son négoce. [6] *Pour les autres, ils se saisirent des serviteurs, les outragèrent et les mirent à mort.* [7] *Le roi fut irrité ; ayant expédié ses armées, il fit périr ces meurtriers et brûla leur ville.* [8] Alors il dit à ses serviteurs : Le festin est prêt, mais les invités n'en étaient pas dignes. [9] Allez donc aux carrefours, et tous ceux que vous rencontrerez, invitez-les aux noces. [10] Les serviteurs sortirent sur les chemins et ils rassemblèrent tous ceux qu'ils trouvèrent, les mauvais comme les bons, et la salle des noces fut remplie de convives.

La première question qui se pose et que les exégètes ont coutume d'aborder, c'est de savoir si *le festin de noce* raconté par saint Matthieu est la même parabole que *le festin* raconté par saint Luc. Mais n'est-il pas préférable de renvoyer à la fin du commentaire un problème dont nous sommes censés ignorer encore les données essentielles ? Mieux vaut donc expliquer séparément chacune des deux paraboles, en réservant pour la fin la question de leur identité.

I. Les invités discourtois. — Tableau

Le festin de noce fait suite en saint Matthieu
aux vignerons homicides. Encore que la liaison
littéraire soit nulle entre les deux récits (xxi, 45, 46),
ils se rapprochent néanmoins par l'analogie des
sujets.

*Le royaume des cieux est semblable à un roi qui
célébrait les noces de son fils. Est semblable :* l'aoriste grec ὡμοιώθη a, comme dans *l'ivraie*, le sens
gnomique du présent. *Semblable à un roi,* mot
à mot *un homme roi;* la littérature rabbinique qui
affectionne cette expression, lui donne comme variante *un roi de chair et de sang*, c'est-à-dire un roi
qui est bien un homme, et non un esprit ou une
imagination. Cet homme est un roi, et non un simple particulier ; il célèbre les noces de son fils, et
non une réjouissance quelconque. Le mot grec γάμος
désigne aussi bien les noces que le repas de noce.
Nous aimons mieux retenir le sens le plus général,
en constatant que l'acte principal de la solennité va
être précisément le festin à quoi les invités sont
conviés. Notons dès à présent l'élévation du style
et l'emphase du sujet qui, en rehaussant les bienfaits du roi, aggraveront l'incongruité des convives.

Les premiers invités. — *Il envoya ses serviteurs.*
Comme il convient à un roi, les serviteurs sont un
certain nombre. Leur maître les dépêche à ses invités, sans doute des personnages de marque, les
grands seuls étant d'habitude conviés à la table des
rois. Il ne semble pas qu'il y ait eu d'invitation
antérieure. Chose à peine croyable, malgré l'honneur qui leur revenait de cette attention royale, les
invités *ne voulurent pas venir.* Sans dire pourquoi,

ils déclinent l'invitation. Cette insigne mauvaise
volonté est à l'adresse du roi une injure inqualifiable.

Le roi cependant ne semble point prendre garde
à l'offense. *De nouveau il dépêcha d'autres serviteurs*,
et cette fois avec un message des plus pressants :
Dites aux invités : Voici que j'ai préparé mon festin,
τὸ ἄριστον, *prandium*. Le mot, dans le grec classique,
signifiait le repas de midi, par opposition au repas
principal qui se prenait le soir, δεῖπνον, *cœna*. Saint
Luc les oppose xiv, 12 : *Lorsque vous donnez un
déjeuner ou un dîner*, *prandium aut cœnam*, ἄριστον
ἢ δεῖπνον. Quelques auteurs, voulant conserver au
terme grec le sens originel, imaginent que les invités
sont conviés à une sorte de petit déjeuner préliminaire, un *Vorfeier*, dit le P. Fonck. Mais le
contexte ne donne-t-il pas l'impression d'un repas
principal et d'un repas unique ? Saint Grégoire le
Grand était d'avis que la terminologie de l'époque
admettait une certaine élasticité ou confusion des
vocables (76). C'est encore l'impression qui se
dégage des textes rabbiniques recueillis par Strack
et Billerbeck (II, 204-206) : on y voit que le
déjeuner ou ἄριστον était connu des rabbins sous la
transcription grecque *ariston*, et qu'il désignait
parfois le repas principal des solennités.

Ce roi a préparé de royales victuailles : des bœufs
entiers, et sans doute toute sorte de volailles grasses
et tendres. *Tout est prêt, venez donc aux noces*. Les
viandes sont cuites à point, le moment est venu
de se mettre à table. Un repas de ce genre ne s'accommode pas de délais considérables. Qui jamais
imaginerait de le remettre du matin au soir, à plus
forte raison du soir au lendemain ?

Nous ne sommes pas au bout des surprises, aucun
des convives ne défère à l'invitation du roi. Ils

négligent, dit le texte, ils n'en font pas cas, ils n'en
tiennent aucun compte; au lieu de se rendre au
banquet, ils s'en vont qui à son champ, qui à son
négoce. L'invitation a lieu vraisemblablement aux
premières heures de la matinée, alors que chacun
est encore libre de prévoir l'emploi de sa journée.
Et voici comment en disposent ces personnages :
en connaissance de cause, le sachant et le voulant,
ils s'en vont l'un à ses terres, l'autre à son comptoir.
Ces deux exemples ne prétendent qu'à nous donner
un échantillon des occupations vulgaires que les
invités du roi préfèrent à l'honneur de s'asseoir à
sa table. On pourrait trouver étrange que des personnes de rang s'en aillent aux champs ou au magasin,
comme de petites gens qui ont besoin de travailler
pour gagner leur vie. Mais la parabole n'insiste
pas sur le rang social des invités, et il n'est pas
dit qu'ils vont travailler de leurs mains la terre ou
s'asseoir en personne à un comptoir. Que s'il reste
quelque anomalie, la meilleure explication sera
l'intention apologétique du récit qui veut marquer
l'injure faite au roi par la préférence accordée à des
occupations serviles.

Il y a pis. *Les autres invités se saisirent des serviteurs, les outragèrent et les mirent à mort*. Par
quelle aberration les invités se sont-ils livrés à ces
voies de fait et à ces homicides ? Qui insulte l'am-
bassadeur, insulte le roi. David vengea par une
expédition militaire l'outrage fait à ses envoyés,
lorsque Hanon, roi d'Ammon, leur eut ignomi-
nieusement taillé les habits et rasé la barbe. Il y a
cent ans, un coup d'éventail donné à l'ambassa-
deur du roi de France fut l'occasion de la conquête
de l'Algérie. *Le roi fut irrité; ayant expédié ses
armées, il fit périr ces meurtriers et brûla leur ville.*

Les *meurtriers* semblent être maintenant la collectivité des convives, qualifiés en bloc du titre qui convenait spécifiquement à quelques-uns d'entre eux. Ils sont punis de la peine de mort et par l'incendie de la ville. La colère du roi comporte encore une autre vengeance. Ces insolents convives qui ont si grossièrement refusé l'offre gracieuse du monarque, sont définitivement exclus du festin, et on leur substitue des convives de bas étage, qui eux s'empressent d'accourir et de banqueter joyeusement.

Les remplaçants. — *Alors il dit à ses serviteurs : Le festin est prêt, mais les invités n'en étaient pas dignes. Allez donc aux carrefours, et tous ceux que vous rencontrerez, invitez-les aux noces.* On n'est pas d'accord sur le sens à donner au mot que nous traduisons par *carrefours*, διεξόδους τῶν ὁδῶν. Faut-il y voir les carrefours de la ville, dans la cité même, ou les issues des voies principales, hors de la ville, dans la campagne ? L'état actuel de la linguistique ne permet pas de le décider. Tenons-nous en donc aux données de l'exégèse. Saint Matthieu ne précise pas que ces lieux où les convives doivent être racolés sont situés hors de la ville. Il l'aurait dit certainement s'il avait attaché à cette circonstance un intérêt particulier, un intérêt allégorique. L'esprit du commandement donné aux serviteurs, c'est qu'ils se rendent où ils sont certains de trouver des convives à volonté, donc à la croisée des chemins, aux carrefours. Les carrefours, soit dans la cité, soit dans la banlieue, sont certainement le lieu le plus propice à la petite opération d'un genre spécial qui doit s'y pratiquer.

Saint Matthieu insiste sur un autre aspect du recrutement. Si les premiers convives étaient sélectionnés, désignés nommément, sans doute d'après

une liste soigneusement dressée au préalable, visités
individuellement par les envoyés du roi, et cela à
deux reprises, la deuxième catégorie est constituée en
bloc et au hasard. *Tous ceux que vous rencontrerez*,
ὅσους ἐὰν εὕρητε. C'est le procédé du coup de filet qui
amène toute sorte de poissons, les mauvais comme
les bons. L'antithèse ne saurait être mieux marquée.
Aux invités de marque s'opposent les convives de
hasard; au lieu de personnages, on aura le peuple,
n'importe qui. C'est l'idée qui doit être retenue. Il
ne vient pas à l'esprit que l'un ou l'autre des premiers invités puissent être englobés dans la rafle
des convives improvisés. Dans l'esprit de la parabole,
ceux-ci sont indubitablement autres, et ils sont
n'importe qui, du menu peuple, des passants ordinaires. Saint Matthieu s'arrête à ce niveau qui établit
une différence sociale suffisante avec les invités
royaux. Saint Luc qui ne prend pas si haut ses premiers convives, l'hôte n'étant qu'un particulier et
non plus un roi, descendra aussi plus bas, au dernier
rang de la société, pour y ramasser de quoi remplir
la salle de festin, les pauvres, les estropiés, les aveugles, les boiteux...

Effectivement, *les serviteurs sortirent sur les chemins et ils rassemblèrent tous ceux qu'ils trouvèrent,
les mauvais comme les bons, et la salle des noces fut
remplie de convives.* Le trait capital, c'est ce mélange
forcé. *Tous ceux qu'ils trouvèrent.* Les serviteurs
avaient ordre de ne pas se montrer difficiles. Aucun
choix, pas le moindre discernement. Tous ceux qui
passent et se présentent. Sur le nombre, il va sans
dire qu'il y avait une certaine proportion de *mauvais*, saint Matthieu le note expressément. C'est le
mélange du nombre et de la qualité. Par *mauvais*, il
faut sans doute entendre le manque de dispositions

morales. Gens qui n'auraient eu aucun titre à être
conviés au festin royal. Cette invitation imprévue
ou cette aubaine n'aura pas soudain changé leurs
dispositions pour en faire des êtres bons, de
méchants qu'ils étaient. L'esprit de la parabole est
plutôt qu'ils entrent comme ils sont. Ainsi sera
mieux accusé le mélange, et plus fortement accentuée la leçon. Les premiers convives, en raison
même de leur rang social, devaient appartenir officiellement à la catégorie des bons, tels les pharisiens,
justes et saints par profession. Eh bien, ils seront
remplacés par les gens du peuple, pris indistinctement, parmi lesquels on ne se cache pas de faire
figurer *des mauvais et des indignes*. Les choses
étant dites avec cette clarté, les auditeurs de la parabole sauront du moins à quoi s'en tenir.

II. — Application

Anomalies du récit parabolique. — Avant de consul-
ter les savants commentaires, le lecteur de la parabole peut, à première lecture, deviner les principales
objections qui vont être accumulées contre ce récit,
sous prétexte que le naturel n'est pas gardé et que
sont violemment heurtées les vraisemblances. Tous
les exégètes ont plus ou moins signalé ces difficultés.
Dans la foule se distinguent une fois de plus Jülicher et Loisy, qu'on peut appeler les spécialistes de
cette catégorie d'objections. Jülicher procède par
analyses. Il dira par exemple, parlant du refus des
premiers convives : « Un tel conflit d'intérêts, dans
des circonstances pareilles, est l'invraisemblance
même, *die Unwahrscheinlichkeit selber,* s'il s'agit
d'un hôte ordinaire qui traite avec ses amis et ses
voisins. Comme si la majeure part des convives

n'avaient pas toujours intérêt à prendre part au banquet ! » (II, 413). Loisy procède par tableaux et synthèses. Et certes il a le jeu facile; jamais parabole ne lui avait fourni si belle matière à ironie. L'envoi réitéré des serviteurs aux mêmes invités, c'est une « condescendance exagérée de la part du roi ». Si les serviteurs sont mal reçus, « ce n'est pas ainsi que sont accueillies ordinairement les invitations royales ». Mais voici le tableau de genre, à l'occasion de la vengeance du roi. « Le roi se fâche et il envoie ses armées qui font périr les meurtriers et qui brûlent leur ville. Le roi lui-même n'habitait-il donc pas cette cité, où devait avoir lieu le festin ? Et que devient le repas, durant cette exécution qui n'a pu se faire en un clin d'œil ? Comme si de rien n'était, le roi dit placidement à ses serviteurs que le festin est prêt, et que les invités n'en étaient pas dignes : qu'on aille dans les carrefours chercher les premiers venus. Mais dans quels carrefours, puisque la ville n'existe plus ? Et le roi a-t-il toujours autant de serviteurs, bien qu'on les lui ait tués ? Ces contradictions et ces impossibilités qui rendent la parabole inintelligible, *qui l'auraient faite ridicule, si elle avait pu être contée de la sorte,* n'existent pas pour l'évangéliste qui allégorise la donnée primitive et ne voit que son allégorie... » (II, 324, 325).

L'ironie mise à part, l'objection reste : « Telle qu'elle est, l'allégorie est invraisemblable jusqu'au ridicule. Pour épargner ce ridicule à Jésus, mieux vaut en réserver le bénéfice à saint Matthieu, en retenant que cette ridicule allégorie n'a pu être prononcée par Jésus, et donc n'est pas authentique... »

Explication de ces anomalies. — Les commentateurs piqués au jeu par cette exégèse cavalière, ont réagi. Ils répondent : Pourquoi s'offusquer d'une allégorie? Car nous sommes évidemment en allégorie.

Le P. Durand : « Nous avons dans ce qui suit (6-7)
des traits manifestement allégoriques, ne devenant
vraisemblables que dans l'application qu'on en fait
à l'histoire des Juifs : des gens qui tuent ceux qui
viennent les inviter à dîner, un roi qui envoie ses
armées contre des invités discourtois, et pour
détruire leur ville dans laquelle il est censé habiter
lui-même, puisque l'invitation de la dernière heure
ne peut s'adresser qu'à de proches voisins... » (355).

Le P. Lagrange : « Assurément ce n'est point
l'usage de répondre à une invitation à dîner par
l'insulte et le meurtre, comme ce n'est pas l'usage
de payer le fermage en tuant l'héritier. Ces traits
peu vraisemblables ne font que mieux ressortir dans
l'allégorie l'ingratitude des invités... » (421). « Autre
trait qui serait étrange dans une parabole démons-
trative. Les invités rebelles sont censés habiter
la même ville, assez éloignée de la capitale du
royaume. Ce trait n'est là que pour sa portée allégorique. Les Pères y ont vu une allusion à la ruine
de Jérusalem, brûlée par les armées de Vespasien... » (422).

Mais si la ville brûlée est Jérusalem, c'est bien la
capitale, et non une ville assez éloignée ! Si c'est la
capitale, n'est-ce pas aussi la résidence du roi, et
n'est-ce pas sa propre ville qu'il incendie par ses
armées ? Nous sommes donc contraints de chercher
la solution ailleurs. Prévenons dès ce moment que
nous tenons en réserve pour la fin de la présente
explication ce que nous croyons être la solution
véritable. En attendant, on nous reprocherait de
taire l'explication allégorique qui passe pour la
meilleure de celles qui ont été proposées jusqu'à ce
jour. La voici dans ses grandes lignes.

Rappelons que Jésus fait à cette heure, délibérément, systématiquement, de l'allégorie. Les pharisiens, ses auditeurs, le savent, ils y consentent ou s'y résignent. Avec un tel rabbi, en de telles conjonctures, ils seraient surpris de ne recevoir que des enseignements terre à terre, de moralité vulgaire. Ils s'attendent à ce que le sens des mots dépasse l'apparence de la lettre; ils sont dans l'expectative des réalités allégoriques.

Dans cet état d'esprit, ce serait un contresens de circonscrire le naturel de l'allégorie dans la commune réalité des choses. Les critiques l'oublient quelquefois. Au fond, ce qui hante leur imagination, c'est l'exigence que la parabole et l'allégorie elle-même reproduisent fidèlement le visage de la réalité, telle qu'ils la voient de leurs yeux. Il faut le répéter, c'est un contresens, non pas individuel, mais générique, un contresens qui porte atteinte à tout un genre littéraire. On dirait que l'effort principal de Jülicher et surtout de Loisy consiste à relever les singularités, les anomalies, les invraisemblances prétendues de nos divines paraboles, pour avoir la satisfaction de conclure à la non-authenticité. Est invraisemblable, anormal, c'est-à-dire inauthentique, tout ce qui sort du cadre familier de la nature.

Mais c'est l'étroitesse de ce canon littéraire qui est insupportable. Il s'agit bien de nature, quand on fait de l'allégorie! Revendiquons une fois de plus la juste liberté du paraboliste qui arrange les données des faits selon les besoins de son enseignement supérieur. Si les auditeurs suivent ou du moins entrevoient les lignes générales de cet enseignement supérieur, l'idée ne leur viendra même pas de protester contre l'entorse infligée à la nature. Cette anomalie prétendue ne sera même pas aperçue. Ils

seront les premiers à la découvrir, ces exégètes qui,
forts de leurs mesures et de leurs balances artificielles, se mettent à jauger la nature et à peser l'allégorie. Venons aux faits.

Le nom de roi est-il prononcé, les critiques pensent à un roi de chair et de sang qui sera autorisé à
accomplir des choses proportionnées à sa dignité,
suivant un protocole officiel. Ils lui assignent une
capitale et diverses cités d'importance ; ils cherchent
en laquelle de ces villes se tiendra le banquet de
noce ; et si c'est la capitale qui brûle ou seulement
l'une des métropoles ; et ce que devient le banquet
au milieu de tous ces incendies et de ces perturba-
tions sociales. L'enchevêtrement atteint bientôt ce
degré, qu'on ne se retrouve plus dans cet imbroglio
géographique. Une bonne volonté ordinaire capi-
tulerait. Que sera-ce si la bonne volonté n'est pas
entière !

Le tort de ces exégètes est de ramener l'allégorie
aux normes de la nature. Renonçons une bonne
fois à cette entreprise déraisonnable ; dès lors nous
arrivons aux résultats suivants.

Le roi, c'est Dieu ; le fils, son Fils à lui, le Messie ;
les noces ou le festin nuptial, le royaume des cieux,
dont l'allégresse est dépeinte en traits paraboliques
et d'une manière globale par la préparation des
viandes, que l'on dit achevée. La chambre nuptiale
est le lieu où se donne le banquet. Au ciel ou sur
terre, il n'importe ; l'endroit n'est pas précisé, car
l'imprécision est dans la nature de la chose. Si le
banquet fait abstraction de la capitale et des métropoles, il ne suit pas les vicissitudes des cités incen-
diées. Après le sac de la capitale, il se tient comme
s'il ne se fût passé rien d'extraordinaire. Les critiques
se donnent trop beau jeu avec leurs précisions arbi-

traires : mais le divin narrateur ne saurait être rendu
responsable des invraisemblances qui résultent de
ces fausses constructions de lieu. Le roi n'éprouve
pas la moindre difficulté à différer le banquet de
quelques heures, au besoin de quelques jours, car
ce n'est pas un festin ordinaire où se mangent les
viandes immolées de la veille ou de l'avant-veille ;
c'est le banquet messianique où ne se mangent que
des mets spirituels et où ne se boivent que les
coupes du royaume. Si les invités étaient accourus
au premier appel, ils se seraient mis à table incon-
tinent, car le festin était prêt. S'ils refusent de
venir, l'organisation du repas n'en est pas le moins
du monde troublée. Écartons résolument toute
comparaison avec le désordre qui résulterait pour
un banquet ordinaire d'un semblable retard. S'ils se
présentaient au deuxième appel, ils pourraient
encore se mettre à table. Sinon, le festin s'accommode aisément d'un nouveau délai. Il peut attendre
que les meurtriers soient châtiés et leur ville
détruite ; il peut attendre que soient assemblés les
nouveaux convives des carrefours. Il n'est jamais
trop tard pour se mettre à la table du royaume.
C'est dire qu'il faut prendre au pied de la lettre le
petit adverbe de temps qui a si fort intrigué les
exégètes de toute école : *Il fit périr les meurtriers et
brûla leur ville. Alors il dit aux serviteurs... Alors*,
c'est-à-dire après avoir incendié la ville et châtié les
rebelles ; non pas avant, ni pendant *; après*.

Et la ville brûlée, le banquet se donne toujours
en son lieu, où il doit se donner, lieu céleste ou
irréel, qui n'est ni la capitale ni l'une des métropoles.

D'ailleurs, pour quelles raisons distinguerait-on
la capitale de la cité incendiée ? Si l'on distingue de
la capitale la cité des convives, c'est afin d'abandonner

aux flammes leur bonne ville en toute tranquillité de
conscience, puisque reste intacte la capitale où doit
se donner le banquet. Mais la parabole n'appuie
en rien ces distinctions. Il n'est question que d'une
ville, celle des convives, laquelle est brûlée. Puisque
les convives sont des personnages de marque, il va
de soi qu'ils sont citoyens de la capitale. C'est donc
la capitale qui sera incendiée. Mais la destruction de
la ville n'apportera pas le moindre obstacle à la
tenue du festin allégorique.

Au préalable, les invités, qui sont les notables de
Jérusalem, ont décliné les invitations divines qui
leur avaient été adressées par un premier groupe
de messagers, en l'espèce les prophètes de tous les
âges historiques, ensuite par un deuxième groupe,
sans doute Jean-Baptiste, Jésus, les apôtres, les
disciples, dont les essais d'apostolat continuent à
l'heure où la parabole est prononcée. Qui a écouté
leur prédication, qui est venu au royaume ? On peut
le dire en vérité, personne, ou à peu près personne.
Ils n'en ont pas fait cas ; ils sont allés à leurs champs
ou à leur négoce, entendons à leurs affaires, nul ne
s'est préoccupé d'entrer au royaume. Ils ont été plus
loin, ils ont commencé à tuer les missionnaires du
royaume : hier c'était Jean-Baptiste ; aujourd'hui,
c'est Jésus ; demain, ce sera Étienne, Jacques, l'autre
Jacques, tous les apôtres, un à un ou par groupes ;
nul épi n'échappera à la moisson sanglante.

Qui donc prétendait que l'allégorie faussait la
réalité ? Il se rencontre au contraire que c'est un cours
d'histoire d'une précision remarquable.

De l'histoire encore, cette expédition des armées
qui vont punir les insolents et brûler leur cité. Aucun
critique, que je sache, n'a relevé l'anomalie de la
formule *expédier ses armées*. Où donc le roi a-t-il

ses armées, sinon en sa capitale ? Et si l'opération
doit se faire sur place, peut-on parler *d'expédition?*
En réalité, le mot est bien choisi et il est conforme à
l'histoire, car le roi, c'est-à-dire Dieu, tient déjà prêtes
les armées — il les appelle siennes — qui viendront
de loin dresser le mur de circonvallation autour de
Jérusalem, l'assiéger et la détruire. Il est vrai, à
l'heure où Jésus parle, il prophétise encore, mais il
a déjà nettement formulé sa prophétie (Lc. xix, 43,
44) ; il est parfaitement informé, il prévoit, il prédit,
il voit. C'est le propre de la prophétie de précéder
l'histoire, et c'est le propre des prophètes de prédire,
avec cette précision, les événements. Nous admettons
donc que l'expédition est celle de Vespasien qui se
termina par le sac de Jérusalem, en 70. Mais nous
maintenons que la prophétie a pu être formulée aux
environs de l'an 3o, près de quarante ans avant
l'événement.

Jérusalem détruite, le royaume des cieux est
encore susceptible d'organiser son banquet. Seulement, les premiers invités en seront systématiquement exclus par leur propre refus et ils y seront
remplacés par le menu peuple. Nous ne sommes
pas gênés par la présence du peuple dans une ville
détruite ou la mention de ses carrefours. La ville
peut être incendiée et se survivre néanmoins métaphoriquement, comme capitale du monde juif, lequel
doit fournir la deuxième catégorie de convives. Nous
avons déjà dit qu'ils seraient pris au hasard, les
mauvais comme les bons, et que la salle du festin,
c'est-à-dire le royaume, se trouverait remplie.

Tout ne s'explique-t-il pas de la sorte? Nous
avons une allégorie, belle et dramatique. Dieu a
royalement préparé le banquet messianique de son
royaume. A ce banquet il a invité les notables du

peuple juif et leur a dépêché ses prophètes pour
les y convier. Devant leur refus, il insiste et leur
envoie une nouvelle légation qui les presse de venir.
Ils ne viennent pas. Comme ils se récusent ignomi-
nieusement et vont jusqu'à mettre à mort ces
envoyés royaux, Dieu les châtie en organisant une
expédition de ses armées qui les met à mort et
incendie leur ville. Cela fait, les serviteurs vont
querir de nouveaux invités parmi le peuple. Ceux-
là du moins ne se font pas prier ; ils accourent,
remplissent la salle du festin, et l'on devine que le
joyeux banquet messianique se tient à tables pleines.

En schéma de parabole, nous dirions :

De même que les notables de la capitale ayant
refusé de se rendre aux invitations réitérées du roi ;
ayant même porté la haine jusqu'à maltraiter et
mettre à mort les serviteurs qui venaient les convier
au festin, furent châtiés par la peine de mort et
l'incendie de leur ville, et qu'ils furent remplacés
au banquet par de nouveaux convives pris au
hasard parmi le menu peuple ;

ainsi les notables de Jérusalem, qui sont restés
sourds aux appels réitérés des envoyés de Dieu les
conviant au royaume, qui ont été jusqu'à persécuter
et mettre à mort ces envoyés, seront punis de mort,
leur ville sera détruite, et ils seront remplacés dans
le royaume par le menu peuple, qui bénéficiera de
tous ses avantages.

Le crime des notables ne peut être contesté. Le
Maître dira sans figure à ces mêmes pharisiens :
« Fils de ceux qui ont mis à mort les prophètes !
Achevez donc la mesure de vos pères!...J'envoie
vers vous des prophètes, des sages, des scribes : les
uns, vous les tuez et les crucifiez; les autres, vous
les flagellez dans vos synagogues et les poursuivez

de ville en ville, afin que vienne sur vous tout le
sang des justes répandu à terre, depuis le sang du
juste Abel jusqu'au sang de Zacharie, fils de Barachie
que vous avez tué entre le temple et l'autel des
holocaustes » (Mt. XXIII, 31-36).

Le châtiment ne se fera plus attendre. De toutes
les bâtisses du Temple il ne doit pas rester pierre
sur pierre (Mt. XXIV, 2). Bientôt l'abomination de la
désolation, prédite par le prophète, s'installera dans
le lieu saint (*ibid.* 15). D'une manière plus circonstanciée, le Sauveur avait dit en saint Luc : « Des
jours viendront sur toi où les ennemis dresseront
un retranchement contre toi, où ils t'entoureront et
presseront de toute part, et ils te briseront toi et tes
enfants qui sont en ton sein, et ils ne laisseront pas
en toi pierre sur pierre » (XIX, 43, 44). Et encore : « Lorsque vous verrez Jérusalem assiégée par les armées,
alors sachez qu'elle est proche sa désolation » (XXI,
20 ; cf. Mc. XIII, 2, 14). Les critiques contestent l'authenticité de la prophétie, la trouvant trop précise.
La prophétie est indubitable, attestée qu'elle est
par les trois synoptiques. Mais le regard du divin
paraboliste allait au delà de la génération présente
et il apercevait déjà les armées romaines en marche
contre Jérusalem, qui devait être assiégée et brûlée.

La ruine de Jérusalem doit être le châtiment de
l'orgueilleuse incrédulité des grands. De telles
calamités nationales pèsent sur les notables plus
lourdement encore que sur le peuple.

Le peuple, lui, est ici substitué aux grands dans
l'invitation du royaume.

C'était une nouveauté aux oreilles des pharisiens
habitués pourtant à toute sorte de prophéties comminatoires. Ils avaient entendu qu'ils seraient
remplacés au banquet du royaume par des gentils

accourus d'Orient et d'Occident (Mt. viii, 11), ou bien
par les publicains et les pécheresses (xxi, 31). Cette
fois, ce n'est ni le renversement ethnique, ni le
renversement moral, c'est le renversement social : les
petits mis à la place des grands.

Qui peut dire que cette dernière perspective ne
fût pas aussi cuisante à l'orgueil des dirigeants de
Jérusalem ? De toute manière, ils étaient instruits
par avance du sort qui les attendait.

III. — LES INVITÉS HOMICIDES

Nous avons raisonné jusqu'ici dans l'hypothèse
habituelle d'une parabole unique. Peut-être le lecteur
a-t-il déjà pressenti à plusieurs indices que ces dissertations frôlaient certaines difficultés latentes, pareilles
à des rochers de fond. Si l'on veut éviter tous les
écueils, le moment est venu d'exposer ce qui semble
bien être la solution véritable. En réalité, l'actuelle
parabole du *festin de noce* est la résultante de deux
récits fondus ensemble, l'un complet que nous
pourrions intituler *les invités discourtois* — c'est
le titre des PP. Lagrange et Lavergne — l'autre,
simple résidu ou simple ébauche de parabole, que
nous proposons d'intituler *les invités homicides*. De
cette allégation nous présenterons succinctement les
preuves.

1, Il suffit d'une attention éveillée pour observer
se détachant en relief sur le fond de la grande histoire
le résidu fragmentaire qui subsiste du deuxième
récit. Nous l'avons déjà donné en italiques dans la
traduction de la parabole ; ce sont les versets 6 et 7.

Il est visible que, dans l'état actuel du texte, ces
éléments ne constituent qu'un vestige. La parabole
à laquelle ils sont censés appartenir, devait avoir un

début semblable à celui *des invités discourtois :* Un roi qui invitait à dîner les notables de sa capitale ; les invités qui refusaient grossièrement de se rendre à cette gracieuse invitation... Les deux récits ayant même début, le jour où le second se fondrait dans le premier, en raison de l'analogie du sujet, il était tout indiqué que les versets identiques ne fussent insérés qu'une fois et qu'ils servissent en même temps pour l'un et pour l'autre récit.

Serait-il téméraire d'essayer une reconstitution ? Celle-ci doit évidemment s'inspirer d'un sentiment de piété autant que d'une légitime curiosité scientifique. Nous conjecturons que la parabole *des invités homicides,* si elle a jamais eu une existence indépendante, s'énonçait à peu près en ces termes :

Le royaume des cieux est semblable à un roi qui célébrait les noces de son fils. Il envoya ses serviteurs convier aux noces les invités, mais ils ne voulurent pas venir... Il y en eut même parmi eux qui se saisirent des serviteurs, les outragèrent et les mirent à mort. Le roi fut irrité; ayant expédié ses armées, il fit périr ces meurtriers et brûla leur ville...

2. Nous disons que, si *les convives discourtois* sont hypothétiquement distincts *des invités homicides,* la première parabole ne doit subir aucun dommage d'aucune sorte, dans le cas où, par la pensée, nous la séparons de la seconde parabole adjointe. N'est-ce pas ce qui se vérifie ?

Le v. 8 de saint Matthieu se rattache au v. 5, par-dessus les vv. 6 et 7, avec un naturel parfait, qui ne laisserait pas soupçonner de lacune.

[5] *Mais eux, n'en tenant aucun compte, s'en allèrent qui à son champ, qui à son négoce.* [8] *Alors il dit à ses serviteurs : Le festin est prêt, mais les invités n'en étaient pas dignes...*

3. Cette supposition trouve une confirmation précieuse dans la parabole correspondante de saint Luc qui ne connaît que l'histoire *des invités discourtois*, ignorant absolument celle *des invités homicides* (xiv, 15- 24). Ce qui nous montre que le second récit ne faisait point partie essentielle du premier, puisque celui-ci peut exister et existe effectivement sans celui-la.

4. La preuve la plus impressionnante pour un exégète sera peut-être la suivante. Si la parabole *des invités homicides* a d'abord existé à part et qu'elle soit venue se joindre à l'autre parabole déjà constituée, il faut s'attendre que cette fusion, sans provoquer ni perturbation grave ni contresens, détermine cependant un certain malaise résultant précisément de la juxtaposition postérieure de deux pièces qui n'étaient pas destinées à se trouver ensemble. Ce malaise doit pouvoir s'observer encore dans le texte global. La contre-épreuve, facile à réaliser, sera convaincante, si la première parabole, séparée de la seconde, retrouve son allègement primitif avec un surcroît d'harmonie et de beauté littéraire. Or ces choses se vérifient.

Loisy nous a exposé avec complaisance et en l'aggravant la gêne diffuse dans toute cette parabole d'un roi qui brûle sa propre capitale. « Et que devient le repas? » — « Qu'on aille dans les carrefours. Quels carrefours, puisque la ville n'existe plus ? » — « Et le roi a-t-il toujours autant de serviteurs, bien qu'on les lui ait tués ? » Encore Loisy n'a-t-il pas tout vu : ces deux châtiments qui punissent les homicides ne semblent-ils pas s'exclure ? Si les citadins sont mis à mort dans le sac de leur ville, que leur importe d'être remplacés au banquet par des gens de bas étage?

Nous avons signalé la réponse commune, la plus

autorisée, à savoir que la ville incendiée serait distincte de la capitale, et nous avons dit pourquoi elle
ne semblait point satisfaisante.

Nous avons en outre exposé loyalement la
meilleure solution allégorique. Sauf illusion, le
lecteur l'aura trouvée bien subtile.

Au bout de ces efforts, il faut donc convenir que
le malaise persiste. D'où provient-il ? Il est aisé de
constater qu'il résulte uniquement de la juxtaposition et de la fusion de deux paraboles distinctes.
Chacune de ces paraboles est très nette et très harmonieuse, prise individuellement. Rapprochées, surtout fondues ensemble, elles se heurtent et s'opposent.
Que si nous rétablissons la séparation primitive
de ces deux entités différentes, les difficultés tenaces
disparaissent comme par enchantement. Dans *les
invités homicides*, le roi peut mobiliser ses armées,
incendier la cité coupable et mettre à mort les meurtriers. Cette exécution en masse ne trouble en rien
le festin qui s'organise dans un autre récit et sur
un autre plan. Pareillement, dans *les invités discourtois*, toutes les circonstances se déroulent suivant
le rythme prévu, à l'abri de toute catastrophe. Les
invités de rang faisant la sourde oreille, ce sont les
invités de bas étage qui viennent s'asseoir à la table
royale. Le banquet se donne toujours à la capitale,
que personne ne songe à détruire. Les serviteurs
continuent de vivre et de servir, puisque personne
ne les a mis à mort. Et les premiers invités eux-
mêmes n'étant pas exécutés, peuvent voir de leurs
yeux leurs successeurs accourir au festin dont ils
n'ont pas voulu.

De la sorte la parabole de saint Matthieu est aussi
limpide et aussi belle que celle de saint Luc.

Si je ne me trompe, c'est assez de preuves pour

admettre que la parabole *des invités discourtois*
était primitivement distincte *des invités homicides*.
Ne vaut-il pas mieux reconnaître cette distinction
et en bénéficier que d'entretenir avec une fallacieuse
unité des difficultés toujours repoussées et toujours
renaissantes ?

Nous redisons en finissant que l'une et l'autre
parabole sont d'une authenticité incontestable; et
que, si elles n'ont pas été jointes dans leur groupement actuel par le Sauveur en personne — ce qu'il
serait sans doute difficile d'admettre — l'évangéliste
ou la tradition qui synthétisa ces histoires similaires
le fit sous l'inspiration du Saint-Esprit.

La parabole *des invités discourtois*, mise à part,
doit avoir son schéma particulier :

De même que les notables de la capitale, ayant
refusé de se rendre aux invitations réitérées du roi,
furent remplacés au banquet par de nouveaux
convives pris au hasard parmi le menu peuple,

ainsi les notables de Jérusalem qui sont restés
sourds aux appels réitérés des envoyés de Dieu les
conviant au royaume, y seront remplacés par le
menu peuple qui bénéficiera de tous ses avantages.

La parabole *des invités homicides* se résume en
ces mots :

De même que les notables de la capitale ayant
porté la haine jusqu'à maltraiter et mettre à mort
les serviteurs du roi qui venaient les convier au festin,
furent châtiés par la peine de mort et l'incendie de
leur ville,

ainsi les notables de Jérusalem qui ont été jusqu'à
persécuter et mettre à mort les envoyés de Dieu
seront punis de mort et leur cité sera détruite.

Le festin ou les invités discourtois

(saint Luc, xiv, 15-24).

[15] A ces mots, l'un des convives lui dit : Heureux qui mangera le pain dans le royaume de Dieu ! — [16] Jésus lui dit : Un homme donnait un grand festin, et il invita beaucoup de monde. [17] Il envoya son serviteur à l'heure du festin dire aux invités : Venez, car déjà tout est prêt. [18] Et ils se mirent tous à s'excuser d'un commun accord. Le premier lui dit : J'ai acheté une terre, et il faut absolument que j'aille la voir; je t'en prie, tiens-moi pour excusé. [19] Un autre dit : J'ai acheté cinq paires de bœufs et je vais les essayer; je t'en prie, tiens-moi pour excusé. [20] Un autre dit : Je viens de me marier, c'est pourquoi je ne puis venir. — [21] Le serviteur s'en revint raconter tout cela à son maître. Alors, rempli de colère, le maître de maison dit à son serviteur : Va vite sur les places et les rues de la ville : pauvres, estropiés, aveugles, boiteux, amène-les ici. [22] Le serviteur dit : Seigneur, il a été fait selon vos ordres, mais il y a encore de la place. [23] Le maître dit au serviteur : Va sur les chemins et le long des clôtures, fais entrer de force, pour que soit remplie ma maison. [24] Car je vous dis que pas un de ces gens qui avaient été invités ne goûtera à mon festin.

La parabole *du festin* fut dite par Jésus un jour de sabbat, à la table d'un pharisien qui l'avait invité. Le Maître venait de guérir un hydropique séance tenante. La conversation engagée par ce prodige roulait sur l'observation du sabbat, l'humilité à garder par les convives dans les banquets, la droite intention qui doit présider à ces exhibitions fastueuses. Les derniers mots de Jésus avaient été :

« Cette charité à l'égard des pauvres vous sera rendue à la résurrection des justes... » Parler de résurrection, c'était évoquer la fin du monde et le
royaume de Dieu. Un convive anonyme ne put
retenir une exclamation : « *Heureux qui mangera
le pain dans le royaume de Dieu!* » Bien amenée
ou non, la réflexion supposait chez celui qui l'avait
émise une certaine élévation d'âme. Jésus profita
de la circonstance pour prononcer sa parabole à
l'adresse des pharisiens bien pourvus.

I. — Tableau

L'invitation. — *Un homme donnait un grand festin et il invita beaucoup de monde.* Alors que saint
Matthieu mettait en scène ·un roi qui célébrait les
noces de son fils, saint Luc ne mentionne qu'un
hôte ordinaire, *un homme,* et qui se contente de
donner *un grand repas. Les nombreux invités* qu'il
convoque ne sont pas nécessairement une multitude.
Pour un simple particulier, un dîner de quelques
dizaines de couverts représente un événement considérable. Comme un serviteur unique suffit à renouveler toutes les invitations au dernier moment, on
ne saurait, pour cette raison aussi, exagérer le
nombre des convives.

S'il faut prendre au pied de la lettre le mot de
saint Luc, δεῖπνον, *cœnam,* il désigne le principal
repas de la journée, le repas du soir, par opposition
au repas du milieu de la journée, qualifié de déjeuner, ἄριστον, *prandium* (cf. v. 12, *cum facis prandium
aut cœnam,* ἄριστον ἢ δεῖπνον). Saint Matthieu faisait
donner en plein jour son repas de noce, ce qui
explique mieux, mais non point parfaitement, les
prétextes de refus allégués par les invités. Dès

avant midi, ceux qui ont à gagner leur vie sont déjà
à leurs terres ou à leurs comptoirs. L'excuse perdra
encore de sa vraisemblance, à la tombée du jour,
si l'on invoque la nécessité d'aller voir sa terre
ou d'essayer ses bœufs. Visiblement, ces prétextes
sont ici allégués moins pour leur vérité historique
qu'à titre d'échantillons pour montrer la mauvaise
volonté des convives.

La première invitation avait été faite en son temps.
A l'heure même du festin, l'hôte dépêche son serviteur aux invités pour leur annoncer que tout est prêt
et qu'ils sont attendus. La mention d'un serviteur
unique n'est pas une anomalie, si les invités sont en
nombre restreint et s'ils résident tous dans la
même localité. Une petite ville d'Orient peut être
parcourue en une demi-heure par un serviteur diligent s'arrêtant à quelques portes seulement dans les
rues principales. Certains critiques attribuent une
importance exagérée à cet unique serviteur, qu'ils
vont même jusqu'à identifier avec Jésus (Loisy,
Jülicher). Mais comment ne pas voir que le rôle de
ce commissionnaire est d'ordre inférieur, et que
rien vraiment ne postule une identification, ni dans
sa personne ni dans ses attributions ?

Ce qui est vraiment surprenant, c'est que les
invités se soient donné le mot pour décliner l'invitation. Le texte grec sous-entend le vocable principal : ἀπὸ μιᾶς, sous-entendu φωνῆς, γνώμης, *voix,
accord, sentiment.* On serait tenté de voir là une
entente, un complot, dont l'exégèse allégorique
s'accommoderait parfaitement. Traduisons du moins
à l'unanimité, ou, au sens adouci de l'expression,
d'un commun accord.

Le refus. — Quelles raisons font-ils valoir ? Ils
« se récusent en alléguant divers prétextes, dont trois

sont cités à titre d'exemples qui forment une sorte
de gradation : les deux premiers réfractaires demandent fort poliment qu'on les excuse, en indiquant le
motif de leur abstention, avec cette nuance que le
premier dit qu'il est obligé de s'absenter pour aller
voir sa terre, et que l'autre dit simplement qu'il ira
essayer ses bœufs; celui qui vient de se marier se
contente d'énoncer son cas, disant qu'il ne peut
venir, et il ne prend pas la peine de s'excuser »
(Loisy, ii, 323). Ce decrescendo dans la politesse ne
suppose pas une grossièreté croissante ; nous aimons
mieux n'y voir qu'une agréable variété d'ordre
littéraire. Si le ton des excuses reste courtois, le fait
de l'abstention suppose des intentions tortueuses.
On ne se récuse pas ainsi au dernier moment, après
avoir laissé entendre que l'on répondrait à l'invitation. L'impossibilité, quand elle existe, se prévoit
quelque temps à l'avance, et l'on avise aussitôt l'ami
qui vous a invité. S'il survient quelque difficulté
légère, on s'arrange pour s'en libérer et faire honneur
à la parole donnée. Et puis on n'apporte pas des
prétextes semblables ! « Le premier invité pouvait
remettre au lendemain la visite de sa propriété rurale,
et le second l'essai de ses bœufs ; le troisième pouvait
quitter sa femme pour quelques heures, les fêtes de
son mariage étant passées » (*ibid.* 324).

Des excuses si mal fondées, présentées à la toute
dernière heure, avec un ensemble qui pourrait laisser
supposer un accord, qui dénote en tout cas une malveillance universelle, tout cela constitue une offense
grave et qui demande réparation.

La punition. — La vengeance est décrétée sur-le-
champ, sous le coup de l'offense : *Va vite sur les
places et les rues de la ville : pauvres, estropiés,
aveugles, boiteux, amène-les ici.* La construction

du lieu se fait sans le moindre embarras. Le serviteur
reçoit l'ordre de se rendre où stationnent d'ordinaire
les pauvres et les infirmes. Où stationnent-ils dans
la petite cité ? Sans doute aux abords du *bazar;*
peut-être aussi sur la place du sérail. Les mendiants
s'asseyent là, aux bons endroits, la main tendue
sur les genoux. Ils vont aussi par les rues, de porte
en porte, criant à haute voix pour apitoyer les
passants et les marchands. Et quelle nomenclature
de la misère : les pauvres, les estropiés, les aveugles,
les boiteux, d'autres encore si la liste est incomplète !
Il faut tout amener !

Avec la rapidité qui caractérise les narrations de
saint Luc, l'ordre est exécuté. *Seigneur, il a été fait
selon vos ordres, mais il y a encore de la place.*
Faut-il s'étonner que tous les malheureux et tous
les béquillards d'une localité d'Orient n'aient pas
fait salle comble ? La salle était-elle donc si vaste ?
ou les mendiants étaient-ils exceptionnellement en
si petit nombre ? En réalité, cette deuxième course
du serviteur est d'un bel effet littéraire, à quoi
l'écrivain qu'est saint Luc n'est jamais insensible.
Il en ressort qu'à tout prix, le maître du festin veut
que la salle soit remplie. Elle le sera. Il ne doit pas
y rester une seule place vide. Pas un couvert qui
n'ait son convive ! *Va sur les chemins et le long des
clôtures, fais entrer de force, pour que soit remplie
ma maison...* De gré ou de force, qu'elle soit comble !

L'intention du Sauveur étant visiblement allégorique, la plupart des commentateurs voient la
conversion des gentils prédite par cette deuxième
catégorie d'invités. Loisy : « L'évangéliste a vu
dans les premiers invités les Juifs incrédules, dans
les pauvres de la ville les convertis du judaïsme,

dans les pauvres du dehors les convertis de la gentilité... Ce judaïsme officiel est comme un groupe de
gens opulents, auxquels se substituent, pour la
possession du royaume, deux groupes de pauvres,
d'origine différente, qui se fondent en un dans la
salle du festin » (II, 327). Les PP. Valensin et Huby :
« Cette foule de petites gens entrera dans le
royaume de Dieu. Et si elle ne le remplit pas, une
autre foule plus inattendue encore sera invitée :
une foule recrutée de gens étrangers à la cité, et
qui, s'ils n'osent venir d'eux-mêmes dans la salle
du banquet, y seront poussés par le zèle des serviteurs de l'évangile » (275). Cette interprétation ne
nous paraît pas fondée. Le deuxième groupe d'invités ne saurait représenter métaphoriquement la
conversion des gentils; les règles de l'exégèse
parabolique s'y opposent. Cette fois, c'est le P.
Lagrange qui en fait la remarque. Si le Sauveur
avait voulu signifier l'entrée des gentils, il aurait dû
spécifier qu'il prenait ces invités *en dehors de la
ville*. « Mais l'expression *en dehors* n'y est pas, et
elle serait nécessaire pour servir d'appui à l'allégorie » (405). L'observation est décisive. J'ajoute
que les gens de la banlieue peuvent être encore des
juifs ; les étrangers, quand il en vient, s'installent
dans la cité plutôt que dans les faubourgs. Les
invités de la campagne appartiennent donc à la
même race et au même milieu social que les invités
de la ville. Si on va les querir au dehors, c'est que la
cité n'en a pas de cette espèce en nombre suffisant.
La salle devant être remplie de ces convives, on les
cherche où l'on est sûr de les trouver, sur les places
d'abord, ensuite dans la banlieue.

Les ordres parfaitement exécutés, l'hôte peut
conclure : *Car je vous dis que pas un de ces gens qui*

avaient été invités ne goûtera à mon festin. Qui
parle de la sorte, l'ordonnateur du festin ou le Sauveur tirant la moralité de l'allégorie ? Les commentateurs reconnaissent aujourd'hui que c'est
l'homme de la parabole qui continue son discours.
Jülicher a justement noté que cet homme parle de
son festin, comme, au verset précédent (23), il parlait de *sa maison.* Après quoi, on conviendra volontiers que l'emphase de la sentence traduit, en même
temps que le verdict de l'hôte contre ses invités,
celui de Jésus à l'adresse de ses auditeurs.

II. — Application

Nous pouvons rechercher maintenant si l'histoire
de saint Luc est une simple parabole ou une allégorie. Jülicher l'appelle une demi-allégorie, *eine
halballegorische Erzählung* (ii, 418) ; le P. Lagrange
« un moyen terme entre une pure parabole et une
allégorie » (407). — Nous pensons qu'elle est encore
et surtout une allégorie, à laquelle se trouvent mêlés
quelques traits paraboliques.

Le festin est la métaphore classique du royaume
de Dieu. Il est également difficile de se soustraire à
l'impression que l'homme qui donne ce festin, lance
ces invitations, pourvoit à garnir sa table, n'est pas
la métaphore de Dieu. Par contre, il faut absolument
protester contre l'allégorisation du serviteur; nous
l'avons dit, il n'a rien dans ses faits et gestes qui
impose une identification quelconque avec les prophètes, Jean-Baptiste, Jésus, les apôtres ou les missionnaires. C'est un personnage de parabole qui
fait le joint entre l'hôte et les invités, parce qu'il ne
convient pas à l'hôte de réitérer en personne ses
invitations. Nous regardons également comme des

traits purement paraboliques, c'est-à-dire dénués
d'une signification individuelle, les excuses alléguées par les trois invités. On ne cherchera donc
pas ce que représentent en particulier la terre
nouvellement acquise, les cinq paires de bœufs à
essayer, le mariage récent. Tout cela pris ensemble
signifie peut-être un attachement immodéré aux
choses de ce monde. Plus encore, la vulgarité ou le
caprice de ces prétextes accuse la gravité de l'injure
faite à Dieu, lorsqu'on préfère ces satisfactions
communes à la joie rare de s'asseoir à sa table.

L'histoire donne un tel relief à la catégorie des
premiers et des seconds invités, que cette insistance
est un indice très significatif de métaphore. Je sais
bien qu'il sera très délicat d'identifier les personnages
en vue. Ne peut-on pas cependant arriver à quelques
précisions ? A cet effet, sans rien forcer, observons
simplement les choses. Que voyons-nous ? Dans la
première catégorie, des invités ont été prévus, désignés, conviés un à un, à l'avance, probablement par
une démarche personnelle ; ils doivent par conséquent
appartenir à la même classe sociale que l'hôte,
lequel, sans être de rang royal, est cependant de
condition aisée, puisqu'il est en mesure d'organiser
un banquet considérable. Qui sont par contre les
seconds invités ? Des gens de rien, des loqueteux,
des faméliques, la lie du peuple, le rebut de la
société ; des gens pris au hasard, comme on ferait
de poissons pris à coups de filet ou d'un vulgaire
gibier au cours d'une battue de chasse.

Nous avons ainsi les deux extrêmes de la société,
les riches et les pauvres. Qui sont-ils ? Dans une
société religieuse comme l'était à cette époque la
nation juive, les premiers sont naturellement les
dirigeants, prêtres et pharisiens, scribes, chefs du

peuple. Ces dirigeants n'ont pas été conviés au royaume chronologiquement avant la multitude. Il n'est pas moins vrai qu'ils se considèrent, en vertu de leur position sociale, comme les premiers invités au festin messianique, comme des ayants droit. On les eût scandalisés en leur déclarant qu'ils seraient frustrés dans leur attente, qu'ils seraient exclus d'une félicité et d'un honneur qu'ils tenaient pour assurés. Disons donc que les premiers invités représentent en général la classe dirigeante de la société religieuse d'alors.

Que représente la seconde catégorie, celle des pauvres ? Nous avons déjà noté que ce ne sont pas les gentils ; ce ne sont pas davantage les pécheurs, publicains ou femmes de mauvaise vie. Quand le Sauveur veut parler de cette clientèle spéciale, il a coutume de la désigner par son nom. Quant à prétendre que les infirmités physiques sont la métaphore des maladies morales ou des péchés, personne, je pense, ne l'osera. Retenons seulement que ce sont en général les plus misérables de la société, ceux que nul n'aurait jamais songé à faire asseoir à cette table opulente. La parabole enseigne-t-elle que ces nouveaux venus ne reçurent leur invitation qu'après un délai chronologique, comme dans une seconde mission postérieure à la première ? Nous avons déjà répondu que le retard n'est qu'une fiction de parabole ; il se vérifie dans l'estimation plutôt que dans le temps. Il signifie qu'on n'aurait jamais pensé à ce rebut de la société pour occuper des places laissées vacantes par les ayants droit naturels.

Nous obtenons ainsi deux métaphores remplies de sens, jusqu'ici inédites, mais qui s'incorporent sans peine dans l'anthologie des métaphores évangéliques : ce ne sont pas les justes et les pécheurs,

ni les pharisiens et les publicains, ce sont les dirigeants de la société et le rebut du peuple.

Peu habitués à ce genre de métaphores, nous
éprouvons un certain embarras à les dégager et à les
bien entendre. Au bout de notre effort exégétique,
elles nous apparaissent belles et instructives. Mais
nous devons noter encore que la deuxième est tout
engagée dans des développements paraboliques :
diverses courses du serviteur, infirmités diverses,
divers endroits où on trouve ces convives inattendus, etc. ; ces développements paraboliques n'ont
d'autre but que d'accentuer la métaphore centrale
qui désigne des gens de bas étage.

Nous voyons également une métaphore dans le
refus unanime par lequel les personnages de rang
répondent à l'invitation de l'hôte. Il marque le
mauvais accueil que la haute société religieuse,
sadducéens et pharisiens, réserve aux avances de
Dieu et du Christ. Ce trait allégorique est lui-même
confondu dans les développements paraboliques qui
rendent l'histoire plus agréable.

L'atmosphère allégorique nous explique aussi
que les invités puissent prétexter de telles occupations matérielles à une heure tardive de la journée.
Dans la réalité, de pareils prétextes seraient invrai-
semblables. Dans une allégorie qui poursuit la
description d'une réalité supérieure, ces anomalies
symbolisent le triste état de ces âmes matérielles.
Dès lors personne ne songe à s'étonner.

Nous expliquons de la même manière la troisième
course du serviteur en quête des convives supplémentaires, détail qui choque à l'excès Jülicher et
Loisy, parce qu'ils ne l'ont pas compris. Le trait
signifie simplement que la salle doit être remplie
sans qu'il y reste une place vide. On se déclare

surpris que les faméliques du premier groupe
doivent attendre l'arrivée de leurs confrères de
misère pour commencer le banquet! — Ils eussent
bien attendu une demi-heure et plus sur les rues et
les places publiques en quête d'une problématique
aumône ! Alors pourquoi dénoncer cette prétendue
« complication invraisemblable » ? (Loisy, 327).
Et si de pareils convives peuvent attendre à la porte
d'un festin ordinaire, à plus forte raison l'anomalie
disparaît-elle si les convives stationnent à la porte
du banquet messianique.

En résumé, la parabole *du festin* nous apparaît
comme une allégorie harmonieuse, librement développée par endroits à la manière parabolique. Un
homme, qui est Dieu, donne un festin, qui est le
festin messianique, à des invités de marque, qui
sont les dirigeants de la société; ceux-ci, d'un
commun accord, refusent de venir; ils sont immédiatement remplacés par de nouveaux convives
pris dans les derniers rangs de la société. La punition des invités discourtois consiste — qu'ils comprennent ou non leur châtiment — en ce qu'ils sont
remplacés dans le royaume par les individus que
méprisait le plus leur orgueil de caste.

Le tout se ramène aux proportions d'un schéma
parabolique :

De même que les premiers invités d'un festin —
gens de condition honorable — ayant décliné l'invitation de leur hôte pour des motifs futiles, furent
définitivement exclus du banquet et remplacés par
de nouveaux invités pris au hasard sur la rue dans
les derniers rangs de la société,

ainsi les classes dirigeantes de la nation juive,
ayant refusé d'accéder au royaume messianique
auquel elles étaient conviées comme de droit, en

seront exclues, et elles seront remplacées par des
gens de bas étage qui, eux, ne se feront pas prier
pour y entrer.

III. — Le festin de noce et le festin sont-ils une même parabole ?

Au point où nous sommes, nous pouvons enfi
aborder le problème classique qui a été réser
jusqu'ici : *le festin de noce* de saint Matthieu *et*
festin de saint Luc sont-ils une seule et mêr
parabole, ou sont-ils deux paraboles différente

Depuis que les exégètes étudient une question
cette importance, on serait heureux qu'ils fusse
parvenus à se mettre d'accord. Ils n'y ont pas enc
réussi. Sans doute Jülicher écrit-il triomphalemer t
« C'est à peine si l'on trouve dans la critiq
évangélique de conclusion plus certaine que celle-du
Matthieu représente une autre recension de le
parabole de Lc. xiv, 16 ss., peut-être avec utilisati s-
d'autres matériaux non utilisés par Luc » (40
Cette assurance du critique allemand n'est popé
partagée par les commentateurs catholiques, qui et
montrent incertains. Le P. Lagrange hésite au po *ut*
d'envisager tour à tour des solutions opposées. D *e,*
saint Luc il conclut à la distinction (407), tandis q *m*
dans *saint Matthieu,* il penche vers l'unité. Il écr *u,*
« Assurément N.-S. a pu prononcer cette parab
deux fois, mais nous n'en avons d'autre indice c t
la place différente dans Lc et des variantes qui p
vent s'expliquer par les modalités de la traditio le
(425, 426).   il

Au milieu de ces hésitations, on aime à relire r
lignes plus fermes d'un saint Grégoire le Grand s
d'un Maldonat, dont l'autorité est au-dessus es

toute discussion, et dont l'assurance pourra nous
servir de modèle.

Voici la petite dissertation de saint Grégoire :
Il nous faut rechercher d'abord si la parabole de
saint Matthieu est la même que celle de saint Luc.
la vérité, on y relève certains traits qui paraissent
dissemblables, *et quidem sunt nonnulla quae sibi
dissona videntur :* on parle là de dîner, *prandium,*
i de souper, *cœna;* là celui qui était entré sans
voir ses habits de fête fut expulsé; ici aucun de ceux
qui entrent n'est renvoyé... Mais si quelqu'un pré-
nd que c'est la même parabole, j'aime mieux me
nger à l'opinion d'autrui, la foi étant sauve, que
entretenir des disputes, *at si quis forte contendat
nc eamdem esse lectionem, ego melius puto, salva
e, alieno intellectui cedere quam contentionibus
servire,* car je comprends fort bien que l'incident
convive expulsé pour n'avoir pas l'habit nuptial,
nt Matthieu a pu en parler et saint Luc l'omettre.
quant à appeler souper ce que l'autre appelle
ner, ce n'est pas non plus une difficulté, car les
ciens avaient coutume de prendre leur repas à la
uvième heure; le dîner pouvait dès lors s'appeler
ssi bien souper, *ipse quoque prandium cœna
cabatur* » (LXXVI, 1282).

La dissertation de Maldonat est encore plus
goureuse. « Tout le récit de saint Matthieu res-
mble à celui de saint Luc; quant aux dissem-
ances, elles sont tellement légères, qu'elles ne
ivent pas nous faire changer d'avis, *et quae dissi-
lia videntur, adeo sunt levia, ut nos ab hac sen-
tia dimovere non debeant.* Que l'homme ici
ppelle roi et que là il ne porte pas ce titre; que le
ner soit changé en souper, cela n'est rien, *nihil
... Toutes ces difficultés peuvent se résoudre d'un

seul mot : lorsque les évangélistes nous racontent
une même parabole ou une même histoire, ils ne
rapportent pas tout, ni dans les mêmes termes, ils
se contentent de narrer les mêmes faits, *cum non
solum eamdem parabolam, sed cum eamdem et nar-
rent historiam, nec omnia narrare, nec iisdem verbis,
sed eadem sententia uti solere.* Il faut croire qu'il en
a été ainsi dans le cas actuel, *quod et hoc loco
accidisse credendum est.* » Si l'on allègue les différences de temps et de lieu, « cette objection se
résout sans peine, en disant que saint Luc ou saint
Matthieu n'aura pas suivi l'ordre chronologique,
comme il arriva souvent aux évangélistes, *sed haec
objectio facile potest dilui, aut Lucam aut Matthaeum
ordinem temporis, ut saepe evangelistis accidit secu-
tum non esse.* Il est pourtant plus probable que saint
Luc ait rapporté sa parabole en son temps et lieu.
Saint Matthieu aura différé la sienne jusqu'au
chapitre xxii, à cause de ses affinités avec la parabole
précédente. Son souci n'était pas de rapporter l'histoire comme elle s'est passée; il voulait exposer
la doctrine du Christ, et c'est pourquoi il a groupé
ensemble les récits qui avaient même sens et
même doctrine, *non fuit illi curae historiam,
gesta erat, texere, sed Christi doctrinam exponere;
ideoque ea quae similem habebant significationem
atque doctrinam, eodem loco posuit* » (saint Matthieu,
445, 446).

Saint Grégoire et Maldonat sont donc nettement
favorables à l'identité des deux paraboles.

Faut-il convenir que ce sentiment, mis sous le
patronage et la sauvegarde de telles autorités, s'il
ne peut être réprouvé, laisse néanmoins subsister
quelque malaise ? En accordant à Maldonat que les
deux évangélistes étaient autorisés à exprimer les

mêmes faits par des paroles analogues, il reste que
saint Matthieu ajoute au récit de saint Luc les mauvais traitements des serviteurs et le châtiment des
homicides. Ces choses-là ne sont pas des expressions synonymiques d'un même fait, ce sont des
faits entièrement nouveaux, propres à saint Matthieu
et que saint Luc ignore.

Un exégète respectueux n'admettra jamais que
ces versets supplémentaires aient été créés de
toute pièce par l'évangéliste ou sa catéchèse, que
ce soit pour agrémenter ou pour renforcer le
canevas original. Ils sont certainement authentiques, mais ils viennent d'un autre endroit. Nous
croyons avoir établi ci-dessus qu'ils appartenaient
primitivement à une parabole différente, *les invités
homicides,* laquelle est venue, pour des raisons
d'analogie, s'agréger à la grande parabole *des invités
discourtois.*

Sitôt reconnues l'adjonction et la fusion de ce
fragment de parabole, le récit de saint Matthieu se
rapproche singulièrement de celui de saint Luc. La
principale objection contre l'identité disparaît. Il ne
reste que des difficultés de détail que les principes
de saint Augustin, de saint Grégoire et de Maldonat
permettent aisément de résoudre.

Mieux que toutes les dissertations, le simple rapprochement des deux paraboles nous mettra sous
les yeux cette identité substantielle.

Saint Matthieu	Saint Luc
[2] Le royaume des cieux est semblable à un roi qui célébrait les noces de son fils.	[16] Un homme donnait un grand festin, et il invita beaucoup de monde.

³ Il envoya ses serviteurs convier aux noces les invités, mais ils ne voulurent pas venir.

⁴ De nouveau il dépêcha d'autres serviteurs avec ce message : Dites aux invités : Voici que j'ai préparé mon festin ; mes bœufs et mes animaux gras sont tués ; tout est prêt, venez aux noces. — ⁵ Mais eux, n'en tenant aucun compte, s'en allèrent qui à son champ, qui à son négoce...

⁸ Alors il dit à ses serviteurs : Le festin est prêt, mais les invités n'en étaient pas dignes.

⁹ Allez donc aux carrefours, et tous ceux que vous rencontrerez, invitez-les aux noces.

¹⁰ Les serviteurs sortirent

¹⁷ Il envoya son serviteur à l'heure du festin dire aux invités : Venez, car déjà tout est prêt. ¹⁸ Et ils se mirent à s'excuser d'un commun accord. Le premier lui dit : J'ai acheté une terre, et il faut absolument que j'aille la voir ; je t'en prie, tiens-moi pour excusé. ¹⁹ Un autre dit : J'ai acheté cinq paires de bœufs et je vais les essayer ; je t'en prie, tiens-moi pour excusé. ²⁰ Un autre dit : Je viens de me marier, c'est pourquoi je ne puis venir. — ²¹ Le serviteur s'en revint raconter tout cela à son maître.

Alors, rempli de colère, le maître de maison dit à son serviteur :

Va vite sur les places et les rues de la ville : pauvres, estropiés, aveugles, boiteux, amène-les ici. ²² Le serviteur dit : Sei-

sur les chemins et ils ras- semblèrent tous ceux qu'ils trouvèrent, les mauvais comme les bons, et la salle des noces fut remplie de convives.

gneur, il a été fait selon vos ordres, mais il y a encore de la place. 23 Le maître dit au serviteur : Va sur les chemins et le long des clô- tures, fais entrer de force, pour que soit remplie ma maison.

Si les deux récits ne sont qu'une même para- bole et qu'elle n'ait été prononcée qu'une fois, il est tout indiqué de croire que saint Luc lui a conservé son cadre naturel. Le divin Maître était assis à la table d'un pharisien. La conversation traitait des invitations à dîner. Jésus venait de dire : *Lorsque vous donnez un festin, n'invitez pas vos amis ou vos parents, ni vos riches voisins qui pourraient vous rendre la politesse, invitez des pauvres, des estro- piés, des boiteux, des aveugles qui ne sont pas en état de vous la rendre,* juste la nomenclature qui va revenir dans la parabole : *pauvres, estropiés, aveugles, boiteux, amenez-les ici.* — Jésus disait : Au lieu et place des riches convives, invitez donc les misérables. Cette opposition sociale, c'est toute la parabole.

Cette coïncidence équivaut à une preuve. Nous pensons avec Maldonat que la parabole *du festin* ne peut se séparer de cette introduction. La para- bole fut donc prononcée dans les circonstances narrées par le troisième évangéliste.

Si saint Matthieu lui assigne un autre contexte, c'est en vertu de la loi des synthèses historiques et pédagogiques qui gouverne la composition de son évangile. Il l'a rattachée au groupe des paraboles polémiques qui prédisaient aux grands d'Israël les pires calamités. La parabole était là à sa place

logique, sinon à sa place chronologique. Dans ce
contexte d'adoption, on comprend que l'attraction
d'analogie ait eu assez de force pour s'adjoindre et
absorber la parabole fragmentaire *des invités homicides*.

La robe nuptiale

(saint Matthieu, XXII, 11-14).

11 Le roi étant entré pour voir les convives, aperçut là un homme qui n'était pas revêtu de l'habit de noce. 12 Il lui dit : Mon ami, comment es-tu entré ici sans avoir l'habit de noce? Mais lui, il resta muet. 13 Alors le roi dit aux servants : Liez-lui les pieds et les mains, et le jetez dans les ténèbres extérieures : là sont le pleur et le grincement de dents.

14 *Car il y a beaucoup d'appelés et peu d'élus.*

La robe nuptiale fait suite *au festin de noce* avec lequel elle semble faire corps. Aussi les commentateurs ont-ils coutume de les traiter comme un seul tout, peut-être non sans détriment pour la juste compréhension des deux récits. Pour les raisons qui seront proposées ci-après, il nous semble préférable de regarder *la robe nuptiale* comme une histoire indépendante, comportant son enseignement particulier.

I. — TABLEAU

La mise en scène de la parabole continue celle *du festin*. Il s'agit toujours d'un roi qui donne un banquet. La salle est pleine de convives attablés.

Le roi ne préside pas le banquet en personne; peut-être le protocole le lui interdisait-il. Les *cheiks* d'Orient ne prennent jamais leur part des festins dont ils régalent leurs hôtes.

Au milieu du repas, le roi pénètre dans la salle pour *voir les convives* et jouir du spectale, θεάσασθαι. Qu'y voit-il? Un homme qui n'avait pas son habit

de fête, ἔνδυμα γάμου, *son habit de noce. Il lui dit :
Mon ami, comment es-tu entré ici sans avoir
l'habit de noce? Mais lui, il resta muet.*

Les convives savaient donc qu'ils avaient à se
présenter en habit de noce! Quelques exégètes
pensent même que le monarque avait poussé la
prévenance jusqu'à mettre des habits de fête à la
disposition des convives. Mais on ne trouve nulle
part trace d'une libéralité semblable; et il ne semble
pas non plus qu'elle soit postulée par la morale de
la parabole.

Néanmoins il était tout indiqué que les invités
d'un roi se présentassent au banquet avec des habits
dignes de l'hôte.

Indubitablement le convive vêtu de ses habits
journaliers était en faute, et il était inexcusable.
Aux justes reproches du monarque il n'oppose que
le silence. S'il s'était trouvé empêché par l'indigence,
la surprise de l'invitation, ou toute autre circonstance,
n'eût-il pas allégué et le roi n'eût-il pas agréé ses
excuses? *Mais lui, il resta muet.* Son silence le
condamne. Il reconnaît qu'il a tort. Or il sait que la
situation est grave : il y va de sa vie. Si le ton du
reproche est modéré, amical même : *mon ami,
comment es-tu entré ici?* on sent la main de fer
sous le gant de velours. Au fond le convive indélicat
est aussi inexcusable que les premiers convives du
festin qui ont décliné grossièrement l'invitation du
roi. Quand un roi fait à quelqu'un l'honneur de
l'inviter, celui-ci serait un impoli de refuser, comme
il serait un criminel de maltraiter ses envoyés. Et
quand on est invité à un festin de noce, on est un
malappris de s'y présenter en costume de travail,
alors que l'étiquette et le bon sens requièrent un
habit de fête.

L'une et l'autre conduite sont une insulte à la majesté royale, et l'on ne badine pas avec les crimes de lèse-majesté. La faute appelle un châtiment proportionné.

Les meurtriers n'ont pas élevé la moindre protestation contre leur condamnation à mort ni contre le sac de leur ville. Le convive lui aussi n'a qu'à s'abandonner aux ministres qui vont punir sa coupable négligence. Alors le roi dit *aux servants* (non plus δούλοις comme dans *le festin,* mais διακόνοις) : *Liez-lui les pieds et les mains et le jetez dans les ténèbres extérieures : là sont le pleur et le grincement de dents.* N'aurait-on pu jeter l'homme dans les ténèbres sans lui lier les mains et les pieds ? Assurément, comme furent jetés dans la fosse aux lions Daniel et ses détracteurs (Dan. vi). Mais les chaînes font partie du châtiment officiel : les trois compagnons de Daniel avaient été jetés liés dans la fournaise de feu (Dan. iii, 20, 21...). Ainsi faut-il que le convive impoli soit lié avant d'être rejeté dans les ténèbres. Ce dernier mot est relevé avec satisfaction par les commentateurs.

On se saisit du malheureux, on l'expulse de la salle du festin splendidement illuminée ; on le jette dehors dans la nuit, *dans les ténèbres extérieures.* — Les commentateurs qui regardent ce récit comme la suite de la précédente parabole oublient que le festin se donne précisément à *midi,* et non pas le soir comme dans saint Luc. N'est-il pas plus simple d'entendre les ténèbres extérieures comme une métaphore désignant le feu de la géhenne ?

II. — Application

Est-ce une parabole distincte? — Si l'explication littérale de *la robe nuptiale* est facile, elle nous réserve cependant une difficulté d'ordre littéraire qui n'a pas souvent été envisagée avec l'attention qu'elle mérite. *La robe nuptiale* est-elle la suite normale *du festin de noce* comme le donnerait à penser l'arrangement actuel de l'évangile? Ou bien constitue-t-elle un tout indépendant, une parabole différente? Nous avions déjà énoncé le problème en 1919 dans un article de la *Revue pratique d'apologétique*, et nous avions conclu que *la robe nuptiale* était un fragment de parabole, distinct de la parabole précédente, et ayant son enseignement particulier (*Comment discerner la leçon principale des paraboles?* 715-738).

Depuis lors le P. Lagrange a proposé la même solution : « Il nous semble que la dernière partie de la parabole de Mt est littérairement la fin d'une autre parabole, soudée à la première » (426). Le P. Durand se montre également favorable à cette manière de voir : « Le reste (11-14) étant sans parallèle dans saint Luc, des interprètes se demandent, et avec raison, semble-t-il, si nous n'aurions pas ici le précis d'une autre parabole, qu'on pourrait intituler *la robe nuptiale* » (356).

Cette conclusion nous semble aujourd'hui plus assurée que jamais. Il est loisible à chacun de contrôler la méthode exégétique qui conduit à ce résultat. On constate alors que ces deux tableaux, qui sont juxtaposés sans la moindre transition, ne sont pas la suite naturelle l'un de l'autre.

En voici brièvement la démonstration.

Les convives qui, dans *le festin*, remplissent la
salle nuptiale, ont été ramassés dans la rue, au hasard
des rencontres. Il semble bien aussi qu'ils ont été
amenés directement au banquet sans avoir le temps
de repasser chez eux pour aviser aux détails d'une
toilette indispensable. Des gens pris sur la rue
quand ils vont à leurs affaires ne sauraient avoir
dans l'ensemble une mise soignée; si ce sont des
travailleurs, ils auront leurs habits de travail,
lesquels ne sont pas des costumes de fête. Les
convives étaient précisément gens du petit peuple.
Ils ne sont pas repassés chez eux puique la parabole
ne le dit pas; ils sont venus au festin tels qu'ils
étaient : certainement ils n'étaient pas en habit de
noce.

Le roi a-t-il mis des robes nuptiales à leur disposition? Cela non plus n'étant pas spécifié ne doit
pas se sous-entendre. J'ajoute que l'esprit de l'allégorie ne comporte pas chez les nouveaux convives
cet apparat de fête; le paraboliste a voulu marquer
une opposition sociale entre les premiers invités
et les seconds. Les premiers de qualité, les seconds
pris au hasard dans la catégorie des passants, parmi
le peuple. Il est dans l'esprit du récit que les passants
soient vêtus comme les gens de leur condition.

Que s'ils avaient, à l'entrée du festin, revêtu un
costume d'apparat, mis à leur disposition par la
libéralité du roi, cette circonstance tendrait à supprimer entre eux et leurs prédécesseurs la différence
de classe, ce qui ne saurait être. L'allégorie postule
donc que les convives arrivent tels qu'ils étaient,
hommes de leur rang social et portant les insignes
de leur rang. Dans ces conjonctures, le surprenant
n'est pas que l'un des convives soit dépourvu de
l'habit protocolaire; c'est qu'un plus grand nombre,

pour ne pas dire la totalité, ne se soit pas trouvé
dans le même cas.

Dans *la robe nuptiale* au contraire, rien ne dénote
un ramassis d'individus acheminés par surprise
vers la salle du banquet. Tous paraissent avoir été
de condition honorable; tous étaient en mesure de
prendre les précautions préalables à un banquet
d'apparat. Effectivement, ils se présentent tous avec
leurs habits de fête, symbolisés par la robe nuptiale.
Le malheureux qui fait exception ne pourrait alléguer que sa coupable négligence ou son intention
d'insulter à la majesté royale. Se trouvant sans
excuse, il ne plaide même pas les circonstances
atténuantes. La sentence est terrible : puisqu'il
n'a pas son habit, qu'il soit jeté, pieds et mains
liés, dans les ténèbres extérieures! Lui d'écouter ce
jugement sans élever la moindre protestation, comme
s'il avait conscience de l'avoir mérité. Et le châtiment n'est rien de moins que la damnation éternelle!

La conclusion s'impose : les deux paraboles sont
littérairement et théologiquement distinctes. *Littérairement*, car chacune d'elles constitue un tout indépendant. Quand on nous raconte dans *le festin de
noce* que les premiers invités ont été châtiés et que
la salle a été remplie de convives nouveaux, nous
sommes satisfaits et ne voulons plus rien savoir.
De même, lorsqu'on nous apprend dans *la robe
nuptiale* que le convive indélicat a été découvert et
puni par une sévère expulsion du banquet, nous
n'avons sur ce sujet plus rien à apprendre. — *Théologiquement*, car chacun des deux récits comporte
une leçon particulière : tout l'intérêt *du festin* réside
dans la substitution des nouveaux convives, pris
dans la classe populaire, aux invités officiels, personnages de haut rang. Tout l'intérêt de *la robe*

réside dans l'expulsion du convive qui n'avait pas
son habit d'apparat.

Ces différences deviennent plus tangibles par la
comparaison de leurs schèmes paraboliques. Contentons-nous d'un rappel pour *le festin de noce :*

De même que les premiers invités — gens de
marque — furent punis de leur refus outrageant
par la perte de leur vie et de leur cité, et qu'ils furent
remplacés au festin par des convives de hasard,

ainsi les grands d'Israël, qui n'ont pas accueilli
l'invitation au royaume, seront sévèrement punis
par la ruine de Jérusalem et remplacés au royaume
par des gens de bas étage.

Voici maintenant le résumé de *la robe nuptiale :*

De même que, parmi les convives assis au banquet de noce, il y en eut un d'exclu et de puni très
rigoureusement pour n'avoir pas l'habit de noce et
avoir ainsi gravement offensé le roi,

ainsi, parmi les fidèles du royaume, s'il en est un
seul qui ne remplisse pas les conditions d'admission, il sera impitoyablement rejeté dans les ténèbres extérieures.

Si je ne me trompe, la conclusion ressort avec évidence. *La robe nuptiale* comporte un enseignement
spécial, distinct de celui *du festin de noce;* ce n'est
pas la même parabole; ce n'en est pas non plus la
suite naturelle, c'est une autre histoire.

Est-ce une parabole complète? — Non, mais plutôt
un fragment ou une ébauche de parabole. Dans le
début qui fait défaut, on devait raconter qu'un roi
avait convié à un festin de noce, sans doute la
noce de son fils, des invités de marque, avec la
clause formelle qu'ils se présenteraient en habits
de fête. Tous les convives se conformèrent au désir
très légitime du monarque, à l'exception d'un seul

qui s'introduisit dans la salle et prit place au banquet sans avoir son habit de cérémonie.

Ici se raccorde le fragment conservé par saint Matthieu. Reconnu, l'insolent fut expulsé du festin et rejeté dans les ténèbres extérieures.

On le voit, l'analogie est frappante entre *la robe nuptiale* et *le festin de noce*. Il était donc tout indiqué de disposer l'une à côté de l'autre dans une même catéchèse et dans un même évangile.

Une conséquence était à prévoir : puisque les deux récits utilisaient les mêmes données préliminaires, à savoir le roi, la noce, la salle, le festin, les convives, pourquoi ne pas omettre au début de la seconde parabole ce qui venait d'être raconté en tête de la première ? Les catéchèses qui redisaient les paraboles du Maître, ayant jugé cette répétition inutile, durent la supprimer, et saint Matthieu ne put qu'enregistrer, en la sanctionnant, une fusion déjà peut-être accréditée par la catéchèse orale. Sur ce terrain les inconvénients possibles sont de minime importance, étant d'ordre littéraire plutôt que d'ordre doctrinal. Tout au plus pourrait-on regretter pour la clarté de *la robe nuptiale,* qu'on n'ait pas maintenu la mention de l'exigence royale requérant que chaque convive se présentât au banquet avec son habit de fête. Encore est-il que cette omission se trouve compensée par la suite du discours : le reproche du monarque au convive négligent, l'aveu tacite du malheureux et sa condamnation éternelle aux ténèbres extérieures.

Est-ce une allégorie? — *La robe nuptiale* a cette autre parenté avec *le festin de noce* qu'elle est aussi une pure allégorie, traitant des mêmes réalités messianiques. Les traits principaux ont leur correspondant métaphorique, et les diverses métaphores

s'enchainent en un tout coordonné. Le roi, c'est
Dieu; le festin de noce, c'est le royaume messianique sous son aspect d'allégresse et de béatitude;
la robe nuptiale représente les dispositions personnelles dont chaque convive doit être animé; faute
de quoi, le malheureux est voué aux tourments de
la géhenne, représentés sous la métaphore classique
des pleurs et des grincements de dents. Les servants
peuvent être les anges qui, au dernier jour, exécute-
ront les suprêmes décrets relatifs au discernement
des bons et des mauvais. Toute cette fin de l'histoire
n'observe même plus les précautions de l'allégorie;
les voiles sont retirés, la réalité se montre, et nous
voyons le convive dépourvu de sa robe nuptiale
condamné à la géhenne. Cette substitution de la
réalité à l'allégorie n'est pas un cas unique dans le
domaine de l'exégèse parabolique.

Telle qu'elle est, l'allégorie de *la robe nuptiale*
s'apparente aux allégories eschatologiques *du filet*
et *de l'ivraie* qui prophétisent le mélange des bons
et des méchants au sein du royaume, jusqu'au dernier jour qui verra s'accomplir le triage définitif.
Dom Calmet l'a dit en termes excellents : « Ce n'est
point assez d'être entré dans l'Église, d'être introduit dans la salle du festin, il faut y entrer comme
il faut. Il y a dans le champ du Seigneur de l'ivraie
et du bon grain. Il y a dans ses filets de bons et de
mauvais poissons. Tous ceux qui sont appelés ne
sont pas élus; tous ceux qui ont reçu le don de la
foi, n'ont pas la charité ni les bonnes œuvres; et tous
ceux qui ont été sanctifiés dans les eaux du baptême
ou dans les sacrements établis par Jésus-Christ pour
réconcilier les pécheurs, n'ont pas la fidélité pour
conserver la grâce reçue et pour persévérer dans le
bien » (472).

La belle et mystique métaphore de *la robe nuptiale* devait spécialement retenir l'attention des auteurs spirituels.

« Quelques anciens Pères, dit encore Calmet, sous le nom de robe nuptiale, ont entendu en cet endroit le Saint-Esprit, suivant cette parole : Demeurez ici dans Jérusalem, jusqu'à ce que vous soyez revêtus de la vertu qui vient d'en haut. Mais la plupart l'ont expliquée de la foi animée par la charité et agissante par les bonnes œuvres. Jésus-Christ lui-même est la robe dont un chrétien doit être revêtu, selon saint Paul : *quotquot in Christo baptiçati estis, Christum induistis*. Il faut se dépouiller du vieil homme avec ses œuvres pour se revêtir du nouveau : *induite novum hominem qui secundum Deum creatus est*. Et comment nous en revêtons-nous, si ce n'est par la charité et par l'imitation ? » (472, 473). Pour confirmer les dires de dom Calmet, qu'il suffise de quelques citations patristiques prises presque au hasard. Saint Jérôme : « La robe nuptiale, ce sont les commandements de Dieu et les œuvres qui nous font accomplir la Loi et l'Évangile et constituent le vêtement de l'homme nouveau. Si, au jour du jugement, il se trouve quelqu'un, porteur du nom chrétien, qui n'ait pas la robe nuptiale, l'habit de l'homme céleste, mais soit revêtu de l'habit souillé, dépouille du vieil homme, sur-le-champ il sera appréhendé et il s'entendra dire : Mon ami, pourquoi es-tu entré ici ? » (xxvi, 160-161).

Saint Grégoire le Grand : « Que devons-nous entendre par *la robe nuptiale,* si ce n'est la charité ? Il entre au festin de noce, mais il n'entre pas avec la robe nuptiale, celui-là qui, se trouvant dans la sainte Église, a la foi sans avoir la charité... Quiconque parmi vous fait partie de l'Église et croit en Dieu,

est déjà entré au festin de noce; mais il n'a pas la
robe nuptiale, s'il ne garde pas la grâce de la charité,
omnis ergo vestrum qui in Ecclesia positus Deo
crediderit, jam ad nuptias intravit; sed cum nuptiale
veste non venit, si charitatis gratiam non custodit »
(LXXVI, 1287).

Quelques auteurs pensent que le convive exclu du
festin n'est pas un individu au singulier, mais qu'il
est représentatif de toute une catégorie. « Cet individu, dit saint Jérôme, représente tous ses compagnons de malice, *unus iste, omnes qui sociati sunt*
malitia intelliguntur » (161). Saint Grégoire : « Dans
le convive exclu se trouve représentée toute la catégorie des mauvais, *repulso uno in quo videlicet omne*
malorum corpus exprimitur » (1290). Et saint Augustin, avec sa spirituelle concision : « Cet individu
seul était toute une classe, *unus ille unum genus*
erat » (XXXVIII, 560).

Mais il ne serait jamais venu spontanément à la
pensée de personne que cet individu unique pût
représenter une catégorie plus nombreuse que tous
les autres invités restés à table. Cette interprétation
qui est souvent formulée, est due au voisinage du
verset final sur le plus grand nombre des réprouvés,
que nous étudierons ci-après. Convenons que la
parabole de *la robe nuptiale* ne se prête pas à cette
accommodation. Si le Sauveur avait voulu enseigner
la réprobation du plus grand nombre, il n'aurait
pas choisi un seul individu pour représenter cette
plus nombreuse catégorie, et il n'aurait pas laissé à
table tous les convives sauf un, pour représenter précisément le plus petit nombre. On ne saurait ainsi
heurter de front l'apparente signification des chiffres.
Jusqu'à preuve du contraire, le plus grand nombre
signifie le plus grand nombre, et l'unité, l'unité.

Si le Sauveur avait entendu marquer que le plus
grand nombre des convives serait réprouvé, il aurait
dit que le roi, en tournée d'inspection, s'aperçut que
le plus grand nombre des invités ne portait pas
l'habit de fête : il eût alors appelé une armée de serviteurs, qui se fussent emparés de ces gens et les
eussent jetés pieds et mains liés au lieu des ténèbres
extérieures. Et le repas eût continué avec le reste des
convives.

Puisqu'un seul convive est expulsé, retenons que
la parabole n'établit pas une opposition numérique
entre les bons et les mauvais. Elle nous enseigne
seulement que, pour continuer de prendre part au
festin messianique, il faut avoir sa robe nuptiale.
Quiconque en sera dépourvu, sera impitoyablement exclu et châtié. La leçon parabolique s'arrête
là. Elle ne se demande pas si les exclus seront en
petit ou en grand nombre. La question est susceptible d'être étudiée à fond et séparément. Ici elle n'est
pas traitée, et cette observation est décisive.

III. — Sentence finale : beaucoup d'appelés et peu d'élus.

Mais alors, que penser de la sentence finale sur le
grand nombre des appelés et le petit nombre des
élus (14)? Avons-nous là un élément essentiel,
renfermant la leçon des deux ou trois paraboles
précédentes, ou bien n'est-ce qu'un appendice, placé
et conservé en marge du récit? Les règles de
l'exégèse parabolique nous amènent encore à répondre que ce n'est qu'un appendice. Nous voudrions
en faire brièvement la preuve.

C'est une loi que la leçon principale ou application
d'une parabole est toujours préparée par le trait

prédominant du tableau auquel elle doit correspondre. Autrement l'analogie serait manquée, la comparaison porterait à faux. Or la maxime sur le nombre des appelés et des élus n'est préparée par rien, elle ne répond à rien. Elle ne répond pas *au festin de noce* où les nouveaux convives, les *élus*, sont exactement aussi nombreux que les premiers, les *appelés*. Elle répond encore moins à *la robe nuptiale*, où, sur un nombre imposant de convives, un seul se trouve exclu, en sorte que le nombre des *élus* est ici sensiblement le même que celui des *appelés*. La maxime répondrait-elle du moins aux deux paraboles jointes ensemble? Pas davantage, puisque, d'après les données objectives de ces récits, c'est à peine si, addition faite, le nombre des *élus* le céderait d'une unité à celui des *appelés*.

La sentence en question ne saurait donc être un élément essentiel *du festin* ou de *la robe*, non plus que de l'un et de l'autre réunis. Ce n'est qu'un appendice, placé là par le divin Maître ou l'évangéliste, sans doute pour des raisons d'analogie. Les deux paraboles précédentes mettant en scène des invités, dont les uns ne répondirent pas à l'appel ou furent exclus du festin, et les autres furent admis à la joie du banquet et surent s'y maintenir, *l'analogie du sujet* permettait de rappeler en cet endroit, elle postulait même l'une des sentences qui paraissent avoir été familières à Jésus : *Il y a beaucoup d'appelés et peu d'élus* (cf. Mt. xx, 16, Vulgate).

Mais si la maxime n'explique pas la parabole, la parabole ne pourrait-elle expliquer la maxime? Peut-être; il est probable cependant que le lien rattachant l'appendice au corps des paraboles sera plutôt lâche, précisément parce que la sentence ne vient qu'en appendice, appelée par l'analogie du sujet.

Dans ces conditions, le plus sage nous paraît
d'interpréter d'abord la maxime en elle-même, sauf
à nous demander ensuite si le contexte ne lui appor-
terait pas quelque précision.

Quel sens donner à ces vocables pris en eux-
mêmes? En grec, les deux termes de l'antithèse ont
le même sens qu'en français : *beaucoup d'appelés,
peu d'élus*, πολλοὶ κλητοί, ὀλίγοι δὲ ἐκλεκτοί. D'après
Dalman, le correspondant araméen aurait été :
beaucoup d'invités, peu de choisis (saggiin b^ehirin,
ze'erin z^eminin). Le premier vocable est manifestement une métaphore : *beaucoup d'appelés au festin,
beaucoup d'invités*. Le deuxième semble avoir un
sens absolu : *élus, choisis*, sans doute *sauvés*. Si
bien que la maxime prise en elle-même semblerait
affirmer le nombre relativement inférieur des élus
ou des sauvés par rapport à la multitude de ceux
qui auraient pu l'être. Notons que cette appréciation des nombres est elle-même très relative. Le
rédempteur qui voudrait racheter tous les hommes,
aurait peine à trouver satisfaisant le pourcentage
qui n'équivaudrait pas à la totalité. Sa désillusion
croîtrait dans la mesure même où la réalité s'éloi-
gnerait de l'idéal entrevu. — Quelle est cette réalité
qui ne satisfait pas les justes espérances du Sauveur? Nul autre ne le sait que le Père, qui s'est
réservé par appropriation toutes les questions intéressant la Providence et le salut.

Lorsqu'un inconnu demande à Jésus si les sauvés
sont le petit nombre, εἰ ὀλίγοι οἱ σωζόμενοι (Lc. XIII, 23),
Jésus ne répond pas directement, il se contente
d'évoquer en général la porte étroite et le grand
nombre des candidats qui s'efforceront en vain d'y
entrer.

Ce problème du nombre des élus préoccupait les

rabbins, qui avaient fini par trouver une solution
élégante. Ils distinguaient d'une part le temps qui
s'écoulerait entre la mort individuelle et la résurrection générale, de l'autre l'éternité qui suivrait la
résurrection. Entre la mort et la résurrection, bien
peu seraient sauvés. « Rabbi Juda disait vers 150 :
Pourquoi le monde à venir est-il désigné par la
lettre *iod*? Parce que les justes y seront en petit
nombre » (Strack-Billerbeck, 1, 883). Mais après
la résurrection, tout Israël doit être sauvé. « Tout
Israël aura part au monde à venir, suivant Isaïe 60,
4 : *Et ton peuple, c'est l'ensemble des justes ; pour
toujours ils posséderont la terre* » (Sanh. 10, 1 ;
ibid.).

La comparaison précédente se fait entre deux
catégories opposées : les élus et les réprouvés. En
tenant compte des deux paraboles de saint Matthieu,
peut-être les catégories pourraient-elles partiellement
rentrer l'une dans l'autre. On constate que le verbe
appeler (καλέω) revient plusieurs fois dans *le festin
de noce* (3, 4, 8, 9), où il désigne indistinctement les
invités qui refusent de venir et ceux qui viennent.
De ce chef, la catégorie des invités comprendrait non
seulement les premiers qui déclinèrent l'invitation,
mais encore les seconds, ceux-là même qui constituent la deuxième catégorie, celle des *élus* (ἐκλεκτοί).
Tous les invités seraient donc des appelés, bien que
tous ne fussent pas des élus. Par exemple, dans un
festin effectif de cent couverts, il y aurait eu deux
invitations successives de cent convives chacune, soit
deux cents appelés et cent élus, ce qui donne deux
fois plus d'appelés que d'élus. En tenant compte du
convive exclu, la catégorie des élus devrait être
diminuée d'une unité, ce qui donnerait définitivement 99 élus pour 200 appelés. De toute manière,

nous serions loin des conclusions rigoristes, chères
à certains exégètes ou prédicateurs sur le petit
nombre des sauvés et le grand nombre des damnés.

Faut-il avouer que ces derniers calculs ne nous
inspirent qu'une confiance médiocre ? L'analyse
littéraire *du festin* et de *la robe nuptiale* nous invite
à les considérer comme deux paraboles distinctes,
simplement juxtaposées, sans communication interne
de l'une à l'autre. Leurs valeurs ne doivent donc ni
s'additionner, ni se multiplier, ni se soustraire.
Chacune doit être considérée à part. La maxime
sur les appelés et les élus ne se rapporte évidemment pas à *la robe nuptiale* qu'elle suit et dont on
la croirait au premier aspect la conclusion naturelle ; et pas davantage, par-dessus *la robe nuptiale,
au festin de noce*.

C'est pourquoi il faut revenir à la solution déjà
indiquée : la sentence en question n'a d'une conclusion que l'apparence. En réalité c'est un *appendice*
aux deux paraboles sur les invités ; la place qu'elle
occupe lui a été assignée en raison de l'analogie des
sujets. Elle ne saurait donc fournir la clef des
récits qui la précèdent. Les paraboles doivent s'expliquer par leurs propres données, et semblablement
cette maxime finale. L'analogie du sujet entre les
paraboles et la sentence est la suivante : de part et
d'autre nous avons un avertissement sérieux sur la
nécessité de répondre à l'invitation du Maître et la
facilité de tout perdre par une négligence coupable.
Qui oserait nier qu'ils soient nombreux, hélas !
trop nombreux, ceux qui manquent ainsi, sottement,
irréparablement, un bonheur inouï et qu'il était
si facile de s'approprier pour toujours ? Quant au
nombre exact des élus, nul ne le sait, si ce n'est le
Père. Avec l'attente de la parousie, l'incertitude du

salut est l'un des principes les plus salutaires de l'ascétisme chrétien.

Paraboles rabbiniques. — La littérature rabbinique connaît un certain nombre de paraboles contenant des histoires de festin nuptial. A titre de comparaison, reproduisons ici celle que récitait Rabbi Jochanan ben Zakkaï († vers 80) : « Cela ressemble à un roi qui invita des serviteurs à un festin sans leur fixer un temps déterminé. Ceux d'entre eux qui étaient sages mirent leurs habits de fête et vinrent se poster à la porte du palais. Ils disaient : Pourrait-il manquer quelque chose à la maison du roi ? Effectivement, dans sa maison, tout était déjà prêt, en sorte que le repas pouvait commencer à tout moment. Les étourdis au contraire s'en allèrent à leur travail. Ils disaient : Un festin quelconque peut-il se faire sans une minutieuse préparation ? — Tout à coup le roi réclama tous ses serviteurs. Les sages s'avancèrent devant lui, tels qu'ils étaient, bien habillés; les autres s'avancèrent aussi, tels qu'ils étaient, malpropres. Le roi se réjouit à la vue des sages et s'irrita à la vue des étourdis. Il dit : Ceux-ci, qui sont habillés pour le festin, vont s'asseoir, manger et boire; mais ceux-là qui ne sont pas habillés pour le festin, vont se tenir debout à regarder. »

L'analogie avec *la robe nuptiale* est plus lointaine dans cette autre parabole due à Rabbi Ruben (vers 300) : « Cela ressemble à un roi qui prépara un festin et lança des invitations. L'ordre du roi disait : Chacun doit porter avec soi de quoi s'asseoir à table. Ils apportèrent donc qui des couvertures, qui des matelas et des oreillers, qui des sièges et des chaises, ceux-ci des billots de bois et ceux-là des pierres. Le roi inspecta le tout et dit : Que chacun

s'asseye sur ce qu'il a apporté! Ceux qui étaient
assis sur le bois ou la pierre murmuraient contre
le roi, disant : Est-ce l'honneur du roi que nous
soyons assis sur le bois ou la pierre ? Ce qu'entendant
le roi leur dit : N'est-ce pas assez que ce palais qui
m'a coûté tant de peine, soit par vous déshonoré
avec ces pierres et ces bûches ? Faut-il encore que
vous osiez élever des plaintes contre moi ? Votre
honneur, vous l'avez vous-même préparé de vos
mains ! — Ainsi à l'avenir les impies seront-ils
punis au sein de la géhenne. Ils murmureront
contre le roi... » (Strack-Billerbeck, 878, 879.)

Les deux fils

(saint Matthieu, XXI, 28-32).

28 Que vous en semble? Un homme avait deux fils.
S'adressant au premier, il dit : Mon fils, va aujourd'hui
travailler à la vigne. **29** Il répondit : J' [y vais], Seigneur, et il n'y alla pas. **30** S'adressant alors au second, il
lui dit la même chose. Mais lui de répondre : Je ne veux
pas. Par la suite, pris de remords, il y alla. — **31** Lequel
des deux a fait la volonté du père? Le dernier, disent-ils.
Jésus leur dit : En vérité je vous dis que les publicains et
les femmes de mauvaise vie vous précèdent au royaume
de Dieu.

32 *Car Jean est venu à vous dans la voie de la justice, et
vous n'avez pas cru en lui, tandis que les publicains et les
femmes de mauvaise vie ont cru en lui. Ce que voyant, vous
ne vous êtes pas convertis, pas même à la fin, et vous n'avez
pas cru en lui.*

Le cadre historique *des deux fils* est le suivant.
Le surlendemain du jour des Rameaux, donc le
mardi saint, suivant toutes les vraisemblances, Jésus,
revenu le matin de Béthanie, enseignait au Temple.
Il se voit bientôt accosté par les délégués habituels
du sanhédrin, prêtres, scribes, anciens du peuple,
qui viennent l'interroger sur son pouvoir de thaumaturge et sa qualité de docteur. C'était un piège. Jésus
leur répond en leur en tendant un autre, au sujet du
Précurseur : *Le baptême de Jean, d'où venait-il, du
ciel ou des hommes?* Très perplexes et flairant le
danger, les sanhédrites affectent l'ignorance : *Nous
ne savons pas*, disent-ils. — *Vous ne savez pas? eh
bien, moi non plus, je ne vous dirai pas par quelle
puissance j'opère.*

Jésus aurait pu les laisser à leur confusion. Il ajoute cependant, comme s'il s'adressait au même auditoire : *Que vous en semble?* Formule familière à saint Matthieu pour provoquer une réponse ou simplement servir de transition. On la retrouve ailleurs : *Que t'en semble, Simon? Les rois de la terre, de qui perçoivent-ils l'impôt?* (XVII, 25). — *Que vous en semble? Si un homme avait cent brebis* (XVIII, 12; cf. XXVI, 66). La formule familière introduit ici la parabole *des deux fils,* mais nous devons noter que la transition est aussi vague que possible. On se gardera donc de l'impression, trop facile en pareil cas, que la parabole poursuit la même discussion ou seulement qu'elle fut prononcée en la même circonstance.

1. — Auquel des deux fils va la priorité d'appel?

Avant d'aborder le commentaire, autant vaut examiner tout de suite le célèbre problème de critique textuelle qui se pose à propos de cette parabole : auquel des deux versets 29 et 30 donner la priorité? Il s'agit des deux fils qui sont l'un et l'autre invités à se rendre à la vigne : l'un répond qu'il y va et puis n'y va pas du tout; l'autre refuse d'y aller, puis, changeant d'avis, s'y rend. Chose très curieuse, les manuscrits et autres témoins du texte se partagent en deux groupes, donnant respectivement la priorité d'appel à l'un et à l'autre.

Reproduisons côte à côte les deux textes pour qu'on puisse aisément les comparer.

S'adressant au premier, il lui dit : Mon fils, va aujourd'hui travailler à la	S'adressant au premier, il lui dit : Mon fils, va aujourd'hui travailler à la

vigne. Il répondit : J'y vais, Seigneur, et il n'y alla pas. S'adressant alors au second, il lui dit la même chose. Mais lui de répondre : Je ne veux pas. Par la suite, pris de remords, il y alla. Lequel des deux fils a fait la volonté du père? Le dernier, disent-ils...

vigne. Il répondit : Je ne veux pas. Par la suite, pris de remords, il y alla. S'adressant alors au second, il lui dit la même chose. Mais lui de répondre : J'y vais, Seigneur, et il n'y alla pas. Lequel des deux a fait la volonté du père? Le premier, disent-ils...

Les leçons sont juste à l'opposé l'une de l'autre. Tout espoir de conciliation étant d'avance écarté, peut-on établir du moins avec quelque probabilité laquelle des deux doit être préférée?

Raisons diplomatiques. — Appelons *fils désobéissant* celui qui finalement ne se rend pas à la vigne et *fils obéissant* celui qui finit par s'y rendre. Au fils désobéissant la priorité d'appel est donnée par le Vaticanus (B), le Koridethanus (Θ), divers autres onciaux, les versions sahidique et bohaïrique, la syro-palestinienne, un manuscrit de l'italique et deux de la Vulgate. — Au fils obéissant la priorité est donnée par le Sinaïticus, le codex de Bèze (D), le codex d'Ephrem (C) et les autres onciaux, par l'italique, la Vulgate (sauf les exceptions ci-dessus), les autres versions syriaques (syrcur., syrsin., peschitto), Tatien.

Qui s'en rapporte à la quantité dans les questions de critique textuelle, ne peut manquer d'être impressionné par le nombre de ces derniers témoins. Effectivement, tous les commentateurs, à ma connaissance, donnent la première place au fils obéissant. Tel d'entre eux déclare la leçon rivale *communément rejetée* (*wird heute allegemein verworfen*, Klostermann, 300).

Cependant cet accord des exégètes ne laisse pas
de causer quelque surprise, lorsqu'on entend que des
critiques de la marque de Hort, Nestle, von Soden,
Vogels, ont adopté cette leçon prétendûment rejetée,
donnant ainsi le premier rôle au fils désobéissant.
Or ces critiques se fondent uniquement sur des
raisons *diplomatiques*. Ils nous enseignent ainsi
que, même dans les questions de critique textuelle,
le nombre ne fait pas nécessairement la loi.

Raisons paraboliques. — A leurs raisons nous pouvons en ajouter une autre d'ordre parabolique, qui
ne nous paraît pas de moindre valeur. Ne craignons
pas, pour l'exposer, d'anticiper sur l'interprétation
de la parabole.

On convient aujourd'hui que le fils désobéissant
représente la masse des juifs, en particulier les pharisiens, leurs chefs, et que le fils obéissant représente
le déchet de la nation, publicains et personnes de
mauvaise vie.

Des pharisiens et des publicains, qui passe avant
dans l'ordre des préséances bibliques et évangéliques ? Sans hésiter, nous répondons : les pharisiens.
Ils ont reçu la loi de longue date, eux ou leurs
ancêtres ; il la détiennent et se flattent de l'observer ;
l'admiration populaire les décore des noms enviés
de *justes* et de *saints*. Incontestablement, ils ont été
les premiers invités à se rendre à la vigne et ils ont
répondu *oui*, bien longtemps avant les pécheurs
publics, qui faisaient profession ostensible d'infidélité à la Loi et de désobéissance. Ce n'est que, peu
à peu, tardivement, que ceux-ci ont fini par prêter
l'oreille à l'appel divin et se sont convertis. C'est la
gloire de Jésus d'être appelé l'ami des pécheurs, de
les attirer à lui d'une manière irrésistible, saint
Jérôme disait *par une sorte de force magnétique*,

sicut in magnete lapide haec esse vis dicitur (XXVI, 56).

Le premier appel a été déféré aux pharisiens, et seulement le deuxième aux publicains, comme saint Paul enseignera bientôt que le salut fut offert d'abord aux juifs avant de l'être aux gentils. C'est là l'économie de la rédemption, le protocole que la divine Providence a daigné fixer pour le salut des hommes et auquel elle a daigné s'astreindre. Cette loi n'a pas d'exceptions connues, pas même dans les paraboles. Dans *le fils prodigue*, l'aîné représente les pharisiens, le cadet les pécheurs. Dans *le festin*, les premiers appelés sont les pharisiens, les convives de substitution les gens de bas étage. Dans *les ouvriers de la vigne*, les travailleurs de la journée entière, embauchés dès le matin, sont les pharisiens; les ouvriers de la dernière heure, les pécheurs. Nous pourrions multiplier les exemples. L'ordre chronologique et hiérarchique est constant.

Qu'une exception se fût glissée en la seule parabole *des deux fils*, dans la chaleur de la discussion ou par le jeu d'une imagination en quête d'effets sensationnels, on ne saurait l'admettre sans preuves exceptionnelles. La présomption est en faveur de la règle.

La parabole elle-même, avec ses divers indices convergents, est loin d'infirmer cette présomption. *Un homme avait deux fils. Deux fils*, qu'on le remarque bien, et non *deux serviteurs*. Entre deux serviteurs il n'existe parfois aucune différence d'âge ou de rang; il est possible qu'ils se trouvent sur un pied d'égalité parfaite dans leur modeste condition. C'est pourquoi, ce sont deux quantités interchangeables. Le premier est tout simplement celui qui se présente en premier lieu, mais il n'y aurait aucun

inconvénient à ce que le dernier se présentât à sa
place. Un seul exemple évangélique. L'histoire *des
talents* se préoccupe de ménager l'intérêt en appelant
d'abord le serviteur de cinq talents, ensuite celui de
deux, et enfin celui du talent unique. Mais en soi, les
rôles pourraient être intervertis. On pourrait d'abord
châtier le paresseux, exalter ensuite les laborieux
qui ont su faire fructifier l'argent, et terminer par
l'apothéose de celui qui multiplia le plus avantageusement le capital du propriétaire. Dans une parabole de serviteurs, les rôles peuvent donc s'échanger,
et la priorité n'est que de fait.

Il ne va pas de même dans une histoire de *fils*.
Si un homme a deux fils, l'un est nécessairement
l'aîné et l'autre *le cadet*. On les désigne dans le
langage courant par les appellations de *premier* et
de *second*. Il s'agit ici, sans qu'on ait à le préciser,
d'une priorité de nature qui ne se peut intervertir.
Quelquefois, en pareil cas, le paraboliste s'exprime
de manière à rendre toute hésitation impossible, par
exemple dans *le fils prodigue : Un homme avait deux
fils. Le plus jeune* (ὁ νεώτερος) *dit à son père... Or son
fils aîné* (ὁ πρεσβύτερος) *était aux champs...*

Si l'on aborde la parabole *des deux fils* sans idée
préconçue, pense-t-on qu'un doute, même léger,
puisse se présenter ou subsister ? *Un homme avait
deux fils. S'adressant au premier, il lui dit...
S'adressant alors au second, il lui dit la même chose.*
Nous ne croyons pas que ces phrases prêtent à la
moindre équivoque. Dans la parabole comme dans
la famille, le premier, c'est l'aîné ; le second, le cadet.
Ces valeurs ne s'intervertissent pas. Les mots conservent leur sens ordinaire, tant que nous ne sommes
pas prévenus du contraire. La priorité est de nature,
non de fait. C'est faire violence au texte comme aux

choses, de prétendre que le premier peut désigner le cadet, et le second l'aîné.

Lisons encore cette phrase de la parabole : *En vérité, je vous dis que les publicains et les femmes de mauvaise vie vous précèdent au royaume de Dieu.* Ou les mots n'ont pas de sens, ou il est clair que Jésus cherche à piquer de jalousie les pharisiens récalcitrants. *Voyez*, leur dit-il, *les pécheurs vous précèdent, vous, les justes.* Mais, pour que l'argument ait quelque efficacité dans la perspective de la parabole, il est nécessaire de sous-entendre : *Les pécheurs vous devancent, bien que vous, les pharisiens, vous ayez été appelés les premiers.* Autrement, toujours dans la perspective de la parabole, les pharisiens pourraient répliquer : *Il n'est pas étonnant que ces gens-là nous précèdent! Vous leur avez fait la gracieuseté de les inviter avant nous, et ils se sont mis en route les premiers pour le royaume...*

Cette constatation secondaire corrobore la précédente.

L'examen des éléments certains de la parabole postule donc que le fils premier appelé soit l'aîné, et qu'ainsi l'aîné soit le désobéissant. La critique textuelle nous apprend, d'une manière indépendante, qu'un nombre imposant de témoins présente les faits exactement dans cet ordre. Nous croyons devoir nous rallier à une leçon doublement autorisée.

Nous objectera-t-on qu'un certain nombre de commentateurs anciens se sont prononcés pour l'ordre inverse? Nous répondons que c'est au prix d'une interprétation qui n'est pas maintenue par les exégètes modernes. Les anciens disaient que le fils aîné représentait les gentils, sollicités dès l'origine à l'amour de Dieu, toujours récalcitrants, et qui, à la mort de Jésus, finirent par se convertir. Le cadet représentait les juifs, en apparence soumis et fidèles, et qui, en face de la réalité messianique, se montrèrent ses plus farouches ennemis. Cet accord des anciens dans une exégèse contestable surprenait fort le sage Maldonat qui écrivait : « *Je m'étonne d'une telle unanimité, mirum quanto consensu veteres interpretes duos filios populos duos gentilem et judaicum fuisse dixerint* » (433[1]). Les modernes préfèrent s'engager dans une autre voie, qui, au reste, avait déjà été indiquée par saint Jérôme. « Il y en a d'autres, disait le saint docteur, qui ne pensent pas que la parabole convienne aux gentils et aux juifs, mais simplement aux pécheurs et aux justes, *alii vero non putant Gentilium et Judaeorum esse parabolam, sed simpliciter peccatorum et justorum.* » Saint Jérôme ajoutait : « Telle semble être l'explication du Sauveur lui-même, puisqu'il parle aussitôt après des publicains et des pécheresses, *ipso quoque Domino propositionem suam postea disserente* » (xxvi, 156). Que si l'on abandonne l'application des gentils et des juifs pour venir à celle des pécheurs et des justes, il n'est plus possible d'accorder la priorité au fils obéissant. Tout le contexte évangélique, nous l'avons rappelé, postule que le titre de premier ou de fils aîné soit maintenu aux justes et aux pharisiens.

Pour toutes ces raisons, critiques et exégétiques, nous adopterons le texte suivant : *Un homme avait deux fils. S'adressant au premier, il lui dit : Mon fils, va aujourd'hui travailler à la vigne. Il répondit : J'y vais, Seigneur, et il n'y alla pas. S'adressant alors au second, il lui dit la même chose. Mais lui de répondre : Je ne veux pas. Par la suite, pris de remords, il y alla. Lequel des*

deux a fait la volonté du père? Le dernier, disent-
ils...

Nous n'avons pas encore dit que, sur ces
derniers mots aussi, les manuscrits étaient en
désaccord, les uns portant à cette place *le premier,*
même s'ils donnent la priorité au fils désobéissant,
les autres portant *le dernier,* même s'ils donnent la
priorité au fils obéissant. Cela nous montre une
fois de plus la confusion introduite dans un nu-
mérotage qui n'est plus fondé sur la réalité. On
en vient à ne plus savoir compter jusqu'à deux, à
ne plus savoir qui est premier et second. Alors on
écrit au hasard.

Cependant loin de nous la pensée que la grande
perturbation des textes se soit introduite au hasard
dans notre parabole. Une réflexion est intervenue.
La parabole ne spécifiant pas qu'il s'agissait entre
les deux fils d'une priorité de nature, on n'a plus
considéré qu'une priorité de fait entre deux valeurs
présumées interchangeables. Ce premier résultat
s'est aggravé d'un autre. On a pensé que les pécheurs
publics, arrivant *les premiers* au royaume, devaient
être *les premiers appelés.* Voilà pourquoi l'appel
leur a été déféré en premier lieu. — Mais qui ne
voit que la priorité du but atteint est différente de
la priorité dans la vocation? Celle-ci reste le privilège des justes et des pharisiens, considérés comme
les fils aînés de Dieu.

Le commentaire, allégé de ces discussions critiques, sera beaucoup plus bref.

II. — Tableau

Un homme avait deux fils. — N'oublions pas que
l'un d'eux est l'aîné et l'autre le cadet. Nous saurons

encore que, si l'on nous parle du premier, sans
autre spécification, c'est de l'aîné qu'il s'agit, et du
cadet, quand on nous parle du second.

*S'adressant au premier, il lui dit : Mon fils, va
aujourd'hui travailler à la vigne.* Dans la parabole
des ouvriers, le maître envoyait à sa vigne des
étrangers à gage. Dans la parabole *des vignerons
homicides,* il la loue encore à des fermiers pris en
dehors de sa famille. Ici il la fait cultiver par ses
propres fils, ce qui ne saurait surprendre des auditeurs adonnés à l'agriculture. Au reste, fils et
serviteurs représentent les mêmes personnes, ap-
pelées au même royaume de Dieu.

Il répondit : J'[y vais], Seigneur, ἐγὼ κύριε,
en sous-entendant ὑπάγω après le pronom personnel :
moi, j'y vais, ou en prenant ce *moi* isolé comme
un synonyme insolite de *oui. Seigneur,* le vocable
de la politesse, étrange sur les lèvres du fils, s'explique plus facilement si le père est Dieu. Nous
avons là une échappée allégorique. *Et il n'y alla
pas.* Avec des apparences d'obséquiosité, c'est la
désobéissance formelle : il n'y va pas, il désobéit. Le
père ne peut manquer de l'apprendre. Effectivement,
il est censé le savoir.

*S'adressant alors au second, il lui dit la même
chose.* Ici nous nous trouvons en désaccord avec
certains commentateurs qui disent : « D'après la
lettre de la parabole, le père ne se proposait pas
d'envoyer ses deux fils au travail; c'est le refus du
premier qui le décide à s'adresser au second »
(Fonck, 374). Et encore : « Si le père avait voulu
envoyer ses deux fils à la vigne, il les aurait appelés
tous les deux ensemble; il est censé n'avoir besoin
que du travail d'un seul, et il s'adresse au second
parce qu'il a été rebuté par le premier; s'il avait

obtenu un oui pour commencer, il serait resté
tranquille sur cette assurance... » (Loisy, II, 302,
303). — Voilà bien le modèle de l'explication qui
ne repose pas sur le texte, car « la parabole
ne dit même pas qu'il n'y avait du travail que
pour un » (Lagrange, 411). Elle ne dit pas que
le père avait l'intention d'envoyer un seul de ses
fils à la vigne, ni non plus qu'un temps se soit
écoulé entre les deux invitations. La parabole fait
abstraction des intentions et du temps. Pour la leçon
visée, il lui suffit d'un contraste ; et l'antithèse est
aussi forte dans les deux cas, à savoir si le père
voulait d'abord se contenter d'un seul ouvrier, et
s'il comptait envoyer les deux à la fois. Quant à la
distribution des rôles dans le temps, rappelons que,
si la parabole *des talents* confie simultanément à
tous les serviteurs le capital à faire valoir, la parabole *des ouvriers* échelonne les mercenaires au cours
de la journée jusqu'à la dernière heure inclusivement. Enfin, s'il est permis de juger d'une parabole
par son application certaine, il ne reste pas de doute
que le père n'eût dessein d'envoyer l'un et l'autre de
ses fils, puisque Dieu invitait également pharisiens
et publicains à entrer dans le royaume.

*S'adressant alors au second, il lui dit la même
chose. Mais lui de répondre : Je ne veux pas...*

La réponse du cadet est « d'un rustre » (Lagrange,
411). Dans un style moins expressif, mais plus
noble, saint Jérôme commentait : *superbe respondit,
c'est la réponse d'un orgueilleux* (155). Cependant,
même dans les âmes viles, il se produit d'admirables
mouvements et des retours inespérés. Si la *manière*
s'y ajoute, le repentir peut alors égaler en beauté
l'innocence. Ici la manière paraît avoir été absente.
C'est le remords d'un homme mal élevé qui se

repent, mais ne sait pas le dire; qui se contente de
réaliser sa conversion, sans oser la déclarer à qui
recevrait d'un tel aveu une si douce compensation. Un orgueilleux et un rustre à qui manque la
manière.

Ou bien, c'est nous, pauvres commentateurs, qui
raffinons sur les données littéraires d'un tableau
concis à l'extrême et qui n'a que les lignes essentielles.
Disons à la décharge et à la louange des pécheurs
de l'évangile qu'ils connaissaient aussi parfois la
manière, puisqu'ils savaient à l'occasion régaler
le Sauveur, comme Matthieu, dans un magnifique
repas où étaient conviés tous les publicains et les
pécheurs de Capharnaüm, un vrai festin de pécheurs,
convivia peccatorum, le mot est de saint Jérôme;
puisqu'ils savaient, comme la pécheresse, briser le
col de l'albâtre sur les pieds de Jésus pour les arroser,
les essuyer, les baiser...

*Lequel des deux a fait la volonté du père ? Le
dernier, disent-ils.* Dans l'épisode précédent du
baptême de Jean, Jésus avait adressé à ces mêmes
auditeurs une question semblable : *Le baptême de
Jean, d'où était-il, du ciel ou des hommes ?* Et les
pharisiens, flairant le piège, avaient refusé de
répondre. Cette fois, ils répondent le plus innocem-
ment du monde à l'habile question de Jésus, sans
soupçonner que leur réponse va se retourner immédiatement contre eux. Ces hommes retors, qui
tant de fois ont essayé de surprendre Jésus par des
interrogations captieuses, longuement préparées,
les voilà pris à leur tour. Tout lecteur de l'évangile
en éprouve une satisfaction comme du châtiment
d'un coupable.

Le procédé était bien connu dans l'ancienne
ialectique juive. Nous l'avons signalé dans les

apologues de *la femme de Teqo'a, du prophète
Nathan, du prophète anonyme* (*Introduction aux
paraboles évangéliques*, pp. 126-134). Il consiste
à faire prononcer par l'auditeur, sans qu'il s'en
doute, sa propre condamnation. L'apologue doit
être assez voilé, pour que l'auditeur ne soit pas
mis en garde ; il doit être assez clair pour que, à la
levée du voile, l'adversaire se trouve confondu. Au
v. 25, l'effet a été manqué, parce que le piège a été
éventé ; ici il est parfaitement réussi. Il arrive à ces
hypocrites de répondre candidement selon la vérité,
et la vérité les foudroie sur-le-champ.

III. — APPLICATION

L'application de la parabole est manifestement
contenue dans le v. 31 : *Jésus leur dit : En vérité,
je vous dis que les publicains et les femmes de
mauvaise vie vous précèdent au royaume de Dieu.*
C'est le seul cas de l'évangile où Jésus associe les
publicains à ces personnes. Loin d'atténuer le
rapprochement, il l'étale, en donnant à ces créatures
leur qualificatif le plus odieux, πόρναι, des *courtisanes.*
Jésus ne dit pas que les pharisiens soient exclus du
royaume ; il dit qu'ils n'y sont pas encore. Peut-être
ne sont-ils même pas en chemin, tandis que les
pécheurs publics les y précèdent. Le spectacle de
pareilles gens sur les routes du salut est de nature
à piquer de jalousie les orgueilleux pharisiens qui
affectaient le plus beau dédain pour ces déchets
de la société et de la religion. Eussent-ils été convoqués ensemble, pharisiens et publicains, ce serait
une honte pour les premiers de s'être laissé
devancer par les seconds. A plus forte raison si les
pharisiens ont été d'abord invités à part et qu'ils

aient refusé de se rendre à cet appel du père et
du maître, les publicains s'y étant au contraire
montrés dociles.

Appendice. — La parabole pourrait s'arrêter là
sans détriment pour le sens. Elle se prolonge néanmoins en un dernier verset : *Car Jean est venu à
vous dans la voie de la justice et vous n'avez pas
cru en lui, tandis que les publicains et les femmes
de mauvaise vie ont cru en lui. Ce que voyant, vous
ne vous êtes pas convertis, pas même à la fin et
vous n'avez pas cru en lui.* La voie de la justice
désigne les enseignements plutôt que les exemples,
à cause de ce qui suit : *vous n'avez pas cru,* — ce
qui requiert une adhésion intellectuelle. Nous
pensons aussi que les derniers mots *ut credentes ei,*
τοῦ πιστεῦσαι αὐτῷ, désignent moins un but qu'un
résultat, lequel est contemporain de la conversion :
*vous ne vous êtes pas convertis et vous n'avez pas
cru...*

Le verset en lui-même ne comporte pas de
difficultés. La priorité spirituelle qu'il reconnaît
aujourd'hui aux pécheurs convertis, Jésus la fait
dater du temps de son Précurseur. Dès cette
première heure la distinction s'est faite. Tandis
que les pharisiens répondaient non, les pécheurs
répondaient oui en adhérant aux enseignements
du Baptiste et ils se mettaient en route pour le
royaume. Ce que voyant, les pharisiens ont néanmoins persévéré dans leur incrédulité vis-à-vis du
Baptiste.

La seule difficulté est que le verset nous parle de
Jean, alors que nous attendions qu'il nous parlât de
Jésus ou de Dieu. « Il est assez singulier que la
conclusion de la parabole soit justifiée ici par
l'attitude que le judaïsme officiel et les gens hors

la Loi ont eue respectivement à l'égard de Jean-
Baptiste... On s'attendrait plutôt maintenant à ce
que Jésus parle de lui-même et de l'accueil fait
à sa prédication » (Loisy, 300).

Assurément le cas des auditeurs de Jean a une
certaine analogie avec celui des fils de la parabole.
Les pharisiens se sont montrés récalcitrants à la voix
du Précurseur, tout comme le fils aîné à la voix de
son père, et les pécheurs ont obéi comme le fils cadet.

Il y a cependant une différence. Les deux fils de la
parabole ont d'abord adopté une ligne de conduite
qu'ils ont modifiée par la suite, tandis que les auditeurs de Jean ont pris dès l'abord, en face de sa
doctrine, une attitude qu'ils ont respectivement
maintenue jusqu'au bout. Orgueilleux et revêches,
les pharisiens l'ont été depuis la première heure et ils
le sont restés. Dociles et obéissants, les pécheurs.
Comme ce *changement d'attitude* semble un élément
essentiel de la parabole, en raison du relief qui lui
est donné, nous ne pouvons pas dire que le v. 32 soit
l'application de la parabole. Il présente avec elle
une analogie de sujet, il n'en fait point partie essentielle ou intégrante. De nouveau, c'est une conclusion apparente ou un appendice.

Cette solution est confirmée d'une manière
intéressante par saint Luc qui connaît ce reproche
de Jésus aux pharisiens, mais qui le place dans un
tout autre contexte, après le message de Jean-Baptiste. Les quelques variantes de forme laissent
subsister l'identité de fond. VII [28] *Je vous le dis, parmi
les enfants des femmes, il n'y a pas de prophète plus
grand que Jean...* [29] *Et tout le peuple qui l'a entendu
et les publicains eux-mêmes ont donné raison à Dieu,
en se faisant baptiser du baptême de Jean,* [30] *tandis
que les pharisiens et les docteurs de la Loi ont*

*annulé le dessein de Dieu à leur égard, en ne se
faisant pas baptiser sur lui* (trad. Valensin-Huby).

Puisque ces reproches du Sauveur sont placés par
saint Luc dans un autre contexte, n'est-ce pas la
preuve qu'ils ne font point partie de la parabole? Le
P. Lagrange le reconnaît. « L'on pourrait admettre
que le v. 32 représente une parole de Jésus conservée
par la tradition, mais sans une attache déterminée,
placée par Luc dans un endroit et par Matthieu dans
un autre » (411).

Le P. Lagrange qui convient encore que, dans
saint Luc, le contexte n'exige nullement cette parole,
pense que, dans saint Matthieu, elle répond tout à
fait à la situation générale. « Loin que le v. 32 soit
adventice, il donne au contraire la clef de toute la
péricope » (*ibid.*). Ceci ne paraît plus exact. Le
savant commentateur s'efforce de montrer que, par-
dessus la parabole des deux fils, le v. 32 se rattache
à la discussion de Jésus avec les pharisiens au sujet
du baptème de Jean et qu'il l'éclaire. Mieux vaut
franchement reconnaître que le verset en question
n'a avec la parabole qu'une analogie de sujet; et,
puisqu'il est séparé de la discussion joannique par
la parabole, mieux vaut renoncer à éclairer la
discussion par cette déclaration lointaine. Cette
constatation s'impose d'autant plus que la parabole,
si elle fait matériellement suite à la discussion sur le
baptème, ne la continue pas; elle n'a pour ainsi dire
rien à voir avec elle. Les chassés-croisés ou les
ponts suspendus ne peuvent que nous causer
d'inextricables embarras, ceux-là même où se
débattent bon nombre de commentateurs.

Nous obvions à tous ces inconvénients en reconnaissant que la seule application de la parabole
se trouve au v. 31; que la parabole s'arrête là; que

le v. 32 est une parole authentique de Jésus, placée
en appendice à cet endroit à cause d'une certaine
analogie de sujet; enfin que, pour ces motifs, nous
ne devons chercher dans ce v. 32 l'explication ni de
la parabole *des deux fils* ni de la discussion qui
précède.

Leçon principale. — Le terrain ainsi déblayé,
l'application de la parabole sera plus facile. Il nous
suffit de mettre en comparaison les données évangéliques :

De même que, des deux fils qui avaient été conviés
successivement par leur père à se rendre à la vigne,
l'aîné avait répondu le oui de l'obéissance, puis,
revenant sur sa parole, s'était montré désobéissant,

tandis que son cadet, après avoir répondu un non
grossier, avait ensuite changé de sentiment et s'était
rendu à la vigne,

ainsi les pharisiens, malgré leurs dehors d'obéissance et de justice, ont refusé d'entrer au royaume,

tandis que les publicains et les personnes de
mauvaise vie se repentent de leur vie de péché
et devancent les pharisiens dans le royaume.

Application allégorique. — Faut-il aller plus loin et
dire que la parabole est une allégorie véritable ?
Plusieurs commentateurs qui, pour des raisons
diverses, se tiennent en garde contre l'allégorie,
essayent d'échapper à cette conclusion (Loisy,
Lagrange).

Pourtant, la conclusion s'impose. Sans qu'ils aient
à subir la moindre violence, les termes correspondants se superposent jusqu'à s'identifier, et les
métaphores s'ajoutent en séries coordonnées au
point de constituer une allégorie parfaite.

Le maître de la vigne est Dieu; les deux fils sont
les pharisiens et les publicains. Les pharisiens

faisaient par état, et depuis toujours, dès l'Ancien
Testament, profession d'obéissance à la Loi; cependant, le moment venu, ils refusent d'adhérer aux
enseignements du Christ et d'entrer dans son
royaume. Les publicains et les pécheurs faisaient
par état profession de désobéissance; cependant,
le moment venu, ils écoutent la prédication du
Christ, s'offrent spontanément à la pénitence, à la
conversion et au royaume. Ils y précèdent les pharisiens qui en ignorent encore le chemin et ne se
soucient guère de le savoir.

Ainsi, dans cette application, tous les traits portent
et tous sont métaphoriques. Celui qui semblait
d'abord n'être qu'un ornement littéraire, à savoir
le changement opéré dans la première résolution
de l'un et de l'autre fils, constitue lui-même une
belle métaphore de l'hypocrisie pharisaïque et de la
conversion des pécheurs. Les pharisiens, parés de
leur justice légale et de leurs observances scrupu-
leuses, avaient déjà entendu l'appel, bien avant les
pécheurs qui vivaient éloignés de Dieu et de sa Loi.

La parabole constitue donc une parfaite allégorie.

Nous avons déjà dit que la tendance des Pères
allait à identifier les deux fils aux gentils et aux juifs.
La conscience exégétique de Maldonat s'étonnait
d'une interprétation que rien ne semblait justifier.
Il regardait cependant comme un devoir de piété,
pium existimare, de tenir que Jésus avait pensé aux
gentils et aux juifs au moins confusément et indirec-
tement, *obscure et obliquo.* Aujourd'hui les exégètes
ne se croyant plus obligés à une interprétation
violente, s'engagent sur la voie qu'avait déjà
entr'ouverte saint Jérôme et dans laquelle Maldonat
gémissait de ne pouvoir librement s'avancer. L'aîné
n'est donc plus que les pharisiens, et le cadet n'est

plus que les pécheurs de l'époque, publicains et femmes de mauvaise vie.

Ce point acquis, nous n'aurons pas l'inélégance de ne point retenir les gentils et les juifs dans les alentours de la parabole pour les faire bénéficier d'une accommodation intéressante. Nous irons même jusqu'à prolonger la perspective et comme le sens littéral de la parabole, avec un auteur ancien (l'auteur de l'*Ouvrage imparfait*), en disant que la leçon convient encore aux justes prétendus de tous les temps, et, cette fois sans la moindre restriction, à tous les pécheurs qui viennent des voies de l'iniquité à résipiscence.

Le riche et le pauvre Lazare

(saint Luc, xvi, 19-31).

¹⁹ Il y avait un homme riche qui était vêtu de pourpre et de lin et qui, chaque jour, faisait splendide chère. ²⁰ Et il y avait un mendiant, du nom de Lazare, qui gisait à sa porte tout couvert d'ulcères ²¹ et désireux de se rassasier de ce qui tombait de la table du riche; et même les chiens venaient lui lécher les ulcères.

²² Or il advint que le pauvre mourut et fut emporté par les anges dans le sein d'Abraham. Le riche mourut aussi et on lui donna la sépulture. ²³ Et dans l'hadès, ayant levé les yeux, tandis qu'il était dans les tourments, il aperçut de loin Abraham et Lazare dans son sein. ²⁴ Et il s'écria : Père Abraham, ayez pitié de moi et envoyez Lazare pour qu'il trempe dans l'eau le bout de son doigt et qu'il me rafraîchisse la langue, car je suis torturé dans cette flamme. ²⁵ Abraham répondit : Mon enfant, souviens-toi que tu as reçu tes biens durant ta vie et pareillement Lazare les maux; et maintenant, il est ici consolé, tandis que toi, tu es dans les tourments. ²⁶ Du reste, entre vous et nous un grand abîme est établi, en sorte que ceux qui voudraient passer d'ici vers vous ne le peuvent pas et que, de là, on ne passe pas non plus vers nous.

²⁷ *Et [le riche] ajouta : Je vous en prie, père [Abraham], envoyez-le donc à ma maison paternelle, car j'ai cinq frères,* ²⁸ *pour qu'il leur parle, afin qu'ils ne viennent pas eux aussi en ce lieu de tourments.* ²⁹ *Abraham répondit : Ils ont Moïse et les prophètes, qu'ils les écoutent!* ³⁰ *Il repartit : Non, père Abraham, mais si quelqu'un d'entre les morts se rend auprès d'eux, ils feront pénitence.* ³¹ *[Abraham] lui dit : S'ils n'écoutent pas Moïse et les prophètes, alors même qu'un mort ressusciterait, ils ne se laisseraient pas persuader...*

La parabole *du riche et du pauvre Lazare* a cette analogie avec *l'économe avisé* qu'elles traitent l'une et l'autre de la richesse et qu'elles se trouvent dans le même chapitre xvi, séparées à peine par un intervalle de quelques versets. S'empresser de conclure avec Bruce qu'elles doivent être jointes par-dessus les versets 10-18 et qu'une même leçon les régit, n'est-ce pas d'une méthode douteuse? La vraie méthode demande que, avant de se prononcer, les textes soient attentivement examinés et sérieusement interprétés; elle demande aussi que la deuxième parabole, tout comme la première, soit étudiée d'après ses données propres, et qu'on ne fasse pas fond, pour cette interprétation, sur les neuf versets intermédiaires, tellement est ténu le fil qui les rattache entre eux ainsi qu'aux paraboles circonvoisines. Ce sera la méthode employée dans ce commentaire.

Le riche et le pauvre Lazare se compose essentiellement de deux scènes vigoureusement opposées : une scène terrestre (16-12) et une scène d'outretombe (22-26). La narration s'achève par une troisième scène complémentaire (27-31), qui méritera du reste une étude spéciale en raison de sa teneur et de sa connexion avec les scènes précédentes.

I. — Tableau

Scène terrestre (19-22). — Le tableau débute par un contraste violent : celui d'un riche à qui rien ne manque et celui d'un mendiant à qui tout fait défaut. Avec quelle sobriété et quel relief dramatiques, on va le voir.

Le riche. — Le riche était vêtu de pourpre et de lin. La pourpre s'étalait sur le manteau où se drapait princièrement son opulence; les tuniques et les habits de dessous devaient être de lin, peut-être

de lin de Bethsan qui était réputé pour sa finesse
dans toute la Palestine. Il suffira de noter que,
dans la littérature juive, les riches sont toujours
vêtus de pourpre et de fin lin.

A la richesse des habits le riche joignait le luxe
de la table. Sans doute conviait-il ses amis à des
repas que rehaussaient, autant que l'abondance,
les raffinements de la cuisine orientale. Toutefois
la parabole ne mentionne pas les invités. Elle ne
parle de la bonne chère que pour la satisfaction
personnelle qu'y trouvait l'insatiable gourmet.
Chaque jour lui ménageait un nouveau festin.

C'est en cela que consistait l'étalage principal de
sa richesse. Autrefois, moins que de nos jours,
le riche plaçait la coquetterie de sa fortune dans
la splendeur de l'habitation. Sans être une chau-
mière, sa maison n'était pas un palais. Ni Saül ni
David ne songèrent à bâtir une *maison royale*.
La maison de cèdre ne fut élevée que par Salomon,
le plus fastueux des rois de Juda, après qu'il eut
construit la *maison de Dieu*. De nos jours encore,
il s'en faut que toutes les riches maisons possèdent
une façade ou une armoirie. Et si aujourd'hui
la fortune cherche davantage à se créer une demeure
digne de son rang, tous les Palestiniens savent que
la mégalomanie dans l'habitation est une importa-
tion étrangère.

Quant aux équipages, l'état des chemins a
toujours été cause que cette vanité fût inconnue
en Palestine. On ne voit pas de somptueux quadriges
galopant sur nos sentiers rocailleux.

Le riche de la parabole était un homme de son
temps; sa richesse était ce qu'elle pouvait être à
l'époque de Notre-Seigneur. Par contraste, nous
sommes préparés à la description du mendiant

dont les haillons cachent mal les ulcères et qui, pour tout festin, soupire après les reliefs des tables plantureuses.

Le pauvre. — Nous les connaissons bien, ces mendiants de Palestine. Ils s'acheminent en lamentables théories vers les portes des monastères, où la distribution des aumônes se fait à des jours et à des heures déterminés. Avant la guerre, les couvents français et italiens de Bethléem nourrissaient journellement jusqu'à une centaine de ces malheureux. Aujourd'hui la mendicité est plus réduite, mais la physionomie générale du spectacle n'a pas changé. L'estropié arrive à grand renfort de béquilles, s'il n'est pas porté sur le dos d'un confrère de misère, plus robuste et compatissant. L'aveugle précautionneux tâte les chemins familiers, à moins qu'il ne tende le bout de son bâton à un autre mendiant plus clairvoyant qui lui sert de guide. On voit de la sorte jusqu'à trois aveugles ou borgnes à la queue leu leu, véritable caravane de misère.

Et quels haillons auréolent cette pauvreté! Ce qui fut une tunique ou un manteau n'est souvent plus qu'un assemblage de chiffons hétéroclites, reliés à gros fil, à travers lesquels passe librement toute la froidure d'hiver.

Ce qui frappe en ces malheureux, c'est leur assiduité aux mêmes portes. Jamais patron n'eut clients plus fidèles. Je connais des habitués de quinze, vingt et trente ans. A la longue, une sorte de familiarité s'établit entre celui qui donne et celui qui reçoit. Chaque pauvre finit par être connu par son nom ou par un sobriquet. Malgré leur misère, leur malpropreté, parfois leur indélicatesse, on retrouve avec plaisir tous ces mendiants après une absence, parce qu'ils sont devenus comme un prolongement de la maison, en quelque sorte des familiers, et, au vieux sens du mot, des *domestiques*.

C'était un de ces pauvres qui fréquentait la maison du riche. Il s'appelait Lazare, diminutif populaire d'Éléazar, tout à fait un vocable de circonstance, puisqu'il signifie *Dieu aide*.

De ce nom, maints commentateurs anciens tirèrent la conclusion que la parabole racontait une histoire véritable. *Narratio magis quam parabola videtur, quando etiam nomen exprimitur*, dit saint Ambroise (xv, 1768). La fantaisie n'est-elle pas allée jusqu'à identifier, à Jérusalem, près de la cinquième station de la *voie douloureuse*, la maison du *mauvais riche*, afin de préciser en quel endroit se tenait le pauvre Lazare ? Les commentateurs modernes estiment que le nom n'est pas une preuve d'historicité, car les romans sont les plus circonstanciés de tous les récits. Si le divin Maître fait ici une exception à sa règle constante de ne pas donner de nom à ses personnages, il semble bien que ce soit en vue de rendre sa narration plus vivante et plus facile. On observe que la parabole donne à Lazare le titre de mendiant jusqu'à sa mort, mais qu'elle évite ensuite ce qualificatif, peut-être intentionnellement. Comme il devait cependant être question de lui dans la scène d'outre-tombe où plusieurs personnages entrent en jeu, il devenait nécessaire de lui attribuer un nom propre. On lui a donné celui de Lazare, qui était très répandu à cette époque. Ne cherchons pas ailleurs de solution meilleure.

Il était naturel que le nom de Lazare amenât quelques auteurs à donner également un nom au mauvais riche. Effectivement la version sahidique et

une scolie grecque le nomment *Nineve,* tandis que
Priscillien et le pseudo-Cyprien l'appellent *Pinées.*
Harnack tient le premier de ces noms pour une cor-
ruption du second, et il pense que le nom de Pinées
ou Phinées a été suggéré par celui de Lazare ou
Éléazar, puisque le prêtre Éléazar était père de
Phinées. Ces diverses explications semblent tout à
fait plausibles (Jülicher, II, 621).

Lazare gisait à la porte du riche, πυλῶνα, la porte
principale, qui donnait sur la route passante. Pour
un mendiant, c'est la bonne place. Il arrive, s'installe et attend, bien en vue, car il a besoin qu'on
le voie. S'il a ses heures et qu'on le connaisse, il
attend à ce poste qu'on se souvienne de lui, silen-
cieux ou devisant avec ses compagnons de mendicité. S'il n'est pas connu, il a soin de s'annoncer
à grande voix par une litanie de demandes et de
remerciements anticipés.

Le verbe grec (ἐβέβλητο) signifie, non pas que
Lazare était jeté, mais au sens adouci qu'il était porté
et déposé là, comme le paralytique de la *belle porte*
(Act. III, 2), ou simplement qu'il y était couché ou
accroupi, soit qu'il y eût été porté par des personnes
charitables, soit qu'il s'y fût traîné par ses propres
moyens. On remarquera ce plus-que-parfait d'état
ou d'habitude. C'était là son poste habituel de mendiant. C'est donc qu'il y trouvait son compte. Le
mendiant palestinien a beau être doué d'une robuste
patience, oublieuse des rebuts et des injures, il
n'aime pas à stationner aux portes inhospitalières.
Si on ne lui donne rien ou presque rien, il passe son
chemin et s'en va tendre la main ailleurs. Puisque
Lazare revenait habituellement à cette porte, c'est
qu'elle ne restait pas inhumainement fermée à sa
misère. Cette constatation nous sera utile par la

suite. Je la relève également dans Klostermann (230).

La misère s'aggravait en ce misérable de pénibles
infirmités. Le terme médical employé par l'évangé-
liste-médecin nous apprend qu'il était tout couvert
d'ulcères (εἱλκωμένος). Peut-être les plaies transparais-
saient-elles à travers les haillons. Elles devaient être
surtout apparentes aux jambes, car les mendiants
vont toujours jambes-nues, la tunique ne leur descendant guère qu'aux genoux.

Toute cette description énumère les titres de
Lazare à recevoir l'aumône; elle vise surtout à
nous le montrer dans une misère extrême : pauvre
jusqu'à la misère, infirme à faire pitié!

Dans cette extrémité que demande-t-il? A peine les
restes, les déchets de la table, ce qu'on jetterait à la
voirie. En Palestine, les Lazare déguenillés et couverts d'ulcères sont légion. Ils se tiennent pour satisfaits, si les riches leur octroient la pitance quotidienne qui les empêche de mourir de faim. Ils vont
ainsi de porte en porte, faisant leur métier de mendiants, comme d'autres font leur métier de riches,
contents de leur sort et ne songeant même pas qu'il
puisse être modifié. Nous en avons fait l'expérience
sur des centaines de pauvres, clients habituels du
couvent; pour eux, la question sociale n'existe pas
encore. Ces misérables ne rêvent pas d'une révolution qui corrigerait à leur profit les inégalités de la
fortune; ils ne demandent pas à changer de vie;
ils ne demandent qu'à vivre.

La Vulgate dit que Lazare sollicitait les *miettes,*
saturari de micis. Le mot n'est pas dans le grec ; il
doit s'entendre non pas des miettes de pain, mais
des restes en général. L'addition d'ailleurs ne tire
pas à conséquence. Les scribes latins ont été moins
heureux dans la glose de ce même verset 21 *et nemo*

illi dabat, et ces restes personne ne les lui donnait.
Ces mots qui sont absents de tous les manuscrits
grecs, ainsi que des meilleurs manuscrits de la Vulgate hiéronymienne, sont manifestement inspirés
par le passage similaire *du fils prodigue,* lequel
désirait se rassasier des caroubes de ses pourceaux,
et personne ne lui en donnait. Je sais bien que la plupart des commentateurs estiment l'addition conforme
à l'esprit de la parabole. Néanmoins c'est une glose
injuste, attendu que Lazare recevait l'aumône à la
porte du riche. Elle fait ainsi fonction d'élément per-
turbateur et est peut-être cause que nombre d'exégètes
se sont mépris sur la véritable leçon de la parabole.

Voici le comble de la misère : *et même les chiens
venaient lui lécher les ulcères.* Les chiens étaient-ils
donc plus compatissants que les hommes et appor-
taient-ils au malheureux un soulagement que le
riche inhumain lui aurait refusé? C'est le sens
qu'on serait porté à reconnaître si l'addition de la
Vulgate était authentique : *personne ne lui donnait
l'aumône, mais les chiens plus pitoyables venaient...*
En réalité, la particule ἀλλὰ καί a le sens de πλήν, *en
outre, bien plus* (Moulton-Milligan, *au mot* ἀλλά),
donc un sens affirmatif, en manière de conclusion et
de renchérissement. Ici elle forme gradation ascendante et nous décrit le comble de l'infortune. Les
chiens s'approchent sans que Lazare ait la force de
les écarter, et ils s'enhardissent jusqu'à venir lui
lécher les plaies. Les chiens ne font donc pas ici
figure d'animaux compatissants. La Bible ne nous a
guère habitués à voir des modèles de pitié dans ces
bêtes, errantes et faméliques, qui rôdent aux portes
des villes ou des maisons, le museau plongé dans les
détritus. Et peut-être, malgré tel exemple contestable extrait d'auteurs anciens, perdrait-on sa peine

à établir la vertu curative de la langue des chiens.
« Abandonné de tous, n'ayant pour compagnons
que les chiens de la rue qui s'assemblaient autour de
lui et lui disputaient peut-être sa maigre pitance,
Lazare ne pouvait pas même les chasser et les
empêcher de lécher ses plaies » (Lagrange, 444).

La première scène de la parabole s'achève sur ce
dernier trait. Nous y voyons le riche resplendissant
de santé au milieu du luxe, et le pauvre qui, au sein
de la misère et de l'abjection, retient à peine le
souffle de vie qui lui reste.

De fait il ne tarde pas à mourir.

Scène d'outre-tombe 22-26. — Sa mort est l'occasion
d'un coup de théâtre du plus bel effet dramatique.
Ce cadavre, la parabole ne s'en occupe pas; il n'eut
certainement pas d'enterrement ni de tombe honorable. On dut le ramasser dans le coin où le misérable avait expiré, peut-être sur la rue, peut-être sur
les marches de la demeure fastueuse; on dut le
porter sans cérémonie, en hâte, dans une terre
d'emprunt, la tombe des pauvres et des étrangers, où
il fut déposé dans ses haillons sordides. Mais, tandis
que les concitoyens s'empressaient de se débarrasser d'un cadavre gênant, les anges venaient prendre
son âme et la conduire dans le *sein d'Abraham*.

Le sein d'Abraham. — La littérature rabbinique
est remplie d'allusions à cet office mortuaire des
anges bons et mauvais. D'après les conceptions de
l'époque *l'ange de la mort,* de son vrai nom Satan
ou Sammaël, se tenait au chevet des mourants pour
les effrayer, leur mettre à la bouche une goutte de
poison et finalement emporter leurs âmes. Les
efforts de Sammaël étaient puissamment contre-
carrés, près de la couche des justes, par trois bataillons de bons anges, messagers de la paix, qui, au

dire de R. Méir (150), s'écriaient : « Qu'il vienne dans la paix! Grande est la paix! Dieu n'a rien créé de plus que la paix! » Dès la moitié de notre deuxième siècle, sinon avant, les impies recevaient eux aussi la visite de trois bataillons d'anges, les anges de la perdition, qui récitaient le verset d'Isaïe : *Il n'y a point de paix pour les méchants, dit Jahvé...* (XLVIII, 11).

Les auteurs se font-ils toujours une juste idée du *sein d'Abraham*, quand ils le prennent pour un qualificatif métaphorique du paradis? Dom Calmet écrivait : « *Le sein d'Abraham* est le lieu où les âmes des saints et des patriarches demeuraient attendant la venue du Libérateur » (261). Aujourd'hui une connaissance plus exacte de la littérature talmudique conseille une explication plus satisfaisante. Nulle part dans le Talmud, le sein d'Abraham n'a cette signification générale et métaphorique. L'expression très usuelle (*hâq*, araméen *hêqâ*) garde toujours son sens propre. L'élu qui repose sur le *sein d'Abraham* est un convive privilégié, couché à la table du père des croyants, à sa droite ou devant lui, et qui a licence de s'abandonner à son gré sur le sein de son père, à la manière de saint Jean reposant sur la poitrine du Maître, le soir de la cène. Ou bien c'est l'enfant que son père presse affectueusement dans ses bras, dans son sein, pour lui prodiguer toutes les marques de sa tendresse (Strack-Billerbeck, 225-227). Comme la parabole ne mentionne pas de festin, Lazare, qui est évidemment en paradis, repose sur le sein d'Abraham, non à la manière des convives, mais à la manière des enfants. « Lazare qui n'avait plus de société que les chiens est devenu l'enfant chéri d'Abraham et repose sur son sein » (Lagrange, 444).

L'hadès. — Ce contraste est malheureusement
suivi d'un autre. Un jour vint où le riche, en dépit
de son luxe et de son abondance, mourut aussi.
Ses richesses l'accompagnèrent jusqu'au tombeau
inclusivement, car il eut de magnifiques funérailles,
et ses restes furent solennellement déposés en l'un
de ces sépulcres que les Hiérosolymites opulents
taillaient dans le calcaire tendre des collines envi-
ronnàntes. Ses richessses n'allèrent pas plus loin.
Ou plutôt, elles avaient déjà montré leur impuissance radicale, puisque, incapables de retenir son
âme, elles n'avaient pas davantage pu la suivre.

Ici le contraste est aussi violent que cruel. Au
lieu de sa demeure confortable, *l'hadès!* Au lieu
de sa bonne chère et de ses habits luxueux, les
tourments du feu!

Une ponctuation défectueuse de la Vulgate ferait
croire que le malheureux descendit au chéol en
corps et en âme : *mortuus est autem et dives, et
sepultus est in inferno.* Mais nul doute qu'il ne
faille préférer la leçon unanime des manuscrits
grecs : *le riche mourut aussi et on lui donna la
sépulture. Et dans l'hadès, ayant levé les yeux...*
Le verbe *ensevelir* se prend toujours au sens littéral. Pour rendre la pensée de la Vulgate, il eût
fallu dire : il descendit, il fut englouti dans l'hadès.
Ajoutons que cette descente aux enfers n'est pas
motivée : il suffisait pour l'enseignement parabolique que l'âme du riche fût châtiée, en attendant
que son corps la rejoignît le jour de la résurrection,
de même que l'âme de Lazare est seule à jouir
de la béatitude dans le sein d'Abraham.

Personne ne s'étonnera que la parabole continue
d'attribuer aux âmes séparées les sentiments ou
les actes qui, rigoureusement parlant, convien-

draient à la personne entière. Plus que jamais,
dans cette fin de parabole, la doctrine sera énoncée
en des formules populaires, empruntées à la langue
des auditeurs. Calmet l'a dit : « Le Sauveur se
proportionne à la portée et aux préjugés de la
multitude dans ces choses où l'erreur n'est point à
craindre » (261).

La scène terrestre fait ainsi place à la scène
d'outre-tombe. Nous admirerons une fois de plus
dans la narration la puissante sobriété et la rapidité
qui constituent la manière dramatique de saint
Luc. Première scène : le riche dans son palais et
Lazare à la porte, dehors. Deuxième scène : Lazare
au sein d'Abraham et le riche dans les tourments
de l'hadès. Tout ce qui logiquement est inclus
entre ces deux tableaux est omis comme superflu,
ou du moins comme étranger à l'art de cette tragédie en raccourci.

Brusquement donc le riche nous est montré dans
l'hadès en proie à l'horrible tourment du feu.
L'hadès, correspondant grec du sémitique *chéol*,
était le terme générique pour désigner le séjour de
tous les morts ; il comprenait la demeure des justes,
celle que la littérature talmudique nommera bientôt
Gan 'Eden, jardin de l'Éden, ou *paradis,* et la
demeure des méchants, connue depuis l'Ancien
Testament sous le nom de *géhenne.*

Les rabbins qui dissertaient du monde futur
postérieur au jugement universel, se représentaient
le *jardin de l'Éden* à proximité de la géhenne ;
de la sorte les élus pouvaient apercevoir les tourments des réprouvés et en concevoir un accroissement de béatitude ; les réprouvés voyaient aussi le
bonheur des élus et leur tourment en était augmenté. Le quatrième livre d'Esdras dira à ce sujet :

« La cinquième peine (*des impies*) est qu'ils voient
comment les anges gardent les demeures des autres
âmes (les élus) dans une paix profonde... La
deuxième joie (*des élus*), c'est qu'ils contemplent
les chemins escarpés par où les âmes des impies
sont condamnées à errer, ainsi que le châtiment
qui les frappe » (vii, 85, 93).

Ces conceptions mêlées ont été se précisant à
mesure que se développait l'enseignement talmudique. Mais déjà dans les plus anciens textes, se
fait jour la croyance que sauvés et damnés se
voyaient dans l'au-delà et qu'ils pouvaient converser
d'une demeure à l'autre. Strack et Billerbeck nous
avertissent sagement de ne pas introduire pêle-
mêle ces imaginations dans la parabole de saint
Luc (228).

Puisque le damné lève les yeux vers Abraham,
nous pouvons achever la construction du lieu en
disant que la *géhenne* se trouvait en dessous du
paradis, dont elle était séparée par le grand abîme.
Le principal tourment de la géhenne, d'après les
apocalypses juives, c'était le feu. Le livre d'Hénoch
disait : « En ces jours on les emmènera (les pécheurs)
dans l'abîme du feu, dans les tourments, et ils
seront pour toujours enfermés dans la prison »
(x, 13, trad. Martin). Plus explicitement, Hénoch
slave : « Ces hommes (les anges) me conduisirent
dans la région du nord et ils m'y firent voir un lieu
effroyable, et toute sorte de tourments en ce lieu,
d'horribles ténèbres, un brouillard qui ne se pouvait
éclaircir ; là, point de lumière, mais un feu ténébreux
y brûle sans cesse ; il en sort un torrent de feu,
et tout cet endroit n'est que feu de toute part... »
(xi, ss.)

Le damné fut aussitôt investi par la flamme dou-

loureuse. Lorsque, levant les yeux, il aperçut au
loin le père commun Abraham et l'ancien pauvre
Lazare dans ses bras, il eut un cri d'imploration et
de détresse : « Père Abraham, ayez pitié de moi... »

Le misérable qui a passé toute sa vie dans le sentiment de sa supériorité sociale, conserve jusque dans
la géhenne la notion des rangs et des distances.
Abraham lui apparaît comme le maître de la maison,
qui exerce une autorité sur les élus, considérés
comme autant de serviteurs. Il sait qu'on ne
s'adresse pas au maître pour un service vulgaire ; ce
service on l'attend d'un serviteur, et de l'aveu du
maître. Ici encore, quelle formule de respect et
de réserve !

Requête du damné. — *Père Abraham, ayez pitié
de moi, et envoyez Lazare pour qu'il trempe dans
l'eau le bout de son doigt et qu'il me rafraîchisse
la langue, car je suis torturé dans cette flamme...*
Saint Grégoire le Grand le notait déjà : le voilà
réduit à implorer une goutte d'eau, celui à qui l'on
demandait les miettes de son pain, *guttam aquae
petivit, qui micas panis negavit* (LXXVI, 1306 ; *negavit*
est de trop). Il est évident que cette expression
contient une très humble litote, qui est littérairement une délicieuse trouvaille, car une seule goutte
d'eau ne serait rien pour le brasier intérieur qui le
consume. Tant de modestie, dans un tel malheur,
nous émeut ! Nous souhaiterions ardemment que le
bienheureux Lazare fût autorisé à lui porter ce
minime rafraîchissement...

Faire le pédant à propos de cette goutte d'eau,
demander par exemple, pour embarrasser le paraboliste, où Lazare devait se la procurer, serait, suivant
le mot de Jülicher, une sotte question, *eine sehr
thörichte Frage* (626). Cela dit, il peut y avoir quel-

que intérêt à rappeler que l'imagination talmudique
avait pourvu de sources fraîches le paradis de délices.
Un Oriental qui a pâti de la soif sa vie durant,
n'oublie jamais cette félicité quand il compose ou
décrit le pays de ses rêves. Mahomet ne l'a pas
oubliée dans le Coran. Strack et Billerbeck ont relevé
dans le Talmud le joli trait suivant : « Un pieux
habitant d'Ascalon eut un rêve. Il vit un de ses
compagnons défunts se promener dans un jardin,
sous un berceau de verdure, proche de sources
fraîches : c'était un bienheureux. Il vit aussi un
autre défunt, le fils du publicain Ma'yan, un damné
celui-là, *tirer la langue sur le bord d'un fleuve; il
voulait atteindre l'eau, mais il n'y pouvait réussir* »
(231, 232).

Réponse d'Abraham. — La réponse d'Abraham est
courtoise, mais ferme et négative. Sur terre, le
riche a eu les biens en partage et Lazare les maux ;
il est juste qu'aujourd'hui le riche soit torturé et
Lazare consolé. Abraham alléguait un fait et un
principe. Le fait était indéniable. Quant au principe, il ne serait pas exact sous cette forme absolue
et universelle, car il énoncerait une loi de réversi-
bilité sociale en désaccord avec la justice et la
providence divines. Tous les heureux de ce monde
ne méritent pas la damnation et ne sont pas effectivement damnés; tous les malheureux ne méritent
pas d'être sauvés et, de fait, tous ne le sont pas.
Le principe cesse d'être contestable, si on l'entend
d'une possibilité de renversement social en l'autre
vie par rapport aux situations d'ici-bas. La rétribution de l'au-delà suit d'autres règles que l'actuelle
différence des classes. Il y a certainement des riches
damnés et des pauvres sauvés. De là bien des surprises douloureuses ou agréables.

Le principe était familier à la littérature talmudique : « Salomon a dit : Mieux vaut être humble avec les petits que partager un butin avec les superbes (Prov. XVI, 19). Heureux l'homme qui reçoit sa part avec les humbles ! Malheur à celui qui reçoit la sienne avec les impies ! Car les impies reçoivent leur part ici-bas et s'en vont de ce monde... » (Strack-Billerbeck, 232). Cette fois, ce point de doctrine n'était pas une invention des théologiens du Talmud ; il était fréquemment énoncé ou sous-entendu dans l'Ancien Testament et le Nouveau. Laissons à dom Calmet le soin de nous l'exposer : « Il paraît que plus d'un endroit de l'Écriture dit que les Hébreux croyaient que Dieu avait destiné à chaque particulier une certaine mesure de biens et de maux dans ce monde ou dans l'autre vie ; que ceux qui avaient goûté les plaisirs durant cette vie, seraient privés du bonheur de l'autre ; et qu'au contraire, ceux qui n'auraient eu que des maux en ce monde, auraient bonne part à la félicité du ciel. C'est sur cela que paraissent fondées les promesses de Jésus-Christ, lorsqu'il dit : Bienheureux les pauvres d'esprit..., bienheureux ceux qui pleurent..., bienheureux ceux qui souffrent la persécution..., vous serez bienheureux lorsqu'on vous persécutera... Et ailleurs il dit que les hypocrites qui jeûnent et qui font quelques actions de piété pour gagner l'estime des hommes, ont déjà reçu leur récompense. C'est en ce sens que saint Chrysostome, Maldonat et Grotius prennent cet endroit-ci » (262, 263).

À ces bénédictions des pauvres, Calmet aurait pu joindre les malédictions des riches : « Malheur à vous, les riches ; malheur à vous qui êtes rassasiés ; malheur à vous qui riez ; malheur à vous, lorsque les hommes vous béniront... » (Lc. VI, 24-26).

Abraham évoquait donc aux yeux de son malheureux enfant toute une théologie de la richesse et de la pauvreté que nul, parmi ses clients de l'hadès, de l'un et de l'autre côté de l'abîme, n'aurait songé à contester. Aussi bien toute contestation eût-elle été vaine, car, entre les deux parties du chéol, se creusait un *abîme*, χάσμα, absolument infranchissable, autant pour les élus que pour les damnés. Cette idée de séparation irrévocable semble être personnelle au Sauveur qui aura voulu marquer par là le caractère définitif de la sentence finale. Les rabbins n'insistaient pas sur cette notion. Satisfaits d'avoir juxtaposé dans le monde futur le jardin de l'Éden et la géhenne, ils ne paraissaient pas s'inquiéter des échanges éventuels entre les deux régions et ne faisaient rien pour les prévenir. Le midrach du Qohéleth disait : « La géhenne et le jardin de l'Éden sont situés à côté l'un de l'autre. — Quelle étendue a l'intervalle qui les sépare ? — La largeur d'une main. — Rabbi Jochanan dit : C'est un mur. — Nos docteurs disent : L'un ou l'autre, la chose est indifférente, il suffit qu'on se voie de l'un et de l'autre côté » (cité par Klostermann).

Abraham se sert en cet endroit d'une formule de transition qui est assez embarrassante καὶ ἐν (plutôt que ἐπί) πᾶσι τούτοις, *et in his omnibus*. Le P. Lagrange y voit « une explication sur la situation des deux compartiments » et il traduit : « *Dans toutes ces régions de l'Hadès*, il a été établi entre nous et vous un grand abîme » (447). Mais l'abîme n'est pas établi partout, il n'existe qu'en un endroit : c'est un gouffre infranchissable qui sépare le séjour des élus du séjour des damnés.

Jülicher relève dans le même saint Luc une

expression très voisine de celle-ci χαὶ σὺν πᾶσιν τούτοις,
et nunc super haec omnia (xxiv, 21), et il rapproche
l'une et l'autre de l'expression hébraïque bᵉ *col ẑôth*,
on pourrait ajouter ʿal col ẑôth, *avec tout cela,*
malgré cela. Les correspondants français seraient
les vagues formules de transition : *de toute manière,*
en tout cas, aussi bien, du reste. C'est l'une de ces
nuances qui a chance d'être la véritable.

Nouvelle requête du damné. — Désormais le refus
est motivé; il ne laisse place à aucune insistance :
la cause du damné est entendue. Mais pourquoi le
riche sollicite-t-il précisément l'aide du pauvre
Lazare ? On répond : « Le riche a reconnu le mendiant de jadis, pour l'avoir aperçu à la porte de sa
demeure, mais tel est maintenant le retournement
des conditions, qu'il songe à faire alléger ses souffrances par celui-là même que, durant sa vie terrestre, il a laissé dans un si cruel abandon »
(Valensin-Huby, 3o2). Ou bien encore : « S'il
compte sur Lazare, ce n'est pas une preuve qu'il
l'ait bien traité ici-bas. La parabole devait les
remettre en présence. Peut-être aussi le riche était-il
habitué à demander à Lazare de le servir » (Lagrange,
445, 446). On ne voit pas quels services aurait pu
lui rendre sur terre ce mendiant tout couvert
d'ulcères, incapable même d'écarter les chiens
importuns. Et s'il avait servi, n'aurait-il point
perçu le salaire correspondant ? Car, même en
Palestine, tout service se paie.

Plus encore qu'une question de détail, nous
avons ici une question de psychologie. Redisons
que la requête du damné ne s'expliquerait pas si
Lazare avait été traité par lui inhumainement. Celui
qui garde dans tous ces dialogues (24-31) le sentiment
très exact des convenances, il serait inouï qu'il eut

oublié ses torts supposés à l'égard du seul Lazare.
Je crois que, s'il se fût reconnu coupable sur ce
point, il aurait sollicité l'intervention de tous les
saints du paradis avant de recourir à celle de son
ancien client. Ou bien la réponse d'Abraham lui
eût sévèrement rappelé la loi du talion : « Mon fils,
souviens-toi que, durant ta vie, tu as refusé à Lazare
une miette de pain ; et maintenant il est juste qu'il
te refuse la goutte d'eau que tu sollicites... » Abraham
ne lui tient pas pareil langage.

Pour n'avoir pas à revenir sur cette démonstration
importante, disons que, dans l'hypothèse de ces
rebuts inhumains, on ne comprendrait pas davantage que Lazare fût invité à se rendre auprès des
frères survivants. La raison que ces hommes connaissent le mendiant ou que celui-ci connaît le
chemin de leur demeure, n'est pas suffisante.
Qu'irait-il faire chez eux après avoir été si longtemps
rebuté ? Tout s'explique au contraire si Lazare a été
convenablement reçu comme le sont les mendiants
ordinaires. Le damné recourt tout naturellement
aux bons offices de celui qu'il a obligé naguère ; il
demande que le pauvre retourne une fois de plus au
seuil hospitalier pour avertir ses anciens bienfaiteurs.
La gratitude escomptée l'assure qu'il n'a pas à
redouter un refus systématique de son ancien client.

Nous sommes heureux qu'en prenant la parole,
Abraham dispense Lazare d'un refus que nous
sentons qui lui serait pénible. Peut-être était-ce au
grand aïeul de répondre comme maître de maison
ou suzerain des bienheureux. Mais, de toute manière,
nous aimons mieux que ce soit lui qui parle. Quant
à Lazare, ne pouvant rien pour son ancien patron,
il se tait. Avec ce silence le contraste est complet, la
parabole pourrait s'arrêter là.

Troisième scène (27-31), où le damné se fait l'intercesseur de ses frères survivants. *Je vous en prie, père [Abraham], envoyez-le donc à ma maison paternelle* (plutôt qu'à la maison de mon père, puisque vraisemblablement le père est déjà mort), *car j'ai cinq frères, pour qu'il leur parle* (c'est le sens du verbe *témoigner* employé sans complément), *afin qu'ils ne viennent pas eux aussi en ce lieu de tourments...* Cette intervention inattendue nous étonne. N'est-il pas surprenant qu'un damné fasse de l'apostolat en faveur de ses frères, dans l'espoir avéré de leur éviter son malheureux sort? Rien n'est curieux comme les interprétations proposées. Les uns (Trench, Bruce) trouvent en cette démarche une nouvelle marque d'égoïsme : comme ses frères ne sont qu'un prolongement de sa personne, en leur épargnant ce malheur, le damné ne chercherait qu'à s'épargner à soi-même un surcroît d'infortune. Pour d'autres (Sáinz), c'est une tentative d'apologie personnelle : « S'il avait eu de plus grands moyens de salut et des avertissements du ciel, il ne serait pas tombé en ce lieu, comme ses frères vont sans doute y tomber encore » (444). D'autres enfin (Maldonat, Fonck) s'abstiennent prudemment de préciser l'intention du paraboliste.

Au fond, toutes ces explications, subtiles à l'excès ou trop lointaines, sont la conséquence de la conception erronée qu'on s'est faite du riche. Ceux qui ont une première fois noirci ce caractère au point de ne lui laisser aucun sentiment humain, se croient obligés d'expliquer encore en mauvaise part sa démarche d'outre-tombe, malgré toutes les apparences contraires; ou bien ils ne savent que penser. La réalité, ainsi que l'a vu saint Thomas (supp. qu. 98, art. 4, ad primum), est plus simple et plus naturelle. De même que, sur terre, tous les bons sentiments n'étaient pas éteints en lui, on suppose qu'il garde encore dans la géhenne quelque reste de sentiments humains. Sur terre, il ne laissait pas les mendiants mourir de faim ; dans l'autre monde, il voudrait éloigner de ses frères le malheur qui les menace.

Il est évident que le divin Maître a décrit cette scène d'une manière pathétique et populaire, accommodée à son auditoire, sans préjuger en rien la question théologique de la perversion de la volonté chez les damnés. Il le pouvait d'autant plus que la requête du malheureux ne possède qu'une importance secondaire, attendu que l'intérêt se concentre de préférence sur la réponse d'Abraham : *Ils ont Moïse et les prophètes.*

Une fois encore, la réponse d'Abraham est négative : *Ils ont Moïse et les prophètes, qu'ils les écoutent !* Il ne cite expressément aucun passage des saintes Lettres. Mais tout juif aurait pu produire de mémoire divers textes où l'on apprend à sanctifier la vie en général et les richesses en particulier. Quiconque veut aller au ciel en sait le chemin ; celui-là seul est privé de lumière qui ferme volontairement les yeux. — Le damné n'avait pas l'intention de dénigrer la Loi et les prophètes. Pourtant sa requête d'un secours extraordinaire, c'est-à-dire d'un miracle, équivalait à déclarer insuffisants les moyens ordinaires établis de Dieu pour instruire et sauver les juifs. Le père des croyants ne saurait le tolérer. De là sa réponse catégorique et sèche : *Ils ont Moïse et les prophètes, qu'ils les écoutent !*

Ici le dialogue se précipite : *Non, père Abraham, mais si quelqu'un d'entre les morts se rend auprès d'eux, ils feront pénitence...* L'insistance du riche

reste dans l'ordre de la nature. Il connaît par
expérience cet état d'âme, cet émoussement des
facultés que n'émeuvent plus la Loi, ni les prophètes,
ni aucun des secours habituels de la religion. Mais
qu'il vienne à se produire un fait extraordinaire, un
miracle, il est possible que ces cœurs blasés en
reçoivent un choc, une terreur, une émotion quelconque, qui les fasse rentrer en eux-mêmes et peut-
être se convertir.

L'évocation ou l'apparition des morts était une
idée familière aux juifs, ainsi du reste qu'à tous les
sémites. La Loi avait dû sévir contre les *nécro-
manciens*, qui néanmoins s'étaient maintenus en
Canaan et s'y perpétuaient. Saül lui-même avait
demandé à la pythonisse d'Endor d'évoquer Samuel,
et Samuel était venu prédire son avenir au malheureux monarque. Dans les leçons des rabbins, il était
souvent parlé d'apparitions; mais celles-ci ne se pro-
duisaient plus qu'en songe (Strack-Billerbeck, 233).

Cette fois, la réponse d'Abraham sonne comme
le dernier glas d'un enterrement : *S'ils n'écoutent
pas Moïse et les prophètes, alors même qu'un mort
ressusciterait, ils ne se laisseraient pas persuader.*
Et cette assertion n'est pas moins fondée que l'assertion contraire. Un miracle provoque souvent une
émotion salutaire; mais en certaines âmes il ne
produit rien, si ce n'est de nouveaux sarcasmes et
un obscurcissement plus épais. Dans l'Ancien Testament, le pharaon de Moïse restait le type classique de l'incrédule volontaire que l'accumulation
des preuves et des miracles ne fait que rendre plus
obstiné et plus endurci. Le Nouveau Testament y
ajoute l'exemple non moins décisif de ces pharisiens qui résistaient aux miracles de Jésus et n'abdi-
quèrent même pas leur incrédulité devant le témoi-

gnage irréfragable de son tombeau vide et de sa
résurrection.

C'est Abraham qui avait raison. Après ce nouveau
refus, on a la sensation lourde du silence qui
retombe sur les tourments éternels du réprouvé.

II. — APPLICATION

Explication courante. — On ferait un livre avec
les diverses et souvent très bizarres applications qui
ont été proposées de cette parabole. J'estime qu'il
n'y aurait aucun profit à les rappeler ici et à les
discuter. Je me contenterai donc de rapporter celle
qui a eu de tout temps la préférence des exégètes
catholiques. Elle tient en ces quelques mots : « La
parabole est principalement à l'adresse des riches.
Le riche est damné parce qu'il a fait un mauvais
usage de ses richesses, et notamment parce qu'il a
refusé l'aumône au pauvre Lazare. Lazare n'est dans
la parabole qu'un personnage de deuxième plan, un
comparse destiné à mettre dans tout son relief le
riche, qui est l'unique personnage principal. L'histoire nous présente un riche assez inhumain pour
refuser l'aumône à un misérable, et elle nous
montre comment ce refus mène droit à la damnation éternelle. »

Les commentateurs semblent s'être donné le mot
pour reproduire cette unique leçon. Maldonat :
« Chaque jour, dans ses allées et venues, le riche
ne pouvait ne pas voir ce dénuement, cette maigreur,
ces plaies ; et cependant, il n'avait pas un sentiment
de compassion... Le pauvre demandait les miettes,
et personne ne les lui donnait... Que ces mots soient
ou non dans l'original, il est manifeste que personne
ne les lui donnait, puisqu'il était à attendre, gisant à

cette porte, qu'on les lui donnât, *manifestum est neminem illi dedisse, cum ad januam jaceret exspectans...* » (288[1]). Dom Calmet : « Le luxe, la mollesse, la bonne chère, la dureté pour les pauvres faisaient tout son crime... Les bêtes mêmes avaient quelque espèce de compassion de ce misérable. Mais le riche, plus dur qu'elles, ne faisait nulle attention à ses maux » (260). Le P. Fonck : « Le riche ne pensait qu'à sa propre jouissance ; il laissait les pauvres soupirer inutilement à sa porte après les menus restes qui tombaient de sa table » (625). Le P. Sáinz : « On nous dépeint un riche entouré de délices et dépourvu de miséricorde..., refusant toute largesse aux malheureux qui se trouvent dans une extrême nécessité » (435 ss.). Le P. Lagrange : « Le contraste du riche et du pauvre, porte à porte, sans que le riche soit ému de compassion, soulève le cœur. Les choses ne sont pas bien de la sorte » (443). « Comment ce riche si large pour ses plaisirs et ceux de ses amis n'avait-il rien à donner au pauvre Lazare ? » (443). « Le riche savait tout cela (la misère du mendiant) et ne faisait rien » (444). Les PP. Valensin et Huby : « Satisfait et repu, il ne pensait qu'à lui. Dans ses folles dépenses, aucune part n'était faite à l'aumône. Son cœur ignorait la compassion pour la misère humaine » (300). « Celui qui n'a pas donné la miette de pain ne recevra pas la goutte d'eau » (302). L'entente ne saurait être plus complète.

Que penser de cette explication ? Incontestablement elle traduit la doctrine de l'Église sur la richesse inhumaine. Mais déduire cette doctrine de la présente parabole, c'est, nous semble-t-il, s'écarter de la vérité. J'ai essayé de le montrer en 1917 dans un article de la *Revue Biblique*, où j'écrivais :

« Cette parabole, très intéressante à divers point de vue, nous fournit l'occasion de préciser deux règles d'exégèse parabolique : 1° la nécessité d'interpréter correctement les détails du tableau, en raison des conséquences que peut avoir cette interprétation sur l'intelligence de la leçon parabolique ; 2° plus spécialement, la nécessité de s'en tenir aux données positives du récit, sans entreprendre de restituer les détails supposés sous-entendus. Le danger de ces restitutions s'aggraverait encore, si l'on considérait ces détails sous-entendus comme des traits essentiels, fournissant la clef de l'interprétation parabolique » (192, 193). Ces deux règles ont-elles été observées ?

Si l'on s'en rapporte aux données du récit, sans chercher à y introduire toute la théologie des fins dernières, il faut reconnaître qu'on n'envisage nullement ici les causes qui ont amené le riche dans la géhenne, et pas davantage le pauvre dans le sein d'Abraham. Parmi ces causes qui concernent le riche, la dernière qui pût être alléguée, serait le crime d'inhumanité. Le texte ne dit rien de cette inhumanité prétendue. Il nous présente un riche magnifiquement vêtu et nourri splendidement, mais ce riche n'a jamais refusé l'aumône à un pauvre. Il faisait à Lazare une aumône suffisante, celle-là même que les gens de sa condition distribuent aux misérables de la condition de Lazare. Assurément cela n'était pas de nature à faire du riche un saint ; ce n'est pas non plus cela qui pouvait faire de lui un damné.

A notre avis, c'est une autre faute de restreindre le rôle attribué dans la parabole au pauvre Lazare. La vérité est que Lazare est lui aussi un personnage de premier plan, au même titre que le damné. La

scène terrestre assigne un rôle égal aux deux prota-
gonistes. La scène d'outre-tombe n'accorde pas à
Lazare une importance moindre; s'il ne parle pas, il
n'est question que de lui, et c'est Abraham qui lui
fait l'honneur de répondre en son lieu et place
aux propositions dont il était l'objet immédiat.

Autre explication. — Pour toutes ces raisons il
semble que l'interprétation précédente doit être
remplacée par celle qui tient compte de toutes les
données de la parabole sans rien sous-entendre, ni
ajouter, ni omettre, ni exagérer. L'observation respectueuse et sympathique de l'ensemble et des
détails conduit aux résultats suivants : la première
scène nous montre sur terre deux hommes situés aux
deux extrémités de l'échelle sociale : l'un ayant tout
à discrétion, l'autre manquant de tout. Cette première scène est suivie d'une deuxième, qui se passe
dans l'hadès, où les deux personnages se trouvent
brusquement en des situations diamétralement
opposées, le riche manquant désormais de tout, au
comble de l'infortune, le pauvre n'ayant plus besoin
de rien, au sein de la béatitude.

Tout porte à croire que la leçon parabolique
consistera dans ce double contraste de la terre
et de l'hadès, où se trouve envisagé un renversement
total des conditions sociales. Or telle est précisément la moralité déduite par Abraham et visiblement présentée par lui comme leçon principale :
*Mon enfant, souviens-toi que tu as reçu tes biens
durant ta vie, et pareillement Lazare les maux; et
maintenant, il est ici consolé, tandis que toi, tu es
dans les tourments.*

Il nous suffit dès lors de souligner les traits
essentiels de la comparaison :

De même que le riche, après une vie de luxe et

de bonne chère, se trouva jeté dans les tourments
de la géhenne, au point qu'il se vit réduit à solli-
citer l'aumône de celui qui, sur terre, venait la lui
demander;

et de même que le pauvre Lazare, après une vie
de souffrances et de misère, fut transporté dans le
sein d'Abraham, au comble du bonheur, au point
qu'il excitait l'envie de celui qui avait été l'un des
heureux de ce monde;

ainsi il arrive que la mort vienne subitement
renverser les conditions sociales des hommes, les
riches échangeant leur luxe pour les tourments
de la géhenne, les pauvres leurs plaies et leurs
haillons pour la félicité du paradis.

Il faut le répéter, la parabole n'érige pas en loi
un fait constant; elle énonce une possibilité qui
peut devenir une réalité. Le damné est un type du
riche; rien n'indique qu'il soit le type unique et
universel. Lazare est un type du pauvre; rien
n'indique qu'il n'y en ait pas d'autres catégories.
Ils représentent l'un et l'autre les destinées éventuelles de leur classe respective. Les heureux de ce
monde peuvent devenir des réprouvés, et les misérables des bienheureux.

Au fond, ces deux leçons sont indépendantes, et
on ne les a jointes que pour mieux les éclairer
toutes les deux par la vivacité du contraste. Le
paraboliste a imaginé entre le riche et le pauvre
des relations sur terre et dans l'au-delà; mais ce
n'est là qu'un artifice littéraire pour donner au
tableau plus de couleur et plus de lumière. La tragédie ne perdrait rien de sa valeur dogmatique,
si les deux acteurs n'avaient entre eux aucun rapport direct et demeuraient inconnus l'un à l'autre;
si l'on disait par exemple : « Il y avait dans une

ville un homme riche qui festoyait chaque jour somptueusement; et il y avait dans une autre ville un mendiant qui se traînait aussi chaque jour au seuil des portes hospitalières pour y quêter sa pitance. Le riche mourut et il fut condamné aux flammes de la géhenne; le pauvre mourut aussi et les anges le transportèrent dans le sein d'Abraham. » La leçon parabolique serait exactement la même dans ce cas. Mais il faut convenir que la mise en scène actuelle ajoute au tragique intérêt de la parabole. On nous dit : « Voilà un pauvre que le riche connaît bien pour l'avoir vu assidûment à sa porte. C'est ce même mendiant qu'il apercevra bientôt de la géhenne dans le sein d'Abraham, et c'est à lui qu'il demandera l'aumône d'une goutte d'eau pour rafraîchir sa langue embrasée. » On voit ce que la confrontation des personnages ajoute à la beauté littéraire du contraste. Pourtant il ne faudrait pas en exagérer la portée : ce n'est pas là un trait essentiel, ce n'est qu'un *détail littéraire*, lequel pourrait se modifier ou se supprimer sans dommage pour la leçon principale.

Leçon principale — La leçon principale est austère pour les riches. Elle leur dit : la richesse n'est pas un bien véritable et constant, puisqu'elle peut s'arrêter au tombeau; elle ne donne pas le vrai bonheur, puisqu'elle peut aboutir au malheur éternel. Elle n'est pas enviable pour elle-même; elle constitue plutôt un grave danger contre lequel on ne saurait trop se prémunir en raison des intérêts en jeu. En somme, c'est le commentaire de la malédiction évangélique rapportée précisément par saint Luc : *Malheur à vous, riches, parce que vous recevez (ici-bas) votre consolation* (VI, 24).

Aux pauvres la parabole tient un langage plus

encourageant : la pauvreté ne constitue pas un mal
véritable, puisqu'elle finit également au tombeau;
elle n'est tout au plus qu'un malheur éphémère,
puisqu'elle se change en un bonheur éternel. Elle
n'est pas à redouter pour elle-même; elle est
plutôt un acheminement vers la béatitude en raison
des facilités qu'elle nous procure pour opérer notre
salut. Nous reconnaissons là le commentaire de la
béatitude : *Bienheureux, vous les pauvres, parce que
le royaume de Dieu est à vous* (Lc. vi, 21). Saint
Ambroise traduisait avec bonheur : « Oh! les heureux ulcères! Oh! les riches miettes! *O felicia
ulcera!... O uberes micae!* » (xv, 1770).

Ce renversement éventuel des situations est
toujours motivé, au regard de la justice divine,
par les actes bons ou mauvais accomplis durant
la vie. Cette doctrine est écrite presque à toutes les
pages de la Bible; il ne serait jamais venu à l'idée
d'un juif de la révoquer en doute. Mais il n'entrait
pas dans le dessein de cette histoire de nous la
signaler.

Le riche insensé nous apprendra que la vie ne
dépend pas de la richesse et que tous les trésors
du monde sont incapables de la prolonger d'une
heure, lorsque le moment est venu de mourir. *Le
riche et le pauvre Lazare* va plus loin : il nous
transporte dans l'au-delà et nous montre que les
richesses peuvent conduire en enfer, tandis que
la pauvreté mène au ciel.

Jülicher écrit : « Devant un tel tableau, les
mécontents devraient abdiquer leurs récriminations
et s'écrier : Ah! être pauvre comme Lazare et
heureux éternellement, plutôt que riche et heureux
sur terre et mûr à point pour la géhenne »
(636). Il y a dans cet enseignement un principe

d'ascèse capable d'opérer une révolution religieuse dans les âmes et dans les sociétés.

Le commentaire de Loisy est en cet endroit particulièrement pénétrant. « Le récit principal tend visiblement à montrer que la richesse n'est pas un bien réel ni désirable, et que la pauvreté n'est pas un mal à redouter, parce que la vie éternelle compense la misère du pauvre, et que le malheur éternel détruit les avantages passagers du riche... Il est sous-entendu que le riche n'était pas un saint, puisqu'il est damné, et que le pauvre n'était pas un malfaiteur, puisqu'il est sauvé... Mais la parabole ne dit pas la façon dont un riche peut éviter la réprobation et gagner le salut; elle montre à quoi ont abouti respectivement, dans un cas donné, qui est typique pour toutes les situations analogues, la fortune du riche et l'infortune du pauvre » (II, 175, 176).

III. — Appendice : *Les cinq frères* (27-31).

Ces paroles seraient tout à fait exactes si la parabole finissait au v. 26, comme Loisy en est faussement persuadé. Elles doivent être complétées si la dernière partie de la parabole nous fournit quelques clartés sur la moralité de ces riches voués à la damnation.

Le mauvais riche s'est visiblement comporté comme ses frères survivants, dont il est dit qu'ils sont sur le chemin de l'enfer. Pourquoi sont-ils sur le chemin de l'enfer ? Abraham l'insinue quand il dit : *Ils ont Moïse et les prophètes, qu'ils les écoutent!* Ils ne les écoutent donc pas ? — Le riche renchérit : *Ils feront pénitence.* Ils ont donc besoin de faire pénitence ? La conversion suppose une vie

antérieure d'iniquités. — Le dernier mot d'Abraham,
c'est que, s'ils n'écoutent pas Moïse et les prophètes,
l'apparition d'un mort ne réussira pas à les *persuader*. A les persuader de quoi? Sans doute
d'écouter Moïse et les prophètes, et aussi de faire
pénitence conformément aux préceptes de la Loi et
de conformer leur vie à ces divins commandements.
D'où il suit que ces riches n'avaient plus la foi en
Moïse, qu'ils en étaient venus à une irréligion effective. Nous dirions en langage ecclésiastique qu'ils ne
pratiquaient plus; ils ne faisaient pas ce que la Loi
prescrit, et ils faisaient ce qu'elle défend.

Ce n'est pas sortir de la leçon parabolique de
dire que les richesses sont cause de cet épaississe-
ment du sens religieux, de ce matérialisme et de
cette incroyance.

Tout cela est plutôt insinué que formellement
enseigné, et à la fin de la parabole plutôt que dans
le corps du récit. Mais il ne faut pas hésiter, à
l'encontre de Jülicher et de Loisy, à reconnaître
que c'est bien la même doctrine, et qu'elle projette
une singulière clarté sur cette route de l'enfer sur
laquelle les riches se trouvent engagés. Tous les
riches qui suivent ce chemin, il est fatal qu'ils
aboutissent au tourment de flamme. Un tel usage
des richesses est mortel à l'âme; il la tue et la voue
au châtiment.

Nous ne pouvons que nous féliciter de ces précisions doctrinales; sans elles, il flotterait tout de
même un certain malaise autour de ces sinistres
tableaux d'outre-tombe. Nous croirions certes, sur
la parole du Maître, que le damné a mérité sa damnation, comme nous croyons au bien-fondé de la
malédiction portée contre les riches. Mais nous
éprouvons un véritable soulagement à voir justifiée

cette rigueur, à entendre que ce n'est pas toute richesse qui mène à l'enfer, mais celle-là uniquement qui se laisse vicier par l'incrédulité pratique. Les heureux de ce monde éprouveront un soulagement d'autre sorte, en apprenant qu'il peut y avoir des riches qui écoutent Moïse et les prophètes, des riches qui font pénitence, des riches qui se laissent persuader.

Cette fin de parabole qui contient de telles précisions doctrinales, pose un problème qu'il est nécessaire d'envisager en terminant.

Dans quelle relation ces vv. 27-31 sont-ils avec le reste de la parabole ? En font-ils partie essentielle ou intégrante, comme on le pense habituellement ? Sont-ils un appendice doctrinalement étranger à la parabole et arbitrairement joint à celle-ci, comme le croient Jülicher et Loisy ?

Ces critiques prétendent appuyer leurs dires sur les données du texte. « L'unité du récit n'existe pas, dit Loisy, et aucune habileté exégétique ne peut l'établir. A ne considérer que la structure extérieure de la narration, la seconde prière du riche n'est pas naturellement amenée... Ces cinq frères, qui ont entre les mains Moïse et les prophètes, représentent le judaïsme...; l'on prévoit que la résurrection d'un mort ne les touchera aucunement, parce que la résurrection de Jésus les a trouvés indifférents... » Le mot décisif est ainsi prononcé : « Cette allégorie... suppose derrière elle la mort et la résurrection du Sauveur » (II, 176, 177). Jülicher expose le même point de vue, mais sans observer la discrétion de l'exégète français. Il est bon d'en citer quelques phrases, qui sont caractéristiques de la manière. « Ce mort qui ressuscite, peut-il être autre chose que le Christ ? Un auteur chrétien pouvait-il écrire

le v. 31, sans penser que la résurrection de Jésus
n'avait pas non plus convaincu les incroyants ? » Et
si le nombre *cinq* est intentionnel, cela nous fait en
réalité une famille de *six frères,* c'est-à-dire la
moitié des douze tribus d'Israël... (ii, 639).

Sur toutes ces explications B. Weiss a prononcé
le mot juste et cruel : « C'est de la pure fantaisie ! »
Comment Jülicher n'a-t-il pas senti le ridicule de
ces métaphores prétendues ? Et comment cette
apparition d'un mort aux cinq frères survivants
peut-elle évoquer la pensée de la résurrection du
Christ ?

Et puis, cette fois, l'exagération est trop manifeste ;
il n'existe pas de coupure entre la parabole et son
complément. Le riche, n'ayant rien à répliquer au
premier refus d'Abraham, passe à la deuxième
partie de sa requête, mais sans sortir du cadre de
sa famille. Le dialogue continue, dans les mêmes
circonstances, entre les mêmes personnes, sur le
même sujet ou du moins sur un sujet analogue,
dans le même style simple, également éloigné de
toute allégorie. Que faut-il de plus pour garantir
l'authenticité doctrinale et littéraire de la finale ?
Si l'on reconnaît en outre que ces derniers versets
reprennent l'exposé théologique sur la richesse, on
conviendra qu'ils forment un heureux complément
qu'on ne saurait déclarer étranger à l'enseignement
de la parabole.

Nous disons néanmoins un simple complément,
sans lequel le contraste entre le riche et le pauvre,
en quoi consiste essentiellement la parabole, serait
suffisamment établi, et la parabole complète. On ne
serait pas renseigné sur les alentours de l'histoire ;
nous en connaîtrions pourtant les principales péripéties et nous aurions lieu de nous tenir pour satisfaits.

En somme, l'épisode *des cinq frères* n'est pas une partie essentielle de la parabole. Il doit être plutôt assimilé à un appendice.

Qu'on note bien la particularité. Ici l'appendice n'est pas venu du dehors s'agglomérer à un bloc préexistant. Il procède du dedans. Le paraboliste, sa parabole achevée, a usé de sa juste liberté, en reprenant l'une des parties et en la poussant délibérément au dehors. Sorte d'efflorescence vitale, sans laquelle il manquerait quelque chose à l'histoire, parce qu'elle la complète d'une manière heureuse et comme une partie intégrante.

Cet appendice, d'une espèce à part, peut être donné comme modèle de ce que nous pourrions appeler l'enseignement complémentaire des paraboles. Il a sa place réservée dans la liste des conclusions apparentes et des appendices,

Les vignerons homicides :

La vigne et la pierre d'angle.

33 Écoutez une autre parabole. Il y avait un maître de maison qui avait planté une vigne ; il l'entoura d'une clôture, y creusa un pressoir, y bâtit une tour, l'afferma à des vignerons et partit en voyage.

34 A l'approche de la saison des fruits, il envoya ses serviteurs aux vignerons pour percevoir ses fruits.

35 Mais les vignerons s'étant saisis de ses serviteurs, frappèrent l'un, tuèrent l'autre, en lapidèrent un troisième. 36 De nouveau il envoya d'autres serviteurs plus nombreux que les premiers : ils leur infligèrent

1 Et il se mit à leur parler en paraboles. Quelqu'un avait planté sa vigne, il l'entoura d'une clôture, y creusa un pressoir, y bâtit une tour, l'afferma à des vignerons et partit en voyage.

2 Au temps voulu il envoya aux vignerons un serviteur, pour percevoir d'eux sa part des fruits de la vigne. 3 Mais s'étant saisis de lui, ils le frappèrent et le renvoyèrent les mains vides. 4 Alors il leur envoya un autre serviteur : celui-là aussi ils le frappèrent à la tête et l'outragèrent. 5 Il en envoya un troisième : celui-là ils

9 Et il se mit à dire au peuple la parabole suivante : Quelqu'un avait planté une vigne, il l'afferma à des vignerons et partit pour un long voyage.

10 Au temps voulu il envoya aux vignerons un serviteur pour qu'ils lui donnassent sa part du fruit de la vigne. Mais les vignerons le renvoyèrent roué de coups et les mains vides. 11 Il envoya encore un autre serviteur ; celui-là aussi ils le battirent, l'outragèrent et le renvoyèrent les mains vides. 12 Il en

les mêmes traitements.

³⁷ A la fin, il leur envoya son propre fils, disant : Ils auront égard à mon fils. ³⁸ Mais à la vue du fils, les vignerons se dirent entre eux : Celui-là, c'est l'héritier. Venez, tuons-le, nous aurons son héritage! ³⁹ Ils se saisirent de lui, le jetèrent hors de la vigne et le mirent à mort.

⁴⁰ Quand donc viendra le maître de la vigne, que fera-t-il à ces vignerons? ⁴¹ Eux de répondre : Il fera périr misérablement ces misérables, et la vigne, il l'affermera à d'autres vignerons qui lui en donneront les fruits en leur saison.

⁴² *Jésus leur dit : N'avez-vous*

le tuèrent. Beaucoup d'autres encore : ils battirent les uns et tuèrent les autres.

⁶ Il lui restait encore quelqu'un, un fils bien-aimé. Il le leur envoya en dernier lieu, disant : Ils auront égard à mon fils. ⁷ Mais ces vignerons se dirent entre eux : Celui-là, c'est l'héritier, venez, tuons-le et l'héritage sera à nous. ⁸ Ils le saisirent, le tuèrent et le jetèrent hors de la vigne.

⁹ Que fera le maître de la vigne? Il viendra, fera périr les vignerons et donnera la vigne à d'autres.

¹⁰ *N'avez-vous pas lu (ce texte*

envoya encore un troisième; ils le blessèrent aussi et le chassèrent.

¹³ Alors le maître de la vigne dit : Que vais-je faire? Je vais leur envoyer mon fils bien-aimé; peut-être auront-ils égard à lui. ¹⁴ Mais à sa vue les vignerons délibérèrent entre eux disant : C'est l'héritier : tuons-le, afin que l'héritage soit à nous. ¹⁵ Et ils le jetèrent hors de la vigne et le mirent à mort. Que leur fera donc le maître de la vigne? ¹⁶ Il viendra, fera périr ces vignerons et donnera la vigne à d'autres. A ces mots ils s'écrièrent : A Dieu ne plaise!

¹⁷ *Mais lui, le regard fixé sur eux,*

jamais lu dans les Écritures : La pierre qu'ont rejetée les bâtisseurs, c'est elle qui est devenue tête d'angle? C'est de par le Seigneur que cela s'est fait ; c'est merveille à nos yeux. [43] C'est pourquoi je vous dis que le royaume de Dieu vous sera enlevé pour être donné à une nation qui en produise les fruits. [44] Et qui tombera sur cette pierre s'y brisera ; et celui sur qui elle tombera, elle l'écrasera.

de) l'Écriture : la pierre qu'ont rejetée les bâtisseurs, c'est elle qui est devenue tête d'angle? C'est de par le Seigneur que cela s'est fait ; c'est merveille à nos yeux.

leur dit : La pierre qu'ont rejetée les bâtisseurs, c'est elle qui est devenue tête d'angle ; [18] et qui tombera sur cette pierre s'y brisera ; et celui sur qui elle tombera, elle l'écrasera.

Avec le semeur, les vignerons homicides sont la seule parabole qui soit rapportée simultanément par les trois synoptiques. Au point de vue doctrinal, comme au point de vue littéraire, elle ne peut manquer pour ce motif de présenter un intérêt capital. Disons tout de suite que nous aurons à constater l'identité foncière du récit, mais également la plasticité et la richesse des diverses catéchèses qui groupent et interprètent, chacune à sa manière, les libres détails d'une narration insuffisamment stéréotypée.

Les divers contextes des évangélistes sont substantiellement identiques. En saint Matthieu, la parabole suit *les deux fils* et précède *le festin de noce*. En saint Marc et en saint Luc, elle vient après la discussion engagée par Jésus avec les prêtres, les scribes et les anciens sur l'autorité du Précurseur, discussion qui, dans le premier évangile aussi, figure en ce même endroit.

En saint Matthieu et en saint Marc, le discours s'adresse aux délégués du sanhédrin, prêtres, scribes et anciens; en saint Luc, il s'adresse à la foule, dans laquelle, il est vrai, on distingue principalement des sanhédrites. En somme, l'accord sur ces divers points du contexte est des plus faciles. Venons au commentaire.

I. — La vigne

Aménagement de la vigne. — *Il y avait un maître de maison qui avait planté une vigne.* Le texte de saint Matthieu et de saint Marc ajoute que l'homme exécuta dans sa vigne divers travaux utiles pour un bon rendement. La brillante allégorie d'Isaïe (v) insistait de préférence sur l'épierrement du terrain et les opérations du labour. Mais le prophète considérait ces travaux comme nécessaires pour montrer que la vigne avait été mise en état de produire une vendange opulente. Plus encore que la clôture, la tour de garde ou le pressoir, qu'on pourrait appeler éléments de luxe, les humbles soins du défrichement concourent à un heureux résultat. La parabole évangélique nous raconte l'histoire des vignerons plutôt que celle de la vigne. Le clos est supposé fécond et nous n'avons aucun motif de connaître les travaux qui l'ont tendu tel. Bien plutôt nous aurons à être instruits des manœuvres qui montrent l'incroyable méchanceté et l'impudence de ces vigne-

rons qui, fermiers d'une vigne en plein rendement,
ne songent qu'à en confisquer les fruits et le terrain
par surcroît. Saint Luc a sacrifié le secondaire au
principal en omettant tous les détails superflus :
*Quelqu'un avait planté une vigne ; il l'afferma et
partit* (9). Les autres synoptiques non plus ne disent
rien d'inutile ; mais ils tiennent à nous faire savoir
que la vigne était pourvue de tout le matériel
souhaitable : clôture, tour, pressoir, rien n'y faisait
défaut. Tel, pour faire valoir sa maison à vendre ou
à louer, un propriétaire qui mentionnerait qu'elle est
pourvue de tout le confort moderne : électricité,
bains, eaux courantes, chauffage central...

La clôture, nous le voyons en Palestine, est un
mur en pierres sèches, robuste et bien agencé,
capable d'affronter les redoutables pluies d'hiver
qui se font un jeu d'abattre tout ce qui est mal joint
ou sans fondements. Quelquefois le faîte de cette
rustique barrière est couronné d'un faisceau
d'épines piquées dans la muraille. Une clôture dont
les pierres sont liées à la chaux comme les murs
d'un édifice, est un luxe réservé aux *couvents* et aux
demeures princières.

La vigne était pourvue d'une *tour de garde,*
pareille à celles qui ornent encore aujourd'hui les
coteaux de Bethléem. Les unes sont de simples
agglomérats de pierres, sans la moindre prétention
architecturale, à ciel ouvert, recevant à la saison une
toiture de branchages ; les autres ont l'aspect de
véritables tourelles guerrières, avec mur extérieur
conduisant à la terrasse, avec des lucarnes ayant
vaguement l'air de meurtrières. Le verger protégé
par une tour de garde, est à l'abri des maraudeurs
et des chacals. A la saison des fruits mûrissants, le
propriétaire ou le gardien salarié vient s'installer

dans sa vigne avec toute la famille. La tour de garde, trop exiguë, devient alors le dépôt à provisions plutôt que la chambre à coucher. Le jour se passe à l'ombre changeante des arbres; la nuit, à la belle étoile, sous le dôme d'une verdure plus épaisse qui abrite les yeux contre la rosée dangereuse. Si le mur en pierres sèches et la tour de garde subsistent de nos jours, on ne trouve plus de pressoir dans les vignobles modernes. Par bonheur, les vestiges du passé sont là qui nous permettent de les reconstituer. On en rencontre partout dans les champs, les vignes, les olivettes. Nous en possédons un bel échantillon dans notre propriété de Bethléem. Le pressoir est une surface rocheuse aplanie, où le raisin était foulé; elle est percée de deux ou trois bassins où le jus était recueilli, avant de déborder dans une cuve plus vaste où il fermentait.

La vigne ainsi pourvue, le propriétaire qui n'avait pas l'intention de l'exploiter en personne, l'afferma à des vignerons. L'affermage en Palestine est régi par des coutumes locales, qui diffèrent d'une province à l'autre. Généralement, le propriétaire rural se réserve une redevance en nature, afin de pouvoir goûter aux fruits de sa vigne. Les fermiers qui assument les soins généraux de la culture sont tenus de lui payer la moitié, le tiers, le quart ou le cinquième de la récolte, suivant la convention. Nous ignorons les conditions spéciales qui furent convenues entre le maître de la parabole et ses fermiers. Nous savons cependant que ceux-ci s'étaient engagés à payer une redevance en nature, car le propriétaire envoie ses serviteurs réclamer la part qui lui revient.

La vigne affermée, le maître part en voyage, voire pour un long voyage, au dire de saint Luc.

Anomalies de la parabole. — Et ici crépite déjà la

fusée multicolore des objections, étonnements et
railleries d'une certaine critique à l'adresse du
naturel de la parabole. Mieux vaut s'y arrêter tout
de suite.

Nous sommes déjà habitués à ce genre de plaisanteries qui veulent être spirituelles et finissent par
être fatigantes. Je m'excuse une fois de plus d'en
reproduire quelques échantillons, cette exhibition
étant le meilleur moyen d'en montrer l'inanité.
Jülicher a commencé; Loisy continue en renchérissant. Nous puisons à cette dernière source.

« Le Maître s'absente et met sa vigne en location.
Trait bizarre et qui le paraîtra davantage dans la
suite. Un homme qui plante lui-même sa vigne n'est
pas un seigneur qui peut faire de lointains voyages;
et, supposé qu'il loue sa vigne, en partant pour
l'Égypte, pour Babylone ou pour Rome, il ne pourra
recevoir en nature les fruits de sa propriété, comme
il est censé vouloir le faire... » (II, 306, 307).

« Le développement de l'histoire n'est pas mieux
équilibré que le commencement. On ne voit pas si
c'est dans la même année, ou d'une année à l'autre
que le propriétaire envoie des gens pour réclamer ce
qui lui est dû... » (307). Si c'est d'une année à l'autre,
l'opération exige quatre ans et c'est trop long; si tout
se passe la même année, en quelques semaines,
c'est trop court, nous n'avons pas le temps suffisant
pour ces allées et venues.

Conclusion : rien ne va dans cette histoire qui
avait de prime abord l'air si bien ajustée.

En voici une preuve nouvelle : « Voyant la façon
dont les vignerons ont traité ses serviteurs, le
propriétaire se décide à envoyer son fils unique.
L'avait-il donc emmené avec lui à l'étranger, ce fils
dont on ne soupçonnait pas l'existence, et qui est

évidemment, après le propriétaire, le personnage le plus important de la parabole ?.. Au lieu d'exposer son fils, un propriétaire qui aurait les moyens de punir les vignerons, comme celui-là est censé le pouvoir, commencerait par châtier les réfractaires. »

A cet endroit, la plaisanterie passe vraiment les bornes : « Il y a même déjà quelque chose de choquant dans la prévision d'un manque d'égards qui, vu les antécédents, est un danger sérieux pour l'existence du fils. Dans Marc et dans Matthieu, le père semble dépourvu de toute prudence ; dans Luc il est plus avisé, mais il n'en apparaît que moins soucieux du péril que va courir son fils unique » (310).

Décidément, ce sont des facéties, et nous tenons extrêmement à ce qu'elles disparaissent du monde de l'exégèse. C'était peut-être la mode il y a quelque vingt-cinq ans. Aujourd'hui la mode est définitivement passée. Nous voulons en exégèse quelque chose de plus sérieux, de plus intelligent, de plus respectueux.

Le P. Lagrange a protesté contre ces excès. « La parabole-allégorie n'évite pas les invraisemblances, qui sont le cas des paraboles rabbiniques, parce qu'elle n'a pas pour but de tirer un argument d'une situation plausible dans la vie de chaque jour, mais d'esquisser la situation principale sous les traits symboliques. Encore est-il qu'il ne faut pas exagérer ces invraisemblances » (*saint Marc*, 300).

La manière de ces critiques consiste à relever avec toute l'insistance possible les détails qui, dans une scène ordinaire de la vie, constitueraient des anomalies. Quand le trait est bien enfoncé, on le retire en disant : « Mais ce qui ne sied pas à une parabole convient à une allégorie. » La parabole est donc une allégorie. Mais comme Jésus ne pouvait prononcer d'allégorie, la parabole n'est donc pas authentique...

Il y a là deux vices de raisonnement. Le premier est que, si l'histoire est une allégorie, elle doit être envisagée comme telle dès le début. Si on la considère hypothétiquement comme une parabole, cette parabole ne doit pas être tenue pour un simple décalque de la nature.

Voici le second. Dans une parabole qui serait le décalque de la nature, ces détails seraient des anomalies, et ces anomalies seraient choquantes, intolérables. Dans une allégorie, elles sont inexistantes, elles deviennent même des trouvailles du plus heureux effet doctrinal et littéraire. Le Père Huby le dit en termes excellents, parlant de l'envoi du fils, qui scandalise tant Loisy : « Transposé dans l'histoire du salut, le trait marque l'extraordinaire bonté de Dieu, livrant son Fils à la mort pour sauver les hommes. L'invraisemblance ne fait que mieux ressortir la bénignité du Père Céleste : Dieu a tellement aimé le monde qu'il lui a donné son Fils unique » (*saint Marc*, 301).

Ce rappel de principes sera justifié ci-après dans le détail. Nous avons voulu signaler une fois de plus que les auteurs de pareilles objections continuent de commettre d'impardonnables contresens à l'endroit du genre littéraire spécial aux paraboles. Poursuivons le commentaire.

Les serviteurs. — *A l'approche de la saison des fruits, il envoya ses serviteurs aux vignerons pour percevoir ses fruits.* Nous aussi, nous constatons l'imprécision voulue qui plane sur les diverses démarches des serviteurs. Le maître les envoie-t-il de l'étranger, ou bien est-il revenu dans son pays, sans que nous en soyons informés ? Les envoie-t-il

coup sur coup dans une même saison ou bien
espace-t-il ses revendications d'année en année? Au
lieu de trouver étranges ces imprécisions, nous
admirerons la sobriété et la sûreté de cet art dramatique du conteur qui choisit ses traits, néglige les
autres, passe directement à travers les péripéties,
sans hors-d'œuvre, sans déviations, droit au dénouement que tout prépare. Ces paraboles peuvent être
données pour des modèles de narration. En fait,
l'allégorie s'accommode mieux d'ambassades éche-
lonnées au cours des années et des siècles.

Nous acceptons également tels quels les traitements extraordinaires infligés aux serviteurs. Nulle
part au monde, il n'existe de fermiers assez sots
pour maltraiter de cette façon les envoyés du maître.
S'ils avaient des visées ambitieuses, ce ne serait pas
le moyen de les réaliser. Le maître qui possède
assez de serviteurs pour renouveler deux ou trois
fois ses ambassades ou davantage, doit être en
mesure de tirer vengeance de quiconque oserait
attenter à ses droits.

Les anomalies cessent puisque la vigne est
Israël et que les serviteurs sont les prophètes.
L'intention allégorique, à savoir l'envoi successif des
prophètes, perce à travers le symbole trop serré et
transparent.

A ce point du récit, l'action se précipite dans la
même direction vers le même dénouement. Les serviteurs sont envoyés vers les vignerons pour percevoir la redevance annuelle. Ils sont maltraités et
renvoyés les mains vides. Une première fois, une
deuxième, une troisième, et plus encore. Échec complet de toutes ces tentatives préliminaires. A la fin,
le maître se décide à envoyer son fils. Alors le
drame se consomme.

Sur ces lignes d'ensemble, les trois synoptiques sont d'accord. Mais sur les détails, ils divergent chacun au gré de sa liberté individuelle, chacun cherchant à ménager à sa manière l'intérêt du récit.

Diversité des récits. — Saint Matthieu n'a que deux ambassades avant l'envoi du fils. Quelques exégètes pensent que ce sont les anciens prophètes et les nouveaux. Cette précision ne nous paraît ni utile ni satisfaisante. Dans le premier groupe, à côté des serviteurs maltraités, il y en a de tués et de lapidés, la lapidation étant pour l'évangéliste une manière de renchérir sur une mort moins cruelle. La série des mauvais procédés se trouve ainsi épuisée du premier coup. Toute gradation étant rendue impossible, l'évangéliste ne peut que se répéter : *de nouveau il envoya d'autres serviteurs plus nombreux que les premiers; et ils leur infligèrent les mêmes traitements.* Sur la scène deux fois ensanglantée, le fils paraît à son tour pour être mis à mort. Peut-être ce crime, s'ajoutant à ceux qui précèdent, nous émeut-il moins que s'il était le seul de sa catégorie. Il est vrai, la personne mise à mort, c'est le fils et l'héritier envoyé par un père acharné à la conversion de ces misérables.

Saint Marc, au lieu d'une ambassade nombreuse, n'envoie qu'un serviteur à la fois; mais il en envoie trois successivement, plus une autre série indéfinie, avant le fils qui sera le dernier messager. Les mauvais traitements leur sont infligés suivant une gradation ascendante, soigneusement ménagée : le premier est simplement roué de coups; le second est frappé à la tête et outragé; le troisième est mis à mort. L'évangéliste ayant alors épuisé la série des outrages, aura recours à un pathétique du meilleur aloi pour nous décrire la mort du fils.

Saint Luc suit visiblement saint Marc. Il a trois messages, confiés chaque fois à un serviteur unique. Le fils sera le quatrième. Mais le seul évangéliste qui semble se préoccuper des règles de l'art a jugé opportun de mieux ménager encore la gradation des mauvais traitements : le premier serviteur sera donc battu ; le second, battu et outragé ; le troisième, blessé et expulsé. Seul, le quatrième sera mis à mort, et c'est le fils.

De cette comparaison il résulte que les trois évangélistes se sont efforcés de rendre de leur mieux une même pensée du divin paraboliste. Ils l'ont rendue, eux ou leur catéchèse, en usant de leur juste liberté d'après une conception littéraire dont l'intention et la réflexion n'échappent à personne.

Plus que ces particularités de rédaction, ce qui nous frappe en ce récit, c'est la longanimité, l'incroyable patience du maître de la vigne. Y a-t-il homme au monde qui fût demeuré impassible en présence d'atrocités pareilles ? Le premier serviteur ayant été maltraité, qui aurait osé en envoyer un deuxième sans escorte ? Et quel serviteur aurait osé aller seul sans autres précautions que la foi candide en son bon droit ? Toutes ces anomalies qui choquent si fort nos critiques, disparaissent, se revêtent même d'une beauté douloureuse et pathétique, dès qu'on les comprend, dès qu'on les voit correspondre, par-dessus les réalités vulgaires volontairement contredites, aux réalités sublimes de notre Rédemption. Redisons-le, les serviteurs ne sont autres que les prophètes obstinément envoyés vers Israël au cours des siècles.

Le fils. — Avec la mort du fils, nous sommes au cœur du drame. Pour expliquer une conduite si étrange et si magnanime, il faut que cet homme soit

Dieu et que son fils soit Jésus. Jamais homme,
jamais père, à la vue des serviteurs mis à mort,
n'aurait eu le cœur de députer vers les meurtriers
son propre fils. Ce qui serait incroyable déraison
pour un homme est sagesse pour Dieu.

Voyons comment le fils est envoyé, reçu et mis à
mort. De nouveau les trois évangélistes s'accordent
sur le dessin général de l'histoire. Partout le fils est
envoyé après les serviteurs comme moyen suprême
d'assurer la rentrée des redevances; il est pris et
mis à mort. Partout les fermiers s'imaginent que
leur crime va les rendre maîtres du verger. Partout
aussi le propriétaire semble préoccupé premièrement
de percevoir les fruits de sa vigne. Dans le cours
ordinaire de la vie, un homme qui ne réussirait pas
à toucher ses revenus y renoncerait momentanément
ou bien remettrait l'affaire à la justice. Jamais il ne
sacrifierait son fils pour les fruits de sa vigne. La
vie d'un fils unique est infiniment plus précieuse
que tous les fruits des vergers. Ici, chose inouïe,
d'un commun accord les synoptiques supposent la
prééminence de la vigne. La vigne semble plus
aimée que le fils. Nous avons assez dit que cela ne
saurait convenir qu'à l'allégorie de la Rédemption.

Les divergences des évangélistes reparaissent dans
les détails, aussi bien ceux de l'envoi du fils que
ceux du crime. Pour l'envoi, saint Matthieu a le
récit le plus simple : *A la fin, il leur envoya son
propre fils, disant : Ils auront égard à mon fils.* —
Saint Marc a le récit le plus pathétique : *Il lui restait
encore quelqu'un, un fils bien-aimé. Il le leur envoya
en dernier lieu.* Ces quelques mots jetés l'un sur
l'autre atteignent le sommet de l'art tragique. *Il lui
restait quelqu'un.* Qui est ce survivant de l'espoir
ou de la tendresse ? *Un fils et un fils bien-aimé.* Ce

fils, il l'enverra, seul, *le dernier*, après tous. Quand on pense à Jésus, le pathétique devient poignant. — Saint Luc est le plus nuancé des trois évangélistes : *Alors le maître de la vigne dit : Que vais-je faire ? Je vais leur envoyer mon fils bien-aimé; peut-être auront-ils égard à lui.*

Par quelle aberration les fermiers s'imaginent-ils que, le fils mort, l'héritage leur appartiendra ? La disparition de l'héritier n'assure pas aux assassins la possession de l'héritage. Celui-ci appartient toujours au propriétaire qui est en mesure d'en revendiquer la possession et d'en laisser à sa mort la jouissance à qui bon lui semblera. Ce ne sont toujours pas les meurtriers de son fils qu'il désignera pour ses héritiers. Dans l'allégorie, l'anomalie n'existe pas. Cette délibération des fermiers relève de la mise en scène littéraire et nous pouvons la regarder comme un simple trait parabolique, signifiant dans l'ensemble la résolution de tuer l'héritier. Mieux encore, nous pouvons dire que la délibération se trouve dans la ligne des traits allégoriques qui précèdent, et qu'elle les termine. Au point où nous sommes de l'histoire, tous les serviteurs sont hors de cause, maltraités ou tués. L'héritier disparu, il semble qu'il ne reste personne pour réclamer les revenus. Car le propriétaire ne peut évidemment pas venir lui-même, et il n'a plus ni fils ni serviteur : on lui a tout massacré. Les assassins se croient déjà les maîtres de la situation et de la vigne.

La divergence la plus célèbre figure dans le paragraphe de la mise à mort. D'après saint Matthieu et saint Luc, le fils est d'abord chassé de la vigne et ensuite tué dehors. Dans saint Marc, il est mis à mort dans la vigne, et son cadavre est ensuite jeté dehors. L'une et l'autre rédaction traduisent en substance la même idée, à savoir la mort ignominieuse du fils et héritier, aggravée par l'expulsion de sa propriété. Mais comme le divin Maître n'a pu employer l'une et l'autre expression à la fois, nous voudrions savoir laquelle des deux reproduit la formule originale et peut revendiquer le privilège de l'authenticité verbale; et si l'une des deux a reçu une précision d'abord absente du texte, quel a été le motif de cette addition.

Tous les exégètes reconnaissent que la formule de saint Marc est dépourvue de visée allégorique, tandis que celles de saint Matthieu et saint Luc font irrésistiblement songer à la mort de Jésus, qui « souffrit hors de la porte » (Héb. XIII, 12). Si ce dernier texte représentait la teneur originale, il serait difficile d'expliquer que saint Marc eût passé sous silence une prophétie qui aurait reçu de l'événement une si éclatante réalisation. Il n'est pas surprenant au contraire que, entre deux rédactions de la même pensée, celle qui se trouvait littéralement conforme à l'événement du Calvaire, ait eu après coup la préférence des deux autres évangélistes. Ils n'ont pas entendu par là faire une prophétie *post eventum,* comme certains critiques seraient tentés de le croire; ils ont fait une simple *accommodation,* à la manière des prédicateurs qui aiment ces agréables rencontres verbales.

Le châtiment. — Les synoptiques nous ménagent une dernière divergence dans les événements qui suivent. Saint Marc écrit simplement : *Que fera le maître de la vigne? Il viendra, fera périr les vignerons et donnera la vigne à d'autres.* Le maître n'est donc pas impassible. Il n'a pas hésité, dans son incompréhensible héroïsme, à sacrifier son fils pour percevoir les redevances de sa vigne. Le

fils mis à mort, c'est enfin l'heure de la vengeance.
Il viendra en personne, fera périr les vignerons et
donnera la vigne à d'autres.

Saint Luc reproduit la rédaction de saint Marc,
mais il la dramatise en y ajoutant la protestation
des fermiers : *A ces mots, ils s'écrièrent tous : à
Dieu ne plaise! Mais lui, le regard fixé sur eux,
leur dit...*

Saint Matthieu dramatise davantage encore, mais
à la manière des vieux *mechâlim* bibliques, et la
réussite du procédé est parfaite : *Quand donc
viendra le maître de la vigne, que fera-t-il à ses
vignerons? Eux de répondre : il fera périr misérablement ces misérables, et la vigne il l'affermera à d'autres vignerons qui lui en donneront les
fruits en leur saison. Jésus leur dit : N'avez-vous
pas lu?...*

Cette dernière divergence mérite de nous retenir.
Saint Augustin l'a longuement envisagée et il a entre-
pris de l'expliquer (*De consensu evangelistarum,*
n° 134-137; XXXIV, 1142, 1143). La sentence de mort,
dit-il en résumé, a réellement été prononcée par les
auditeurs, comme le rapporte saint Matthieu. Si
saint Marc et saint Luc l'attribuent au Sauveur, c'est
que Jésus, la vérité même, s'exprimait en cette
circonstance par leur bouche, *per eos veritas ipsa
locuta est* (n. 136). Ou bien, si l'on préfère, les auditeurs qui prononcèrent la sentence étaient des
hommes de bien, des membres mystiques du Christ,
en sorte que les paroles des membres peuvent
s'attribuer au chef, *ut merito vox illorum illi
tribueretur, cujus membra sunt* (n. 137).

Saint Augustin n'a pas été suivi. Maldonat a jugé
son explication : Cela paraît forcé, dit-il, *conatum
hoc videtur* (*saint Matthieu,* 440²). Les exégètes

catholiques préfèrent généralement l'explication
de saint Chrysostome, d'après laquelle la sentence
portée par les juifs (Mt) aurait été reprise et confirmée par le Sauveur (Mc et Lc). Quand ils com-
prirent un peu tard qu'ils se condamnaient eux-
mêmes, les juifs essayèrent de se reprendre et se
récrièrent : *absit*, à Dieu ne plaise (LVIII, 641; Maldonat, Fonck et Knabenbauer).

A cette explication on adressera peut-être avec
quelque raison le même reproche qu'à la précédente.
A sa manière aussi elle paraît forcée.

Pourquoi ne pas recourir à une exégèse plus
satisfaisante ? Ces mêmes docteurs, saint Augustin
spécialement, nous ont plusieurs fois prévenus que,
dans les cas de divergence littéraire, il convenait de
retenir l'idée qui est commune et ferme, plutôt que
l'expression verbale qui est variable et libre.

Dans le cas qui nous occupe, nous inclinons à
croire que la formule de saint Marc, la plus dé-
pouillée, la plus simple, la plus directe, représente
le texte original, lequel s'est enrichi d'apports divers
en saint Luc et en saint Matthieu.

II. — La pierre d'angle

La parabole pourrait s'arrêter là : les vignerons
sont châtiés et la vigne est confiée à d'autres
fermiers qui seront plus consciencieux. Que dési-
rons-nous savoir de plus ? Que manque-t-il à
l'intérêt du récit ? Une seule chose qui n'est pas
essentielle à la narration, mais que nous apprendrons
avec bonheur dans un prolongement de la parabole
et comme en appendice : le sort du fils mis à mort.
Si le fils est Jésus, il doit avoir une survie; il doit
ressusciter, il sera même le Rédempteur de tous les

misérables qui ont osé le mettre à mort. Le Sauveur
tenait à préparer les esprits, même ceux de ses
ennemis, à l'idée de sa résurrection. La présente
occasion était trop favorable pour qu'il la laissât
échapper. Sa mort l'amenait tout naturellement à
parler de sa résurrection. D'autre part comment
parler de résurrection en un contexte pareil ? La
résurrection du Fils ne rentrait pas dans le cadre
de cette histoire et elle ne pouvait s'énoncer avec
des métaphores qui continuassent la même allégorie.
Un seul moyen littéraire s'offrait à Jésus : clore
l'allégorie de la vigne et ouvrir en appendice une
nouvelle allégorie sur la perspective de la survie,
l'allégorie de *la pierre d'angle*.

Une citation du psaume 118 (117), 22-23, complétée par un petit centon biblique, s'est présentée
pour traduire cette idée nouvelle. *N'avez-vous pas
lu dans les Écritures : la pierre qu'ont rejetée les
bâtisseurs, c'est elle qui est devenue tête d'angle ?
C'est de par le Seigneur que cela s'est fait ; c'est
merveille à nos yeux. Et qui tombera sur cette
pierre s'y brisera; et celui sur qui elle tombera,
elle l'écrasera.*

Le sens est très clair. La pierre qu'avaient rejetée
les bâtisseurs a été reprise et elle est devenue dans
l'édifice un élément important, *une pierre d'angle*
servant à lier deux murs ensemble.

Saint Marc, toujours plus sobre, et sans doute
primitif une fois encore, s'est contenté de la citation
du psaume 117 qui effectivement suffisait à l'enseignement voulu. Saint Matthieu et saint Luc y
ajoutent tout un petit conglomérat formé moins de
citations que d'allusions bibliques (Isaïe, VIII, 14-15;
XXVIII, 15; Dan. II, 35). Ils reprennent la menace de
châtiments déjà formulée à la fin de la parabole.

Mais cette fois la menace vise des adversaires
anonymes : ce ne sont plus les fermiers de la vigne
ni les bâtisseurs de l'édifice; ce sont en général
ceux qui tomberont sur la pierre, ou ceux sur qui
la pierre tombera.

Saint Matthieu qui a le récit le plus développé
possède en propre une brève application de la
parabole : *C'est pourquoi, je vous dis que le
royaume de Dieu vous sera enlevé pour être donné
à une nation qui en produise les fruits* (*v. 43*). Ces
mots expriment en termes explicites ce qui était
déjà implicitement contenu dans la parabole et ce
que ne formulent pas les autres évangélistes.

Cette prophétie de saint Matthieu n'est visiblement pas à sa place dans le contexte actuel. Le
v. 43 est séparé par le v. 42 de la parabole dont
il est la conclusion, et lui-même il se trouve
disjoindre violemment les deux versets relatifs à
la pierre d'angle. La suite normale exigerait le
déplacement de ce v. 43 : 41, 43, 42, 44. Nous aurions
alors un tout organisé : "*Il fera périr misérablement ces misérables, et la vigne, il l'affermera à
d'autres...* [43]*C'est pourquoi, je vous dis que le
royaume de Dieu vous sera enlevé pour être donné
à une nation qui en produira les fruits.* [42]*N'avez-
vous jamais lu : La pierre qu'ont rejetée les bâtisseurs,
c'est elle qui est devenue tête d'angle ?...* [44]*Et qui
tombera sur cette pierre s'y brisera...*

Une constatation qui n'a peut-être pas suffisamment retenu l'attention des commentateurs, c'est
que, littérairement parlant, l'allégorie de *la pierre*
est tout à fait distincte de celle de *la vigne*. La proposition est tellement évidente qu'à peine énoncée,
elle n'a plus besoin d'autre preuve.

A côté de la grande allégorie de *la vigne*, celle de

la pierre fait à peine figure d'ébauche ou de résidu. Peut-être le divin Maître ne jugea-t-il pas à propos de la développer. Peut-être d'un monument plus considérable ne reste-t-il que ce débris.

La petite allégorie a été jointe à la grande sans la moindre précaution oratoire, sans la moindre particule de liaison : *Jésus leur dit : N'avez-vous pas lu dans les Écritures,* λέγει αὐτοῖς ὁ Ἰησοῦς.

Dans l'état actuel du texte, l'allégorie de *la pierre* se trouve enclavée entre l'allégorie de *la vigne* (41) et sa conclusion (43). Bien plus, les deux allégories sont fraternellement entrelacées, donnant ainsi au lecteur non prévenu l'impression d'un même tout littéraire aussi bien que théologique. La doctrine est bien la même. Mais, au point de vue littéraire, les deux allégories jointes constituent une sorte de conglomérat. La conclusion de saint Matthieu surtout peut être regardée comme un appendice qui prolonge la perspective de l'histoire dont il n'est pas une partie essentielle.

III. — APPLICATION

Tous les commentateurs conviennent que la parabole est une allégorie, c'est-à-dire une suite de métaphores coordonnées. Nous avons montré que l'explication allégorique est la seule qui justifie l'organisation ainsi que la beauté littéraire et théologique de l'histoire.

Qui sont ces fermiers qui s'obstinent à ne point payer les redevances annuelles de la vigne et vont jusqu'à mettre à mort les serviteurs et le fils du propriétaire ? Quelle est cette vigne que le propriétaire leur afferme ? Quels sont les nouveaux fermiers plus fidèles ? Ces trois identifications sont manifestement solidaires l'une de l'autre.

Pour quelques auteurs (Jülicher, 403), la vigne serait plutôt l'ensemble des grâces et privilèges concédés à l'aristocratie pharisienne, grâces et privilèges qui vont être transférés aux publicains et aux pécheurs. La parabole serait ainsi la réplique *du repas de noce*. — A l'encontre, on observera que la vigne est distincte de tous les avantages dont l'a pourvue la générosité divine, et qui sont représentés par la haie, le pressoir et la tour (Mt. 33). Le fils étant jeté hors de la vigne, il est encore nécessaire que la vigne soit un territoire quelconque ou tout au moins une société. Dès lors, il est tout indiqué que la vigne soit Jérusalem, capitale de la Terre sainte, comblée de grâces, créée et conservée à force de miracles.

Les autres identifications découlent de celle-là. Les fermiers sont les Israélites en général et en particulier les représentants attitrés du peuple juif, pharisiens et scribes.

Les revenus auxquels Jahvé attache une telle importance ne sauraient être que la gloire qu'il est en droit d'attendre de son peuple choisi, en l'espèce la fidélité à sa Loi, cause de la sanctification personnelle.

Les serviteurs envoyés pour toucher les revenus sont les prophètes dont les ambassades s'échelonnent le long des siècles jusqu'à la venue de Jean-Baptiste et du Sauveur lui-même. On ne saurait assigner de période déterminée à chacun de ces messagers ou à chacun de ces groupes. Les mauvais traitements sont historiquement justifiés par la vie d'un Élie, d'un Elisée, d'un Jérémie, d'un Jean-Baptiste. Pourtant, il faut reconnaître la part de littérature ou de mise en scène dramatique qui accompagne l'histoire succincte de ces messagers. Il y a eu diverses ambassades, voilà le fait historique. Combien ? Deux, trois, quatre, ou davantage ? Comme le voudra la libre conception de chaque évangéliste. L'important est que le récit progresse et se hâte vers son tragique destin. La gradation littéraire des mauvais traitements réservés aux serviteurs ressortit à la même juste liberté des conceptions.

Le fils, le fils unique, le fils bien-aimé, le fils qui vient en dernier lieu, c'est Jésus. Il faut être Dieu pour envoyer ainsi son Fils à la mort. Il faut être Jésus pour accepter, après tant d'autres, une mission dont on connaît l'issue par avance. Ce qui était prévu arrive. Les fermiers se saisissent de lui, le tuent et jettent son cadavre.

Cette mort met le comble à la juste colère du père et du maître. Nous ignorons comment il s'y prend, mais il fait impitoyablement périr ces ingrats et ces assassins, et il loue sa vigne à d'autres qui lui rendront les fruits en leur saison. Quelques années après, en 70, la prophétie de la parabole recevait son terrible accomplissement. Une autre nation, les chrétiens, venus principalement de la gentilité, héritait officiellement des dépouilles spirituelles du malheureux Israël.

La pierre rejetée, c'est le fils mis à mort qui devient miraculeusement sommet d'angle. Ce n'est pas que le Sauveur anticipe sur saint Paul, et nous annonce qu'il serait le trait d'union entre juifs et gentils (contre Maldonat). Dans la perspective de la parabole, les juifs disparaissent à ce moment; il ne saurait donc être question de les unir aux gentils. Le Sauveur prédit seulement que la pierre rejetée deviendrait une maîtresse pierre dans l'édifice de Dieu, laissant à d'autres paraboles le soin de préciser son rôle dans l'édifice. Au surplus, elle sera

une pierre redoutable : elle brise tout ce qui la
touche.

Dans cet ensemble allégorique, toutes les pièces
se tiennent et s'harmonisent. Mais il faut savoir
s'arrêter à point nommé dans cette voie d'allégorisation, en conservant aux autres détails leur caractère
simplement parabolique. Nous regardons comme
traits paraboliques tous ceux qui sont dépourvus
d'une signification métaphorique individuelle et
n'ont de sens que collectivement. La haie, le pressoir, la tour sont le modèle du genre. Ces éléments,
dépourvus de signification particulière, représentent
dans leur ensemble les travaux que les vignerons
ont coutume d'exécuter dans leur vigne, et ils signifient collectivement tous les soins que Jahvé a prodi-
gués à son peuple.

Les anciens cédaient plus volontiers que nous au
désir d'interpréter tous ces détails comme des métaphores. Ils écrivaient alors avec dom Calmet :
« Dieu plante cette vigne en donnant la Loi aux
Juifs. Il l'environne d'une haie : ce sont les préceptes cérémoniaux ou la protection de Dieu; il y
bâtit un pressoir et une tour : c'est son Temple et
son autel. Enfin il fait à sa vigne tout ce qu'on y peut
faire... Les prêtres et les savants dans la Loi sont
ceux qui ont le plus de part à la conduite et à la culture de cette vigne » (*saint Matthieu,* 464).

Nous avons déjà marqué la part de mise en scène
littéraire qu'on relève dans l'envoi et la gradation des
diverses ambassades, dans les mauvais traitements,
la délibération des fermiers, la mort du fils, et jusque
dans le dialogue final.

Nous avons donc une allégorie magnifiquement
développée dans un cadre de traits paraboliques. En
somme, une allégorie parabolisante.

Le sens général de cette histoire n'offre pas la moindre difficulté. On le saisira mieux en rapprochant les deux parties dans les deux membres d'une comparaison :

De même qu'un vigneron, ayant affermé sa vigne à de malhonnêtes fermiers qui refusaient de lui payer ses revenus, avaient mis à mort les envoyés successifs et jusqu'à son fils venus pour leur réclamer ces redevances, fit périr ces misérables et loua sa vigne à d'autres fermiers plus honnêtes, qui seraient fidèles à payer les revenus,

ainsi Dieu fera périr les meurtriers de son Fils, et donnera son royaume à une autre nation qui en paiera les revenus en leur saison.

Nous pouvons, arrivés à ce point, essayer d'une précision nouvelle. Le P. Lagrange écrit avec justesse : « La vigne qui peut être donnée à d'autres, ne représente pas Israël dans ses destinées historiques, nationales, mais uniquement comme le terme d'une action bienveillante de Dieu. A la fin, il n'est pas dit non plus que la vigne sera détruite ou saccagée, ni quels seront les nouveaux vignerons » (*saint Marc*, 311). Nous convenons que la vigne est l'Israël spirituel, dont l'habitat était encore à cette heure la Palestine et Jérusalem, l'Israël royaume de Dieu, doté de tous les privilèges de la munificence divine.

Mais quels seront les nouveaux vignerons ? Jésus ne l'ayant pas spécifié, les commentateurs conseillent la prudence. « Ces autres, auxquels la vigne sera confiée, sont-ils les apôtres, comme l'explique Origène, ou toute la suite des chefs ecclésiastiques, substitués aux mauvais conducteurs d'Israël, ou bien les gentils en général ? Mieux vaut peut-être englober sous cette expression toutes les autres distinctions » (Huby, *saint Marc*, 272).

Sans nous départir de la prudence recommandée,
nous pouvons peut-être préciser davantage. Puisque
les premiers vignerons représentent les juifs en
général — assurément avec une allusion directe à
leurs chefs; et puisque ces vignerons infidèles sont
remplacés par d'autres, il est à croire que ces autres
sont une multitude au moins aussi nombreuse que
la première. Saint Matthieu spécifie même que
ce sera une nation. Par suite, *les autres* ne seront ni
les apôtres, ni les chefs ecclésiastiques, ni un groupe
restreint, ni une élite quelconque. Comme la nouvelle
nation doit être fidèle, ce ne sont pas davantage les
gentils en général, restés païens, ni les nouveaux
occupants de Jérusalem. La fidélité à rendre les fruits
comporte la fidélité religieuse à la loi de Jésus.
Nous arrivons ainsi à la conclusion que les nouveaux
vignerons représentent les chrétiens en général,
sujets du royaume, successeurs spirituels de l'ancien
Israël. En somme, la synagogue remplacée par
l'Église. Saint Jérôme l'a dit : « C'est à nous que la
vigne a été louée et elle nous a été louée à la condition expresse de rendre au Seigneur le fruit en son
temps, *locata est autem nobis vinea, et locata ea
conditione ut reddamus Domino fructum temporibus
suis.* Quels fruits? Les fruits de notre vie entière,
actes et paroles, *et sciamus unoquoque tempore quid
oporteat nos vel loqui vel facere* » (xxvi, 158).

L'Ivraie

(saint Matthieu, XIII, 24-30, 36-42).

²⁴ Il leur proposa une autre parabole, disant : Le royaume des cieux est semblable à un homme qui avait semé de la bonne semence dans son champ. ²⁵ Pendant que tout le monde dormait, son ennemi vint, sema de l'ivraie par-dessus, au milieu du blé, et s'en alla. ²⁶ Quand l'herbe eut poussé et porté son fruit, alors parut aussi l'ivraie. ²⁷ Les serviteurs du maître vinrent lui dire : Seigneur, n'avez-vous pas semé de la bonne semence dans votre champ? D'où vient donc qu'il y a de l'ivraie? — ²⁸ Lui de leur répondre : C'est un ennemi qui a fait cela. — Les serviteurs lui dirent : Voulez-vous que nous allions la ramasser? — ²⁹ Il dit : Non, de peur qu'en ramassant l'ivraie, vous ne déraciniez en même temps le froment. ³⁰ Laissez-les croître l'un et l'autre jusqu'à la moisson. Au temps de la moisson, je dirai aux moissonneurs : Ramassez d'abord l'ivraie, liez-la en paquets pour la brûler; quant au froment, amassez-le dans mon grenier.

³⁶ Alors, ayant congédié les foules, il vint à la maison. Ses disciples s'approchèrent de lui, disant : Expliquez-nous la parabole de l'ivraie du champ. — ³⁷ Il répondit en ces termes : Celui qui sème la bonne semence, c'est le Fils de l'homme; ³⁸ le champ, c'est le monde; la bonne semence, ce sont les fils du royaume; l'ivraie, ce sont les fils du mauvais. ³⁹ L'ennemi qui l'a semée, c'est le diable; la moisson, c'est la fin du monde; les moissonneurs, ce sont les anges. ⁴⁰ De même que l'ivraie est ramassée et brûlée au feu, ainsi en sera-t-il à la fin du monde. ⁴¹ Le Fils de l'homme enverra ses anges, et ils enlèveront de son royaume tous les scandales et ceux qui commettent l'iniquité, ⁴² et ils les jetteront dans la fournaise du feu : c'est là que seront le pleur et le grin-

cement de dents. ⁴³ Alors les justes brilleront comme le
soleil dans le royaume de leur Père. Qui a des oreilles,
qu'il entende!

La présente parabole fait partie du patrimoine
personnel de saint Matthieu. Récitée devant la
foule du littoral par le Maître assis dans la barque,
elle est ensuite expliquée aux seuls disciples. Mais
cette fois, l'évangéliste a su attendre, avant de rapporter le commentaire, que la foule ait été congédiée (36). Le récit se déroule donc suivant toutes
les vraisemblances historiques; les critiques les
plus exigeants n'y discernent pas la moindre
anomalie. Ils confessent même que l'explication
correspond de tout point à la parabole; à leurs
yeux, c'est une garantie de composition spontanée,
opposée aux tâtonnements et aux reprises des éla-
borations artificielles, et, de plus, une présomption
en faveur de l'unité de l'auteur (Jülicher, II, 555).

I. — Tableau

Le royaume des cieux est semblable à un homme.
Le verbe de comparaison est ici employé à l'aoriste
(ὡμοιώθη, comme Mt. XVIII, 23); plus souvent il est
employé au présent (Mt. XIII, 31, 33, 44, 45...), une
fois au futur (Mt. XXV, 1). Il serait exagéré de
chercher des nuances entre ces formes, de traduire
par exemple ce passé : *Le règne des cieux pourrait
être comparé à un homme.* Il est préférable de voir
en cette diversité de simples variantes littéraires,
attendu que l'original sémitique, hébreu ou araméen, paraît n'avoir employé en pareil cas que le
seul participe présent (*dômeh lᵉ*) : *Cela est ressem-
blant à, cela ressemble à...*

Maldonat a fort sagement remarqué que le royaume des cieux ne ressemble pas précisément à un homme, mais à la scène entière où cet homme joue un rôle. Les commentateurs sont aujourd'hui d'accord là-dessus.

Les semailles. — L'homme de la parabole est un riche propriétaire, puisqu'il tient plusieurs serviteurs pour ses travaux ordinaires et qu'il emploie des moissonneurs pour rentrer ses blés. Jülicher et Loisy s'étonnent que, dans cet état de fortune, il ensemence son champ de sa propre main. L'étonnement irait-il à transformer en modernes bourgeois les agriculteurs de jadis ? Les fils de Jacob gardaient eux-mêmes leurs troupeaux. Booz en personne couchait dans son aire pour surveiller sa récolte. Et en combien de contrées, en Palestine comme en Europe, ne voit-on pas le maître de maison, même fortuné, se placer à la tête des serviteurs et des ouvriers pour les travaux des semailles et des moissons ? Après quoi nous concédons volontiers que le semeur de la parabole avait une raison de plus pour semer de sa propre main la bonne semence, puisqu'il figurait métaphoriquement le Fils de l'homme et les divines semailles de la parole.

Les semailles sont déjà faites (σπείραντι, à l'aoriste). C'est une histoire de terre ensemencée que nous allons entendre. — On a confié à la terre de la bonne semence, non de la semence mauvaise ou mêlée. Les agriculteurs ont toujours fait ainsi. La terre est fidèle à rendre ce qu'on lui donne ; une semence défectueuse produirait une récolte de même nature.

L'ivraie. — *Pendant que tout le monde dormait, son ennemi,* son ennemi unique ou principal, *vint, sema de l'ivraie par-dessus, au milieu du blé, et*

s'en alla. Les commentateurs se demandent si,
dans cette coupable action, il n'y eut pas incurie
de la part des serviteurs, et les anciens répondaient
presque tous affirmativement. Saint Chrysostome
(475, 476) ne voit presque pas de différence entre
les auditeurs qui reçurent la semence sur le chemin,
la roche, ou les épines, et les serviteurs de la parabole. Saint Jérôme exhorte les chefs de l'Église à
ne pas s'endormir pour ne pas permettre aux
semeurs d'hérésie d'accomplir leur triste besogne,
*quamobrem non dormiat, qui Ecclesiae praepositus
est, ne per illius negligentiam inimicus homo super-
seminet zizania, hoc est, haereticorum dogmata*
(xxvi, 93). — Les serviteurs trouvent aujourd'hui
qui les excuse. C'est la nuit, observe-t-on, que
l'ennemi vient semer l'ivraie. Mais Jésus ne dit-il
pas dans une parabole voisine que la nuit est faite
pour dormir (Mc. iv, 27)? Et puis, qui a jamais vu
garder un champ nouvellement ensemencé? On
garde en Orient les champs de concombres et de
pastèques, les vignes à la saison des raisins, les
vergers à la saison des fruits; mais nul ne songe à
veiller, le jour ou la nuit, sur un champ de blé où
les jeunes tiges ne se montrent pas encore. Si le
Sauveur eût entendu blâmer les serviteurs, il aurait
dit en toutes lettres *pendant que les serviteurs
dormaient,* au lieu qu'il a dit *pendant que dormaient
les hommes,* les hommes en général. Calmet a donc
bien traduit : « Nos ennemis les juifs, les hérétiques, les faux frères et tous les ministres du
démon, viennent *pendant la nuit* et *lorsqu'on y
pense le moins* semer le mauvais grain au milieu
du bon » (307). Nous croyons que la nuance exacte
est de traduire *pendant que tout le monde dormait.*
Maldonat avait déjà dit avec sa sobriété pleine de

sens : « *Quand les hommes dormaient, c'est-à-dire tous, tout le monde, cum autem dormirent, homines, id est omnes* » (276²). La fidélité des serviteurs n'est donc pas en cause. Aussi bien ne tarderont-ils pas à donner des marques de leur sollicitude pour les intérêts de leur maître.

L'ennemi vint de nuit semer la zizanie. S'il était venu de jour, les serviteurs l'auraient sans doute surpris dans sa sinistre besogne, et l'auraient empêché de la consommer. La nuit, à la faveur des ténèbres, il n'a pas à craindre d'être gêné dans son crime. Ce n'est pas qu'il se flatte de n'être pas reconnu un jour. Une si noire action ne peut être l'œuvre que d'un ennemi. On saura donc que c'est lui ; mais quand on s'en apercevra, il sera trop tard pour y remédier, le mal sera fait, et cela seul compte à ses yeux.

La mauvaise semence porte le joli nom de *zizanie,* ζιζάνια, dérivé d'un vocable sémitique, *zûn* en hébreu, *zunin* dans le Talmud, *zûnâ* en araméen, *zaouan* en arabe. En français le nom n'est pas moins gracieux, *ivraie,* du radical *ivrer* (*enivrer, ivre, ivresse*). C'est le *lolium temulentum* de Linné. Calmet qui se dit renseigné écrit : « Le pain où il y a beaucoup d'ivraie, enivre, et cause des assoupissements et des tremblements de tête à ceux qui en ont mangé, d'où lui vient le nom d'*ivraie* » (307, 308).

Saint Jérôme, qui avait dû interroger les paysans de Palestine, écrivait : « Entre le blé et l'ivraie que nous appelons *lolium,* tant qu'elle est en herbe et que la tige n'a pas encore donné l'épi, il y a une grande ressemblance, et le discernement en est très difficile, *inter triticum et zizania, quod nos appellamus lolium, quamdiu herba est et nondum culmus venit ad spicam, grandis similitudo est et in*

discernendo aut nulla aut perdifficilis distantia » (94).
Notons encore pour sa naïveté la description de
dom Calmet : « La zizanie ou l'ivraie est une
plante qui a une feuille longue, grasse et velue, et
sa tige plus grêle que le froment. A la cime de cette
tige sort l'épi, long et garni de petites gousses qui
l'environnent inégalement et qui renferment trois
ou quatre grains amoncelés et couverts d'une
bourse qu'on ne rompt pas aisément » (307).

Don Biever, prêtre du patriarcat latin de Jérusalem, qui séjourna de longues années sur les rives
du lac de Tibériade, nous a laissé de la zizanie la
description la plus autorisée : « On est aujourd'hui
à peu près d'accord que cette ivraie est le *lolium
temulentum* des botanistes, le *zaouâne* ou *ziouâne*
des Arabes, que les paysans de la Transjordane
appellent aussi *hélimoun*... Avant que les épis ne
se montrent, l'œil le plus exercé ne réussira
qu'avec peine à distinguer ses feuilles de celles
du froment; mais après la formation des épis
l'enfant le plus inexpérimenté apercevra aussitôt
la différence entre les gros épis de froment et les
touffes d'épis effilés de la zizanie. Mais si l'on
essayait à ce moment d'arracher l'ivraie, on serait
obligé non seulement d'entrer dans les champs et
de piétiner sur les épis de froment, mais on ris-
querait aussi d'enlever une bonne quantité de
froment avec l'ivraie dont les racines sont entrelacées avec celles du froment. On attend donc
jusqu'à la moisson... Le froment atteignant ordinairement une hauteur plus haute que la zizanie,
les paysans avec leur faucille, coupent le blé
au-dessus de la zizanie, de sorte que les épis de la
zizanie ne sont pas touchés. Souvent on entend à
cette occasion le maître du champ dire aux mois-

sonneurs : *Erfa'ou iadékoṁ, leveẓ vos mains plus haut,* ce qui veut dire : ne baissez pas trop la faucille afin de ne pas couper l'ivraie. De cette façon le froment pur est lié en gerbes. Ordinairement les moissonneurs arrachent déjà l'ivraie au fur et à mesure qu'ils coupent le blé et la jettent en petits tas derrière eux, où elle pourra être brûlée plus tard, ce qui se fait ordinairement, au moins sur le bord du lac, après que les aires ont été dépouillées et que la paille hachée et le blé sont rentrés. Ce sont les bergers et les gamins qui se chargent de cette besogne » (*Conférences de Saint-Étienne,* II, 279).

Pour semer de l'ivraie dans un champ de froment, à la seule fin de compromettre la récolte, il faut une malice consommée qui provienne de la haine. Le semeur de zizanie est effectivement l'ennemi personnel du propriétaire. « Dans les villages de Palestine, il n'est pas rare qu'un homme ait son ennemi particulier, et les vengeances agricoles sont très fréquentes, arbres coupés, moissons brûlées, etc. » (Lagrange, 267). Pour détourner les fidèles de ces redoutables vengeances, le crime de couper un arbre fruitier, olivier, figuier, vigne, etc. est un *péché réservé* dans le diocèse de Jérusalem.

Devant ces sinistres semailles, faut-il crier à l'invraisemblance, comme le font les critiques? « Il n'arrive jamais, écrit Loisy, que l'on sème l'ivraie à bonne ou à mauvaise intention » (i, 780). — Cette protestation n'est pas fondée. Le Rév. H. Alford raconte dans son commentaire qu'il eut à souffrir d'une méchanceté de ce genre à Gadlesly (Leicester). Au reste, contestable ou non dans l'histoire, ce trait ne l'est pas dans une allégorie. Tous les auditeurs connaissent les semailles et le *ẓaouân.*

Quand on leur raconte une histoire, il est tout
indiqué de semer le *zaouan* à pleines mains, par-
dessus le froment. La nouveauté ne sert qu'à
rendre le trait plus piquant et à mieux graver la
leçon dans les esprits.

Cependant la parabole n'insiste pas sur la nocivité
de la zizanie. On ne dit pas que l'ivraie ait étouffé
le blé, comme les épines, dans *le semeur*, ont
étouffé la semence. On ne dit même pas que les
racines de l'ivraie aient nui à celles du froment. Le
point de vue de la parabole, c'est la *présence de
l'ivraie dans le champ de blé*. Comment s'y trouve-
t-elle? C'est que l'ennemi est venu l'y semer. Comment l'ennemi a-t-il pu perpétrer cette méchante
action? C'est qu'il a su l'accomplir clandestine-
ment, la nuit, quand tout le monde dormait. Les serviteurs s'étonnent à juste titre que le champ ensemencé de froment porte une telle quantité de
zizanie : *Seigneur, n'avez-vous pas semé de la bonne
semence dans votre champ? D'où vient donc qu'il
a de l'ivraie?..* Et le maître de modérer le zèle
des serviteurs, pour que la zizanie soit laissée au
milieu du froment jusqu'au jour de la moisson.
Alors seulement s'opérera le triage définitif.

Les serviteurs. — *Quand l'herbe eut poussé et
porté son fruit, alors parut aussi l'ivraie*. Le paraboliste note les trois étapes du froment : la première
pousse, la tige, l'épi. Ce n'est que lorsque l'épi
commença à se nouer sur la tige de blé, que l'on
s'aperçut de cette quantité prodigieuse de zizanie.
Calmet le signale judicieusement : « Ils (les domestiques) auraient pu la distinguer auparavant, s'ils y
eussent fait réflexion. Ainsi dans l'Église souvent
on ne remarque l'erreur et les dangereux effets des
nouveautés, que lorsqu'elles ont produit leur fruit

et qu'elles sont trop enracinées pour être aisément arrachées » (308). Les serviteurs s'aperçoivent du méfait au moment utile pour la parabole, c'est-à-dire quand le mal est notoire et notoirement irréparable. Il n'eût servi de rien de surprendre le semeur de zizanie dans l'acte même des semailles. Et puis, ce qu'on veut montrer ici, ce ne sont pas des semences d'ivraie confondues avec des grains de froment, ce sont des tiges d'ivraie mêlées avec des tiges de blé, dans le même champ, qui est celui du Père de famille.

A peine les serviteurs ont-ils constaté le désastre, ils courent en avertir le maître : *Seigneur, n'avez-vous pas semé de la bonne semence dans votre champ? D'où vient donc qu'il y a de l'ivraie?* Loisy trouve que la façon dont ils avertissent le maître « manque de naturel, surtout par la liberté du ton » (1, 767). Mais l'interrogation a la saveur candide d'un dialogue des *Livres de Samuel*. Et elle est si bien orientale pour l'accent! Elle rappelle la démarche des détracteurs de Sidrac et de ses compagnons auprès de Nabuchodonosor : « Toi, ô roi, tu as porté un décret ordonnant que tout homme... se prosterne pour adorer la statue d'or. Or il y a des juifs que tu as préposés aux affaires de la province... » (Dan. III, 10-12). Au lieu de cette juxtaposition des concepts, notre logique moderne subordonnerait les propositions : Etant donné le décret royal, ô roi, que faire des contempteurs de votre décret? — Étant donné que vous n'avez semé que du froment, d'où vient cette ivraie? — Dans cette juxtaposition sémitique, la première demande n'est que l'entrée en matière, la seconde est la véritable question : d'où vient toute cette zizanie?

Mais c'est la démarche des serviteurs prise en

elle-même qui est jugée très sévèrement. Jülicher la tient pour insensée, *überaus thöricht* (757). Loisy renchérit : « Les serviteurs hésitent sur la conduite à tenir, comme si c'était la première fois qu'on trouvât de l'ivraie dans un champ, et que les laboureurs palestiniens n'eussent jamais été en présence d'un cas semblable » (1, 780). — C'est un nouveau contresens de psychologie. Les serviteurs connaissent sans doute l'ivraie, mais comme on la connaît à la campagne, à l'état isolé. Jamais ils ne se sont trouvés en face d'une quantité pareille. C'est vraiment pour eux un cas exceptionnel. De là leur embarras, et qui nécessite le recours au maître. Leur démarche est parfaitement légitime, elle s'impose, en même temps qu'elle manifeste leurs bonnes dispositions à l'endroit du propriétaire.

Cette constatation faite, concédons que la démarche est également postulée par des motifs d'ordre parabolique. Elle a pour but de mettre en pleine lumière la coexistence du blé et de l'ivraie, et d'amener la décision capitale que voici : Cette coexistence ne sera pas temporaire; elle doit durer autant que la moisson elle-même; elle ne cessera que le jour où les moissonneurs entreront dans le champ, faucille en main, pour la moisson...

Les serviteurs ignorent d'où vient cette quantité prodigieuse de zizanie. A vrai dire, ils auraient pu y soupçonner eux aussi la main de l'ennemi. Mais leur ignorance ménage mieux l'intérêt du récit, et la réponse du maître acquiert ainsi plus de relief. *C'est un ennemi qui a fait cela;* ce ne peut être qu'un effet de la malice ou de la haine; d'elle-même, la nature n'est pas si féconde pour le mal.

Voulez-vous que nous allions la ramasser? Dans leur empressement et leur trouble, les serviteurs

oublient que les racines de l'ivraie sont mêlées à
celles du blé et qu'on ne saurait supprimer la
mauvaise récolte sans nuire gravement à la bonne.
Le maître, lui, garde tout son sang-froid. De même
qu'il a discerné d'un coup d'œil l'auteur du mal, il
empêche avec la même sûreté l'application d'un
remède intempestif. *Non, de peur qu'en ramassant
l'ivraie, vous ne déraciniez en même temps le
froment. Laissez-les croître l'un et l'autre jusqu'à
la moisson...* Puisque c'est l'ennemi qui a jeté dans
le champ cette semence, et que les serviteurs s'alar-
ment de la voir en cette quantité, il est présupposé
que l'ivraie est une mauvaise graine. D'après les
principes de l'exégèse parabolique, nous en déduisons que la nocivité, présupposée, mais non exprimée, ne saurait être la leçon principale du tableau.
La leçon principale sera cette coexistence, ce mélange
si fortement accusé. Malgré la sollicitude du semeur
à ne semer que de la bonne semence, le blé ne sera
pas seul dans le champ; le blé est condamné à lever
à côté et au milieu de l'ivraie indéracinable.

La moisson. — *Au temps de la moisson, je dirai
aux moissonneurs : Ramassez d'abord l'ivraie, liez-
la en paquets pour la brûler.* Les commentateurs
notent que les moissonneurs sont distincts des
semeurs et ils en concluent que le propriétaire est un
bien grand personnage pour avoir tant d'ouvriers à
ses gages. — Il se pourrait que la distinction
entre catégories d'ouvriers ne fût qu'apparente. La
coutume veut en Orient que, pour la besogne
joyeuse de la récolte, amis et voisins s'assemblent
dans le champ à moissonner. On est surpris de voir
tant de monde dans une pièce de terre souvent fort
exiguë. Tout le clan est là, tous les amis, comme
dans nos fêtes paysannes de France, dépiquage du

blé, dépouillement du maïs... Ajoutons que, dans
l'application de l'allégorie, les serviteurs, qui sont
les chefs de l'Église, sont différents des moissonneurs qui sont les anges. Partant, la distinction
entre ces deux catégories pourrait être intentionnelle.

Les auditeurs de la parabole auront été plus
étonnés de voir les *paquets d'ivraie soigneusement
liés,* comme des gerbes de froment. Ce n'est pas que
ces bottes de zizanie doivent être portées sur l'aire
et dépiquées, car l'ivraie est une herbe mauvaise,
tige et graine, et la paille ne saurait en être réservée
pour la nourriture des animaux. Ce n'est pas non
plus que les paquets de zizanie puissent être utilisés
pour les besoins domestiques; on n'ira donc pas les
déposer avec les charges de buissons devant les fours
publics. L'ivraie n'est bonne qu'à être brûlée sur
place, et don Biever nous disait que les gamins de
Galilée se chargent joyeusement de la besogne. Mais
alors pourquoi la mettre en paquets, au lieu de
l'empiler simplement par petits tas, comme on fait
des herbes sarclées, des chardons ou des tiges inuti-
lisables de *doura?* Ici encore, le trait ne s'explique
que par une intention allégorique. Dans le cours
ordinaire de la vie agricole, l'ivraie est entassée au
petit bonheur pour être brûlée sur place. Mais, dans
la parabole, elle est soigneusement liée en gerbes,
à la manière du blé, et elle est destinée à être brûlée
ailleurs, parce que les fils du mauvais, symbolisés
par la mauvaise graine, seront à la fin du monde
exactement recueillis, et jetés, pas un excepté, dans
la fournaise de feu. Le tableau de la parabole est
une fois de plus influencé par le souci de l'application allégorique.

Quant au froment, amassez-le dans mon grenier.

Le maître n'explique pas si c'est la tige avec son épi
ou le grain seul, après dépiquage, qui doit être ainsi
recueilli. A ce point de vue, la différence est notable
entre notre parabole et celle du *vanneur* où l'on
représentait le Messie entrant dans l'aire, van en
main, pour y nettoyer le blé déjà dépiqué et séparer
le bon grain de la paille. Le *vanneur* opposait
le bon grain, figure des justes, à la paille, figure
des pécheurs. Ici le *semeur* oppose la tige de blé,
épi et grains compris, à la tige d'ivraie. C'est l'ivraie
qui symbolise les méchants, et c'est la tige entière
du froment qui représente les bons. On oppose le
tout au tout, et non plus une partie à une partie;
une plante à une plante, et non pas une graine à
une autre graine. Ces observations qui s'ajoutent
aux précédentes ne devront pas être perdues de vue,
quand il faudra dégager la leçon parabolique de
l'ensemble.

II. — APPLICATION

La foule dûment congédiée, les disciples restent
seuls avec le Maître et lui demandent l'explication
de *l'ivraie du champ*. La parabole est-elle donc si
difficile qu'ils ne puissent l'entendre seuls? Effectivement la doctrine de *l'ivraie* était nouvelle pour
eux à l'égal de celle *du semeur*; elle ouvrait à leurs
yeux des perspectives auxquelles ils n'étaient pas
encore habitués. Seuls, ils auraient vainement scruté
l'énigme. Mieux valait avouer son ignorance et
demander l'explication nécessaire. Avec une parfaite
condescendance, Jésus la leur fournit.

Procédés allégoriques. — Tous les exégètes reconnaissent ici une véritable allégorie, mais ils n'ont
peut-être pas assez remarqué par quels procédés

Jésus conduit son commentaire. Une allégorie peut
s'expliquer de trois manières différentes : *par équation* ou application directe, en faisant suivre chaque
mot de sa signification ; *par substitution,* en dérou-
lant la série des termes signifiés, mais sans rappeler
la teneur des métaphores ; *par comparaison*, à la
manière des pures paraboles. Il est très curieux de
constater ici que Jésus se sert tour à tour, on pourrait
dire simultanément, de ces trois procédés. Équation
ou application directe : *Celui qui sème la bonne
semence, c'est le Fils de l'homme ; le champ, c'est le
monde ; la bonne semence, ce sont les fils du
royaume*... Substitution : *Le Fils de l'homme enverra
ses anges, et ils enlèveront de son royaume tous les
scandales... et ils les jetteront dans la fournaise
du feu...* Comparaison : *De même donc que l'ivraie
est ramassée et brûlée au feu, ainsi en sera-t-il à la
fin du monde.* Le commentaire de *l'ivraie* constitue
ainsi pour l'exégèse des paraboles un *paradigme,* un
type caractéristique, qui vaut d'être signalé. La
facilité avec laquelle le divin commentateur passe
de la manière allégorique (équation ou substitution)
à la manière parabolique (comparaison) nous
montre à l'évidence la parenté des genres, contre
laquelle le parti-pris de Jülicher et de Loisy ne
saurait prévaloir.

Il est intéressant de noter que, même dans une
allégorie si soigneusement expliquée, il reste des
détails qui ne reçoivent pas de signification particulière. Maldonat l'avait observé, on ne nous apprend pas qui sont les dormeurs et pas davantage
qui sont les serviteurs du maître. Le sagace exégète
découvre la raison de cette prétérition : c'est que
dans une parabole, il y a beaucoup de détails
dépourvus de signification, qui n'ont d'autre but

que de remplir le récit, *multa in parabolis non ad
significandum, sed ad implendam narrationem
adhibentur;* ce ne sont pas des parties de paraboles,
mais des emblèmes, des ornements : *non quasi
parabolae partes, sed quasi emblemata;* ces éléments
ne seraient pas nécessaires; mais ils semblent pos-
tulés par le récit, car les choses se passent ainsi,
non quia necessaria sunt, sed quia fieri solent
(277). Cette remarque s'applique aux paquets ou
aux bottes de zizanie.

*Celui qui sème la bonne semence, c'est le Fils de
'homme.* Les disciples durent comprendre que le
Fils de l'homme était Jésus en personne. De la
façon la plus naturelle, mais la plus catégorique, il
revendiquait ainsi le ministère de la parole, la
fondation du royaume, la suzeraineté des anges,
qu'il appelle ses anges et dont il dispose pour ses
besognes domestiques, enfin l'autorité suprême
pour opérer le discernement définitif des bons et
des méchants, les bons étant promis à la gloire et
les méchants voués à la fournaise de feu. Les disciples ne témoignèrent aucune surprise à l'énoncé
de ces prérogatives suprêmes. Pourquoi les critiques s'en scandaliseraient-ils? Le Fils de l'homme
n'avait-il pas au préalable revendiqué la puissance
de remettre les péchés, et cette prétention n'avait-
elle pas été sur-le-champ appuyée de la guérison
du paralytique (Mt. ix, 2 ss. et par.)? La revendication formelle d'un titre quasi messianique,
en cet endroit, loin de la foule, dans le cadre de
l'intimité, était une de ces *répétitions* par lesquelles
le Maître toujours discret initiait ses apôtres à
l'auguste réalité, et les préparait à la confession de
saint Pierre, sous les ombrages de Césarée de
Philippe.

Le champ, c'est le monde, le monde entier, et non plus la Palestine seule. Si le Fils de l'homme n'a lui-même ensemencé que la Palestine, bientôt il enverra ses serviteurs à toute créature (Mc. xvi, 15), à toutes les nations (Mt. xxviii, 18), sans distinction de race ou de religion.

La bonne semence, ce sont les fils du royaume. Certains commentateurs (Loisy, 778; Fonck, 137) s'étonnent que la bonne semence ne soit pas plutôt la métaphore de la parole. Cette surprise ne dénote-t-elle pas un manque de souplesse exégétique? De quel droit exiger qu'une même métaphore ait toujours la même signification, et que la semence soit toujours la parole? Dans *le semeur* la semence est la parole, puisque les trois synoptiques nous le disent, mais nous avons déjà fait remarquer que cette métaphore initiale était aussitôt dépassée et que le Sauveur comparait en réalité le champ ensemencé aux auditeurs de la parole. Dans *l'ivraie*, la semence pourrait être encore la parole. Mais elle représente plutôt les bonnes dispositions que le Sauveur a déposées dans les âmes, dispositions qui proviennent peut-être de la prédication, mais qui peuvent également ne pas en dépendre. De fait, si le Sauveur sème en prêchant, le diable est obligé de le faire d'autre façon, puisque l'ennemi vint jeter son ivraie à la dérobée et pendant que tout le monde dormait. Satan ne s'aviserait pas de prêcher à un auditoire endormi. La mauvaise semence n'étant pas la prédication de la mauvaise parole, la bonne semence ne sera pas davantage la prédication de la bonne parole. La semence de blé représentera plutôt les bonnes dispositions nouvellement déposées dans les âmes, et la semence d'ivraie les mauvaises dispositions. De toute manière, cette métaphore initiale reste à l'état embryonnaire; elle est présupposée plutôt que exprimée. Le vrai rapprochement s'opère entre la tige née de la bonne semence et le fidèle né des bonnes dispositions.

Ces explications nous permettent d'entendre les formules de l'allégorie : *la bonne semence, ce sont les fils du royaume; l'ivraie, ce sont les fils du mauvais.* Formules globales qui disent les choses en gros, réunissant dans une vue d'ensemble le point de départ (semence) et le point d'arrivée (fils du royaume et fils du mauvais). Pour être complet, il aurait fallu dire : La bonne semence, ce sont les bonnes dispositions jetées au cœur des fidèles; les tiges de blé allant jusqu'à l'épi, ce sont les fidèles où ces bonnes dispositions ont fructifié. Mais nous consentons qu'on nous dise en résumé et d'une seule formule : *la bonne semence, ce sont les fils du royaume...* Sans confusion possible, on groupe la semence avec la plante née de la semence, les fidèles aux dispositions nouvellement reçues avec les fidèles aux dispositions mûries. Il est d'un bon effet dramatique, dans une parabole, de supprimer les lenteurs inutiles, de passer de la semence à la tige et à l'épi, sans tenir compte de la germination progressive et de l'imperceptible croissance.

Les fils du royaume sont les fidèles en qui les bonnes dispositions de la foi se sont développées, les fidèles soumis à la loi de l'Évangile. Aux fils du royaume s'opposent *les fils du mauvais.* Nous traduisons *fils du mauvais* plutôt que *fils du mal*, comme le voudraient le P. Durand et le P. Lagrange. Cette abstraction, *le mal*, jurerait dans ce contexte d'entités concrètes. Donnons plutôt à l'ennemi le qualificatif générique de sa fonction *le mauvais, les fils du mauvais.* Au verset suivant, pour varier le discours, on l'appellera de son nom habituel *le diable*. Le diable n'est plus l'oiseau rapace qui vient happer la bonne semence sur le champ fraîchement ensemencé; c'est l'ennemi qui vient furtivement jeter l'ivraie au milieu du froment. Les deux rôles vont bien ensemble. Un mot les résume : le *malin,* le *mauvais,* *l'ennemi,* celui qui ailleurs sera qualifié d'ennemi personnel du Christ, *l'antéchrist.*

La moisson, c'est la fin du monde. La littérature apocalyptique et rabbinique présente fréquemment l'antithèse de *ce monde* et du *monde à venir.* Le monde présent « est un monde de travail, d'étude, d'épreuve, une occasion de faire de bonnes actions dont la récompense est réservée dans le monde à venir » (Lagrange, *Messianisme,* 165). La *consommation du siècle,* ou *fin du monde* sera le moment où, pour tous, cessera le monde ou le siècle présent. Le monde à venir sera le monde du châtiment aussi bien que de la récompense individuelle. Ne soyons pas surpris qu'on insiste de préférence sur le châtiment de cette ivraie mauvaise, trop longtemps épargnée. *Comme l'ivraie est ramassée et brûlée au feu, ainsi en sera-t-il à la fin du monde.*

Alors le Fils de l'homme enverra ses anges et ils enlèveront de son royaume tous les scandales, c'est-à-dire tous ceux qui ont donné le scandale, au sens le plus large, *et ceux qui commettent l'iniquité,* formules populaires pour désigner les pécheurs, *et ils les jetteront dans la fournaise du feu.* Si les juifs ne connaissaient pas personnellement le supplice de la fournaise, la lecture de *Daniel* (iii, 6) devait leur inspirer une grande frayeur des fournaises babyloniennes. Au temps de Notre-Seigneur, la fournaise servait, conjointement avec la géhenne de figure de l'enfer.

Les tourments de la fournaise sont *le pleur et le grincement de dents*, comme dans les ténèbres extérieures (Mt. VIII, 12 ; XXII, 13 ; XXV, 30). Il est surprenant que, dans la fournaise, *on pleure et l'on grince des dents,* alors que le tourment normal serait d'être brûlé. Mais les pleurs et les grincements de dents étaient une expression familière au Sauveur, et sans doute populaire. Elle caractérisait les supplices des damnés. Le paraboliste qui parlait à ses disciples comme il l'eût fait à la foule, n'avait pas à modifier son langage habituel, pour des raisons littéraires, parce qu'il avait parlé de fournaise au lieu de ténèbres. Il ne pouvait envoyer les bottes d'ivraie aux *ténèbres extérieures,* attendu que cette mauvaise récolte devait être brûlée. Il les jette donc dans la fournaise, mais dès qu'elles y sont, il se souvient que ces gerbes sont en réalité les méchants qui auront à subir le supplice ordinaire des damnés, et il évoque *le pleur et le grincement de dents.* Ces anomalies littéraires sont au fond parfaitement justifiées par cette compénétration incessante de la figure et de la réalité.

La preuve que le Maître a définitivement passé des figures à la réalité, c'est qu'il ne décrit plus le bonheur des justes dans le style de la parabole. Il aurait dû nous montrer les bons rangés dans les greniers du Père de famille : *quant au froment, amassez-le dans mon grenier.* En réalité, il nous les montre *brillants comme le soleil dans le royaume de leur Père.* C'était la comparaison usuelle de Daniel (XII, 3), de la Sagesse (III, 7), surtout de toutes les apocalypses. Le IVe livre d'Esdras, qui résume les ouvrages du même genre, énumère les joies des justes ressuscités : *Leur visage sera brillant comme le soleil, et ils égaleront la clarté des étoiles, sextus ordo quando eis ostendetur quomodo incipit vultus eorum fulgere sicut sol et quomodo accipient stellarum adsimilari lumini, amodo non corrupti* (VII, 97). Le P. Lagrange conclut : « On a remarqué que les justes devenaient semblables au soleil et aux étoiles, c'est-à-dire qu'ils auront des corps incorruptibles, comme les corps célestes » (*Messianisme*, 129).

Authenticité. — Cette fois les critiques les plus exigeants sont obligés de convenir que l'application de l'allégorie est une réussite littéraire. Le procédé habituel de Jülicher et de Loisy consistait à montrer que l'application ne cadrait pas avec la parabole, et ils en concluaient, ou bien que la parabole avait été remaniée, ou bien, si la parabole était authentique, que l'application ne l'était pas, étant le fait de la catéchèse ou de l'évangéliste. Ici la correspondance de l'allégorie et de son application est telle que l'une et l'autre ne peuvent se séparer, et qu'elles doivent s'attribuer au même auteur. Le croirait-on, ce sera le motif de dénier à Jésus la composition de l'une et de l'autre, de l'allégorie aussi bien que de son application. Voici le dernier mot de Loisy, vulgarisant Jülicher : « Parabole et commentaire appartiennent à l'évangéliste, leur auteur visant une situation qui n'est pas celle de l'évangile au temps de Jésus, mais celle des premières communautés chrétiennes, après un assez long temps de prédication historique » (I, 782).

Contre cette conclusion, le P. Lagrange a vigoureusement réagi : « Nous pourrions répondre en alléguant une science spéciale du Christ, mais comme il ne parle pas ici en prophète, et pour nous placer sur le terrain des critiques, nous recourons seulement à la prescience que nous révèlent tant d'autres endroits de l'évangile » (273). Jésus ne voit-il pas déjà le *mauvais* rôder autour de son champ à lui, essayant par tous les moyens de compromettre les semailles évangéliques? Ne prévoit-il pas aussi que l'implacable ennemi s'efforcera, sitôt qu'il le pourra, de jeter son ivraie parmi la bonne et divine semence? Et ne sait-il pas que, dans ce petit groupe de disciples qui lui demandent l'exégèse de sa parabole, parmi les onze tiges de froment, le mauvais a déjà réussi à faire lever une tige exécrable? et qu'il est obligé, lui, le Maître, de laisser coexister Judas à côté de Pierre, de Jacques, de Jean et des autres? Que sera-ce, lui parti, quand le semeur nocturne aura toute facilité de répandre son ivraie à pleines mains, par-dessus le froment, à même le champ? Quel étonnement pour ses disciples, quel scandale peut-être, le jour où ils s'apercevront qu'ils ne sont pas seuls dans l'église, le jour où ils verront se multiplier les machinations, les trahisons, les défections! Ne valait-il pas mieux, ne fallait-il pas les avertir? Saint Chrysostome a dit le mot juste, *pour leur éviter le trouble, Jésus leur devait cette prédiction* (LVIII, 475). *L'ivraie* est une allégorie ecclésiastique, mais Jésus pouvait déjà la prononcer à l'heure où il jetait les fondements de son église.

Leçon principale. — Voici donc la leçon authentique du divin Maître. Suivant ses propres indications, nous l'énoncerons à la manière des paraboles :

De même que le bon grain est mêlé d'ivraie par la malice de l'ennemi;

et que le mélange et la coexistence du froment et de la zizanie dans le champ, malgré tous les souhaits contraires, doivent nécessairement se prolonger jusqu'à l'époque de la moisson dans l'intérêt même du froment;

et que, à cette époque seule, la séparation définitive se fera entre le froment réservé pour les greniers
et l'ivraie vouée au feu,

ainsi les fidèles seront mêlés de mécréants par la
malice du diable ;

ce mélange de bons et de méchants, en dépit des
plus justes souhaits, durera jusqu'à la fin du monde,
dans l'intérêt même des bons ;

alors seulement se fera la séparation définitive, les
justes étant récompensés par la gloire, les méchants
envoyés au lieu du pleur et du grincement de dents,
dans la fournaise.

Je ne crois pas qu'il puisse y avoir le moindre
doute sur la teneur et la portée de cet enseignement.

Le point central est la coexistence nécessaire du
froment et de l'ivraie, des bons et des méchants,
jusqu'à la fin. La coexistence de l'ivraie, disons-nous,
et non sa nocivité. Nous en avons déjà relevé les
preuves. La récolte de blé achève de mûrir comme
si elle n'était pas gênée par le mauvais voisinage ; le
moment venu, elle ira remplir les greniers du
maître, comme s'il n'y avait pas à côté une récolte,
peut-être aussi abondante, de zizanie, qui aille
alimenter la fournaise de feu.

Nous avons relevé les traits de la parabole qui
soulignaient cette même thèse. Dès que les serviteurs
constatent la présence de la zizanie, ils s'offrent à
l'enlever du champ. Non, répond le propriétaire,
qu'elle y reste jusqu'à la moisson ; aussi bien il est
impossible de l'enlever auparavant, sans nuire à la
bonne récolte ; au moment de la moisson, mais alors
seulement, le triage s'effectuera sans difficulté.

Les fils du royaume, semés par le Fils de l'homme,
coexistent donc dans le monde avec les fils du mauvais semés par le diable. Tant que dure le monde,

nul ne peut supprimer ce mélange. Mais comme
l'ivraie est ramassée au temps de la moisson, ainsi
en sera-t-il des fils du mauvais à la fin du monde.
Les anges enlèveront tous les faiseurs de scandale
et d'iniquité, et les enverront dans la fournaise de
feu, tandis que les justes brilleront d'une gloire
éclatante dans le royaume de leur Père.

La correspondance entre les données de la parabole et celles de l'application est parfaite à souhait.
La démonstration atteint le degré d'évidence.

Les fidèles avertis n'ont qu'à se résigner à une
situation fort peu enviable à certains points de vue ;
qu'ils se résignent cependant et qu'ils s'ingénient à
tirer du mal tout le bien dont il peut être la source.

Enseignements secondaires. — Telle est la leçon
centrale, autour de laquelle se groupent les enseignements secondaires. *Satan*, avec sa malice, c'est
l'ennemi, l'ennemi personnel du bon semeur. Ne
pouvant s'attaquer à sa personne, il s'en prend à son
œuvre. Il invente pour lui nuire une méchanceté
énorme, inouïe, telle qu'on en trouve à peine quelques vestiges dans les annales de la méchanceté
humaine, du reste très abondamment pourvues.
Malice qui se double d'une adresse perfide. Il choisit
pour accomplir son forfait l'heure la plus favorable,
la nuit. Aussitôt après, il se retire, pour ne pas
donner l'éveil, de peur que le maître prévenu ne
trouve encore moyen de porter remède à un mal
que son auteur veut irréparable. Plus tard, quand
la méchanceté sera découverte, il sera trop tard, et
les intéressés n'auront d'autre ressource que de
prendre leur mal en patience. Saint Chrysostome
qui se plaît à ces analyses psychologiques, ajoute
une autre remarque : Le diable, dit-il, n'a pas commencé de semer son ivraie, parce qu'il n'en a pas

à perdre. S'il avait jeté le premier sa semence, peut-
être le propriétaire s'en fût-il aperçu ; dans ce cas,
jamais il n'eût confié son blé à ce même champ, et
le coup eût été manqué. Le diable attend que le
semeur ait fait toute sa besogne des semailles, pour
la ruiner d'un coup... (477).

Le seul inconvénient qui, dans la parabole, résulte
du voisinage de l'ivraie pour le froment, pourrait
être qualifié d'esthétique. Qu'il soit bien entendu
qu'il n'est pas le seul, et qu'on pourrait signaler, hors
des perspectives paraboliques, d'autres inconvénients pratiques résultant pour les bons de la société
des méchants.

Mais ce mélange lui-même, quelles en sont les
raisons providentielles ? Saint Augustin les résumait
d'un mot, disant que *les méchants exercent la
patience des bons, et que les bons s'emploient à la
conversion des méchants*. Ce thème général a reçu
de nombreux développements. Saint Thomas
remarque que les mauvais sont pour les bons un
précieux instrument de sanctification. *Una causa
est... : quia per malos exercitantur boni* (éd. de
Parme, x, 130). Qui fait les martyrs, sinon les bourreaux ? Saint Augustin se rencontre avec saint Chrysostome pour espérer que bon nombre de ces tiges
d'ivraie se convertiront en froment, *multi primo
zizania sunt et postea triticum fient* (xxx, 1371).
Qu'on ne se hâte donc pas d'amputer un frère, conclut saint Jérôme, *ne cito amputemus fratrem*
(xxvi, 93).

Du moins, à la fin du monde, la séparation sera-
t-elle complète et définitive. L'heure venue, qu'on
ne craigne ni n'espère la moindre confusion en une
opération aussi délicate. Tous les bons, sans exception, passeront au royaume de leur Père ; tous les

méchants sans exception seront jetés dans la fournaise. Les méchants seront punis d'avoir été
méchants, comme l'ivraie est brûlée pour n'être pas
bonne semence. Les fidèles seront récompensés
d'avoir été croyants et pratiquants, comme le blé
pour sa bonté congénitale est serré dans les greniers
ou les silos. Remarquons-le une fois de plus, la
rétribution n'envisage pas expressément les relations
mutuelles que peuvent avoir eues les bons et les
méchants. Extérieurement, dans la parabole, les
bons n'ont pas souffert des méchants, et ceux-ci
n'ont pas fait souffrir ceux-là. Bons et méchants, ils
ont cohabité et coexisté, c'est tout; les bons le sont
durant leur vie et au delà; les méchants le restent
jusque dans le lieu de tourments.

Telle est la leçon de la parabole, à la fois une et
riche, parfaitement cohérente et organisée.

Qui a des oreilles, qu'il entende! Et qui l'aura
entendue, qu'il y puise une patience indomptable et
une force proportionnée aux besoins de sa vie!

L'interprétation donnée par le Sauveur est tellement claire qu'elle ne supporte pas de divergence
notable. Si les commentateurs ne s'appliquent pas à
justifier ces enseignements, comme nous venons de
le faire, du moins les présentent-ils avec exactitude.
Nul d'entre eux n'a mieux dit que Maldonat : « Le
Christ a voulu signifier trois choses principales.
D'abord, que, dans l'Église, il n'y a pas seulement
de la bonne semence, c'est-à-dire des bons, mais
aussi de la mauvaise semence, c'est-à-dire des
méchants. Ensuite, que lui, le Christ, il n'est pas le
semeur de la mauvaise semence, mais seulement de
la bonne; c'est le diable qui a semé la mauvaise.
Enfin, que la mauvaise semence semée par le diable,
lui, le Christ, il doit la supporter en toute patience

jusqu'à la moisson, et non point l'arracher tout de
suite » (276²).

Répression des hérétiques. — Les Pères et les
commentateurs se sont beaucoup occupés de la
répression des hérétiques à l'occasion de cette parabole. D'après saint Chrysostome, le Sauveur permet
« de les réprimer, de leur fermer la bouche, de leur
enlever la liberté de la parole, de dissoudre leurs
assemblées, de résilier leurs contrats, mais il défend
de les tuer » (477). Saint Augustin, après avoir
uniquement prôné la douceur pour la conversion
des hérétiques, constatait plus tard que la violence
n'est pas sans produire de bons résultats (xxxiii,
321 ss.). Saint Thomas autorise la violence, à la condition d'en user avec discrétion (x, 131). Maldonat
pense que, s'il n'y a pas péril pour le blé à l'extirpa-
tion de l'ivraie, il n'est pas besoin d'attendre. Pourquoi attendre la moisson ? Vite, qu'on l'arrache!
Vite, qu'on la brûle! *Quid opus est messem expec-
tare? Mature evellanda sunt, mature comburenda
sunt* (277²).

De l'aveu de tous, la zizanie représente les mauvais chrétiens, les pécheurs, notamment les hérétiques. Mais ce serait une erreur de croire que le
divin Maître a voulu promulguer en cette parabole
un manuel des règles de l'inquisition. Le propriétaire du champ est même tout le contraire d'un
inquisiteur. Il énonce la loi générale qu'il y aura
toujours des mauvais à côté des bons, et qu'il serait
préjudiciable à ceux-ci de vouloir extirper l'autre
catégorie.

Mais Jésus n'a pas envisagé les cas particuliers où
il serait préférable pour le blé que tel ou tel pied de
zizanie fût déraciné sans attendre la moisson. N'eût-
il pas lui-même condamné l'ivraie qui, non contente

de coexister avec le blé, se fût mise à lui nuire et à
le dévorer? Les Pères ne disent pas autre chose.
L'Inquisition est ici hors de cause, ne rentrant pas
dans le cadre de la parabole.

Le filet

(saint Matthieu, XIII, 47-50).

⁴⁷ De même, le royaume des cieux est semblable à un grand filet jeté dans la mer et qui ramène [des poissons] de toute espèce. ⁴⁸ Une fois rempli, [les pêcheurs] le tirent sur le rivage, et ils s'asseyent pour recueillir les bons dans des ustensiles et rejeter dehors les mauvais. ⁴⁹ Ainsi en sera-t-il à la fin du monde. Les anges sortiront pour séparer les méchants d'avec les justes ⁵⁰ et les rejeter dans la fournaise de feu. C'est là que seront le pleur et le grincement de dents.

I. — TABLEAU

Il suffit de lire la parabole *du filet* pour être frappé de sa ressemblance avec *l'ivraie*. Étant si apparentées, pourquoi ne se suivent-elles pas dans l'évangile ? Le divin Maître ne les aurait-il pas prononcées dans la même circonstance ? Maldonat a examiné encore ce petit problème, et il en présente une explication que plusieurs exégètes retiennent comme plausible. « Je crois, dit-il, que Jésus proposa cette parabole tout de suite après celle de *la bonne semence* et de *l'ivraie*. C'est l'évangéliste qui n'aura pas gardé l'ordre de la narration. — La preuve en est que ces deux paraboles, *le filet* et *l'ivraie* ont exactement la même signification. Nous le voyons également, les autres paraboles qui ont même signification sont groupées deux à deux : *le grain de sénevé* et *le ferment*, *le trésor* et *la perle précieuse*. *Credibile mihi videtur hanc parabolam post illam superiorem de bono semine et zizaniis a Christo propositam fuisse vers. 43, sed*

Evangelistam narrationis ordinem non tenuisse. —
Quia eamdem prorsus habet significationem; et vide-
mus reliquas, quae ejusdem erant significationis,
fuisse conjunctas : ut parabolam grani sinapis cum
parabola fermenti, et parabolam thesauri cum
parabola pretiosae margaritae » (282, 283).

On est satisfait de trouver, avec ce bonheur
d'expression, cette pénétration d'intelligence.

La transition qui joint *le filet* aux paraboles précédentes nous est familière : πάλιν, *encore, de même.*
Simple formule extérieure, qui ne nous renseigne
en rien sur les circonstances de temps ou de lieu.

Le filet. — *Le royaume est semblable à un grand*
filet jeté dans la mer. Laissons la parole au témoin
des scènes de pêche au lac de Tibériade. Cette espèce
de filet, écrit don Biever, « ressemble, étendue,
à une longue bande de 4 à 500 mètres de long et de
2 à 3 mètres de large. La partie supérieure est munie
de gros morceaux de liège ou de bois léger... ; la partie
inférieure, qui doit descendre sous l'eau, porte des
poids de plomb... Arrivé à l'endroit prévu, une
partie de l'équipage, composée ordinairement de six
hommes, descend à terre, saisit le bout d'une des
deux longues cordes attachées aux deux extrémités
du filet, et la barque s'éloigne du rivage de la longueur de la corde. Alors un des hommes de l'équipage fait descendre peu à peu le filet dans l'eau
pendant que la barque décrit un vaste demi-cercle.
Dès que celle-ci s'est rapprochée du rivage, les
hommes demeurés dans la barque descendent dans
l'eau, entraînant avec eux la seconde corde attachée
à l'autre extrémité du filet, et, une fois qu'ils ont
touché la terre, tous s'attellent aux deux cordes
et tirent d'une manière égale et sans disconti-
nuer jusqu'à ce que le filet s'approche de la plage »

(*Conférences de Saint-Étienne*, 1910-1911, 302, 303).

La pêche. — Ainsi se passent les choses dans la réalité. Dans la parabole, elles se passent d'une manière un peu différente, appropriée à l'enseignement qu'avait en vue le paraboliste. Les commentateurs n'en font généralement pas la remarque ; elle s'impose néanmoins, ainsi qu'on va s'en rendre compte.

Dans le cours ordinaire des choses, lorsque le filet est déployé, il arrive qu'il se remplisse de poissons à se rompre, comme dans les pêches miraculeuses de l'évangile ; mais il arrive également que toute une journée ou toute une nuit se consume en vains efforts, « sans rien prendre », la pêche eût-elle pour théâtre le lac poissonneux de Tibériade.

En l'espèce, il fallait pour l'enseignement parabolique que le filet fût rempli : dès lors, il suffit qu'on le jette dans les eaux pour qu'aussitôt ses mailles frétillent d'une multitude de poissons captifs. *Une fois rempli...* L'opération a parfaitement réussi, et l'on n'a pas l'impression qu'elle ait coûté grand'peine aux pêcheurs.

Le triage. — Ce qui suit est parfaitement observé ; c'est la scène habituelle qui termine toute pêche. Le filet est tiré sur le rivage et les pêcheurs *s'asseyent* à même le sable. En Orient, la première chose à faire en tout état de cause, c'est de s'asseoir. On s'assied pour juger, pour délibérer, pour écrire, pour ne rien faire, pour le plaisir de s'asseoir, parfois aussi *pour trier les poissons sur le sable du rivage*.

Encore un trait qui nous paraît sortir de la commune réalité, bien que les exégètes omettent d'en relever le caractère anormal. Est-il ordinaire que les pêcheurs fassent le triage des poissons ramenés

par leurs filets? Lors de la pêche miraculeuse qui
suivit la résurrection, les apôtres comptèrent les
poissons. Saint Jean a retenu le nombre, il y en
avait 153 aux proportions avantageuses (XXI, 11).
Dans cette multitude, il semble bien que tous aient
été bons et qu'il ne s'en soit pas trouvé un seul
de mauvais qui dût être rejeté. Sur la trentaine
d'espèces que les ichtyologues ont reconnues dans
les eaux du lac de Tibériade, il y a sans doute différence de qualités; mais aucune n'est immangeable.
Celles qui ne sont pas assez délicates pour le palais
raffiné des riches, sont encore assez bonnes pour la
table des pauvres. Une seule espèce de *Silurides*,
le *clarias macracanthus,* pour n'avoir pas d'écailles,
était lévitiquement impure. Mais précisément ce
poisson rejeté des juifs était apprécié des gourmets
païens (don Biever, *op. cit.*, 293-300).

Si tous les poissons du lac sont bons, comment les
pêcheurs de la parabole opèrent-ils un triage ? Faut-
il croire, avec les commentateurs complaisants, que
le filet avait ramené beaucoup de *Silurides?* « On
croit généralement que, comme ce poisson est impur
pour les Juifs, c'est de lui que parle Notre-Seigneur
dans la parabole des bons et des mauvais poissons
en disant : *malos autem foras miserunt, les mauvais
ils les jetèrent.* Et en effet il est pris dans les filets
avec les autres espèces ; mais, comme il est défendu
aux Juifs d'en manger et que ce sont les Juifs qui
sont les plus forts consommateurs de poissons sur
les rives du lac, il est d'un prix beaucoup inférieur
à celui de tous les autres » (*ibid.* 299-300).

Une telle bonne volonté dans l'exégèse provoquera
peut-être quelque sourire. A lire la parabole, n'a-t-on
pas l'impression que les poissons à jeter égalent en
nombre la catégorie des poissons utiles ? A ce compte,

il faudrait supposer une pêche miraculeuse de
Silurides. Sans prodige, l'unique espèce de poissons
impurs ne saurait entrer en comparaison avec les
trente espèces de poissons purs et comestibles.

La véritable solution est à chercher encore non
dans la réalité, mais dans la parabole. Elle consiste
à dire que la parabole évoque une opération que
tous les auditeurs connaissaient bien pour en avoir
eu le spectacle maintes fois sur la grève: opération
qui se pratiquait généralement dans des proportions
restreintes, attendu que la quantité des poissons à
rejeter était généralement minime, presque une
quantité négligeable; opération à laquelle le divin
Maître attribue dans sa parabole une importance
exceptionnelle, inconnue dans la vie courante,
précisément pour des raisons pédagogiques. L'ordre
surnaturel du moins impose le triage, car, dans le
mystérieux filet symbolique qu'est l'Église, les
méchants se trouvent mêlés aux bons dans une
proportion non précisée, mais certainement impressionnante.

Non seulement les parabolistes, mais encore les
auditeurs se prêtent volontiers à ces modifications
de la nature qui, si elles sortent de l'ordre des faits,
ne sortent pas de l'ordre des idées. Ils y consentent
et ils laissent dire sans protester que les pêcheurs
de Tibériade séparaient les bons poissons des
mauvais, uniquement parce que les anges du
Seigneur auront, à la fin des temps, à séparer les
bons d'avec les méchants.

Donc, une fois rempli, les pêcheurs tirent le filet
sur le rivage, et ils s'asseyent pour recueillir les
bons poissons dans des ustensiles et rejeter dehors
les mauvais.

Toute cette description se meut dans une atmos-

phère doctrinale. Elle est faite d'éléments empruntés à la nature. Mais, telle qu'elle est, elle
n'est vraie, les choses ne se passent exactement
ainsi que dans le monde supérieur où la comparaison a mission de porter la lumière.

II. — Application

Le filet et l'ivraie. — Les commentateurs l'ont
bien observé, la morale *du filet* ressemble à celle
de l'ivraie. A peine y relèvent-ils quelques différences qui sont dues à la nature des images utilisées
plutôt qu'à la volonté formelle du paraboliste. Dans
l'ivraie les serviteurs envisageaient la possibilité
d'arracher les mauvaises herbes dès leur apparition,
à quoi le propriétaire objectait que l'opération serait
dommageable et que mieux valait laisser croître la
zizanie avec le blé jusqu'au temps de la moisson,
c'est-à-dire jusqu'à la consommation du siècle.
Dans *le filet,* « on n'est pas même tenté de se
demander ce qu'il y a à faire actuellement des
méchants, puisqu'on ne peut même songer à extraire
du filet les mauvais poissons pendant la pêche »
(Lagrange, 278). C'est pourquoi la séparation se
fera seulement la pêche terminée, c'est-à-dire à la
fin du monde.

Comme dans *l'ivraie*, le paraboliste se préoccupait de préférence du sort des mauvaises herbes,
dans *le filet*, il s'intéresse à la destinée des mauvais
poissons plutôt qu'à celle des bons. L'énoncé de
la parabole pourrait donner l'impression contraire :
*ils s'asseyent pour recueillir les bons dans des usten-
siles et rejeter dehors les mauvais*. Mais l'application omet entièrement de nous dire ce qui
advient des justes et où les anges les conduisent,

tandis qu'elle spécifie le châtiment réservé aux méchants : *les anges sortiront pour séparer les méchants d'avec les justes et les rejeter dans la fournaise de feu*. Cette comparaison et cette insistance déterminent sur quel point doctrinal porte exactement l'enseignement du Sauveur. Nous avons à tenir compte de cette nuance dans le résumé de la parabole.

De même qu'après une pêche, les pêcheurs qui ont tiré le filet sur la grève, font le triage en vue surtout d'éliminer les mauvais poissons qu'effectivement ils rejettent, tandis qu'ils conservent les bons,

ainsi, au dernier jour, les anges viendront séparer des justes les méchants qui seront précipités dans la fournaise de feu.

Simple parabole. — Il y a cependant une différence entre *l'ivraie* et *le filet* : *l'ivraie* est une allégorie tandis *le filet* est une parabole. Ce dernier point s'établit sans difficulté. Jésus qui fait lui-même l'application *du filet*, se sert pour l'introduire de la formule habituelle des paraboles ou des comparaisons : *ainsi en sera-t-il à la fin du monde*. Sans doute l'application continue ensuite par le procédé direct de *la substitution : les anges sortiront pour séparer les méchants d'avec les justes et les rejeter dans la fournaise de feu*. Mais bien qu'elle convienne à l'allégorie, la substitution est également une espèce, plus brève et plus directe, de comparaison.

Nous ne voyons pas que personne ait songé à faire des *pêcheurs* la métaphore des anges justiciers, pour la bonne raison que les pêcheurs ne sont même pas nommés dans la parabole. Une métaphore, pour avoir droit de cité, doit s'autoriser

d'un relief ou d'une insistance, qui, en l'espèce,
font totalement défaut. — Les poissons ne sont pas
plus nommés que les pêcheurs; on se contente
de les désigner par des adjectifs neutres, dont le
sens ne saurait être douteux, mais dont l'imprécision voulue ne favorise pas l'hypothèse d'une
métaphore. Le seul acte de cette scène de triage
qui puisse revendiquer une analogie suffisante et
intentionnelle, par suite métaphorique, c'est le rejet
des mauvais poissons, lequel évoque spontanément
le rejet éternel des méchants. Encore est-il que
l'analogie est loin d'être parfaite. Car toute la
punition des mauvais poissons, si c'en est une,
c'est d'être rejetés sur le rivage ou à la mer; tandis
que le châtiment des méchants c'est d'être précipités dans la fournaise de feu où l'on endure la
douleur éternelle.

Nous n'avons pas à rechercher d'analogie entre
les bons poissons et les justes, puisque le divin
Maître s'est abstenu d'en signaler. Abstention postulée par le goût littéraire et le sens théologique,
car toute la récompense réservée aux bons poissons consisterait à être rangés dans des ustensiles
appropriés, corbeilles ou vases, au lieu d'être rejetés
sur la grève ou dans l'eau. Ce traitement de faveur
ne servirait qu'à leur assurer l'honneur d'être
portés au bazar, pour servir à la nourriture des
hommes. On ne voit pas bien comment ce dessein
pourrait présager le bonheur éternel des justes.
Mieux valait donc ne pas insister. Le divin paraboliste, sensible à cette difficulté, doctrinale autant
que littéraire, s'est contenté de comparer le sort des
mauvais poissons à la destinée des méchants et des
réprouvés.

Ces constatations ne favorisent donc pas l'inter-

prétation allégorique. Il est préférable de conclure
que *le filet* n'est qu'une comparaison ou une
parabole, qui doit être interprétée à la manière des
comparaisons et des paraboles.

Autre différence entre *le filet* et *l'ivraie*. L'idée principale *du filet* n'est pas celle de *l'ivraie*, à savoir que
les justes doivent se résigner à la société des méchants *jusqu'à la fin du monde*. La parabole n'insiste
pas sur la durée de cette *compagnie* douloureuse.
L'enseignement essentiel, l'enseignement unique est
que, à la fin du monde, les méchants seront strictement séparés des justes et sévèrement châtiés.

Incidemment les justes pourraient en retirer une
leçon de courage à la pensée que le contact désagréable qu'ils sont obligés de subir prendra fin avec
le siècle, et qu'un jour viendra où ils se trouveront
enfin débarrassés et seuls. Jülicher exagère quand il
fait de cette leçon incidente l'enseignement principal :

« De même que les pêcheurs, qui avaient jeté le
filet et ramené tout ce qui venait, ne purent réaliser
le triage du bon et du mauvais que la pêche terminée,

« ainsi, dans le royaume de Dieu, l'état de perfection où les éléments mauvais sont définitivement
écartés, ne viendra pas avant la consommation
finale » (II, 566, 567).

Cette doctrine est vraie, mais, dans notre parabole,
elle ne constitue qu'un corollaire, une déduction.

En soi, la parabole s'occupe beaucoup plus des
méchants que des bons. Nettement eschatologique,
elle est exclusivement comminatoire. C'est une
parabole de châtiment, d'éternité malheureuse, de
feu, de pleurs, de grincements de dents; la langue
chrétienne exprime tous ces tourments d'un mot :
c'est une parabole d'enfer.

Les serviteurs vigilants et le maître vigilant.

Lc. xii, 35-40   Mc. xiii, 33-37   Mt. xxiv, 42-42

35 Ayez (toujours) votre ceinture aux reins et vos lampes allumées. **36** Et vous-mêmes, soyez comme des gens qui attendent leur maître à son retour des noces, afin que, à son arrivée, dès qu'il frappera, ils lui ouvrent aussitôt.

37 Heureux ces serviteurs si le maître de retour les trouve dans cet état de veille ! Je vous le dis en vérité, il se ceindra, les fera mettre à table et il passera pour les servir.

38 Qu'il rentre à la deuxième ou à la troisième veille, s'il trouve les choses ainsi, heureux seront-ils.

33 Prenez garde, veillez, car vous ne savez pas quand ce sera le temps. **34** C'est comme un homme parti en voyage, qui a laissé sa maison, a remis ses pouvoirs à ses serviteurs, à chacun son ouvrage, et au portier a recommandé de veiller.

35 Veillez, donc, car vous ne savez pas quand le maître de maison doit revenir, le soir ou au milieu de la nuit, ou au chant du coq ou le matin,

42 Veillez car vous ne savez pas quel jour votre maître doit venir.

de peur que, sur-
venant à l'impro-
viste, il ne vous
trouve endormis.

³⁹ *Sachez-le bien,*
si le maître de mai-
son savait à quelle
heure le voleur doit
venir, il veillerait
et ne laisserait pas
percer sa maison.

¹³ *Sachez-le bien,*
si le maître de
maison savait à
quelle veille le vo-
leur doit venir, il
veillerait et ne
laisserait pas per-
cer sa maison.

⁴⁰ Vous aussi
tenez-vous prêts,
car c'est à l'heure
que vous ne pensez
pas que le Fils de
l'homme viendra.

³⁷ Ce que je vous
dis à vous, je le
dis à tous : Veillez !

⁴⁴ Vous aussi,
tenez-vous prêts,
car c'est à l'heure
que vous ne pensez
pas que le Fils de
l'homme viendra.

I. — Tableau

Il suffit d'un coup d'œil pour se rendre compte
que saint Luc a groupé ici plusieurs recommandations sur la viligance dont saint Marc et saint
Matthieu n'ont retenu que des fragments. Pour le
dire d'un mot, saint Luc joint la parabole *des*
serviteurs vigilants à celle *du maître vigilant,*
tandis que saint Marc ne possède que celle *des*
serviteurs et saint Matthieu celle *du maître.*

Saint Luc et saint Matthieu, à l'exclusion de saint
Marc, ont également en commun la parabole de
l'intendant, qui fait immédiatement suite aux morceaux précédents.

A juger d'après les apparences du récit, les paraboles de saint Luc auraient été proposées au cours
du ministère public en Galilée, tandis que celles
des deux autres évangélistes feraient partie du

discours eschatologique, prononcé la veille de la
Passion, sur le mont des Oliviers. Mais les commentateurs conviennent que, nonobstant ces dissimilitudes de cadre, les discours sont identiques;
et ils reconnaissent que les évangélistes avaient le
droit d'en grouper les fragments à leur gré, suivant
leurs informations particulières ou leurs intentions
d'historiens.

La ceinture et les lampes. — Saint Luc nous présente donc sans transition, à la suite l'une de
l'autre, deux paraboles, celle *des serviteurs vigi-*
lants et celle *du maître vigilant*. L'une et l'autre
sont précédées, en guise d'introduction, d'une
recommandation générale : *Ayez toujours votre*
ceinture aux reins et vos lampes allumées. Les
auteurs traduisent généralement : *Que vos reins*
soient ceints et vos lampes allumées, ce qui est
parfaitement exact, mais prépare une explication
qui nous paraît l'être moins. Elle consiste à dire
que les serviteurs doivent avoir la ceinture pour
relever leur robe de chaque côté des hanches, dans
l'attitude du voyageur ou du travailleur oriental :
« Les Orientaux retroussent leurs longues tuniques
pour marcher (Ex. xii, 11, etc.), mais aussi pour
faire le service de la table (xvii, 13) » (Lagrange, 366).
« *Que vos reins soient ceints* dans l'attitude des
serviteurs qui ont serré à la taille les plis de leur
tunique pour faire le service de la table » (Valensin-
Huby, 246). Mais à quoi bon faire semblant de se
mettre en voyage, puisque les serviteurs ont pour
fonction unique d'attendre le retour de leur maître ?
Et pourquoi parler de service de table, puisque le
maître revient précisément d'un banquet de noces ?
Effectivement, le maître a déjà soupé. S'il est
encore parlé de festin, c'est pour nous apprendre

que le maître fera mettre à table ses serviteurs e
qu'il les servira de ses propres mains.

La véritable explication échappe à ces difficultés
Elle est fondée sur la signification ou la fonction
de la ceinture orientale. La ceinture est de mis
chez le voyageur palestinien, qui, à l'encontre de
l'Égyptien aux habits toujours flottants, se trouverai
gêné dans sa marche, si sa robe n'était serré
à la taille et si les deux extrémités n'étaient relevées
A plus forte raison la ceinture est-elle de rigueur pou
l'ouvrier qui veut s'assurer la liberté de ses mouve
ments et ne pas s'exposer à fouler sa robe à chaqu
pas.

Mais la ceinture fait encore partie de la tenue d
politesse ou d'apparat. A la maison, le Palestinie
prend les justes libertés de la vie de famille
Volontiers il s'allège de tout le superflu, du turba
qui lui alourdit la tête, des babouches qui lu
emprisonnent les pieds, surtout de la ceinture qu
lui serre les flancs. Tête nue, pieds nus, robe flot
tante sans ceinture, c'est la petite tenue, la tenu
d'intérieur. Mais on ne se présenterait pas devan
un hôte de marque dans ce déshabillé; ni le servi
teur ne se présenterait dans cette attitude de relâch
et de désœuvrement devant son maître qu'il doi
accueillir et honorer.

C'est dans ce sens que nous entendons la recom
mandation de la parabole. Que les serviteurs aien
les reins ceints; qu'ils aient leur ceinture; qu'ils s
tiennent prêts. Puisqu'ils doivent se présenter er
corps, ils ne le peuvent qu'en tenue. Qu'ils aien
donc leur ceinture, et qu'il ne faille pas, au dernie
moment, se mettre en quête d'une pièce d'habille
ment réputée indispensable. Qu'on ne s'expose pa
à la honte de se montrer devant le maître dans un

tenue de nonchalance ou d'irrespect, qui serait une offense personnelle à sa dignité.

La même recommandation de vigilance se répète sous la métaphore des *lampes allumées.* On ne regarde pas ici aux dépenses qu'entraîne l'entretien de tout ce luminaire. L'idée d'économie est étrangère à la parabole, parce que celle-ci ne se conforme pas, pour l'instant, aux usages de la vie. L'enseignement moral importe seul en l'occurrence : il est nécessaire d'avoir les lampes allumées à l'instant précis où le maître reviendra. Pour que les lampes soient prêtes, qu'on les tienne allumées. Une autre parabole, celle *des dix vierges,* nous apprendra les inconvénients d'une négligence en matière si importante.

Les serviteurs vigilants. — C'est ici que commence à proprement parler la parabole *des serviteurs vigilants. Et vous-mêmes, soyez comme des gens qui attendent leur maître à son retour des noces.* Les noces ne sont qu'un élément parabolique ou un détail littéraire, relevant du cadre ou du décor. Il n'est pas dit que le maître soit allé se marier — dans ce cas le festin se fût donné chez lui, à la maison —, ni qu'il soit allé marier son fils ou assister au mariage d'un ami. Il fallait seulement motiver son absence jusqu'à une heure tardive. On sait quand on part pour une noce, on ne sait pas quand on en revient. Cependant le retard aurait pu se justifier par tout autre motif plausible, un voyage, la visite d'un ami.

Pour accueillir le maître à son retour, était-il nécessaire de tenir sur pied toute la domesticité ? Le maître était-il si grand personnage ? Même s'il l'était, n'aurait-il pas suffi de quelques laquais pour les besoins du service ? Combien plus raisonnable, humainement parlant, la parabole de saint Marc : *C'est comme un homme parti en voyage, qui a laissé sa maison, a remis ses pouvoirs à ses serviteurs, à chacun son ouvrage, et au portier a recommandé de veiller!* Le portier veille, le portier seul, dont c'est l'office d'ouvrir et de fermer la porte. Mais que penser d'un maître qui exige que la troupe de ses serviteurs soit là, au grand complet, quand il revient, simplement pour lui ouvrir la porte ?

A cette question il n'y a qu'une réponse : la parabole dépasse la réalité. Le tableau qu'elle nous propose n'est pas une page d'histoire, c'est un épisode d'allégorie, une scène de l'autre monde. Tous les serviteurs doivent se trouver présents au retour de leur maître, parce que tous les chrétiens, tous les hommes, sont officiellement convoqués pour la parousie du Fils de l'homme. Nul n'est exempté de ce service.

Heureux ces serviteurs si le maître de retour les trouve dans cet état de veille! Ils ont mission de veiller; il faut absolument que le maître les trouve dans cet état de veille et de vigilance.

S'ils lui donnent cette satisfaction, le maître en ressentira une telle joie qu'intervertissant les rôles, il se fera leur serviteur à tous; il les fera mettre à table, il se passera autour des reins un linge de service et il se mettra à les servir, allant et venant dans les tables, pour que rien ne leur manque. Et cela, à quelque heure de la nuit qu'il revienne, même à la deuxième veille, même à la troisième, même à la quatrième.

Il serait déplacé de demander si, à pareille heure, il est bien opportun de faire mettre les serviteurs à table. Se peut-il qu'ils n'aient pas encore soupé ? *Leur état de veille* les a-t-il empêchés de prendre

leur nourriture au moment convenable? Et s'il s'agit
d'un repas supplémentaire, comment se trouve-t-il
prêt à point? Qui l'aurait préparé? Le maître n'eût-
il pas mieux fait d'envoyer au lit tous ses domestiques, las de l'attendre, sauf à leur témoigner sa haute
satisfaction en d'autres temps, en les invitant à un
copieux festin?

De telles réflexions manquent d'élégance; elles
auraient bien vite jeté dans le ridicule l'exégète qui
se les permettrait. Car, manifestement, nous ne
sommes pas en parabole, nous sommes en allégorie.
Maldonat l'a dit : « A ces serviteurs diligents qui
veillaient et se tenaient prêts, le maître sait un tel
gré, qu'il fait pour eux ce que jamais maître ne fit
pour ses serviteurs » (*saint Luc*, 230²). Il faut en
convenir, ce ne sont point là choses qui arrivent;
ce sont des exceptions extraordinaires qui se vérifient
uniquement dans l'ordre supérieur de la grâce. Là
seulement notre fidélité terrestre de quelques jours
sera récompensée du bonheur le plus inouï qui
soit, le bonheur par lequel Dieu lui-même daignera
se faire notre possession et notre récompense.

Nous avons déjà dit que saint Marc connaît la
parabole *des serviteurs*. A vrai dire, il n'a recueilli
qu'un fragment ou une ébauche de parabole. Encore
n'a-t-elle qu'une analogie avec celle de saint Luc.
Au lieu *des serviteurs vigilants*, nous pourrions
l'intituler *les serviteurs laborieux*. Après une exhortation générale à la vigilance : *Prenez garde, veillez,
car vous ne savez pas quand ce sera le temps*, l'évangéliste ajoute : *C'est comme un homme* (ὡς, le *lamed*
usuel qui sert d'introduction aux paraboles rabbiniques) *parti en voyage* (en voyage, comme dans
les talents ou *les mines*), *qui a laissé sa maison, a
remis ses pouvoirs à ses serviteurs* (τὴν ἐξουσίαν), *à*

*chacun son ouvrage, et au portier a recommandé de
veiller.* Contentons-nous de signaler la légère incor-
rection de la phrase grecque qui, après avoir commencé par des participes : *ayant laissé sa maison,
ayant remis ses pouvoirs,* la continue par un aoriste :
au portier il recommanda de veiller. Du moins la
situation de la parabole est-elle limpide. Le maître
part en voyage. Avant de partir, il distribue les
divers emplois de la maison à ses serviteurs. Un
seul d'entre eux, le portier, a charge de veiller sur
la porte, pour la tenir fermée et l'ouvrir quand il
faut. A ce point de vue historique, nous l'avons dit,
la scène est beaucoup mieux organisée que celle de
saint Luc, où nous voyions la troupe entière des
serviteurs, occupée à guetter le retour du maître
pour lui ouvrir la porte.

Cependant ne dirait-on pas que saint Marc perd
tout aussitôt le bénéfice de cet avantage, puisque lui
aussi, au verset suivant (36), il convie tous les serviteurs à veiller pour que le maître à son retour ne
les trouve pas endormis ? N'est-ce donc plus le
portier qui est chargé de veiller et de lui ouvrir ? Et
les autres serviteurs à qui sont confiés les divers
offices de la maison, n'ont-ils plus le droit, après
une journée de travail, de prendre la nuit un repos
bien mérité ? Le bon maître ne saurait trouver mauvais qu'à pareille heure, ses bons serviteurs soient
couchés, d'autant plus qu'il ne leur a pas commandé
de l'attendre.

Nous aurions mauvaise grâce à insister sur ces
menues difficultés qui montrent une seule chose,
que ces fragments de paraboles ou ces recommandations de saint Marc ne doivent pas être entendus
au sens littéral et peut-être ne formaient pas originellement un même tout. La parabole *des serviteurs*

laborieux a sa physionomie à part. La recommandation de veiller, répétée au v. 33 et aux vv. 35 et 36,
semble se rapporter de préférence à la parabole *des
serviteurs vigilants*.

Le maître vigilant. — Ce qui nous paraît du moins
certain, c'est que saint Luc, à la suite de la parabole
des serviteurs, possède une autre parabole ou une
ébauche de parabole, nettement distincte, que nous
appelons *le maître vigilant*.

*Sachez-le bien, si le maître de maison savait à
quelle heure le voleur doit venir, il veillerait et ne
laisserait pas percer sa maison.* Ces fragments de
parabole ne soulèvent aucune difficulté exégétique.
On suppose qu'un voleur — le voleur au sens le
plus général — se prépare à dévaliser la maison.
C'est évidemment la nuit que le mauvais coup doit
s'exécuter. Si le maître savait à quelle heure il va être
assailli, il prendrait ses mesures et attendrait le
malandrin de pied ferme. Jamais il ne laisserait
percer sa maison.

Ce mot de *percer* (διορυχθῆναι) fait image. Il aurait
surpris un auditoire de Judéens, parce que, dans le
sud de la Palestine, à Jérusalem, à Bethléem, à
Hébron, toutes les maisons, à l'exception de quelques
cabanes de fortune, sont construites en pierres de
taille et voûtées ; elles ne risquent donc pas d'être
percées par des voleurs qui perdraient leur peine à
l'essayer. Il en va autrement en Galilée où, avec des
toits de branchages recouverts et reliés de terre
battue, le percement d'une maison est un jeu d'enfant.

C'est par une brèche pratiquée dans ce toit de
branchages que le paralytique put être descendu à
l'intérieur de la maison (Mc. iv, 2). Les murs aussi
sont faits de matériaux moins résistants, cailloux et

mortier, qui se prêtent plus facilement à une
effraction.

Si le maître savait à quelle heure... Qu'est-ce à
dire ? Faute de connaître l'heure exacte à laquelle se
présentera le voleur, le maître renoncera-t-il à faire
le guet toute la nuit ? A la vérité, cette légère imprécision de la pensée ne tient qu'au tour sémitique de
la phrase. Nous dirions en français avec une nuance
de plus dans la clarté : *Si le maître savait que le
voleur dût venir à une heure donnée, il veillerait et
le voleur trouverait à qui parler à cette heure-là...*
Il est tout indiqué que le maître vigilant pour qui
l'heure de l'incursion certaine demeure incertaine
et qui ne veut pas laisser dévaliser sa maison,
montera la garde toute la nuit.

Le divin Maître pouvait conclure : *Vous aussi,
tenez-vous prêts, car c'est à l'heure que vous ne
pensez pas, que le Fils de l'homme viendra.* A cet
endroit, saint Marc s'est plu à énumérer les quatre
veilles de la nuit. *Veillez donc, car vous ne savez
pas quand le maître de maison peut revenir, le soir*
(ὀψέ) *ou au milieu de la nuit* (μεσονύκτιον, à l'accusatif)
ou au chant du coq (ἀλεκτοφωνίας, au génitif) *ou le
matin* (πρωΐ), *de peur que, survenant à l'improviste,
il ne vous trouve endormis...*

II. — APPLICATION

Nous n'avons pas besoin de nous attarder davantage à montrer que saint Luc a groupé ici deux
paraboles distinctes ou deux fragments de paraboles, *les serviteurs vigilants* et *le maître vigilant*,
que l'analogie du sujet invitait à joindre dans
ce contexte général de la *vigilance*. Nous enregistrons volontiers ce fait, parce qu'il est incon-

testable et qu'il peut servir d'appui à tels autres faits analogues qui ne jouissent pas de la même évidence, mais où la juxtaposition des paraboles semble la meilleure explication.

Constatons que ces deux paraboles sont à peine juxtaposées sans que l'évangéliste ou le divin para-boliste aient pris la peine de les relier plus inti-mement. A peine une légère particule de liaison : *Sachez-le bien*, τοῦτο δὲ γινώσκετε, *hoc autem scitote*.

L'analogie du sujet se trouvant très étroite, on pouvait sans le moindre inconvénient enclore ces deux paraboles entre une même formule d'intro-duction : *Ayez votre ceinture aux reins et vos lampes allumées* (35) et une même formule de conclusion : *Vous aussi, tenez-vous prêts, car c'est à l'heure que vous ne pensez pas, que le Fils de l'homme viendra* (40).

Il convient cependant de demander à chacune des deux paraboles son enseignement particulier.

La parabole *des serviteurs vigilants* tient en cette comparaison :

De même que les serviteurs vigilants, si le maître, à son retour nocturne des noces, les trouve prêts à le recevoir, seront grandement récompensés par les bons offices de leur maître en personne,

ainsi les fidèles qui, au moment de la parousie, seront trouvés prêts à accueillir le Fils de l'homme, recevront de lui une récompense exceptionnelle.

La parabole *du maître vigilant* peut se résumer ainsi :

De même que le maître vigilant, s'il savait à quelle heure de la nuit le voleur doit venir, se tiendrait prêt à repousser son agression pour ne pas laisser dévaliser sa maison;

et de même que, ne connaissant pas l'heure de

l'agression nocturne, mais tenant l'agression pour
certaine, il a l'obligation de veiller toute la nuit
pour ne pas se laisser surprendre,

ainsi les fidèles, sûrs de la parousie du Sauveur,
mais incertains de son heure, doivent se tenir prêts
en tout temps pour n'être pas surpris par son arrivée.

Le maître vigilant nous prémunit contre la désagréable surprise que nous vaudrait un manque de
vigilance. Les *serviteurs vigilants* nous laissent
entrevoir la récompense que nous vaudra notre
fidélité à attendre le retour du maître. Ces deux
enseignements sont complémentaires. Il nous est
loisible de les joindre pour en constituer *la théologie
de la vigilance,* mais à la condition que nous ne
demandions à chaque parabole que le fragment de
doctrine qu'elle est chargée de nous présenter. Ainsi
ne chercherons-nous pas à savoir ce qui adviendrait
des serviteurs, si le maître les trouvait endormis.
D'autres paraboles nous feront connaître les châtiments réservés à cette indolence ou à cette mauvaise
volonté, notamment *les serviteurs infidèles* (Lc.
XII, 45-48) et *les dix Vierges* (Mt. XXV, 1-13). — De
même encore ne demanderons-nous pas au *maître
vigilant* quel avantage positif il retire de sa vigilance,
en empêchant le voleur de le dévaliser.

Entre les deux tableaux nous relèverons une autre
différence. *Les serviteurs vigilants* sont une allégorie,
le *maître vigilant* n'est qu'une comparaison. Le
Sauveur ne craint pas de s'assimiler au voleur qui
survient à l'improviste, pour marquer le caractère
imprévu, foudroyant de sa parousie; mais nul ne
s'avisera de soutenir que le voleur est la métaphore
de Jésus, comme l'était le maître qui doit revenir.
Ce n'est donc qu'une comparaison qui reste dans le
domaine de la pure parabole.

Que *les serviteurs vigilants* soient une allégorie,
les auteurs en conviennent volontiers. « Ce Maître,
écrit le P. Lagrange, est celui qui est venu pour
servir (xxii, 27) et qui se fera encore serviteur pour
offrir à ses serviteurs vigilants leur repas. On voit
avec quelle aisance Jésus mêle ici l'allégorie à la
parabole. La venue peut être aussi bien la venue du
fidèle auprès de lui, comme dans Apoc. (iii, 20, 21) »
(*saint Luc*, 367).

Nous ne quitterons pas cette parabole sans rappeler
que les métaphores de la ceinture aux reins et des
lampes allumées se prêtent à maintes accommodations morales. Il est tout naturel que la ceinture
devienne le symbole de la chasteté et il n'est pas surprenant que la lampe devienne celui des bonnes
œuvres.

A ce sujet, Maldonat rappelle avec beaucoup de
justesse que la ceinture et les lampes expriment en
premier lieu la vigilance des serviteurs dans l'attente
de leur maître. Les autres applications relèvent de
l'accommodation plutôt que du sens littéral, *magis
est ad mores quam ad litteralem sensum accommo-
data* (228²). Et lorsque Théophylacte et Euthymius
lui apprennent que le fidèle a deux lampes, l'une
intérieure, celle de l'esprit, l'autre extérieure, celle
de la langue, Maldonat se prend à sourire et il déclare
sur le ton de la condescendance : « Interprétations
bonnes et utiles ; mais simples accommodations,
nullement le sens littéral, *bonae quidem et utiles
sunt interpretationes, sed morales tamen, non litte-
rales* » (229²).

Les dix Vierges

(saint Matthieu, xxv, 1-13).

¹ Alors le royaume des cieux sera semblable à dix vierges qui, ayant pris leurs lampes, sortirent à la rencontre de l'époux. ² Cinq d'entre elles étaient étourdies et cinq étaient sages. ³ Les étourdies, en prenant leurs lampes, ne prirent point d'huile avec elles, ⁴ tandis que les sages prirent de l'huile dans les flacons avec leurs lampes. ⁵ Comme l'époux tardait [à venir], elles s'assoupirent toutes et s'endormirent. ⁶ A minuit, un cri retentit : « Voici l'époux, sortez à sa rencontre ! » ⁷ Alors toutes les vierges se réveillèrent et apprêtèrent leurs lampes. ⁸ Les étourdies dirent aux sages : « Donnez-nous de votre huile, car nos lampes s'éteignent. » ⁹ Les sages leur répondirent : « De peur qu'il n'y en ait pas assez pour nous et pour vous, allez plutôt chez les marchands et achetez-en pour vous. » ¹⁰ Pendant qu'elles allaient en acheter, l'époux arriva ; celles qui étaient prêtes entrèrent avec lui dans la salle des noces, et l'on ferma la porte. ¹¹ Quelque temps après, arrivent aussi les autres vierges disant : « Seigneur, Seigneur, ouvrez-nous. » ¹² Il leur répondit : « En vérité, je vous le dis, je ne vous connais pas. »

¹³ Veillez donc, car vous ne savez ni le jour ni l'heure.

Cette parabole appartient au groupe des discours évangéliques sur la *vigilance*. Elle continue sans autre transition les paraboles *du maître de maison* et *de l'intendant,* qui terminent le grand discours eschatologique. Elle précède la parabole *des talents*, qui traite du même sujet.

I. — DIFFICULTÉS SPÉCIALES DE LA PARABOLE

Pour bien saisir les explications qui vont suivre et peut-être n'être point dérouté par les brèves indications de la parabole, il est nécessaire de rappeler les usages auxquels il est fait ici allusion. Ils se pratiquent encore partiellement de nos jours comme ils se pratiquaient au temps de Notre-Seigneur. Les coutumes familiales comptent parmi les institutions que les âges perpétuent aisément sans les altérer.

Cérémonial du mariage. — Le mariage se préparait chez les Juifs du premier siècle comme chez les Palestiniens modernes, par plusieurs jours ou plutôt plusieurs nuits de réjouissance. En Orient, la joie est extrêmement bruyante, et la nuit est plus propice que le jour pour remplir la bourgade de manifestations joyeuses; les chants et les cris se détachent alors en relief dans l'apaisement universel des choses, et la lumière des torches parcourant les rues de la cité ressemble aux lueurs d'un incendie mobile.

Durant les préparatifs, les deux futurs époux festoient chacun de son côté, le fiancé escorté des jeunes gens, ses amis, les *paranymphes* de l'antiquité, la fiancée au milieu de ses jeunes compagnes, les *vierges* de la parabole. Les deux groupes ne fusionnent que le soir du dernier jour.

Bien que le fait nous paraisse étrange, la loi mosaïque n'avait pas prévu de cérémonie religieuse pour le mariage. Chose non moins étrange, les docteurs d'Israël n'avaient point cherché à combler cette lacune. Peut-être même ne sentaient-ils point l'absence de *bénédiction nuptiale*. Chez eux tous les mariages étaient *civils*. Le rite essentiel n'était qu'une formalité extérieure par laquelle le fiancé se rendait chez sa fiancée et l'emmenait immédiatement chez lui, *deductio solemnis*. A la nuit tombante, il se mettait en route, entouré de ses amis qui portaient des torches ardentes. Le cortège avançait rapidement mais sans démonstrations tapageuses, les femmes, groupées autour de la fiancée, ayant ce soir-là le monopole des chants de la rue. Dans sa maison, la fiancée parée et assistée de ses amies, attendait l'arrivée de l'époux. Sa venue était saluée par des explosions de joie. Aussitôt commençaient, obstinés et interminables, les refrains nasillards.

Les Orientaux modernes y ajoutent, quand ils le peuvent, les salves de leur mousqueterie primitive ; les plus riches prodiguent les fusées qui retombent en pluie d'étoiles.

Le cortège s'organisait alors vers la maison de l'époux, où se donnait le grand festin de noce.

Ce rituel de mariage est reproduit presque sans variante dans tous les commentaires. Les exégètes ont coutume d'insister beaucoup moins sur les divergences qui séparent ce tableau du cérémonial adopté par notre parabole. Le désaccord existe néanmoins.

Raccourci de la parabole. — L'usage voulait que les jeunes filles attendissent près de la fiancée et dans la maison de celle-ci, l'arrivée du fiancé. Les vierges de l'évangile semblent attendre quelque part sur la route, et sans que la fiancée soit au milieu d'elles.

Autre anomalie. Le festin de noce se donnait habituellement dans la maison de l'époux. D'après la parabole, on dirait qu'il se donne dans la maison de l'épouse. Car c'est bien de ce côté que le cortège paraît se diriger ; à peine est-il arrivé, les portes se ferment et le repas commence.

Comme il fallait s'y attendre, ces divergences ont reçu des solutions multiples. Bon nombre d'exégètes estiment aujourd'hui que le paraboliste ne s'est pas tenu au cérémonial accoutumé. C'était son droit, disent-ils, il a usé de ce droit. Voici, dès lors, comment ils reconstituent la scène. Quelques-uns (Jülicher et Loisy) supposent que la fiancée avait été conduite dans la maison de son fiancé ou dans toute autre maison devant lui servir de pied-à-terre. Le fiancé ne l'y aurait rejointe que le soir. Les jeunes filles étaient postées quelque part sur le chemin, pour surveiller son arrivée et le suivre auprès de la fiancée. C'est là aussi que le festin devait se prendre. — Pour d'autres (Knabenbauer et Fonck), le fiancé serait allé prendre sa fiancée dans un bourg voisin. Les vierges s'étaient contentées d'attendre sur le chemin le cortège nuptial, qui se dirigeait directement vers la maison du fiancé, où devait avoir lieu le festin. — Pour d'autres (Sáinz), le fiancé vient d'un autre village; il se rend chez sa fiancée qu'entourent ses dix amies et chez laquelle se donne le repas. — Pour d'autres (Bruce), les jeunes filles attendent près de la mariée. Dès que l'époux est annoncé, elles se portent à sa rencontre et reviennent avec lui chez la mariée où le festin a lieu.

Tous ces essais de reconstitution se heurtent contre une objection sérieuse. Quel motif pouvait avoir le Sauveur de troubler ainsi le cérémonial accoutumé, en faisant célébrer la noce de sa parabole d'après un rituel nouveau, inconnu de ses auditeurs ? Il n'aurait pu le faire que pour des raisons intéressant la leçon parabolique. Le texte sacré ne laisse rien deviner de pareils motifs.

Mais alors d'où viennent les différences signalées plus haut ? Tout simplement de ce que le Sauveur,

parlant à des auditeurs bien au courant des usages
locaux, s'est contenté d'y faire allusion. N'ayant pas
à tracer de tableau d'ensemble, il lui suffisait, pour
les besoins de son enseignement, d'en présenter un
raccourci. Ce dernier mot indique à nos yeux la
solution véritable. Nous n'avons dans cette scène
gracieuse qu'un raccourci, et les hésitations des
exégètes viennent précisément de ce qu'ils veulent
y retrouver un tableau complet.

La fiancée n'est pas mentionnée, parce qu'elle
n'avait pas de rôle à jouer dans la morale de la parabole, et parce qu'il est bien entendu que la noce ne
se célèbre pas sans elle. La fiancée ne paraissant
pas, il n'y avait pas lieu de représenter les jeunes
filles autour d'elle; on n'avait pas davantage à
parler de sa maison ni à dire que c'est là que
les compagnes d'honneur attendaient la venue de
l'époux. Et pourquoi encore aurait-on précisé que
le repas devait se prendre chez le fiancé? La chose
allait de soi, puisque rien ne pouvait laisser soupçonner le contraire.

On ne cherchera donc plus où se tenait l'épouse
en attendant son époux. Elle se tenait tout simplement chez elle. Dans le même bourg ou dans une
localité différente, il n'importe, mais de préférence
dans le même village, puisque le texte ne dit pas
que ce fût dans un village voisin.

On n'hésitera pas davantage à trancher en quel
endroit les dix vierges prolongèrent leur veille. Ce
n'est pas sur le grand chemin, ni à la belle étoile,
ni dans un pied-à-terre le long de la route; c'est chez
la fiancée et à ses côtés. Elles ne quittèrent pas leur
amie pour se porter à la rencontre de l'époux, puisque le rituel matrimonial de l'époque ne le comportait pas...

L'époux ne contredit pas les usages en allant célébrer ailleurs son repas de noce. Avec son brillant cortège, il va chercher sa fiancée pour la conduire chez lui ; c'est donc chez lui que l'on festoie joyeusement jusqu'à l'aurore.

Si je ne me trompe, cette explication résout correctement les difficultés pendantes ; et elle a ce double avantage de respecter le cérémonial des noces juives et de s'harmoniser avec une conception plus juste de la parabole.

Traits anormaux de la parabole. — Il est une deuxième catégorie de difficultés que cette solution n'atteint pas encore, difficultés qui passent généralement inaperçues, mais qui méritent de retenir l'attention. Elles proviennent des traits anormaux ou extraordinaires dont le divin paraboliste a émaillé le raccourci de son histoire. La solution, cette fois, doit être cherchée dans l'intention pédagogique du narrateur.

1. N'est-il pas étrange que les dix vierges sortent avec des lampes à huile ? Tout le monde connaît ces jolis petits objets en terre cuite, aux élégantes formes qui rappellent vaguement la carène d'un navire. C'est le butin le plus abondant, s'il n'est pas le plus varié, des fouilles palestiniennes et orientales. On peut voir à Jérusalem, au musée de *Notre-Dame de France* ou à celui de *la Dormition,* la série gracieuse de ces *antiquités,* depuis les lampes cananéennes aux lignes hésitantes et à la cuisson grossière, jusqu'aux types byzantins caractérisés par la prodigalité des arabesques. Le petit récipient se remplissait d'huile d'olive, qui brûlait au moyen d'une mèche.

L'étonnement qui frappe le lecteur de la parabole vient précisément de ces proportions exiguës. Ces lampes minuscules sont plutôt des veilleuses que

des flambeaux.   Que viennent-elles faire dans la
splendeur obligée du cortège ? Comment leur flamme
ténue et vacillante résistera-t-elle aux mouvements
désordonnés des chanteuses ou à la brise de la nuit ?
S'il n'est éclairé que par ces lampes, le cortège n'aura
pas fait cent pas qu'il n'aura plus pour se diriger que
la lueur des étoiles.

On pourrait peut-être répondre que les lampes à
huile n'excluent pas nécessairement les torches habituelles. Mais n'est-il pas préférable de penser que
les petites lampes à huile figurent ici surtout pour
les besoins de la parabole ? Les torches se seraient
mal prêtées à l'enseignement du Maître, tandis que
les petits lumignons s'y adaptaient à souhait.

2. Comment les jeunes filles s'endorment-elles, si
tant est qu'elles veillent à côté de la fiancée ? La
veillée était-elle donc si languissante en la maison
de l'épousée ? Que fait-on de la musique orientale ?
Peut-on s'endormir au battement rythmé des tambourins, parmi les chants et les claquements inin-
terrompus des mains ? Et qui donc faisait les frais
de ces démonstrations joyeuses, si ce n'est les jeunes
filles ?

La difficulté est réelle, et j'ajoute qu'elle existe
dans tous les systèmes. A supposer que les jeunes
filles attendent loin de la fiancée, sur le chemin, ce
n'est pas à des Orientaux qu'on fera croire qu'elles
aient pu s'endormir si tôt et qu'à minuit elles fussent
plongées dans le sommeil. La nuit des noces est le
temps idéal de réjouissance pour les infatigables
petites chanteuses. En Orient on ne fait honneur
aux mariés qu'en faisant du bruit, et l'on est en
mesure d'en faire beaucoup et de longues heures.
Les paisibles Européens vivant dans les cités palestiniennes l'ont appris à leurs dépens durant maintes

veillées où ils cherchaient en vain le sommeil qu'avaient si facilement trouvé les dix vierges.

3. Cette difficulté historique en entraîne une autre. Comment expliquer le retard inaccoutumé de l'époux ? Passe encore s'il revenait d'un festin de noce comme c'est le cas, dans saint Luc, pour la parabole *des serviteurs* (xii, 36-38). Mais ici, il s'agit d'un fiancé qui va chercher sa fiancée pour commencer le festin. Nous savons que cette cérémonie s'accomplissait à la tombée de la nuit. Un retard si prolongé est inexplicable.

La réponse se trouve encore dans les nécessités allégoriques de l'histoire. Dans la réalité, il n'arrive jamais aux compagnes d'honneur de s'endormir au cours de la veillée nuptiale. Jésus suppose néanmoins qu'elles s'endorment, parce qu'il veut montrer que le Fils de l'homme viendra surprendre les fidèles ; le sommeil est imaginé pour exprimer la surprise de la soudaine parousie. — Dans la réalité, il est encore certain que l'époux ne manque jamais de prendre sa fiancée à la tombée de la nuit. Mais les noces de la parabole ne sont pas un vulgaire mariage, et le fiancé n'est pas un époux ordinaire. Ce sont les épousailles du Fils de l'homme, du Fils même de Dieu. Le retard s'explique par les délais possibles de la parousie.

4. Les vierges sages font preuve d'une incroyable dureté de cœur à l'égard de leurs compagnes. Lorsque les étourdies les prient de mettre en commun leur provision d'huile, elles répondent sèchement : *De peur qu'il n'y en ait pas assez pour nous et pour vous, allez plutôt chez les marchands et achetez-en pour vous.* Aller chez les marchands à minuit, quand le cortège s'organise !... Dans la vie ordinaire, cette réponse serait d'un égoïsme féroce. Car enfin les

sages auraient pu partager avec les étourdies le peu
qu'elles avaient. Il y en aurait toujours eu assez pour
gagner la maison de l'époux avec les dix lampes
allumées. Là on aurait avisé aux moyens de poursuivre la veillée, en se procurant de l'huile chez le
fiancé lui-même ou en dépêchant un commissionnaire chez le marchand.

Dans la vie ordinaire on eût sûrement envisagé
cette solution-là. Mais nous sommes dans un genre
littéraire bien caractérisé. Ce que l'on veut dégager
premièrement de la parabole, c'est une leçon. La
leçon exige que les étourdies portent chacune la
peine de son étourderie. Pour cela il faut que les
portes du festin se ferment sur elles; et, pour cela,
il faut qu'elles courent chez le marchand. Elles y
courent et reviennent trop tard...

5. C'est toujours le même souci allégorique qui
envoie au bazar les cinq étourdies à la fois. Une ou
deux ou peut-être trois en raison de l'heure avancée,
n'eussent-elles pas suffi? Oui, mais, dans l'ordre
surnaturel, nul n'est autorisé à faire les commis-
sions des autres. Chacun pour soi, et cette loi ne
souffre pas d'exception. Voilà pourquoi les cinq
étourdies ne se séparent pas et vont faire leurs emplettes chacune pour son propre compte.

6. Et pourquoi encore les étourdies ne songent-
elles pas à se joindre à la foule des invités sans rien
dire et sans se préoccuper autrement des formalités
protocolaires?

Réponse : le trait essentiel de l'enseignement
parabolique est que chaque vierge se présente avec
sa lampe et avec l'huile de sa lampe. Toute négligence à cette heure suprême est irrémédiablement
fatale.

7. Dans la vie ordinaire, y aurait-il un époux

regardant au point d'exclure du festin les invités
de son épouse qui n'auraient pas en main une
lampe allumée?

Tout s'explique si l'époux de la parabole est le
juge souverain qui vient à la fin des temps pour la
redoutable reddition des comptes.

En résumé, les difficultés très réelles de cette
parabole s'expliquent de deux manières, tantôt par
le raccourci très rapide que le Sauveur nous présente des cérémonies matrimoniales, tantôt par
les exigences de son enseignement parabolique.
Sous-entendons sans hésitation les traits habituels
que le narrateur n'avait aucune raison de modifier,
et sachons justifier par les besoins de la doctrine
les détails nouveaux qui sont ostensiblement intro-
duits dans le cérémonial accoutumé.

II. — Tableau

Nous pouvons maintenant aborder l'exégèse
de la parabole.

Alors le royaume des cieux sera semblable. Le
commentateur qui entreprendrait cette histoire
sans tenir compte de ce qui précède serait surpris
de cet exorde, aussi bien de la préposition *alors*
que du futur *sera semblable.* Le contexte justifie ces
expressions. La préposition *alors,* loin d'être une
vague formule de transition, reporte l'esprit des
auditeurs à l'époque de la catastrophe finale, au
moment de la parousie. *Alors,* à ce moment-là. Le
futur *sera semblable* s'explique de même. Ce n'est
pas ici une simple fiction littéraire, analogue à
l'aoriste gnomique des grecs, ou à notre présent de
narration. Il se réfère lui aussi au temps à venir ;
c'est un véritable futur.

Les commentateurs récents le notent avec justesse, « ce n'est pas le règne qui est comparé à des
vierges; le sens est que le règne offre un trait qui
sera rendu sensible par l'épisode des vierges »
(Lagrange, 475).

Les vierges sont ici des jeunes filles, amies de
l'épousée, qui, selon la coutume, forment son cortège nuptial. Le narrateur n'insiste pas sur l'idée
de virginité; il les appelle vierges, parce qu'elles
ne sont pas encore mariées. Si la désignation
évangélique n'avait pas prévalu, nous dirions tout
simplement la parabole *des dix jeunes filles*.

Si on a choisi le nombre *dix,* c'est afin d'avoir un
nombre rond qui pût facilement se partager en
deux groupes.

Toutes ces jeunes filles *sortent avec leurs lampes
au-devant de l'époux.*

C'est ici que commence le procédé du raccourci
dont il a été précédemment question. Il va de soi,
mais il n'est pas exprimé, que les jeunes filles se
rendent directement chez la fiancée pour y attendre
l'arrivée de l'époux et l'accompagner ensuite dans
sa maison, toujours aux côtés de l'épouse. Il n'est
pas dit non plus, mais le contexte suppose, que le
cortège s'organise pendant la nuit; c'est ce qui
résulte de la mention des lampes, du sommeil des
vierges et enfin de l'indication expresse de minuit
(v. 6).

Par un effet du même procédé, on ne précise pas
que les lampes sont allumées; mais il faut encore le
sous-entendre. Ces cortèges nocturnes ne s'organi-
sent qu'à la lumière des lampes et des flambeaux,
et c'est bien ainsi qu'on les pratique toujours en
Orient.

Le rôle des lampes à huile était encore plus à la

maison que dans la rue. On les tenait allumées
dans la demeure de la fiancée et pendant le festin
de la nuit, et elles constituaient autour des époux
une couronne de gracieuses petites lumières, dont
le clignotement semblait le battement de paupières
joyeuses.

Ces lampes avaient besoin d'être alimentées
d'huile plusieurs fois au cours de la nuit. Cette
circonstance va jouer un rôle prépondérant dans la
suite de la parabole.

Les jeunes filles se portent *à la rencontre du
fiancé*. Quelques manuscrits (D Θ X), les versions
latines et syriaques ajoutent *et de la fiancée*, *obviam
sponso et sponsae* (Vulgate). Mais ces derniers mots
et sponsae sont omis dans la plupart des manuscrits,
ce qui est une forte présomption contre leur authenticité. De plus, comme l'épouse n'est pas mentionnée
une seule fois dans le reste de la parabole, les critiques sont unanimes à l'écarter également de cet
endroit. Le lecteur est déjà prévenu de ne point
prendre au pied de la lettre l'affirmation que les
jeunes filles se portent à la rencontre de l'époux.
Comme nous l'avons dit précédemment, elles ne
quittent pas la maison de la fiancée pour s'avancer
sur la route et se poster aux aguets. Ce mouvement
n'appartenait pas au cérémonial du mariage, et l'on
ne voit pas que le Sauveur ait voulu sur ce point
déroger aux habitudes, attendu que cette particularité n'intéressait en rien la leçon de la parabole.
Cette phrase signifie donc seulement que les jeunes
filles se rendirent chez la fiancée pour y attendre avec
elle et à côté d'elle l'arrivée de l'époux. C'est encore
une manière de se porter au-devant de l'époux,
surtout lorsque les détails de la cérémonie ne nous
sont présentés qu'en raccourci.

Les jeunes filles se partagent en deux groupes bien tranchés : cinq *sages* et cinq *étourdies*. Les premières sont dites sages, parce qu'elles font preuve de prudence et de prévoyance en prenant avec elles une provision d'huile, qui les met en mesure d'alimenter leurs lampes et de parer aux éventualités d'une longue veillée. Leur cas est donc très simple. Celui de leurs compagnes étourdies ne devrait pas l'être moins, et il est étrange que les commentaires aient trouvé à raffiner sur leur compte.

D'abord la plupart d'entre eux traduisent encore le qualificatif grec μωραί par *folles* (thöricht, foolish). Dans nos langues modernes, ce mot de *fou* sonne mal; aussi se voit-on obligé d'expliquer qu'il ne s'agit pas d'une folie véritable. Alors pourquoi n'avoir pas recours à un autre terme ? Le contexte suggère manifestement une autre signification, qui ne saurait mieux se définir que par comparaison avec la *prudence* du premier groupe. Disons donc que ces filles se montrèrent imprudentes, imprévoyantes; en français, le terme le plus adéquat est encore celui d'*étourdies*.

En quoi se montrèrent-elles étourdies ? Quelques exégètes (Goebel, Fonck) répondent : En ce qu'elles ne prirent point d'huile du tout; elles étaient parties avec leurs lampes vides et sans avoir de quoi les remplir. Mais ce serait un comble, et le texte n'autorise point cette supposition. Il insinue plutôt le contraire, puisque, à l'heure de minuit, ces étourdies s'adressant à leurs compagnes leur disent : *Donnez-nous de votre huile, car nos lampes s'éteignent.* On pourrait chicaner sur le sens de ce verbe, le prendre pour un passif plutôt que pour un moyen, et traduire : nos lampes sont éteintes,

plutôt que : nos lampes s'éteignent. Mais, de toute
manière, le verbe suppose que, tout à l'heure
encore, les lampes étaient allumées. S'il en était
autrement, la requête des étourdies devrait s'énoncer
en ces termes : Donnez-nous de votre huile, car
nous n'en avons point pour nos lampes.

Bruce, lui, trouve deux explications à l'étourderie de ces filles. La première, c'est qu'elles ont
oublié de prendre avec elles une provision d'huile;
la seconde, c'est qu'elles se rendent chez le marchand à une heure indue, au lieu de se joindre au
cortège, même sans lumière. Je ne serais pas
surpris que Bruce tînt ce deuxième motif pour le
principal; en tout cas il y insiste avec complaisance
(5o3, 5o4). Mais l'exégète anglais n'a pas pris garde
à l'intention parabolique qui a fait choisir ce détail
anormal. En réalité, la seule chance de salut qui
restât à ces imprévoyantes, était bien de courir
chez le marchand, dans l'espoir qu'elles revien-
draient encore à temps. Elles n'avaient pas trop
mal compté, puisque effectivement, elles se présentent bientôt aux portes du festin, sans doute avec
leur provision tardive. Ce qu'elles n'avaient pas
prévu, ce qu'elles ne pouvaient guère prévoir, c'est
que les portes seraient impitoyablement closes et
que l'époux n'aurait pas égard à leur bonne volonté.
A cette heure elles ont fait ce qu'elles ont pu, ce
qu'elles devaient faire; le malheur est qu'elles l'ont
fait trop tard. L'explication de Bruce n'est pas
satisfaisante.

Celle qui satisfait, c'est la solution traditionnelle,
c'est-à-dire la solution évangélique. L'étourderie des
vierges consiste en ce qu'elles partent sans une
provision complémentaire d'huile et qu'elles ne
s'aperçoivent qu'à minuit de leur distraction. Aussi

lorsque leurs lampes s'éteignent, n'ont-elles pas de
quoi les rallumer. Elles ont beau alors essayer de
tout pour remédier à leur imprévoyance; elle es
irrémédiable.

Les dix vierges se rendent donc chez la fiancé
avec leurs petites lampes garnies. En arrivant, elle
allument leurs lampes, si ce n'est déjà fait, et elle
attendent. A force d'attendre, elles finissent pa
s'endormir, nous avons déjà vu pour quelles raison
paraboliques.

Elles n'ont pas soufflé leurs lampes avant de
s'endormir; le sommeil les a surprises malgré leu
dessein de se tenir éveillées. Vers minuit, une
clameur retendit : *Voici l'époux*. Il n'y a pas lieu de
se demander qui pousse ce cri. C'est une clameur
anonyme. On la mentionne ici pour l'ornement de
l'histoire, et parce que les vierges endormies on
besoin d'être réveillées.

Réveillées en sursaut, les jeunes filles songent
immédiatement à leurs lampes, qu'elles trouvent en
train de s'éteindre. C'est alors seulement que les
étourdies s'aperçoivent de leur faute. Que faire?

Dans leur détresse, elles ont recours à leurs
compagnes, et c'est bien le mouvement le plus
naturel : *Donnez-nous de votre huile, car nos lampes
s'éteignent*. Nous aimons mieux prendre le verbe
grec σϐέννυνται pour un moyen : *nos lampes s'éteignent, sont sur le point de s'éteindre,* parce qu'il n'est
encore que minuit, que les jeunes filles dorment probablement depuis peu et qu'une lampe dont l'huile
s'achève, peut prolonger un certain temps sa lumière
vacillante.

Les sages, prudentes jusqu'au bout, donnent une
nouvelle preuve de leur prévoyance : *De peur qu'il
n'y en ait pas assez pour nous et pour vous, allez*

plutôt chez le marchand et achetez-en pour vous.
La réponse ne contient pas une ironie hors de
saison, mais elle est sans réplique. Faute de mieux,
les imprévoyantes se résolvent à suivre le conseil des
sages. Hélas! une fois de plus, leur prévoyance est
prise en défaut. Le temps de courir au bazar, de
réveiller le marchand et de revenir chez le fiancé
avec les emplettes tardives, le cortège a déjà gagné
la salle du festin, et les portes en sont définitivement
fermées. Les étourdies ont beau heurter et supplier
l'époux de leur ouvrir, celui-ci persiste dans son
refus : *Je vous le dis en vérité, je ne vous connais
pas.* Et les retardataires sont impitoyablement
exclues du festin.

La parabole se termine par un avertissement
solennel à l'adresse des auditeurs : *Veillez donc, car
vous ne savez ni le jour ni l'heure...*

III. — APPLICATION

Traits métaphoriques, paraboliques et littéraires. —
Avant de rechercher la leçon de la parabole, essayons
d'apprécier les divers éléments qui la constituent,
traits *métaphoriques, paraboliques* et *littéraires*.
Cette juste appréciation est de nature à nous pré-
server de certaines erreurs d'exégèse encore trop
communes. Au point où nous sommes, il nous suffira
de grouper dans un tableau d'ensemble les conclusions qui précèdent.

1. Une métaphore qui se détache en relief, c'est
celle de l'époux. L'homme qui se montre si difficile
à l'endroit de ses invités, même et surtout à l'égard
des amies de son épouse, qui exige avec cette
rigueur qu'on ait sa lampe allumée, et qui ferme
obstinément sa porte aux retardataires, n'est pas un

époux ordinaire; il n'est pas de ce monde; il n'est autre que le juge sévère qui, mettant fin aux longs délais de la miséricorde, va peser désormais les actes à la balance de la stricte justice.

Cette première métaphore entraîne l'allégorisation des éléments qui lui sont coordonnés : l'attente des vierges, la venue de l'époux, le festin, l'admission des sages et l'exclusion des étourdies. L'attente est la période qui précède la venue du Sauveur; sa venue est la parousie glorieuse à la fin des temps; le festin est la félicité du royaume des cieux; l'admission des sages figure l'admission des élus, et l'exclusion des étourdies l'élimination des réprouvés.

2. *Les traits paraboliques* sont encore plus nombreux que les métaphores En suivant l'ordre même du récit, on relève les suivants : les vierges sages et les vierges étourdies, les lampes et les vases d'huile, le sommeil, la clameur, le brusque réveil, l'action de ranimer les lampes, la requête des imprévoyantes et leurs démarches nocturnes près des marchands.

Tous ces traits ont une réelle valeur représentative. Mais leur signification, au lieu d'être métaphorique, n'est que parabolique; au lieu de se prêter à une substitution directe et individuelle, comme il arrive pour les éléments d'une allégorie, ils demandent à être interprétés d'une manière plus large et plus générale comme dans les analogies et les comparaisons.

Les deux catégories de vierges représentent *en gros* les deux catégories de fidèles : ceux qui se préparent à la parousie du Sauveur et ceux qui ne s'y préparent pas. La préparation est figurée par la provision d'huile et par le fait de ranimer les lampes; l'absence de préparation est représentée par l'absence d'huile et l'impossibilité d'entretenir les lampes qui s'éteignent. Le sommeil figure la longueur de

l'attente. Enfin les démarches tardives sont destinées
à marquer l'inutilité des efforts tentés à la dernière
heure.

Si ces détails ne sont pas des métaphores, l'exégète
est dispensé de leur trouver une correspondance
minutieuse. Il suffit qu'ils évoquent la réalité supérieure d'une manière approximative, par analogie
ou comparaison, sans qu'il soit besoin d'une justification plus rigoureuse. On ne cherchera donc pas
pourquoi le Sauveur met en scène des *jeunes filles*
au lieu de *jeunes gens, les amies de la fiancée* plutôt
que *les garçons d'honneur du fiancé;* pourquoi le
manque de préparation est traduit par le *manque
d'huile* au lieu de l'être par le défaut *d'habits de fête;*
pourquoi, au dernier moment, les étourdies s'adressent à leurs *compagnes* ou aux *marchands* au lieu
de s'adresser à *la fiancée* ou à *l'époux* lui-même.

Tous ces traits ont l'aptitude approximative des
comparaisons; on perdrait sa peine à leur trouver la
correspondance plus adéquate qu'on requiert des
métaphores. Il faudra les interpréter à la manière
des comparaisons : de même que les étourdies, en ne
prenant pas *les mesures voulues*, se trouvèrent exclues
du cortège nuptial, ainsi les fidèles qui ne seront pas
prêts à la venue du Christ seront éliminés de la
béatitude parousiaque.

Bien des commentateurs anciens et modernes ont
recherché ce que pouvaient signifier en particulier
les vierges, les lampes, l'huile, les vases, voire les
marchands et le sommeil. On a dit que les vierges
évoquaient strictement l'idée de virginité (saint
Chrysostome, saint Grégoire le Grand) ; que, dans
chaque groupe, elles étaient au nombre de cinq,
parce que le corps a cinq sens (saint Jérôme, saint
Augustin, saint Grégoire le Grand) ; que la lampe

était la foi ou les œuvres et l'huile la charité ; que le
sommeil était la mort (à peu près tous les auteurs
anciens) ou encore le péché mortel ou véniel, ou
l'absence des préoccupations parousiaques (Maldonat). Peut-être le lecteur s'apercevra-t-il maintenant que ces applications, souvent intéressantes et
ingénieuses, relèvent moins de l'exégèse littérale que
de l'accommodation et de l'analogie.

3. Outre ces éléments métaphoriques et paraboliques, l'histoire des dix vierges contient encore
un certain nombre *de détails purement littéraires,*
dont l'unique office est d'encadrer le tableau en
lui donnant plus de naturel et de vie. Sous ce
chef peuvent se ranger le nombre dix, peut-être
les clameurs annonçant l'arrivée de l'époux, le
dialogue entre les sages et les étourdies, la réponse
des sages, enfin l'achat lui-même que les étourdies
sont censées contracter chez les marchands d'huile.

Il est bien évident que ces détails n'ajoutent pas
invididuellement grand'chose à la signification de la
parabole. La leçon serait exactement la même qu'il
y eût vingt jeunes filles ou qu'il n'y en eût que
quatre. A l'heure de la parousie, les réprouvés
n'iront pas se conseiller auprès des élus ; en tout
cas ceux-ci ne donneront sûrement pas à leurs
malheureux compagnons le conseil d'aller se fournir, chez les marchands, des dispositions qui leur
manqueront. La vertu ne se vend ni ne s'achète,
non plus que la préparation personnelle. On ne voit
pas davantage les réprouvés arrivant au dernier
moment à la porte du ciel avec des âmes tardivement
remises dans les conditions voulues. Ces détails
ont pour effet de dramatiser la scène, mais la signification de la parabole serait exactement la même
si ces éléments étaient absents du récit, ou s'ils

étaient remplacés par d'autres éléments du même genre. Nous avons là le critérium permettant de discerner les détails littéraires.

La clameur qui annonce l'arrivée de l'époux a pour objet de réveiller les vierges endormies et uniquement parce qu'elles étaient endormies. Le petit dialogue qui suit le réveil, le refus des sages, le conseil qu'elles donnent à leurs compagnes sont destinés à mettre en relief le défaut d'huile. Pareillement, le sort des étourdies n'eût pas été plus rigoureux, si les marchands eussent éconduit ces clientes nocturnes.

Résumé de la parabole. — En bénéficiant de ces analyses, nous pouvons ramener la parabole aux deux termes d'une comparaison :

De même que, sur dix vierges, qui attendaient l'arrivée de l'époux, les cinq sages furent admises à son festin, parce qu'elles étaient prêtes à le recevoir ;

et que les cinq autres, qui n'étaient pas prêtes, les cinq étourdies, furent exclues de la noce, malgré la réelle bonne volonté qu'elles déployèrent au dernier moment,

ainsi les fidèles qui seront prêts à la venue du Sauveur, seront admis à la félicité du royaume,

tandis que les autres qui ne seront pas prêts en seront exclus.

La leçon principale de la parabole réside manifestement dans ce deuxième membre de la comparaison. Chacun est l'artisan de sa propre destinée dans l'autre vie ; ce sont nos dispositions personnelles qui décident de notre sort éternel.

Toutefois cet enseignement explicite suppose un avertissement relatif à la parousie, qu'il est préférable de signaler en premier lieu. Le voici : *La parousie est à la fois certaine et incertaine.* Il

est certain qu'elle se produira, mais on ne sait à
quelle heure.

Il en est de la venue du Sauveur comme de
l'arrivée de l'époux. Il est absolument sûr que
l'époux viendra la nuit de ses noces ; le mariage
peut être retardé de quelques heures, il ne le sera
sûrement pas de la nuit entière. Mais, eu égard à
la juste impatience des invités, le retard peut
paraître considérable. Il y a douze heures ou quatre
veilles dans la nuit. L'époux peut survenir à la
première minute de la première veille ; mais il peut
également tarder jusqu'à minuit ou même jusqu'au
chant du coq, ou même jusqu'aux derniers instants
de la dernière veille. Ainsi du Sauveur, avec cette
particularité que la nuit de son attente peut se
prolonger indéfiniment, parce que nul ne sait le
nombre des veilles ou des heures qui doivent
s'écouler entre son ascension et sa parousie.

Conclusion : il faut être toujours prêt, parce que,
à tout instant, le Maître peut revenir. Rien ne
saurait conjurer l'incertitude angoissante de l'heure.
Qu'on s'endorme un seul instant, ce peut être celui
de la venue inopinée. Il ne nous servirait de rien de
nous être trouvés prêts à la première veille, si le
Maître, survenant à minuit, devait nous prendre
au dépourvu. — *Veillez donc, car vous ne savez ni
le jour ni l'heure.*

Leçon principale. — Telle est la doctrine présupposée. Voici l'enseignement catégorique de la parabole. Il tient en ces trois mots : la préparation doit
être *suffisante, actuelle et personnelle.* Le moment
de la parousie est capital. Avant, c'est le temps de
la préparation ; après, tous les efforts tentés pour
suppléer au défaut de préparation seront vains.

Il faut avoir une préparation suffisante, celle-là

même qui est symbolisée par la préparation des
vierges. Ce n'est pas assez de se préparer d'une
manière éloignée au cortège nuptial; ce n'est pas
assez d'apporter sa petite lampe à huile; ce n'est
pas assez de se trouver en compagnie d'invités dont
la préparation est parfaite. Il faut avoir sous la
main sa provision d'huile. Toutes les conditions
requises doivent être remplies; l'absence d'une
seule annule toutes les autres.

Qu'est-ce qui est symbolisé par l'huile des lampes?
A la vérité, nous l'ignorons, puisque le divin Maître
n'a pas jugé à propos de nous en instruire. Les
raisonnements très judicieux d'un saint Jérôme et
d'un saint Augustin nous permettent cependant de
proposer une interprétation très largement satisfaisante. Si les dix vierges représentent en général
les fidèles qui attendent la venue du Christ, c'est-
à-dire la totalité des *fidèles*, il est naturel de penser
que les lampes figurent ce qu'ils ont tous de commun, à savoir *la foi*. Dès lors, la provision d'huile
que les sages ont en propre signifie les dispositions
qui, s'ajoutant à la foi, partagent les fidèles en deux
catégories, à savoir *la grâce sanctifiante, la charité*
et *les dons du Saint-Esprit* qui en découlent. *Aliquid
magnum significat oleum, valde magnum. Putas
non caritas est?* (saint Augustin, XXXVIII, 575).

De plus, *la préparation doit être actuelle*. Dans
l'ordre surnaturel, tant vaut la vie que vaut la mort.
Une vie de bonnes œuvres peut être annulée par la
négligence coupable des derniers instants, comme
aussi une vie de torpeur peut être rachetée par la
ferveur de l'heure dernière; le salut n'est pas évalué
d'après une sorte de moyenne proportionnelle entre
le bien et le mal, d'après un système de compen-
sations et de réversibilités; il se décide d'après les

dispositions finales. Oui ou non, à ce moment, se trouve-t-on dans les dispositions requises? Si oui on prend rang dans le cortège; si non, *je ne vous connais pas.*

On ne demanda pas aux vierges si leurs lampes avaient brûlé jusqu'à minuit; on leur demanda si elles étaient encore en mesure de les alimenter. De même notre sort éternel dépend de l'instant suprême. Certes, tous les instants de la vie comptent; seul, le dernier est capital et décisif. Nous sommes avertis. Et si l'on songe que chaque instant peut être le dernier et que l'on n'ait pas à cœur de risquer son salut éternel, il importe d'être prêt à tous les instants de la vie. La vraie préparation est celle qui ne laisse rien à l'imprévu. C'est celle qui est *habituellement actuelle.*

Enfin *la préparation doit être personnelle.* Au tribunal divin, il n'y a jamais d'exécution sommaire et en masse; mais il n'y a pas non plus de salut en bloc. Toute âme fait l'objet d'un examen particulier, où elle doit répondre de ses dispositions individuelles. Ce n'est ni la religion, ni la patrie, ni la caste qui sauvent, ce sont les mérites personnels.

Il aurait fallu aux étourdies une provision d'huile à elles, à chacune d'elles. L'huile de leurs compagnes ne leur servit de rien; non plus que toute celle du bazar.

Et qu'on ne se flatte pas de pouvoir se glisser dans le cortège indûment, sans les dispositions requises. Nous ne savons pas comment l'époux discerne les négligentes. Il est certain qu'il les discerne et qu'aucune n'échappe à la pénétration de son regard. Ou plutôt ne dirait-on pas que les étourdies se dénoncent elles-même, qu'elles s'excluent elles-mêmes du cortège? Au tribunal de Dieu, notre plus redoutable accusateur sera notre propre conscience; et ce sera en même temps le plus implacable des juges.

Les vierges sages nous fournissent la contre-épreuve de ces enseignements. Comme chacune d'elles possédait encore à minuit une suffisante provision d'huile, elles furent admises sans difficulté au cortège de l'époux. Nous voyons les portes du festin se refermer sur elles et nous les devinons au sein de la plus pure allégresse, jouissant de leur bonheur dans une pleine sécurité. *Veillez,* recommandait le Maître ; les vierges sages ont veillé; elles touchent le prix de leur vigilance.

Quand on parle de vigilance, il faut évidemment s'entendre sur le mot, car il arrive que les mêmes termes changent de signification d'une parabole à l'autre, et, ce qui est plus surprenant, dans une même parabole. Les vierges sages ont *dormi* non moins que leurs compagnes ; et cependant personne, pas même l'époux, ne leur reproche ces instants de sommeil. Qui plus est, ce sommeil n'empêche pas qu'elles se maintiennent en état de *veille*, ou plutôt, car nous possédons un terme moins ambigu, en état de *vigilance*.

La vigilance, recommandée par le Maître est moins une attitude du corps qu'un état d'âme. Elle est constituée par les bonnes dispositions. Que le corps dorme ou veille, il n'importe, les dispositions de l'âme ne sont pas changées, et la venue du Sauveur ne nous prend pas au dépourvu.

Le sommeil n'est donc pas ici le symbole de la négligence. Nous l'avons déjà dit, il ne figure que pour mieux accentuer la soudaineté de la parousie et montrer que le dernier moment ne suffira plus pour aviser aux préparatifs nécessaires.

Ailleurs, dans la parabole *des serviteurs* qui
attendent le retour du maître, le sommeil possède
une valeur différente, puisqu'il est le symbole de
la négligence et s'oppose directement à l'état de
veille.

Ce fait nous montre que les mêmes figures peuvent
avoir une certaine élasticité de symbolisme, dont le
sens exact est à déterminer d'après le contexte
immédiat.

L'intendant (Mt. xxiv, 45-51; Lc. xii, 41-46).

Le serviteur infidèle (Lc. xii, 47, 48).

Lc. xii, 41-48.

[41] Pierre dit : Seigneur, est-ce pour nous que vous dites cette parabole, ou est-ce pour tout le monde? [42] Et le Seigneur dit : Supposons un intendant fidèle, prudent, que le maître prépose à ses gens de service pour leur donner au temps voulu leur ration de blé.

[45] Supposons un serviteur fidèle et prudent que le maître prépose à sa domesticité pour lui donner la nourriture au temps voulu. [46] Heureux ce serviteur, si son maître le trouve à son retour se comportant de la sorte! [47] Je vous le dis en vérité, il le préposera à tous ses biens. [48] Mais si ce méchant serviteur se dit en lui-même : *Mon maître tarde*, [49] et qu'il se mette à maltraiter les autres serviteurs, à manger et à boire avec les ivrognes, [50] vienne le maître de ce serviteur le jour où il ne l'attend pas, à l'heure qu'il ne sait pas, il le coupera en deux et lui assignera sa part avec les hypocrites. Là seront le pleur et le grincement de dents.

[43] Heureux ce serviteur, si son maître le trouve à son retour se comportant de la sorte! [44] Je vous le dis en vérité, il le préposera à tous ses biens. [45] Mais si ce serviteur se dit en lui-même : *Mon maître tarde à venir*, et qu'il se mette à maltraiter serviteurs et servantes, à manger, à boire, à s'enivrer, [46] vienne le maître de ce serviteur à l'heure qu'il ne sait pas, il le coupera en deux et lui assignera sa part avec les infidèles.

⁴⁷ Le serviteur qui, connaissant bien la volonté de son maître, n'a rien préparé ou qui a agi à l'encontre de sa volonté, sera roué de coups. ⁴⁸ Quant à celui qui, sans la connaître, aura par sa conduite mérité des coups, il n'en recevra qu'un petit nombre.

A qui on aura donné beaucoup, beaucoup sera demandé; à qui on aura confié beaucoup, on réclamera davantage.

I. — TABLEAU

Sauf l'introduction et l'appendice qu'il a en propre, saint Luc suit le même texte que saint Matthieu, à cinq au six particularités près. La seule chose qui diffère notablement, c'est le contexte historique. Le premier évangéliste place sa parabole à la fin du grand discours eschatologique, sur la montagne des Oliviers, juste avant la Passion; le troisième la situe au cours du ministère, vraisemblablement en quelque lieu de Galilée, d'ailleurs indéterminé. Nul ne contestera cependant que ce ne soit la même parabole.

Saint Luc fait précéder la sienne d'un souvenir bien circonstancié. Le Maître venait d'exhorter ses apôtres à la vigilance sous la figure *du serviteur* qui attend dans la nuit le retour de son maître; Pierre intervient disant : *Seigneur est-ce pour nous que vous dites cette parabole, ou est-ce pour tout le monde?* Quoi qu'en disent certains critiques (Loisy,

ıı, 45o), cette intervention de Pierre porte tous les
caractères de l'authenticité. Ce sont de ces mots qui
ne s'inventent pas, justement à cause de leur peu
de relief ou de leur moindre intérêt théologique.

Sans avoir l'air de répondre directement à la
question de l'apôtre, Jésus propose une nouvelle
parabole.

L'intendant fidèle. — Elle débute par une interrogation, d'allure et de tour nettement sémitiques, qui
paraît avoir été familière au Sauveur. Elle se traduit
littéralement : *Quel est donc l'intendant fidèle et
prudent que le maître préposa à sa domesticité?...
Heureux ce serviteur, si son maître le trouve à son
retour...* Les interprètes, sans exception connue, se
croient obligés de garder ce tour interrogatif, tout en
se rendant compte qu'il contrarie nos habitudes de
logique occidentale. La pensée originale ne serait-
elle pas bien conservée, et, de plus, élégamment
exprimée, si l'on consentait à la rendre par la
construction équivalente : *Supposons un serviteur
fidèle et prudent que le maître prépose à sa domesticité...*

Le serviteur est choisi pour ses qualités de fidélité
et de prudence. *De fidélité,* car il doit gérer les
intérêts de son maître, qui est censé partir en voyage,
bien que ce départ ne soit pas explicitement signalé ;
de prudence, car on lui confie un office important.
« Dans les grandes maisons, où il y avait beaucoup
d'esclaves, le maître donnait l'intendance à l'un
d'eux sur ses conserviteurs, afin qu'il veillât sur leur
conduite, qu'il réglât leurs travaux, et qu'il leur
distribuât la nourriture par mois, par jour ou par
semaine. C'était d'ordinaire celui des serviteurs qui
était reconnu pour le plus sage, le plus fidèle et le
plus attaché aux intérêts de son maître... Tel était

Éliézer dans la maison d'Abraham, Joseph dans celle de Pharaon » (Calmet, *saint Matthieu*, 536).

A la place du vocable vulgaire la *domesticité* (οἰκετία), saint Luc a le terme distingué *gens de service* (θεραπεία); au lieu de la *nourriture* en général, il a le mot technique *mesure, ration de blé* (σιτομέτριον).

Si le maître à son retour, censé inopiné, trouve son intendant dans l'accomplissement consciencieux de sa fonction, *je vous le dis en vérité, il le préposera à tous ses biens.* On cherche, pour expliquer la récompense, une fonction domestique supérieure à celle qui lui avait été déjà confiée. L'on peut dire avec le P. Lagrange : « Avant d'avoir éprouvé son intendant, le maître lui avait confié le soin de ses domestiques; après, il le mettra à la tête de toutes ses affaires » (*saint Luc*, 369). Toutefois je soupçonne qu'est ici dépassé l'horizon de la simple parabole. Cette investiture de tous les biens rappelle celle *des talents* et *des mines,* laquelle est nettement allégorique et se consomme dans un autre monde. Que si l'on rapproche la présente récompense du châtiment qui va être infligé à l'économe infidèle, et qui n'est plus d'ici-bas, on n'hésitera pas à préférer ici encore l'interprétation allégorique, disant que l'intendant fidèle sera préposé *à tous les biens du ciel,* c'est-à-dire touchera la récompense éternelle (avec dom Calmet contre la plupart des modernes). « Les prélats dans l'Église, dit le savant Bénédictin, sont comme ces dispensateurs fidèles établis sur leurs frères, pour leur donner la nourriture ordinaire et journalière, c'est-à-dire l'instruction. S'ils s'acquittent fidèlement de cet important ministère, ils seront bienheureux; et, à l'heure de la mort, lorsque leur Maître viendra visiter sa famille, il les établira sur toute sa famille, il les comblera d'honneur et de gloire dans l'éternité bienheureuse » (*saint Luc,* 236).

L'intendant infidèle. — *Mais si ce serviteur se dit en lui-même : mon maître tarde à venir...* C'est la rédaction de saint Luc, qu'il est intéressant de comparer avec celle de saint Matthieu : *Mais si ce méchant serviteur se dit en lui-même : mon maître tarde.* Saint Luc a le sens littéraire trop affiné pour qualifier de *méchant serviteur* un intendant à qui l'on vient de décerner le qualificatif de *fidèle* et de *prudent*. Il l'appelle donc simplement *ce serviteur,* laissant à la suite de montrer que *l'économe fidèle et prudent* a eu une notable défaillance qui va être sévèrement punie. Saint Matthieu, qui se conforme davantage ici à la psychologie populaire, n'est pas gêné par la contradiction apparente des épithètes, pas plus qu'il ne l'est par celle des situations. Aussi, après avoir présenté le personnage comme un serviteur fidèle et prudent, lui donne-t-il le sobriquet mérité de *méchant serviteur.* — Saint Luc a tenu de plus à préciser que *le maître tarde à venir,* pour ne pas laisser à son lecteur la peine de chercher sur quoi porte le retard du maître.

Ce retard du maître est la métaphore usuelle pour désigner la parousie. Le retour final peut être prochain, comme il peut être différé. C'est le deuxième terme de l'alternative qui est ici supposé. Ces délais indéfinis mettent la patience des serviteurs à une rude épreuve. La fidélité la mieux trempée peut y trouver la tentation fatale. Quant à la vertu fragile, nombreux sont les dangers auxquels elle est exposée par le *retard* du maître. L'intendant pouvait abuser de sa situation pour maltraiter, tyranniser ses compagnons de domesticité; non seulement les serviteurs, mais encore — et saint Luc

le note, sans doute parce que sa délicatesse en est
davantage offensée — mais encore les servantes.
Il faudrait rappeler ici les excès de pouvoir auxquels
s'abandonnent un peu partout les parvenus. Les
honneurs imprévus ou tardifs passent pour capi-
teux. Ne parle-t-on pas de la *griserie* de la gloire? En
Orient, plus peut-être qu'ailleurs, le subalterne
promu inopinément à des fonctions plus hautes, est
tenté de faire sentir à ses compagnons d'hier le poids
de son autorité nouvelle, ce qui est l'une des formes
les plus sottes et les plus dures de l'orgueil. Il est
bien entendu que le tyranneau profitera aussi de sa
position et du retard prolongé pour faire bonne
chère, voire bombance avec quelques favoris ou
quelques complices.

Survienne le maître à l'heure et au jour qu'il
n'était pas attendu... A vrai dire, l'intendant se comportait comme si le maître ne dût pas revenir de si
tôt ou même comme s'il ne dût jamais revenir. Nous
sommes toujours dans une situation allégorique. Les
maîtres de ce temps-là ne revenaient pas en telle
diligence qu'on ne pût être prévenu, quelque temps
auparavant, de leur arrivée. Un intendant, qui eût
bien voulu surveiller les rares avenues du retour,
aurait pu éviter toute fâcheuse surprise. Un seul
maître revient à l'heure et au jour que l'on ne saurait
prévoir, c'est Jésus venant pour sa glorieuse et
redoutable parousie.

La suite est encore une série de métaphores :
il le coupera en deux et lui assignera sa part avec
les hypocrites. Là seront le pleur et le grincement
de dents (Mt.). Les auteurs ne sont pas d'accord sur
le sens à donner au verbe principal : *il le coupera en*
deux, διχοτομήσει. Dès l'antiquité, certains l'ont pris
dans un sens adouci. Saint Jérôme écrivait : « Cela ne

veut pas dire qu'il le coupera en deux avec un glaive,
mais seulement qu'il le séparera de la société des
saints et le reléguera avec les hypocrites » (xxvi, 183).
« Il le fera déchirer de coups » (Durand); « il le
retranchera... Le châtiment de fendre le coupable
était connu dans l'antiquité... Cependant il faut ici
l'entendre au figuré, puisque le serviteur va se
trouver rangé parmi les infidèles » (Lagrange, *saint
Luc,* 370). D'autres conservent au mot sa valeur
étymologique et traduisent : *il le fendra en deux*
(Valensin-Huby), *il le mettra en pièces* (Loisy). —
C'est le sens qu'il faut retenir : le coupable sera
frappé d'un châtiment sévère qui ne peut être que la
peine capitale. La métaphore désigne la damnation
éternelle, en compagnie des infidèles et des hypocrites, *où seront le pleur et le grincement de dents.*
Par l'addition de ces derniers mots, saint Matthieu
achève d'écarter le voile de l'allégorie; mais déjà,
dans saint Luc, la pensée était assez claire, à la
condition de ne pas se laisser prendre au piège d'un
sens apparent, comme le faisait candidement dom
Calmet : « Mais il y a une chose qui renverse ces
explications, c'est qu'après que le Fils de Dieu a dit
que le maître divisera son mauvais serviteur, il
ajoute qu'il le mettra avec les esclaves infidèles dans
un cachot, où il y aura des pleurs et des grincements
de dents. Il suppose donc qu'il sera encore vivant... »
(*saint Matthieu,* 538). Il est vrai, dom Calmet
entrevoyait lui-même le vice de son interprétation.
« A moins, poursuivait-il, qu'on ne prenne cette
seconde partie dans un sens figuré, pour dire qu'il le
jettera dans l'enfer, où il demeurera dans la douleur
et dans le désespoir » (*ibid.*).

La parabole de saint Matthieu s'arrête sur cette
vision d'enfer. Saint Luc y ajoute quelques autres

considérations qui donnent fort à faire aux exégètes
et dont la vraie liaison avec la parabole précédente
n'a pas toujours été bien comprise.

Relisons le texte : *Le serviteur qui, connaissant
bien la volonté de son maître, n'a rien préparé ou qui
a agi à l'encontre de sa volonté, sera roué de coups.
Quant à celui qui, sans la connaître, aura par sa
conduite mérité des coups, il n'en recevra qu'un petit
nombre...*

Ces versets nous ménagent la surprise de principes
gradués et nuancés comme des solutions de cas de
conscience. Celui qui, connaissant la volonté de son
maître, ne s'y conforme pas dans la pratique et
n'agit qu'à sa guise, celui-là commet une faute qui
mérite qu'il soit roué de coups. Celui au contraire
qui, ayant mal agi, peut arguer de son ignorance, ne
recevra que peu de coups, châtiment notoirement
moindre.

Le serviteur infidèle. — Ces versets comminatoires
posent un autre problème plus important, à savoir
si le serviteur roué de coups est le même que l'intendant ou si c'est un personnage différent. Le P.
Lagrange expose avec exactitude l'une et l'autre
hypothèse, et il conclut que l'intendant et le serviteur
sont une même personne. « Jésus insiste sur sa responsabilité (de l'intendant) d'un nouveau point de
vue, celui qu'il avait de la connaissance du dessein
et des désirs de son maître. C'est lui qui est surtout
visé... Cette seconde opinion est préférable, car elle
demeure dans le thème donné et ne recourt pas à
une notion nouvelle » (*saint Luc*, 371).

Malgré la faveur dont jouit cette seconde opinion
parmi les exégètes modernes, il ne manque pas de
bonnes raisons en sens opposé. Une analyse atten-
tive révèle que le serviteur roué de coups n'est pas

le même que l'intendant préposé au soin de la domesticité.

Leurs fonctions ne sont pas les mêmes : l'intendant devait distribuer à la domesticité la ration de blé; le serviteur a pour office *de préparer quelque chose* qui reste indéterminé. *Leur situation intellectuelle ou morale* n'est pas identique : l'intendant connaît les ordres de son maître en toute hypothèse, même s'il les viole; le serviteur tantôt les connaît, tantôt les ignore. *Leurs rétributions* ne coïncident pas; elles s'excluent plutôt : l'intendant est fendu en deux, le serviteur est roué de coups. Celui qui a subi le premier supplice est visiblement dispensé de subir le second. Remarquons en outre que *le sort* de l'intendant est déjà réglé, quand on envisage celui du serviteur : fidèle, il est préposé à une sorte d'intendance générale ou au bonheur éternel; infidèle, il est mis à mort ou voué à la damnation éternelle. Dans l'un et l'autre cas, il n'y a pas de place pour la bastonnade. — Décidément, les personnages ne sont pas les mêmes.

Ces raisons nous semblent de nature à emporter la conviction. En réalité, il y a donc deux paraboles distinctes, jointes bout à bout, celle de *l'intendant* et celle *du serviteur infidèle*. Sans autre avertissement, elles se trouvent juxtaposées et encadrées dans le même discours, cette union si étroite étant d'ailleurs parfaitement motivée par l'indiscutable analogie du sujet.

En faveur de l'unité des paraboles et des personnages, on allègue que le serviteur est appelé *ce serviteur-là*, ἐκεῖνος δὲ ὁ δοῦλος (v. 47), comme si on le confondait avec l'intendant dont on a déjà parlé. Mais nous croyons que cet indice, assurément favorable à l'unité, ne suffit pas à contre-balancer les raisons qui précèdent. Qu'on veuille bien remarquer que le v. 48 débute par les mots suivants : *quant à celui qui, sans la connaître,* ὁ δὲ μὴ γνούς... D'où il ressort qu'on envisage tour à tour le sort du serviteur gravement coupable, quel qu'il soit, et celui du serviteur moins gravement coupable, que ce soit le même ou un autre.

Voici enfin une précieuse confirmation. Saint Matthieu connaît l'histoire de *l'intendant,* où il suit mot pour mot le même texte que saint Luc (xxiv, 45-51) ; mais il ignore la parabole *du serviteur.* Puisque la première parabole peut exister sans la seconde, n'est-ce pas la preuve qu'elles ne formaient pas nécessairement un seul et même tout ?

Le serviteur infidèle est donc une parabole ou une ébauche de parabole à part, indépendante, littérairement et théologiquement distincte *de l'intendant.* Jülicher (ii, 158) et Loisy (ii, 452) sont, à ma connaissance, les seuls auteurs qui aient entrevu cette distinction, encore que ce soit pour des raisons différentes.

Appendice. — Saint Luc nous ménage, en fin de parabole, une autre surprise avec ses deux petits fragments hétérogènes ou ses deux sentences finales : *à qui on aura donné beaucoup, beaucoup sera demandé ; à qui on aura confié beaucoup, on réclamera davantage.* Les deux maximes sont à peu près synonymes ; elles expriment la même pensée sous deux métaphores voisines, à peine différenciées. Mais elles ne sauraient prétendre à traduire la moralité des deux paraboles précédentes. Les paraboles envisageaient les deux phases d'une alternative, d'abord le cas d'un intendant ou d'un serviteur fidèle, ensuite le cas d'un intendant ou d'un serviteur infidèle ; les sentences finales se placent en face

d'une seule hypothèse. Encore le point de vue métaphorique n'est-il point le même : les paraboles
confiaient un emploi au serviteur, les sentences
semblent ne lui confier qu'un dépôt; en sorte qu'elles
seraient beaucoup mieux en situation à la suite de
la parabole *des mines*, avec les réflexions analogues
qui s'y trouvent réunies (XIX, 26).

Les sentences ne font donc point partie essentielle
de la parabole ou des paraboles précédentes; elles
ne sont qu'un appendice, agrégé à cet endroit à la
manière d'un conglomérat plutôt que d'un tout
organique, mais dont personne ne saurait légitimement contester l'authenticité.

Certains critiques ont pensé que toute cette partie
propre à saint Luc était motivée par la question de
saint Pierre qui sert d'introduction à la parabole :
Est-ce pour tout le monde? La réponse de Jésus
serait que son enseignement s'adresse à la fois aux
apôtres et aux simples fidèles. La parabole *de l'intendant* concernerait les apôtres, tandis que celle *du
serviteur* s'appliquerait aux fidèles.

Cette distinction est trop subtile. Nous pensons
que la moralité *du serviteur* convient aux apôtres
non moins que celle *de l'intendant,* et que celle *de
l'intendant* convient aux simples fidèles non moins
que celle *du serviteur.*

La question de Pierre trouve donc sa réponse dans
l'ensemble de ces enseignements de Jésus.

II. — APLLICATION

Les observations précédentes ont suffisamment
préparé le terrain à l'application. Ne retenons
d'abord que la parabole *de l'intendant.*

L'intendant. — Elle nous est apparue dans ses

éléments principaux comme une allégorie aux métaphores organisées. Le serviteur qui se sera montré
fidèle dans son emploi sera récompensé *de la gloire
éternelle*. Celui qui, se fondant sur *le délai de la
parousie*, se montrera indélicat et infidèle dans
l'exercice de son emploi, *sera surpris par la brusque
arrivée du Maître et sévèrement châtié de la damnation éternelle*.

Autour de ces métaphores centrales, le paraboliste
a multiplié les traits paraboliques ou simplement
littéraires : gens de service, ration de blé, bonne
chère, et les autres.

Le tout peut être ramené aux deux termes d'une
comparaison :

De même qu'un intendant, chargé d'une surveillance sur la domesticité, recevra une récompense
proportionnée à son mérite, s'il se montre fidèle
dans son emploi,

et se verra condamné à la peine capitale, s'il vient
à commettre de graves abus de pouvoir,

ainsi recevrons-nous, si nous sommes fidèles à nos
devoirs, la récompense éternelle,

et, si nous avons le malheur de nous montrer
infidèles, le châtiment éternel réservé à nos pareils.

La parabole allégorisante se rattache donc au
groupe des enseignements sur la juste rétribution
finale de nos mérites et démérites. Quiconque fait
le bien est sûr d'en être récompensé dans l'éternité ;
quiconque fait le mal, peut satisfaire une heure, un
jour, ses bas instincts d'orgueil, de gourmandise,
d'impureté ; il n'échappera pas au redoutable châtiment qu'il s'est attiré, et ce sera pour toujours.

Le serviteur infidèle. — La deuxième parabole, *le
serviteur infidèle*, qui se lit à cette place, nous fait
savoir que les méchants recevront un châtiment plus

ou moins sévère, proportionné à la méchanceté de leurs actions.

On n'enseigne pas que la parousie sera considérablement retardée, mais il est possible qu'elle le soit. Une fois de plus, nous relevons dans l'évangile de Jésus cette volontaire imprécision qui devait jouer un rôle important dans l'ascétisme des jeunes communautés chrétiennes.

Le commentaire du P. Durand mérite d'être signalé, bien qu'il exagère partiellement l'intention allégorique du récit. « Le maître de la parabole, c'est Dieu, ou mieux encore le Christ qui, avant de retourner à son Père, a confié les gens de sa maison (l'Église) aux apôtres et à leurs successeurs. Bien que directement la parabole concerne les membres de la hiérarchie ecclésiastique, il est loisible à tout fidèle de se l'appliquer. Car enfin, chacun a été chargé de l'administration de sa propre vie; et, à tout instant, le Seigneur peut lui en demander compte » (402).

Les talents

(saint Matthieu, xxv, 14-30).

¹⁴Cela, en effet, ressemble à un homme qui, sur le point de partir pour l'étranger, appela ses serviteurs et leur confia son avoir. ¹⁵A l'un il donna cinq talents, à l'autre deux, à un troisième un, à chacun selon sa capacité, et il partit. Aussitôt ¹⁶celui qui avait reçu les cinq talents s'en fut les faire valoir, et il en gagna cinq autres. ¹⁷De même, celui qui [avait reçu] les deux [talents], en gagna deux autres. ¹⁸Quant à celui qui n'en avait reçu qu'un, il s'en alla faire un trou en terre et il y cacha l'argent de son maître.

¹⁹Longtemps après, arrive le maître de ces serviteurs et il leur demande compte. ²⁰D'abord s'avança celui qui avait reçu les cinq talents, et il offrit cinq autres talents : Seigneur, dit-il, vous m'aviez remis cinq talents : Voici cinq autres talents que j'ai gagnés ! ²¹Le maître de lui répondre : Très bien, serviteur bon et fidèle ! Tu as été fidèle en des choses de peu, je vais te préposer à de grandes. Entre dans la joie de ton Seigneur ! — ²²A son tour s'avance celui qui avait reçu les deux talents : Seigneur, vous m'aviez remis deux talents : voici deux autres talents que j'ai gagnés ! — ²³Son maître de lui dire : Très bien, serviteur bon et fidèle ! tu as été fidèle en des choses de peu, je vais te préposer à de grandes. Entre dans la joie de ton Seigneur ! — ²⁴Alors s'avance également celui qui n'avait reçu qu'un talent, et il dit : ²⁵Seigneur, je vous connaissais pour un homme dur, moissonnant où vous n'avez pas semé, ramassant où vous n'avez pas étendu. Pris de peur, j'ai été enfouir votre talent en terre ; vous l'avez là, il est à vous ! — ²⁶Cette fois le maître lui répondit : Mauvais serviteur, fainéant ! Tu savais que je moissonne où je n'ai pas semé, et que je ramasse où je n'ai pas étendu ! Il fallait donc mettre mon argent à la banque.

A mon arrivée, je l'aurais retiré, capital et intérêts !
²⁸ Enlevez-lui donc le talent et le donnez à qui a les dix
talents ! ²⁹ Car celui qui a, quel qu'il soit, on lui donnera
avec surabondance ; mais qui n'a pas, même ce qu'il a
lui sera enlevé !

³⁰ *Quant au serviteur inutile, jetez-le dans les ténèbres*
extérieures. Là seront le pleur et le grincement de dents !

Lorsque les commentateurs entreprennent l'explication *des talents*, ils ont coutume d'examiner en
premier lieu si cette parabole est la même que celle
des mines racontée par saint Luc. Mais est-ce d'une
bonne méthode de prétendre résoudre un problème
très délicat avant d'en posséder les données essentielles ? Cette question ne peut raisonnablement être
envisagée qu'après le commentaire de l'une et de
l'autre parabole. Comme nous l'avons fait pour les
paraboles analogues *du festin de noce* et *du festin*,
nous commencerons donc par expliquer séparément
les talents et *les mines*, d'autant plus que les différences apparentes du texte autorisent, postulent
même un commentaire séparé. Ce n'est qu'ensuite
que nous aborderons l'examen de leurs rapports
littéraires.

La parabole de saint Matthieu est jointe à l'histoire
des vierges sans autre transition qu'une vague
préposition γάρ, *en effet*. La véritable liaison réside
dans l'analogie des sujets. L'évangéliste nous présente à la suite une série de paraboles sur la fidélité
et la vigilance : *l'intendant* (xxiv, 45), *les dix vierges*
(xxv, 1), *les talents*, le tout se terminant par les
assises du jugement dernier où sont récompensées ou
punies les actions bonnes ou mauvaises de chacun.

Cela ressemble à un homme. Nous avons déjà
signalé ailleurs cette manière *stylisée* de commencer
les paraboles : *A quoi cela ressemble-t-il ? Cela*

ressemble à...; ou plus simplement : *Cela ressemble à;* ou, en ne retenant qu'une allusion à ces formules parfaitement connues : *à,* sous-entendu *cela ressemble à. Les talents* sont en saint Matthieu le seul exemple du vestige le plus réduit.

Remise du dépôt. — *A un homme qui, sur le point de partir pour l'étranger, appela ses serviteurs et leur confia sa fortune.* L'homme est riche; on ne spécifie pas qu'il soit de race royale, ni qu'il soit un prétendant en quête de royaume et d'investiture. Il entreprend un voyage, d'affaires ou d'agrément. De ce voyage nous n'apprenons ni le but ni les conditions ni la durée exacte; et, à vrai dire, nous n'aurions aucun intérêt à être renseignés là-dessus; les personnages d'une parabole ne nous intéressent que par leurs rapports avec la leçon à déduire de l'histoire.

Toutefois la manière dont le voyageur pourvoit à la mise en valeur de son capital nous étonne. Puisqu'il avait huit talents disponibles, n'était-il pas tout indiqué et non moins sage qu'il les déposât en personne à la banque, où il aurait pu régler directement les conditions du placement? Il eût été sûr alors que tout son argent serait productif, et il se fût épargné la désillusion qui lui reviendra de la négligence du troisième serviteur.

Un voyageur ordinaire eût sans doute pris ces banales précautions. Mais nous devinons déjà que l'homme de la parabole n'est pas un homme ordinaire; c'est le maître souverain, qui confie ses dons et ses richesses à ses créatures chargées de les faire valoir. Voilà pourquoi les talents ne sont pas déposés prosaïquement à la banque; ils sont remis à chacun des serviteurs, qui aura le soin et la responsabilité de faire fructifier sa part au mieux des intérêts du maître.

Cette constatation suggère la réponse à une autre
question du même genre. Nous sommes surpris
qu'en remettant son argent à ses serviteurs, le
maître ne leur donne pas ses instructions; il se
contente de leur distribuer ses talents d'après le
degré présumé de leur habileté en affaires; puis,
sans préciser autrement ses conditions ou ses
exigences, il part, pour ne revenir que longtemps
après. Les serviteurs connaissaient donc ses intentions? Effectivement, sitôt après son départ, les deux
bons serviteurs se mettent en devoir de faire fructifier
l'argent. Preuve plus décisive encore, lorsque le
maître reprochera au serviteur négligent d'avoir
laissé improductif le talent enfoui, le coupable ne
trouvera d'autre excuse que la crainte du risque et la
peur de ce maître sévère. Il savait donc lui aussi
qu'il était tenu de faire fructifier l'argent reçu en
dépôt!

Tout s'explique par un recours tacite à l'allégorie, si les serviteurs sont des hommes chargés,
par le fait de leur existence, de mettre en valeur
les dons reçus de Dieu. Sans que nous ayons à
réclamer un supplément de preuves, nous savons
que Dieu punit les serviteurs négligents comme les
serviteurs coupables.

*A l'un il donna cinq talents, à l'autre deux, à
un troisième un, à chacun sa capacité.* Le talent
qui pesait 42 kil. 533, valait 60 mines et 3.000 sicles.
C'était pour les Juifs la plus forte unité de poids
monétaire. Le talent d'argent valait approximative-
ment 5.500 fr. Un seul talent représentait déjà une
assez forte somme. Cinq talents constituaient pour
l'époque une véritable fortune.

La parabole a choisi trois serviteurs pour figurer
diverses catégories de bénéficiaires des dons divins.

Nous n'avons pas à nous demander si le maître avait d'autres talents en dehors de ces huit qu'il confie à ses trois serviteurs, pas davantage si d'autres serviteurs reçurent d'autres dépôts. Ces trois suffisent à nous inculquer les leçons en vue. Les histoires construites sur ce modèle ont coutume de mettre en scène deux, trois ou quatre catégories, qui sont représentatives de toutes les autres. Le nombre *trois* reproduit la moyenne ordinaire. Les dépôts confiés aux trois serviteurs varient suivant la capacité de ces derniers, tandis que les serviteurs dont parle saint Luc reçoivent tous la même somme. La diversité est bien en situation dans la psychologie du morceau. On aurait peine à croire que, sous prétexte de ménager les susceptibilités de ses domestiques, un maître fût obligé de faire les parts strictement égales. Un capitaliste soucieux de sa fortune la confie à qui est à même de la faire valoir et dans la mesure où il peut la faire valoir.

Les deux premiers serviteurs obtiennent proportionnellement le même rendement, puisqu'ils réussissent tous les deux à doubler la somme confiée. Ce résultat suppose une bonne volonté pareille. La différence devait donc porter sur la capacité d'opérations, nous dirions aujourd'hui sur l'envergure ou l'aptitude financière. Il se trouve après expérience que la *capacité* du troisième était nulle; du moins ne rapporte-t-elle rien. On s'étonne dans ces conditions que le maître, au lieu de confier son talent à cet incapable, ne l'ait pas remis à un autre qui aurait été en situation de le faire valoir. Pourquoi d'ailleurs songer à un quatrième personnage, quand il aurait pu s'entendre avec le premier ou le deuxième serviteur qui témoignaient pour la finance ou le négoce d'heureuses dispositions? Une

fois de plus l'allégorie vient au secours de l'histoire. En descendant la hiérarchie des dispositions
ou des capacités, le maître devait atteindre le degré
où l'on n'enregistre que des résultats négatifs. Aussi
bien, s'il avait voulu, le mauvais serviteur aurait
pu lui aussi. Mais la crainte a paralysé sa volonté.
Sa liberté et sa capacité subsistent dans le fond;
tout au plus pourrait-il invoquer les circonstances
atténuantes.

Négociations. — Nous n'apprenons rien de concret
sur les *négociations* qui doublèrent le capital
engagé. Nous savons seulement que les serviteurs
se mirent à l'œuvre sans tarder. Le maître parti,
*aussitôt le premier serviteur s'en fut faire valoir
ses cinq talents.* Avec la plupart des commentateurs modernes, nous rapportons l'adverbe *aussitôt*
εὐθέως, non pas au départ du maître — ce qui serait
une indication banale —, mais à l'activité du serviteur. Pour être rapide, l'opération ne fut pas moins
satisfaisante, puisqu'elle rapporta le cent pour cent.
Engagé dans les mêmes affaires ou d'autres, le
second serviteur eut le même bonheur. Les deux
talents, dans le même laps de temps, se doublèrent.
Il est vrai que la parabole précise que la durée
des affaires fut un *long temps*, μετὰ δὲ πολὺν χρόνον.
Une année, deux années ou davantage? — La parabole s'accommode de cette imprécision; il suffit à
son but que l'absence du maître ait été de longue
durée.

Pendant ce temps, le troisième serviteur allait
creuser un trou en terre et il y cachait *l'argent* de
son maître — non pas précisément un talent, un
kikkar de 42 kil., analogue à celui qui figure au
musée biblique de Sainte-Anne de Jérusalem —,
mais la somme correspondante en sicles ou en

mines, monnaie plus portative, la seule qui fût
dans le commerce. La terre, pour l'argent qu'on y
dépose, n'est pas une banque productive. Le talent
ne fut pas perdu, mais il ne produisit rien. —
Faut-il rappeler ici l'habitude si répandue en Orient
d'enfouir les trésors en des grottes ou autres
cachettes naturelles, au besoin dans le sol, en
pleine terre ?

Reddition de comptes. — *Longtemps après, arrive
le maître de ces serviteurs et il leur demande
compte.* Dans une histoire ordinaire, il serait surprenant que le maître *arrive*, ἔρχεται, au lieu de *revenir ;* et non moins étonnant que son premier acte
soit de convoquer ses serviteurs et de leur demander
leurs comptes. Ne semble-t-il pas également que le
maître survienne à l'improviste ? Du moins, n'est-il
point spécifié qu'il se fût annoncé ni qu'il fût attendu.

Ces nouvelles anomalies trouvent toujours leur
explication dans l'allégorie. La venue du maître est
qualifiée *d'arrivée*, parce qu'elle se confond avec la
parousie, terme officiel qui désignait l'entrée triomphale des princes, la visite solennelle, *la venue.* C'est
dans ce sens que tous les documents chrétiens des
premiers âges annoncent *la venue, la parousie* du
Christ à la fin des temps. Nous parlons aujourd'hui
plus volontiers de son *retour* pour marquer qu'il est
déjà venu une première fois. Mais *la parousie*
impliquant l'idée de *venue solennelle et triomphale*,
c'est en vérité que nous attendons *la venue* ou *la
parousie* du Fils de Dieu. C'est pourquoi le maître
de la parabole *vient.*

Comme la parousie doit comporter le jugement
général des bons et des mauvais, le maître de la
parabole, dès son arrivée, demande à ses serviteurs
leurs comptes. De même la venue du maître se réa-

lise à l'improviste, sans être immédiatement précédée
du moindre signe annonciateur, puisque la parousie
doit éclater avec la rapidité de l'éclair.

Les serviteurs fidèles étaient prêts à rendre leurs
comptes : *Voilà les cinq talents que vous m'aviez
confiés, et voici les cinq autres que mon travail leur
a fait produire.* Et le second : *Voilà vos deux talents,
et voici les deux autres.* La réponse du maître est
pareille pour louer un zèle pareil : *Très bien, εὖ,
serviteur bon et fidèle! tu as été fidèle en des choses
de peu! je vais te préposer à de grandes. Entre
dans la joie de ton maître!*

Nouvelle difficulté créée par la lettre de l'histoire
et que résout une fois de plus le recours à l'allégorie.
La somme de cinq talents, nous l'avons dit, n'était
pas une chose de peu. Comment le maître peut-il
parler de petite chose, ἐπὶ ὀλίγα? Et quelles sont, s'il
n'est pas roi, *les choses plus grandes*, ἐπὶ πολλῶν,
dont il puisse confier le gouvernement ou l'administration? — En réalité, les cinq talents et tous les
talents du monde ne sont que bien peu de chose
auprès des richesses inouïes que le Seigneur nous
réserve dans la gloire. C'est le mot de saint Paul,
toutes les tribulations d'ici-bas — des grâces aussi —,
que pèsent-elles auprès du poids de gloire que Dieu
ménage à ses élus? Nous n'hésitons pas à voir dans
les grandes choses la récompense du ciel. La voici
du reste annoncée en style direct, sous le voile très
léger d'une métaphore significative : *Entre dans la
joie de ton Seigneur!* De quelque manière qu'on
explique le terme, c'est la béatitude promise au serviteur diligent. Mais il ne sera pas superflu d'observer que la métaphore, au vrai sens du mot, était
familière aux Juifs en général et aux auditeurs de
l'Évangile. Les mots hébreux et araméens qui

rendent cette idée « ne signifient pas seulement *joie*, mais encore *fête de joie* et plus spécialement *noce*. Nous pouvons donner ici à la joie le sens de banquet de joie » (Strack-Billerbeck, 972). Les serviteurs sont ainsi conviés au festin de joie que le Seigneur donne éternellement à ses élus. Aux auditeurs palestiniens la perspective ne pouvait manquer d'être agréable.

Jugement du paresseux. — *Alors s'avance également celui qui n'avait reçu qu'un talent...* Il ne se dérobe pas à sa destinée ; il se présente à son tour, qui était le troisième, sans se faire prier, sans qu'il faille le contraindre. Au jugement suprême, nul ne peut se soustraire. Nulle presse comme nul délai. L'ordre le plus rigoureux préside automatiquement à cette suprême reddition des comptes.

Le misérable a conscience de sa faute; il ne semble pas se faire illusion sur la sentence qui lui est réservée. Sans s'excuser sur le fond, il plaide les circonstances atténuantes. Ce petit plaidoyer d'une mauvaise cause — que nous savons d'avance une cause perdue — remplit une fonction littéraire et théologique dont on ne saurait méconnaître l'importance. Il éclaire singulièrement cette leçon capitale de la parabole que le maître entend tirer profit de son capital, que tout serviteur est tenu de faire fructifier la part de fortune à lui confiée, et qu'il ne sera fait quartier à personne, sous aucun prétexte. Est bon serviteur quiconque fructifie; mauvais, quiconque reste stérile. C'est le discernement des âmes par leurs actes.

Au demeurant, l'argumentation du malheureux ne manque ni d'esprit ni de hardiesse. *Je vous connaissais pour un homme dur, moissonnant où vous n'avez pas semé, ramassant où vous n'avez*

pas étendu... Ce plaidoyer tournerait facilement à
l'accusation, partant à l'insolence. Peut-être l'amertume des paroles était-elle tempérée par la réserve du
ton. Toujours est-il que le maître ne relève pas précisément l'insolence qu'il n'aurait pas pu laisser
passer, si elle eût été manifeste. Autre circonstance
atténuante, le serviteur s'autorise d'un zèle prétendu
pour les intérêts de son maître. L'argent enfoui est
improductif, mais il est en sûreté et on le retrouve
intact à l'heure de la reddition des comptes. A la
banque il produit, mais il court des risques qui
pourraient entraîner la perte du capital. Entre ces
deux maux, la crainte aidant, le serviteur a choisi
le moindre, il a enfoui son talent.

Or c'est précisément ce que ne voulait pas le
maître. Le risque à courir pouvait et devait être
couvert par la diligence et le dévouement affectueux.
Où le premier et le deuxième ont réussi, le troisième serviteur aurait pu également ne pas échouer.

Au fond, les excuses alléguées ne sont qu'un prétexte à pallier une négligence coupable. Elles ne
sont pas admissibles. D'autant plus qu'elles sont
considérablement exagérées. La parabole ne fait
pas état des risques à courir, de même que le
maître ne fait pas figure d'homme dur. Juste, oui,
soucieux de ses intérêts, mais prêt à récompenser
le moindre effort de bonne volonté avec une opulence qui surpasse toutes les possibilités des salaires
humains. Il n'y a pas de proportion entre les petites
choses réalisées et les grandes choses promises.
Le serviteur recevra cette récompense prodigieuse
de passer du rang des mercenaires à la qualité des
fils de famille, qui sont assis à la table du maître
et partagent son festin de béatitude. Une telle conduite ne saurait être qualifiée de dureté, d'austérité;

elle s'appelle non plus justice, mais magnanimité divine.

Le mauvais serviteur se livre à une charge, à une caricature ignominieuse, quand il reproche à son maître de moissonner sans avoir semé, de ramasser sans avoir étendu. Qui sème avec le capital, a le droit de moissonner les intérêts de ces semailles; qui étend la récolte de son capital comme une céréale que l'on met à sécher sur l'aire, toutes gerbes déliées, a le droit de la ramasser pour la dépiquer et en recueillir le grain et la paille.

Le maître ne discute pas ces injures; il n'a pas l'air d'y prendre garde; il est au-dessus. Il se contente d'en tirer un argument *ad hominem* contre la négligence de son serviteur. *Mauvais serviteur, fainéant! Tu savais que je moissonne où je n'ai pas semé, et que je ramasse où je n'ai pas étendu! Il fallait donc mettre mon argent à la banque. A mon arrivée, je l'aurais retiré, capital et intérêts...* L'argumentation fait ressortir la volonté expresse du maître et la stricte obligation du serviteur. Le maître exige que son bien fructifie, et le serviteur ne saurait alléguer de prétexte recevable pour s'exempter de cette obligation.

La discussion est close par cette sentence sans appel. Reste à formuler la sanction. Comme le maître s'est montré juste avec magnanimité dans la récompense, il se montrera juste avec sévérité dans le châtiment. Et qui osera protester contre cette rigueur, s'il réfléchit que la faute châtiée n'est pas, suivant l'apparence de la lettre, d'avoir enfoui un talent et de l'avoir restitué intact et improductif, mais, suivant la signification de l'allégorie, d'avoir mésusé des dons divins? Car nous ne sortons pas de l'allégorie. Le bon serviteur, pour avoir fait un

bon usage des grâces à lui confiées, se voit admis
dans la béatitude ; le mauvais serviteur, pour n'en
avoir point usé, se voit condamné aux tourments
de la géhenne.

Nous n'hésitons pas cependant à reconnaître ici
un trait *parabolique* ou mieux encore **embléma-
tique,** privé en conséquence de toute signification
métaphorique. C'est la singulière injonction de
remettre le talent de l'infidèle au serviteur qui en
possède déjà dix. Que le paresseux ne puisse
garder un talent stérile, soit. Mais pourquoi le
donner à celui qui en a dix ? Pourquoi ne pas le
donner de préférence à celui qui en a quatre,
puisque le deuxième serviteur s'est montré aussi diligent que son compagnon ? Et pourquoi dire que le
bon serviteur garde ses dix talents ? Il ne les a donc
pas rendus à son maître, intérêts et capital ? Serait-il
autorisé à les garder pour toujours, et sa récompense, la joie de son Seigneur, consisterait-elle précisément en cela ?

Nous pensons que ces difficultés, n'existent que
pour un esprit méticuleux, qui restreindrait systématiquement la juste liberté et la souplesse de la
parabole ou de l'allégorie évangélique. La signification à retenir, c'est que le talent est enlevé à qui
n'a pas su le faire valoir. La métaphore cesse
quand on le donne à qui en possède déjà dix. Il
fallait bien, pour suivre l'histoire, disposer du
talent disponible. Il est vrai, il aurait pu faire
simplement retour à la masse, en compagnie
des autres talents que le maître est censé reprendre.
Mais c'est une façon littérairement agréable d'en
disposer, que de le donner au serviteur fidèle, qui
« se confond plus ou moins » avec son compagnon
(Loisy, II, 475). Au point de vue *parabolique,* c'est

encore là un procédé pour insister sur la magnanimité avec laquelle le maître a récompensé ses
bons serviteurs. Jésus devait le répéter souvent en
manière de proverbe paradoxal : *Celui qui a, quel
qu'il soit, on lui donnera avec surabondance; mais
qui n'a pas, même ce qu'il a lui sera enlevé...* La
réalité allégorique corrige le défaut de perspective qui fausserait l'histoire. L'histoire demandait
que les talents fussent remis par les serviteurs à
leur maître, sauf à recevoir en échange la récompense promise. Dans la réalité allégorique, ce que
les serviteurs rendent effectivement au maître, c'est
la gloire qui lui revient de leur fidélité et de leur
bon travail. Quant aux talents, ils les gardent dans
le temps et dans la béatitude, étant d'ailleurs bien
entendu que l'argent continue d'appartenir à son
maître et de fructifier pour lui.

Appendice.— Cela dit, il ne reste plus qu'à régler
le sort définitif du serviteur paresseux : *Quant au
serviteur inutile, jetez-le dans les ténèbres extérieures. Là seront le pleur et le grincement de
dents.* Le compte du malheureux n'était-il point déjà
réglé, puisqu'on lui avait enlevé son argent pour le
donner à un autre ? Le P. Lagrange écrit de ce verset,
qu' « il peut avoir été ajouté par Mt. pour bien faire
comprendre quel intérêt suprême était en jeu sous le
voile de la parabole » (484). Comprenons bien le
sens de ces mots. Ils ne contestent pas l'authenticité
du verset qui est indiscutable. Ils suggèrent seulement qu'il aurait pu être transféré ici d'un autre
contexte.

Effectivement, si l'on observe que ce verset manque
au passage correspondant de saint Luc ; qu'il figure
dans un autre endroit de saint Matthieu, à *la robe
nuptiale* (xxii, 13) ; qu'à la fin de la présente parabole,

il semble faire double emploi avec le châtiment
déjà infligé au serviteur coupable, et qu'enfin il
intervient après que les maximes sur l'avoir des
serviteurs ont déjà donné à la parabole sa conclusion
naturelle, on sera porté à le regarder comme un
appendice venu d'ailleurs, attiré par l'analogie du
sujet.

II. — Application

Après les explications précédentes, il suffira, pour
dégager la leçon de l'allégorie, de la disposer
suivant la manière parabolique, en les deux termes
d'une comparaison :

De même qu'un homme, sur le point de partir
pour un lointain et long voyage, confie son argent
à ses serviteurs pour qu'ils le fassent valoir ; et qu'à
son retour, après un temps considérable, le voyageur
se hâte de leur demander compte, prêt à les récompenser ou à les châtier selon leurs mérites ;

de même que les serviteurs qui, par leur intelligente activité avaient doublé leur dépôt, furent
récompensés avec une libéralité prodigieuse, recevant de grandes choses à la place de ces petites en
lesquelles ils s'étaient montrés fidèles, étant admis
à la table de leur maître ; et que le serviteur qui,
par une coupable négligence, avait enfoui son talent,
le gardant intact mais improductif, fut châtié de la
manière la plus rigoureuse qui soit,

ainsi Jésus, quand il reviendra pour sa parousie,
après le long voyage qu'il est sur le point d'entreprendre, demandera à chacun de ses fidèles un compte
exact des dons et grâces qu'il lui aura départis ;

celui qui se sera montré fidèle en faisant produire
à ces biens la plus-value que Dieu est en droit d'attendre, sera récompensé de la béatitude éternelle,

récompense infinie, hors de proportion avec les mérites des élus ;

quant à l'infidèle qui n'aura pas fait valoir les dons de son maître, il en sera à jamais privé et jeté dans les tourments de la géhenne.

Allégorie.— Hormis le trait du talent infructueux remis au serviteur fidèle, l'histoire est une allégorie, très cohérente, très belle, très riche en enseignements. Nous ne saurions admettre l'hypothèse de Jülicher et de Loisy, d'après laquelle un fond de parabole primitive aurait été remanié et élaboré par l'évangéliste ou sa catéchèse, de manière à devenir une allégorie. Toute l'histoire est d'une seule venue ; elle est franchement allégorique, et elle se tient parfaitement au regard d'une critique exigeante. Nous n'y pouvons discerner la moindre incohérence. Le seul grief efficace, s'il est démontré, c'est que Jésus, libre de réciter des paraboles, n'aurait pu prononcer des allégories. Mais le grief est irrecevable. Le Sauveur avait parfaitement le droit de recourir à telle forme du *mâchâl* traditionnel qu'il lui plaisait. C'est ce qu'il a fait. A la fin de son ministère surtout, son enseignement dogmatique se doublait presque constamment d'une polémique directe à l'adresse de ces pharisiens hypocrites et retors. C'est pourquoi les paraboles de la fin se nuancent plus souvent de teintes allégoriques ; et parfois, comme c'est ici le cas, elles deviennent de pures allégories.

L'homme, c'est Jésus partant pour le voyage de sa résurrection et revenant un jour lointain pour le jugement et les comptes de la parousie. Les serviteurs sont les fidèles, plutôt que les hommes en général, fidèles ou païens. Les talents qu'on leur confie sont les dons et les grâces, de préférence d'ordre surnaturel, sans exclure cependant les dons

aturels. La plus-value, ce sont les mérites; l'en-
ouissement, le démérite; la reddition des comptes,
e jugement, suivi de la récompense éternelle ou du
châtiment éternel.

Leçons.— La première leçon à dégager concerne
l'époque de la parousie ou de la reddition des comptes.
Toute cette histoire affirme ou suppose qu'il s'é-
coulera un temps considérable entre la distribution
des dons et la reddition des comptes. Le maître part
pour l'étranger (ἀποδημῶν); il revient après un temps
considérable (μετὰ πολὺν χρόνον); les deux bons serviteurs ont eu le temps de doubler leur capital; le
mauvais serviteur n'allègue d'autre excuse que la
peur du risque, nullement le manque de temps. Ces
données convergent; elles sont sérieuses; elles ne
sauraient être le fait du hasard.

Dans le genre littéraire très spécial constitué par
les paraboles, elles équivalent à un enseignement
formel, formellement voulu par le paraboliste. Il
est vrai, nous manquons de base pour apprécier la
durée de l'absence, à plus forte raison sa valeur
symbolique. L'absence a dû être de quelques années.
Que sera celle du divin Maître? D'autres documents
évangéliques projetteront quelque lumière sur un
sujet qui est systématiquement tenu dans la pénom-
bre, sinon dans les ténèbres, et pour les raisons que
l'on connaît.

Quelle que soit l'importance de cette leçon, nous
avons l'impression très nette que l'intention du
paraboliste se porte et s'arrête de préférence sur un
autre sujet : le mérite ou le démérite de chaque fidèle
qui recevra une rétribution de béatitude ou un
châtiment proportionné à ses actions. C'est la
deuxième leçon, la plus importante tant pour le
dogme que pour la morale.

Les mines et le prétendant à la royauté

(saint Luc, XIX, 11-27)

¹¹ Comme ils écoutaient ces choses, [Jésus] ajouta une parabole, parce qu'il était près de Jérusalem et qu'ils s'imaginaient que le royaume de Dieu allait apparaître tout d'un coup. ¹² Il parla donc : *Il y avait un homme de haute naissance qui s'en allait au loin recevoir l'investiture de la royauté pour revenir ensuite.* ¹³ Ayant appelé dix de ses serviteurs, il leur remit dix mines avec cette recommandation : Faites-les valoir jusqu'à mon retour. ¹⁴ *Mais ses concitoyens le haïssaient, et ils envoyèrent une ambassade derrière lui, chargée de dire : Nous ne voulons pas de celui-là pour roi.*

¹⁵ Et il advint, quand il fut de retour, *investi de la royauté,* qu'il fit appeler ses serviteurs auxquels il avait remis son argent, pour savoir ce qu'ils en avaient retiré chacun. ¹⁶ Le premier se présente donc, disant : Seigneur, votre mine a rapporté dix mines. — Et lui de répondre : Très bien, bon serviteur, parce que tu as été fidèle en une chose de rien, *reçois le gouvernement de dix villes.* ¹⁸ Puis vint le second qui dit : Votre mine, Seigneur, a produit cinq mines. — ¹⁹ Et lui de répondre à celui-là : Et toi, *sois gouverneur de cinq villes!* — ²⁰ Enfin le troisième arrive disant : Seigneur, voici votre mine, que j'ai tenue serrée dans un linge. ²¹ Car j'avais peur de vous, parce que vous êtes un homme sévère : vous prenez ce que vous n'avez pas mis en dépôt, vous moissonnez ce que vous n'avez pas semé. — ²² Il repartit : Ta propre bouche te condamne, mauvais serviteur! Tu savais que je suis un homme sévère, prenant ce que je n'ai pas mis en dépôt, moissonnant ce que je n'ai pas semé. ²³ Pourquoi donc n'avoir pas mis mon argent à la banque? A mon arrivée, je l'aurais levé avec ses intérêts. ²⁴ Il dit aux assistants : Enlevez-lui sa mine et la donnez à qui a déjà

dix mines. [²⁵] ²⁶ Je vous le dis, à celui qui a, il sera donné ; mais celui qui n'a pas, on lui ôtera même ce qu'il a. ²⁷ *Quant à mes ennemis qui ne voulaient pas de moi pour roi, amenez-les ici et les égorgez en ma présence.*

Circonstances du récit. — A la différence de saint Matthieu qui n'a pas encadré sa parabole *des talents*, saint Luc assigne *aux mines* un contexte à la fois topographique et moral. Le renseignement topographique nous apprend en quel endroit fut dite la parabole ; le renseignement moral précise quelles étaient alors les dispositions des auditeurs.

Jésus montait de Jéricho où il avait rendu la vue à l'aveugle et converti Zachée. Il approchait de Jérusalem. Peut-être était-il alors arrêté à l'antique *fontaine du soleil*, aujourd'hui la *fontaine des apôtres*, dernière étape de la route poudreuse, avant la rude montée de Béthanie. Ou peut-être, la montagne gravie, s'était-il assis sur la dernière esplanade, tout proche de Béthanie, pour contempler le paysage du Jourdain et de la Transjordanie en reprenant haleine.

L'heure n'était pas cependant à la contemplation poétique de la nature. Les dispositions de ses compagnons de voyage préoccupaient le Maître. *Ils s'imaginaient que le royaume de Dieu allait apparaître tout d'un coup.* Comment ? Ils eussent été en peine de le dire. Ce qui est certain, c'est qu'ils s'attendaient à quelque événement sensationnel. Il y avait du mystère dans l'air et de grandes espérances. Ils le savaient tous maintenant, Jésus était un thaumaturge extraordinaire, tel qu'il éclipsait ceux des siècles prophétiques. N'était-il pas aussi le Messie ? S'il montait à Jérusalem, il s'y passerait sûrement quelque chose. L'effervescence messianique autour de Jésus rappelait, si elle ne la dépassait, celle qui s'était produite autour de Jean-Baptiste dans le district du Jourdain.

Il était temps d'endiguer cet enthousiasme en le ramenant aux justes proportions de la réalité.

Saint Luc affirme que la parabole avait pour but de calmer cette effervescence.

I. — Tableau

Investiture. — *Il y avait un homme de haute naissance qui s'en allait au loin recevoir l'investiture de la royauté pour revenir ensuite.* Les auditeurs étaient familiarisés avec cette idée d'investiture royale à recevoir au loin, à l'étranger. Rome faisait et défaisait à son gré les roitelets d'Orient, et ceux-ci devaient acheter leur précaire royauté au prix d'une indispensable humiliation : ils devaient se rendre à Rome et recevoir l'investiture de l'empereur et du sénat. L'histoire contemporaine était remplie de ces ambassades et contre-ambassades, car il n'était pas rare que le candidat à la royauté fût contrarié dans ses ambitions par des adversaires prêts à tout pour l'écarter. L'an 40 avant J.-C., Hérode le Grand était allé recevoir l'investiture royale d'Octave, d'Antoine et du sénat. L'an 4 avant J.-C., son fils Archélaüs partait à son tour pour Rome, dans l'espoir d'en revenir roi : il n'en revenait que tétrarque, et il avait eu à se défendre contre deux contre-ambassades de ses ennemis. Un peu plus tard, l'an 39 de notre ère, Hérode Antipas, le meurtrier du Précurseur, refera le même voyage en pèlerin de la royauté, et celui-là, contrarié également par l'ambassade de ses adversaires, ne reverra plus sa tétrarchie.

Les auditeurs des paraboles s'intéressaient fort

aux démarches lointaines des candidats à la royauté.

Remise du dépôt. — Avant de partir, le prétendant convoque dix de ses serviteurs et leur confie à
chacun une mine avec la recommandation expresse
de la faire valoir jusqu'à son retour.

Nous ne pouvons pas aller plus loin sans mentionner les *incohérences* prétendues de cette histoire —
le mot, naturellement, est de Loisy (ii, 466). « La
disproportion est sensible entre le rang du personnage et la somme qu'il distribue : que la mine en
question soit la monnaie grecque de ce nom, ou
l'ancienne monnaie hébraïque, la somme est chétive
pour un roi, et la recommandation de faire valoir
un si médiocre capital convient peu à sa dignité »
(*ibid.*, 468). Et pourquoi convoquer dix serviteurs et
leur partager le modique capital? N'aurait-on pu le
confier à un seul, à celui qui présentait le plus de
garanties? Émietter ainsi la somme, n'était-ce pas
augmenter les chances d'insuccès partiel, et diminuer la valeur productive d'un capital qui, resté
intact, aurait eu une plus grande capacité de
rapport?

A ces objections on peut répondre en montrant
la concordance parfaite de la parabole avec la réalité.
« L'homme noble qui a sans doute de très nombreux
esclaves, en prend dix, surtout pour éprouver leurs
dispositions, et confie à chacun une somme égale,
peu considérable, suffisante cependant pour exercer
leur activité. Chacun des deux thèmes (de saint
Matthieu et de saint Luc) a sa vraisemblance. Peut-
être le chiffre de trois est-il primitif, comme le disent
les critiques... Le chiffre de dix convenait mieux
pour un noble qui préparait les fonctionnaires
pour sa royauté future... » (Lagrange, 493).

De telles réponses suffisent-elles à dissiper l'im-

pression de malaise produite par les objections? On
peut toujours discuter sur les convenances des
sommes et des chiffres. Il reste que, du point de vue
purement historique, on s'explique difficilement
qu'un prétendant confie une somme si modique à
un si grand nombre de serviteurs.

La vraie solution semble être dans l'intention
allégorique de l'histoire. Les PP. Valensin et Huby
ont vu juste : « A travers l'allégorie transparaît la
pensée de Jésus. Elle ne s'attarde pas à une évocation du passé; si elle fait allusion aux mœurs du
potentat oriental ou aux spéculations financières de
l'époque, elle n'a pour but ni de les approuver ni de
les décrire. *Elle ne prend de ces faits que ce qui
soutient l'image* » (340).

Encore l'image est-elle accommodée aux exigences
de la réalité supérieure que Jésus veut illustrer. Le
maître en partance appelle dix serviteurs. La traduction du P. Lagrange est excellente : *Ayant appelé dix
serviteurs qu'il avait*, καλέσας δὲ δέκα δούλους ἑαυτοῦ. Le
texte aurait pu dire avec plus de clarté : *ayant appelé
ses dix serviteurs, ayant appelé ses serviteurs qui
étaient au nombre de dix...*

Dans la réalité, il serait anormal qu'un voyageur
distribuât en dix petites parts la somme de dix
mines, moins de mille francs; dans une allégorie,
cette distribution est parfaitement justifiée, car elle
signifie que chaque fidèle reçoit un don à faire
valoir, avec l'obligation d'en rendre compte un
jour. — Dans la réalité, il serait disproportionné
qu'un prétendant confiât à chacun de ses fondés de
pouvoir une somme dérisoire; l'allégorie rétablit
la proportion par la valeur spirituelle qu'elle confère
à ce dépôt métaphorique. « Peu de chose en apparence. En réalité c'est le don divin de la vérité et de

la grâce, don offert au monde par Jésus-Christ » (Valensin-Huby, 338).

Que le prétendant entreprenne ce lointain voyage pour aller recevoir l'investiture de la royauté, la vraisemblance de l'histoire se double ici encore d'une intention allégorique. Le prétendant, c'est Jésus, qui retourne à son Père, pour recevoir de ses mains l'investiture de la royauté universelle; quand il reviendra, ce sera pour la solennelle et générale reddition des comptes au jour de la parousie.

Nous pouvons poursuivre le récit. Bien que le texte ne le précise pas, chacun des dix serviteurs reçoit en dépôt une mine. Tous du moins entendent l'ordre formel du maître : *Faites-les valoir jusqu'à mon retour.* L'époque du retour n'est pas déterminée. Assurément le voyage prendra un certain temps, puisqu'il se fait en pays éloigné; puisque les serviteurs sont censés avoir toute facilité de faire valoir le dépôt; puisque quelques-uns trouvent le temps de quintupler, voire de décupler la somme reçue. Notons cette insistance à marquer l'intervalle — un intervalle qui peut être considérable — entre le départ et le retour, entre la remise du dépôt et la reddition des comptes.

Opposition des ennemis. — Sur la trame du récit un incident se greffe. Comme il arrive en pareil cas, surtout en Orient, le prétendant avait des ennemis qui, son projet connu, essayèrent de le contrecarrer. Le projet du prétendant étant public, les adversaires semblent également jouer franc jeu. *Mais ses concitoyens le haïssaient, et ils envoyèrent une ambassade derrière lui, chargée de dire : Nous ne voulons pas de celui-là pour roi.* Il est étrange que les concitoyens soient représentés en bloc comme haïssant le prétendant. Sur le plan de l'histoire, un aspirant au trône a toujours ses partisans, souvent plus nombreux que les adversaires, faute de quoi il ne saurait se frayer le chemin du trône. Dans notre récit, ne dirait-on pas qu'en dehors des serviteurs, tous les citoyens haïssent le prétendant et s'efforcent de lui nuire? Passe encore que l'opposition n'ait pas gain de cause auprès de la puissance étrangère qui confère le pouvoir. Mais quand le nouveau roi revient, qui donc, en dehors de ses dix serviteurs, va soutenir sa jeune royauté? Et comment le roi peut-il donner au petit groupe des serviteurs l'ordre d'appréhender ses ennemis et de les égorger, si ses ennemis sont tous ses concitoyens, peut-être même la masse de ses sujets?

La réalité supérieure de l'allégorie peut seule avoir raison de ces difficultés sans cesse renaissantes. Il est évident que les ennemis du prétendant ne sont autres que les Juifs. Il est donc exact de dire que ses concitoyens le haïssaient et contrecarraient ses projets de domination spirituelle. Mais, à son retour, c'est-à-dire à sa parousie, le roi solennellement intronisé aura qui le délivre de ses ennemis et leur règle leurs comptes. Nous connaissons par d'autres paraboles le nom propre des serviteurs : ce sont les anges, exécuteurs des ordres du Fils de l'homme et qui rangeront chaque chose à sa place définitive.

Reddition de comptes. — Malgré l'opposition de ses ennemis, le roi reçut l'investiture, revint en son pays, et tout de suite, car la parabole rapide ne s'occupe que de cela, *il fit appeler les serviteurs à qui il avait remis son argent, pour savoir ce qu'ils en avaient retiré chacun.*

Il est étrange de constater que, sur les dix serviteurs, il n'en paraît que trois pour rendre compte, et même que les dix semblent effectivement se réduire à trois. On les appelle *le premier, le second* et *l'autre*. En tout état de cause, même si on avait eu l'intention d'énumérer les dix, le premier et le second (ὁ πρῶτος, ὁ δεύτερος) n'auraient pu être présentés que de cette manière. Mais *l'autre* aurait dû être présenté sous la rubrique *un troisième* ou *un autre* pour indiquer que la série n'était pas close, tandis qu'on l'appelle *l'autre* (ὁ ἕτερος), comme s'il était *le troisième et dernier*. Assurément il n'était pas besoin de faire comparaître les dix serviteurs pour apprendre de chacun le résultat précis de ses négociations. La manière rapide de saint Luc, non moins que le goût des lecteurs, se contentait de trois exemples typiques : les deux premiers serviteurs qui avaient heureusement négocié, quoique avec un bonheur inégal, l'autre qui n'avait su rien faire de son argent. Aussi bien la difficulté ne vient-elle pas du nombre restreint des figurants ; elle vient de ce que le troisième est présenté comme étant le dernier d'une série de dix.

La faute, toute littéraire, n'est pas grave. « Pourtant on ne peut supposer qu'un écrivain comme Lc. ait oublié qu'il avait parlé de dix. Mais dans une parabole les destinées individuelles importent moins que les situations ; or il n'y en avait que trois en vue : extrême diligence, diligence moyenne, inertie... » (Lagrange, 495). C'est à la fois la solution la plus subtile et la plus satisfaisante.

Le premier serviteur est tout heureux de proclamer que sa mine en a produit dix autres. Que fait-il présentement de toute cette somme, un millier de francs environ ? Ne la rend-il pas à son maître ? Intéressé comme il l'est, il est à présumer que le maître va se hâter de reprendre son bien... C'est le contraire qui se produit. L'heureux serviteur a l'air de garder le dépôt, car il est dit : *Enlevez-lui* (au paresseux) *sa mine* et la donnez *à qui a déjà les dix mines.* Il les avait donc gardées! Ceci ne peut s'expliquer une fois de plus que par l'allégorie : les mines représentent les dons de Dieu aux hommes; les hommes qui les ont reçus et fait valoir, les gardent, comme ils gardent les mérites personnels qui leur reviennent de cette plus-value.

Et lui de répondre : Très bien, bon serviteur, parce que tu as été fidèle en une chose de rien, reçois le gouvernement de dix villes. C'est le texte de saint Luc, qui semble avoir sur celui de saint Matthieu les plus sérieuses probabilités d'authenticité verbale. Le talent confié aux serviteurs de saint Matthieu était pour l'époque une somme considérable. Mais la mine était vraiment une *chose de rien* (ἐν ἐλαχίστῳ). Il nous plaît également que la récompense soit de quelque manière proportionnée au mérite du serviteur, et que celui qui a gagné dix mines reçoive le gouvernement de dix cités, au lieu d'être simplement promu à la commune joie de son Seigneur.

Le deuxième serviteur présentant une plus-value de cinq mines reçoit lui aussi le gouvernement de cinq villes.

Châtiment du paresseux. — Le troisième se trouve dans la même situation psychologique et morale que le mauvais serviteur de saint Matthieu. A quelques variantes près, il tient aussi le même discours. La différence la plus typique est que le serviteur au talent l'enfouit en terre, tandis que le serviteur à la mine la serre dans un linge. L'un et l'autre au demeurant également inexcusables. Le maître exige que son argent lui profite; c'est son droit. Et c'est le devoir strict du serviteur de chercher à le faire valoir. Il ne faut pas supposer que, si les affaires venaient à mal tourner, le maître se montrerait impitoyable pour le malheur. Mais il a raison de se montrer sévère pour la fausse bonne volonté, qui n'est qu'une mauvaise volonté mal déguisée.

L'impertinence fleurit avec la même naïveté autour de la mine stérile : *J'avais peur de vous, parce que vous êtes un homme sévère ; vous prenez ce que vous n'avez pas mis en dépôt, vous moissonnez ce que vous n'avez pas semé...*

La réponse est juste et sévère. Puisqu'il connaissait le caractère de son maître, c'était une raison de plus d'agir en conséquence. Au fond, sa conduite manque de bonne volonté autant que de loyauté. Le type du mauvais serviteur.

Il dit aux assistants : Enlevez-lui sa mine et la donnez à qui a déjà les dix mines. Ces assistants prêtent aux discussions habituelles entre exégètes. Les uns trouvent leur présence étrange : « *Les assistants* que Luc introduit inopinément parce qu'il a besoin d'eux pour l'exécution de l'ordre donné par le roi, sont des officiers de la cour, mais ils doivent se confondre avec les serviteurs... » (Loisy, II, 476) ; les autres trouvent leur présence naturelle : « Qu'il y ait des assistants, cela est en parfaite harmonie avec le caractère royal du Maître, toujours entouré de gardes prêts à accomplir ses volontés... » (Lagrange, 496). Nous pensons surtout que les assistants sont en parfaite harmonie avec le caractère allégorique de cette reddition des comptes. Les anges ne sont pas nommés ; mais tout le monde sait qu'à la parousie, le Fils de l'homme aura qui exécute les verdicts par lui prononcés.

Voici encore un échantillon des plaisanteries familières à certaine école. « Il (l'évangéliste) a oublié que... le premier serviteur possède onze mines, puisque la mine qu'il a reçue en a rapporté dix

autres... Le narrateur n'a pas remarqué non plus
que le don d'une mine était un bien petit cadeau
après celui de dix villes... » (Loisy, 476).

La première de ces plaisanteries touche à la facétie.
Le roi s'exprime à la façon populaire, laquelle
traduit la réalité d'après les apparences : ce qui a
frappé l'assistance, ce sont les dix mines de la plus-
value ; pour tout le monde ce serviteur est l'homme
aux dix mines. Il faut un esprit retors pour venir
dire : Pardon, cela faisait exactement onze...

La seconde plaisanterie oublie la valeur allégorique
de la mine, que Loisy lui-même a fort bien défini
« la grâce du christianisme » (468).

Justice ainsi faite, nous éprouvons le besoin de
relever le caractère *littéraire* de cette fin de parabole. Les théologiens savent que la béatitude d'un
élu ne peut s'accroître que des mérites personnels ;
dans l'ordre de la grâce, la mine ou le talent de l'un
ne peuvent se donner à l'autre. A la reddition des
comptes, la grâce des damnés ne passera pas aux
bienheureux et pas davantage le degré de gloire que
les malheureux auraient reçu dans la béatitude.
Récompenses et châtiments sont strictement régis
par le principe de la rétribution personnelle.

C'est pourquoi la scène du transfert de la mine ne
répond pas à une réalité métaphorique. Elle ne peut
avoir qu'une signification littéraire, tout au plus
parabolique : elle met en relief la magnanimité de
la récompense départie au serviteur fidèle, par
opposition à la sévérité qui dépouillera de tout le
serviteur négligent.

Ils lui dirent : Seigneur, il a dix mines. Cette
exclamation, si elle est authentique, a la même
signification : faire ressortir la grandeur de la
récompense, à ce point excessive qu'elle frappe d'éton-

nement ou de stupeur ceux qui en sont témoins...
Cependant quelques auteurs, avec Klostermann
(552), tiennent le verset pour inauthentique. Il
manque, non seulement à l'endroit parallèle de saint
Matthieu (xxv, 28-29), mais, en saint Luc, en divers
manuscrits : Bèze, ancienne latine, syriaque cure-
tonienne. L'argument le plus impressionnant, c'est
que la suite (v. 26) ne tient pas compte de ce verset;
elle se joint à ce qui précède (v. 24), sans la moindre
liaison, comme si ce verset n'existait pas. Il suffit de
relire le texte pour s'en apercevoir : *Enlevez-lui sa
mine et la donnez à qui a déjà les dix mines.* (Et ils
lui dirent : Seigneur, il a dix mines!) *Je vous le dis,
à celui qui a, il sera donné,* etc. Il n'y a que deux
explications possibles : ou bien le v. 25 est une
insertion due à quelque copiste de saint Luc,
insertion qui a connu la grande vogue des manuscrits,
encore qu'on ne voie pas pour quelle cause, ou bien
— si le verset est authentique — il doit être tenu pour
une parenthèse dans un discours qui l'ignore, telle
la réflexion *a parte* d'un personnage de scène dans
un dialogue.

La raison pour laquelle la mine du misérable est
donnée au serviteur généreux, est formulée en la
manière piquante des paradoxes : *A celui qui a, il
sera donné; mais à celui qui n'a pas, on ôtera même
ce qu'il a.* C'était une des maximes pittoresques que
le Sauveur aimait à répéter (Mt. xiii, 22 et par.).

Tout le châtiment de l'infidèle consiste en le
retrait de la somme qui lui avait été confiée. Mais la
colère du roi s'assouvit contre les mauvais concitoyens
qui avaient osé lui barrer le chemin du trône.
Séance tenante, ils sont amenés, et, sans autre
forme de procès, exécutés sous ses yeux.

II. — Application

Autant la parabole est d'une lecture facile, autant il nous paraît malaisé d'en dégager la pensée maîtresse. Essayons-le du moins, en tenant compte de toutes les données fournies par la parabole elle-même et par son introduction.

L'idée principale de la parabole est que tous les serviteurs doivent faire valoir le capital de leur maître. La rétribution est proportionnée au mérite ou au démérite personnel. Ni les bons ne sont récompensés de n'avoir rien fait, ni les méchants ne sont punis sans être coupables. Les bons sont récompensés de leurs bonnes œuvres, les méchants châtiés de leurs mauvaises actions. Aux uns et aux autres le temps est largement concédé pour qu'ils assument l'entière responsabilité des résultats. Donc rétribution consécutive et proportionnée aux mérites de chacun.

Si nous rappelons que, dans l'introduction, les disciples s'attendaient à voir apparaître tout d'un coup le royaume de Dieu, nous pouvons essayer de ranger toutes ces particularités dans les deux membres d'une comparaison :

De même que les serviteurs à qui le maître avait confié son argent furent très largement récompensés de l'avoir fait valoir, proportionnellement à leurs mérites, ou punis de leur coupable négligence,

ainsi qu'on ne s'attende pas à voir le royaume des cieux descendre immédiatement tout fait, et s'ouvrir indistinctement à tout le monde. Le royaume est une récompense qui se gagne par un long travail personnel ; il arrive aussi qu'on en soit privé et que cette privation s'accompagne d'un sévère châtiment.

Et de même que les ennemis du roi furent condamnés à mort pour avoir essayé de lui barrer le chemin du trône,

ainsi seront punis ceux qui auront essayé de contrarier l'établissement du royaume.

Il suffit d'un coup d'œil, pour constater que la parabole contient deux leçons principales, l'une à l'adresse des serviteurs, l'autre à l'adresse des ennemis.

Aux serviteurs, c'est-à-dire aux apôtres et aux disciples, il était opportun de faire savoir que le royaume n'allait pas tomber du ciel tout fait, tout éclatant, sans le moindre retard. Il y aurait un notable délai, d'une durée indéterminée, peut-être indéfinie, puisque le roi partait au loin pour recevoir l'investiture et que le royaume serait seulement inauguré à son retour. Le royaume n'est pas un présent que l'on reçoit, ou un legs dont on hérite, passivement et sûrement. Il est une récompense qui se gagne équitablement par un travail personnel. Et s'il arrive que l'on démérite, non seulement on n'a pas de part au royaume, mais on est dépouillé du peu que l'on possédait.

En cela, l'allégorie concorde parfaitement avec le contexte historique qui la précède. L'allégorie n'est même si parfaite que parce qu'elle s'est conformée, dans la suite de ses métaphores, à la réalité spirituelle qui devait être inculquée aux disciples. Le maître qui part en voyage, c'est Jésus; les serviteurs sont les fidèles, de préférence les disciples; à chacun d'eux le maître confie des grâces à faire valoir, grâces de l'évangile et de tous les dons spirituels qui en découlent; l'obligation de rendre un jour le capital accru d'une plus-value est personnelle et inéluctable. Le retour du maître est sa parousie, accompagnée de

la reddition générale des comptes. La récompense
qui rétribue les opérations des serviteurs fidèles est
la béatitude, qui se proportionne aux mérites de
chacun. Le châtiment du serviteur infidèle sera son
éternelle privation. Nous avons déjà dit que le transfert de la mine improductive était un détail parabolique ou simplement littéraire.

A l'adresse des ennemis de Jésus l'histoire *du
prétendant* est également allégorique. Le prétendant,
c'est Jésus; son retour triomphal, après l'investiture de la royauté, c'est sa parousie à la fin des
temps, et peut-être toute autre manifestation de sa
puissance, par exemple lors de la catastrophe nationale de 70. Le châtiment des juifs hostiles et
obstinés sera consommé par la réprobation finale,
sans exclure — mais ceci n'est pas formellement
exprimé — les massacres qui accompagneront la
ruine prochaine de Jérusalem sous Titus, ou les
hécatombes du deuxième siècle sous Adrien.

III. — Le prétendant a la royauté

Bon nombre de commentateurs ont coutume d'interpréter la parabole *des mines,* telle qu'elle se présente, comme un seul tout, sans se demander si cette
unité ne serait qu'apparente et si les éléments qui
la constituent ne seraient pas effectivement hétérogènes. Pressentant les difficultés d'une telle interprétation, ils s'en tirent comme ils peuvent, plutôt
mal que bien, et cette magnifique parabole, l'un
des chefs-d'œuvre de l'évangile, continue à travers
les siècles d'être une pierre d'achoppement pour
l'exégèse.

Les difficultés sont indéniables. Elles viennent,
hâtons-nous de le dire, de ce que, au lieu d'une

parabole, nous en avons deux : deux paraboles, non plus juxtaposées, comme dans *les serviteurs* et *le maître vigilant, l'intendant* et *le serviteur infidèle, le festin de noce* et *la robe nuptiale, la vigne* et *la pierre d'angle,* mais agglomérées et fondues comme dans le *festin de noce.* L'une de ces paraboles est complète, magnifiquement développée, on l'a toujours désignée sous le vocable *des mines;* l'autre, perdue et cachée dans la précédente, privée de sa personnalité et de son caractère, ignorée ou méconnue, n'est en réalité qu'une ébauche ou un résidu de parabole : nous proposons de l'intituler *le prétendant à la royauté.*

Donnons succinctement les raisons qui nous permettent de croire à l'existence de cette deuxième parabole en miniature et à sa distinction d'avec *les mines.*

1. Il est aisé de se rendre compte que, sur le fond de l'histoire des mines, se détache une autre histoire, celle *du prétendant à la royauté,* dont la brève narration se poursuit parallèlement à la première. Dans l'état actuel du texte, les éléments en sont épars et distants. Mais il suffit de les rapprocher pour constater qu'ils se rejoignent et s'emboîtent comme les parties d'un même tout, décompte fait de quelques lacunes, qui résultent de la fusion avec la grande parabole *des mines. Il y avait un homme de haute naissance qui s'en allait au loin pour recevoir l'investiture de la royauté et revenir ensuite* (12). *Mais ses concitoyens le haïssaient et ils envoyèrent une ambassade derrière lui, chargée de dire : Nous ne voulons pas de celui-là pour roi* (14). *Et il advint, quand il fut de retour, investi de la royauté... Reçois le gouvernement de dix villes* (17)... *Et toi, sois gouverneur de cinq*

villes (*19*)... *Quant à mes ennemis qui ne voulaient pas de moi pour roi, amenez-les ici et les égorgez en ma présence...* (27).

On n'aura pas de peine à combler les lacunes du milieu. Nous sommes portés à lire : *Et il advint, quand il fut de retour, investi de la royauté, qu'il récompensa ses serviteurs et amis restés fidèles en leur distribuant les cités de son royaume. Quant à mes ennemis,* et la suite.

En regard on éprouvera le besoin de relire d'un trait les éléments qui constituent la seule parabole *des mines.* Ils se résument en ceci : *Un homme riche partait pour un lointain voyage, se promettant de revenir quelque jour. Avant de partir, il confie son argent à ses serviteurs, à charge de le faire valoir. Il revient longtemps après, demande à chacun ses comptes, récompense les bons et châtie les mauvais, chacun selon son mérite.*

Qu'on le remarque bien, dans le texte actuel, les deux récits sont mêlés, mais non pas confondus. Indépendants pour le fond de l'histoire, ils le sont encore dans la forme et l'expression. Entre les phrases de l'un et de l'autre, on n'aperçoit aucune transition intérieure, aucune charnière joignant les deux pièces. Toujours la simple juxtaposition.

A une exception près. Dans le règlement des comptes, le maître gratifie les serviteurs fidèles d'un gouvernement de cités : le maître est donc également le roi?... — Toutefois une observation s'impose. L'expression correspondante en saint Matthieu est la métaphore audacieuse : *Entre dans la joie de ton Seigneur,* c'est-à-dire dans la béatitude du royaume. Ne semble-t-il pas que le texte de saint Luc a essayé de rendre la même réalité transcendante par une métaphore également hardie et non moins heureuse :

*Je vais te préposer au gouvernement de dix villes,
de cinq villes?* Métaphore qui était suggérée par
l'allégorie voisine *du prétendant;* mais qui appartient
aussi au fond parabolique le plus certain, puisque
l'intendant fidèle recevait la promesse d'*être préposé
à l'administration de tous les biens de son maître.*

A part cette rencontre parfaitement explicable, le
récit *des mines* et celui *du prétendant à la royauté*
restent juxtaposés et distincts.

Ces premières constatations suffiraient déjà à rendre
plausible l'hypothèse de deux paraboles différentes.

2. Si l'hypothèse de la fusion se vérifie, il est à
présumer qu'elle se laissera reconnaître à quelques
signes. Non certes que nous songions aucunement à
reprendre à notre compte les déclamations ironiques,
fatigantes et vaines, de certains critiques contre les
incohérences prétendues des paraboles et de l'évangile en général.

Nous croyons avoir suffisamment vengé *les mines*
du reproche d'incohérence. Pourtant, dans le cas
particulier qui nous occupe, et qui est semblable à
celui *du festin de noce,* s'il y a fusion des paraboles,
il ne serait pas surprenant que l'adjonction d'un
second récit dans une première narration créât
quelques situations particulièrement anormales.
Nous sommes assurés *a priori,* par le dogme de
l'inspiration et de l'inerrance, qu'aucun contresens
doctrinal ou littéraire n'aura été commis dans les
récits fusionnés de la sorte. Nous pouvons néanmoins
nous attendre à trouver ici ou là une certaine gêne
résultant du rapprochement de récits qui étaient
plutôt faits pour rester séparés.

Nous formulons ainsi notre deuxième preuve :
non seulement *les mines* ne subissent aucun dommage d'être par la pensée séparées *du prétendant;*

mais elles éprouvent du fait de cette séparation un allègement et une amélioration sensibles.

On connaît déjà les plaisanteries des critiques sur la modique somme confiée par le candidat royal à chacun de ses sujets. Nous proposions, pour écarter la difficulté, de recourir à une explication allégorique. Après quoi, il fallait cependant convenir que le geste en soi n'était guère royal. Dans l'hypothèse de deux paraboles primitivement distinctes et fondues ensemble, la difficulté s'évanouit d'elle-même. Le maître distribue son avoir parcimonieusement. Mais le maître n'est plus le roi, et ce qui choquerait chez un roi ou chez un candidat à la royauté, paraît moins étrange chez un simple propriétaire, dont le geste au surplus reste métaphorique.

Il est une autre difficulté qui résistait aux diverses tentatives de solution. Dans le texte actuel, qui met à mort les ennemis du roi, sinon ses serviteurs? Mais les serviteurs, n'étant qu'une poignée, une *dizaine* ou un peu plus, comment peuvent-ils appréhender et exécuter les ennemis, qui sont les concitoyens du roi, c'est-à-dire au moins les habitants de la capitale, et peut-être la masse des sujets? La difficulté disparaît dans la distinction des paraboles. Le maître et le roi sont deux personnages différents. Le maître châtie le serviteur mauvais en lui enlevant sa mine improductive, opération de tout repos qui ne soulève pas la moindre résistance. Le roi de son côté procède au châtiment de ses ennemis ; mais un roi a ses armées à sa disposition, comme nous le voyons dans *le festin de noce*. Aussi bien n'avons-nous pas à nous inquiéter des moyens dont il se sert pour l'exécution de ses royales vengeances dans ce résidu de parabole.

Si *les mines* se trouvent allégées et améliorées par

la séparation de la deuxième parabole, n'est-ce pas un indice significatif que l'adjonction était postérieure ?

3. Une autre raison en faveur de la distinction se tire du contexte historique : *Jésus ajouta une parabole, parce qu'il était près de Jérusalem et qu'ils s'imaginaient que le royaume de Dieu allait apparaître tout d'un coup.* Qui sont ces personnes qui s'imaginent ? Ce sont les apôtres, les disciples, ceux qui, de Jéricho à Jérusalem, lui font un cortège d'admiration et d'attente messianique ; des amis, des serviteurs fidèles qui seront d'autant plus heureux de la venue du royaume, qu'ils espèrent bien en tirer un profit personnel. Leurs rangs ne contiennent pas d'ennemis qui s'opposent à sa royauté. Les adversaires, dans l'évangile, sont toujours les grands d'Israël, pharisiens et sadducéens, jamais le groupe des disciples.

A ceux-ci Jésus adresse la parabole *des mines*. Mais la parabole *du prétendant* requiert un auditoire de pharisiens ennemis, et cette destination postule qu'elle ait été prononcée dans d'autres circonstances.

4. Faut-il ajouter que saint Matthieu ne connaît pas *le prétendant*, dont *ses talents* ne portent pas la moindre trace ? Concluons-en seulement que ces deux récits ne constituent pas un tout organique et indissoluble, puisqu'ils peuvent exister l'un sans l'autre.

Dira-t-on que saint Matthieu aurait pu disjoindre une partie du tout primitif aussi bien que saint Luc l'y ajouter ? — Nous répondrons qu'une fusion des deux paraboles, telle qu'elle se présente aujourd'hui dans saint Luc, se donne pour la compilation laborieuse d'un disciple plutôt que pour le travail

original et spontané d'un maître. En outre, vu la
gêne partielle que *le prétendant* introduit dans *les
mines* et la libération qui résulte pour cette parabole
rendue à son premier isolement, on n'aura plus de
peine à concéder que les deux paraboles sont différentes et qu'elles ont été prononcées par le divin
Maître en des circonstances distinctes.

L'évangéliste ou sa catéchèse les aura jointes en
raison d'une certaine analogie des sujets : reddition
des comptes et rétribution, d'après cette méthode de
synthèse historique, signalée par saint Augustin et
Maldonat, dont il semble bien que tous les évangélistes ont usé à diverses reprises.

IV. — LES TALENTS ET LES MINES SONT-ILS UNE MÊME PARABOLE ?

Maintenant que nous avons en main toutes les
données, nous pouvons aborder le problème réputé
le plus difficile peut-être de tout ce commentaire :
les talents de saint Matthieu et *les mines* de saint
Luc sont-ils une seule et même parabole, ou bien
deux paraboles différentes ?

Les partisans de *l'identité* font valoir les *ressemblances*. De part et d'autre un homme riche
confie son argent à ses serviteurs, pour qu'ils le
fassent valoir. A son retour il leur demande compte.
Ceux qui ont doublé leur capital, sont récompensés ;
celui qui se contente de le remettre intact, est châtié
pour ne l'avoir pas fait fructifier. L'excuse du
mauvais serviteur et la réprimande du maître, c'est-
a-dire tout un long développement de six versets,
sont énoncées en termes identiques. La morale finale
est encore la même, avec la même saveur para-

doxale : *A celui qui a, il sera donné ; mais celui qui n'a pas, on lui ôtera même ce qu'il a.*

Les partisans de la *distinction* insistent sur les *différences,* dont le détail, effectivement, fait impression. Différence de temps : les *mines* sont dites le jour des Rameaux, les *talents* durant la semaine sainte. Différence de lieu : *les mines* sont dites sur le chemin de Jérusalem, *les talents* au Temple. Différences nombreuses de détails : dans saint Luc, un noble, prétendant au royaume, qui va recevoir l'investiture ; dans saint Matthieu, un riche quelconque. Là dix serviteurs qui reçoivent chacun une mine, ici trois qui reçoivent respectivement cinq talents, deux et un. Dans saint Luc, une mine en rapporte dix, et une autre cinq, et les heureux serviteurs reçoivent en récompense le gouvernement de dix et de cinq villes. Dans saint Matthieu le premier serviteur gagne cinq talents et le second deux ; l'un et l'autre semblent recevoir la même récompense, appelée *la joie du Seigneur.* Le serviteur négligent de saint Luc cache sa mine dans un linge, et celui de saint Matthieu dans un trou. Ajoutons que les menées de l'opposition royaliste et le châtiment des adversaires sont des traits propres au troisième évangéliste.

Entre ces deux opinions les Pères et les commentateurs se sont toujours partagés. A la suite de saint Chrysostome, plusieurs auteurs, Fillion, Knabenbauer, Schanz, Fonck, Plummer, pensent que les paraboles sont différentes. A la suite de saint Ambroise, Maldonat tient fortement pour l'unité, et son opinion est adoptée par la plupart des exégètes modernes. C'est aussi la nôtre.

A titre documentaire, voici le raisonnement de Maldonat : « Il paraît à peine croyable que le Christ,

à intervalles si rapprochés, ait proposé deux fois la
même parabole en des termes différents. Que saint
Luc lui assigne un autre lieu et un autre temps que
saint Matthieu, ce n'est point une chose nouvelle
que les évangélistes paraissent en désaccord sur les
circonstances de temps et de lieu, quand ils racontent
une chose en gros, sans tenir compte ni de l'ordre ni
du temps, *dum summae rei gestae, non ordinis ac
temporis rationem habent.* Il est à croire que le
Christ prononça cette parabole avant son entrée à
Jérusalem : saint Luc le dit; saint Matthieu ne le
dit pas, mais il n'y contredit point. Quant aux autres
points de désaccord apparent, les évangélistes
n'entendent pas rapporter les paroles du Christ,
mais reproduire le sens général de la parabole, et
le sens est le même, sous la diversité des formules,
en saint Luc et en saint Matthieu. Il est à présumer
que c'est saint Matthieu, de préférence à saint Luc,
qui reproduit les paroles du Sauveur, parce qu'il
était présent et qu'il semble rapporter toute la
parabole avec plus de netteté. Peut-être saint Luc,
parce que le Christ avait, dans une parabole précédente, comparé le royaume des cieux aux dix
vierges, a-t-il mis également ici le nombre dix.
Mais cela ne fait rien pour le sens. J'aimerais que
saint Augustin, dans son *de consensu evangelistarum,* eût exposé son avis là-dessus. Malheureusement il n'envisage pas la question... » (*saint Matthieu,* 496, 497 [1]).

Les commentateurs modernes ne retiennent pas
toutes les vues de Maldonat, mais ils se servent de
la même méthode. Le P. Lagrange a écrit ces lignes
très étudiées : «S'il faut concéder aux conservateurs
que le Christ a pu prononcer deux paraboles semblables, ils doivent concéder aux critiques que les

mêmes paroles ont été reproduites d'une façon assez différente par des traditions très autorisées. Ce qui importe uniquement c'est de n'attribuer ni à l'arbitraire des évangélistes ni à l'instinct de la tradition de véritables interventions qui changeraient le sens de la parabole et son explication » (*saint Luc*, 490, 491). Et un peu plus loin : « Si les deux paraboles ne comprenaient que ce qui est relatif aux mines et aux talents, personne sans doute ne refuserait de reconnaître l'identité, tant les circonstances accessoires dissemblables ont peu d'importance » (491).

Tel précisément pourrait être l'apport nouveau dans la solution du problème. Nous croyons avoir prouvé que *le prétendant à la royauté* était originellement distinct *des mines*. Il faut donc en faire abstraction dans la comparaison entre *les mines* et *les talents*. Du coup, la cause de l'identité se trouve en une situation avantageuse. Tant que les additions de saint Luc au texte *des mines* n'étaient pas reconnues comme des éléments empruntés, il planait sur la thèse de Maldonat et des modernes un malaise que ne parvenaient pas à dissiper les meilleures explications du monde. Si ces additions appartenaient au texte primitif, pourquoi saint Matthieu les aurait-il omises ? Si elles ne lui appartenaient pas, comment saint Luc aurait-il pu les y agréger ? On ne pouvait recourir en pareil cas à l'équivalence ou à la synonymie, car ces éléments de saint Luc représentaient indubitablement des faits nouveaux : l'investiture de la royauté, la haine et les manœuvres des concitoyens, leur mise à mort...

Mais puisque nous avons justifié l'origine et l'insertion de cette ébauche de parabole, en lui

restituant sa physionomie et sa signification, il
semble qu'il n'y ait plus à la thèse de l'identité d'obstacle irréductible.

Entendue dans ce sens, l'identité a toutes nos
préférences ; elle nous paraît même certaine.

V. — Essai de reconstitution de la parabole
primitive

Pour une fois, nous voudrions encore aller plus
loin. Si *les talents* et *les mines* ne sont qu'une seule
et même parabole, serait-il téméraire de s'essayer,
autant par piété que par curiosité scientifique, à en
retrouver les traits originaux sous la diversité partielle des formules évangéliques ?

Le voyageur était un homme riche, qui entre-
prenait un voyage personnel, d'agrément ou
d'affaires ; ce n'était pas un prétendant à la royauté.
Il convoquait ses serviteurs pour leur confier ses
biens. Il semble que le texte primitif ne mention-
nait que trois serviteurs : c'est le nombre de saint
Matthieu, et saint Luc qui en mentionne d'abord
dix ne fait plus état que de trois. Le voyageur confiait
à ses serviteurs des *mines* plutôt que des talents :
saint Matthieu insiste, disant que c'était une *chose
de peu* (ἐπὶ ὀλίγα), et saint Luc renchérit *une chose
de rien* (ἐν ἐλαχίστῳ). Mais un talent, dans les circonstances de la parabole, n'était pas une chose
de rien ni une chose de peu. Une mine, vraiment,
ce n'était rien, rien qu'une toute petite somme
dérisoire.

Il est plus difficile de déterminer si le maître
avait confié à chacun des serviteurs la même
somme, comme dans saint Luc, ou des sommes
différentes, comme dans saint Matthieu. Cependant

l'insistance de saint Matthieu semble significative :
*à l'un cinq talents, à l'autre deux, à l'autre un
seul, à chacun selon son pouvoir.* Ce dernier mot
surtout semble voulu Les bons serviteurs auraient
donc reçu en dépôt des sommes différentes et en
auraient retiré proportionnellement le même bénéfice, en sorte que la récompense aussi aurait été
proportionnellement la même, comme le marque
saint Matthieu : *Entre dans la joie de ton Seigneur.* Ce trait métaphorique semble lui aussi
primitif. Il aurait été remplacé dans la catéchèse
de saint Luc par la métaphore des villes, suggérée
par le contexte : *parce que tu as été fidèle en une
chose de rien, reçois le gouvernement de dix villes.*
Il était naturel que les serviteurs devinssent les
ministres ou les préfets du nouveau roi.

Sous le bénéfice de ces observations, avec une
très respectueuse liberté, nous proposerions un
essai de reconstitution originale.

*Cela ressemble à un homme qui, sur le point de
partir pour l'étranger, appela ses serviteurs et leur
confia son avoir. A l'un il donna cinq mines, à
l'autre deux, à un troisième une seule, à chacun
selon sa capacité, avec cette recommandation :
Faites-les valoir jusqu'à mon retour. Et il partit.
Aussitôt, celui qui avait reçu les cinq mines, s'en
fut les faire valoir et il en gagna cinq autres. De
même celui qui avait reçu les deux mines, en gagna
deux autres. Quant à celui qui n'en avait reçu
qu'une, il s'en alla la serrer dans un linge.*

*Longtemps après, arrive le maître de ces servi-
teurs et il leur demande compte, pour savoir ce
qu'ils en auraient retiré chacun. D'abord s'avance
celui qui avait reçu les cinq mines : Seigneur,
dit-il, vous m'aviez remis cinq mines : Voici cinq*

*autres mines que j'ai gagnées. Le maître de lui
répondre : Très bien, serviteur bon et fidèle! Tu as
été fidèle en une chose de rien, je vais te préposer à
de plus grandes : entre dans la joie de ton Seigneur.*

*A son tour s'avance celui qui avait reçu les deux
mines : Seigneur, vous m'aviez remis deux mines :
en voici deux autres que j'ai gagnées. Son maître
de lui dire : Très bien, serviteur bon et fidèle!
Entre toi aussi dans la joie de ton Seigneur. Enfin
le troisième arrive disant : Seigneur, voici votre
mine que j'ai tenue serrée dans un linge. Car
j'avais peur de vous parce que vous êtes un homme
sévère : vous prenez ce que vous n'avez pas mis en
dépôt, vous moissonnez ce que vous n'avez pas semé.
Il repartit : Ta propre bouche te condamne, mauvais
serviteur! Tu savais que je suis un homme sévère,
prenant ce que je n'ai pas mis en dépôt, moissonnant ce que je n'ai pas semé. Pourquoi n'avoir pas
mis mon argent à la banque? A mon retour, je
l'aurais levé avec ses intérêts! — Il dit aux assistants : Enlevez-lui sa mine et la donnez à qui a déjà
les dix mines. Je vous le dis : à celui qui a, il sera
donné, mais celui qui n'a pas, on lui ôtera même ce
qu'il a.*

Telles sont, pensons-nous, les données que l'on
pourrait regarder comme appartenant à la parabole
primitive. En passant sur les lèvres des catéchistes
de Jérusalem et d'Antioche, cette histoire a reçu
diverses explications ou accommodations. De cette
élaboration inévitable du texte primitif par la catéchèse avec l'assistance du Saint-Esprit, celui-là seul
pourrait s'étonner qui n'aurait pas observé les
notables divergences qu'a reçues un même texte
primitif en passant par des milieux catéchétiques

différents, par exemple *les béatitudes, le Pater, la formule de consécration du vin*. La divergence des formules dans *les talents* et *les mines* ne dépasse pas la moyenne habituelle des variantes évangéliques. La différence la plus notable, en saint Luc, vient de la fusion de la parabole *du prétendant*. Un prétendant au trône a généralement de nombreux serviteurs : voilà pourquoi, ici, on lui en donne dix. Un roi est à même de distribuer à ses fidèles sujets les fiefs de son royaume : voilà pourquoi les serviteurs reçoivent en récompense l'administration des cités. Il est à croire aussi que le châtiment réservé au mauvais serviteur a été omis à cause de l'exécution générale qui était faite des ennemis du roi. Saint Luc tenait à marquer que les serviteurs reçoivent un dépôt individuel qu'ils ont à faire valoir et dont ils auront personnellement à rendre compte. Il tenait également à spécifier que la récompense, essentiellement la même pour tous, se diversifie proportionnellement aux mérites de chacun.

La seule modification notable que le texte de saint Matthieu ait subie concerne les talents. Il y avait lieu de craindre que le dépôt de quelques mines ne fût jugé une somme dérisoire. L'appréhension devait surtout se faire jour à l'occasion du mauvais serviteur. N'avoir laissé improductive qu'une mine et, pour cela, être condamné à la géhenne! Peut-être quelque auditeur naïf en avait-il fait la remarque publiquement! En tout cas elle pouvait être faite; et dans la bouche d'un adversaire, elle prendrait une couleur d'ironie et d'amertume. En mettant un talent à la place d'une mine, on échappait à l'objection, tout en conservant aux formules attribuées au Maître l'équivalence ou la

synonymie dont une catéchèse n'avait pas le droit
de se départir.

Quoi qu'il en soit de la valeur de ces hypothèses,
l'unité de la parabole, entrevue par la tradition,
affirmée par Maldonat et bon nombre de critiques
modernes, nous a paru postulée par l'étude exégétique : sous l'une et l'autre rédaction, la même histoire primitive est fidèlement conservée.

II

Les devoirs des sujets du Royaume

Le juge inique

(saint Luc, XVIII, 1-8)

¹ Et il leur proposait une parabole sur la nécessité de toujours prier et de ne jamais se lasser. ² Il y avait un juge dans une ville, qui ne craignait point Dieu et n'avait point égard aux hommes. ³ Il y avait aussi une veuve dans cette même ville, et elle venait lui dire : Faites-moi justice de mon adversaire. ⁴ Et de longtemps, il n'y consentit point. Après quoi cependant, il se dit en lui-même : Encore que je ne craigne pas Dieu et que je n'aie point égard aux hommes, ⁵ néanmoins, parce que cette veuve m'importune, je lui ferai justice, de peur que, par ses démarches incessantes, elle ne me rompe la tête.

⁶ Le Seigneur ajouta : Entendez bien ce que dit ce juge inique. ⁷ Et Dieu ne ferait pas justice à ses élus qui crient vers lui jour et nuit et il tarderait à leur égard? ⁸ Je vous dis qu'il leur fera justice promptement.

Seulement quand le Fils de l'homme viendra, trouvera-t-il la foi sur la terre?

I. — Tableau

Essayons d'abord de bien comprendre le récit.

Le juge. — *Il y avait un juge dans une ville, qui ne craignait point Dieu et n'avait point égard aux hommes.* — Il est inutile de se demander dans quelle ville le fait en question se passe, encore moins de quel juge il s'agit. L'histoire est tout à fait anonyme; c'est un de ces récits populaires commençant par la formule magique : *il y avait une fois,* qui a toujours le don d'éveiller l'attention des enfants, grands et petits. Ces paraboles rachètent par leur vérité

psychologique ou morale ce qui leur manque du
côté de la vérité historique. Ce sont des faits qui
n'ont jamais eu lieu et qui néanmoins se passent
partout.

Le juge de la parabole *ne craignait pas Dieu*.
Cette expression n'a de commun que les mots avec
l'expression analogue οἱ φοβούμενοι ou σεβόμενοι τὸν θεόν,
qui revient si fréquemment dans les Actes des
Apôtres pour désigner les prosélytes de la synagogue,
originaires de la gentilité. Ce juge n'était ni prosélyte
ni gentil; tout porte à croire qu'il était juif; « s'il
avait été un païen, Jésus lui aurait-il reproché de ne
pas craindre Dieu, le seul vrai Dieu? » (Lagrange,
469). Mais c'était un mauvais juif qui manquait au
premier précepte du décalogue. Sans nier l'existence
de Dieu, il vivait en athée, comme si Dieu n'eût pas
existé, attendu qu'il ne le craignait point.

Conséquence de cet athéisme pratique, il ne
craignait pas davantage les hommes; il n'avait pas
égard à la qualité de ses clients, fussent-ils sans
appui. Ni la veuve ni l'orphelin n'avaient le don de
l'émouvoir; il agissait envers eux suivant le caprice
du moment, ou même n'agissait pas du tout.

La veuve. — Précisément, dans la même ville, il
y avait une veuve. Ce mot de *veuve* qui revient si
souvent dans la Bible évoque l'idée des charges
multiples nécessitées par l'éducation d'enfants en
bas âge et la gestion des biens et, en même temps,
l'idée du deuil, de la faiblesse, de l'isolement. Une
veuve n'a plus d'amis, car trop souvent les amis de
la famille deviennent, à la mort du chef, les com-
pétiteurs rapaces de l'héritage des enfants. Elle n'a
plus pour elle que ses larmes et son obstination
maternelle : telle la veuve Respha défendant seule
les cadavres de ses fils contre les oiseaux du ciel et

les bêtes des champs. La veuve de la parabole était
obstinée.

Elle se rendait fréquemment (ἤρχετο) chez le juge,
le priant de prendre en main sa cause contre sa partie
adverse et de lui faire justice. Car elle avait une
affaire engagée. Un autre mauvais Israélite, qui
n'avait pas plus que le juge la crainte de Dieu,
profitait sans doute de l'occasion pour essayer
de lui extorquer son avoir. Dans une situation
pareille, une veuve a recours à la justice. Que
ferait-elle seule contre un homme avide pour qui
tous les moyens sont bons? Autant la partie adverse
a d'intérêt à régler ces sortes d'affaires en dehors
des tribunaux, autant la veuve souhaite que sa
cause soit appelée. Tout délai ne fait qu'aggraver la
situation. De là, ces instances réitérées auprès du
juge.

Certains exégètes, se fondant du reste sur le sens
plausible des mots, émettent l'idée étrange que la
veuve demandait vengeance. « La femme ne demande
pas seulement qu'on empêche son ennemi de lui
nuire, mais qu'on le punisse pour le mal qu'il lui a
fait » (Loisy, ii, 184, après Jülicher). Cette situation
manque de vérité. La femme cherche à se défaire de
l'étreinte d'un adversaire impudent; elle a bien
autre chose à faire en ce moment qu'à se procurer
le luxe d'une petite vengeance surnuméraire.

Longtemps (ἐπὶ χρόνον), le juge refusa de l'écouter.
Il semblait même ne pas vouloir s'occuper d'elle. Il
n'affectait pas un simple retard de procédure; il ne
recourait pas au procédé facile des délais indéfinis
qui font le désespoir des clients de la justice orientale. Visiblement, la femme se butait à un mauvais
vouloir. Le juge avait-il reçu quelque présent de la
partie adverse pour laisser l'affaire traîner en

longueur? Ou bien, parce que la veuve était pauvre et n'avait rien à lui offrir, manquait-il de raison déterminante pour ouvrir le procès?

Comme la femme poursuivait ses vives instances, le juge se dit : *Encore que je ne craigne pas Dieu et que je n'aie point égard aux hommes, néanmoins, parce que cette veuve m'importune, je lui ferai justice, de peur que, par ses démarches incessantes, elle ne me rompe la tête.* Voilà pour quel motif le juge se résout à son devoir! Il ne sort de son inaction que parce que son abstention prolongée lui vaudrait encore plus d'ennuis : cette femme l'importune, elle le fatigue; à la longue, si elle continue, elle finira par lui rompre la tête (ὑπωπιάζῃ με). Le verbe grec signifie étymologiquement *frapper sous l'œil* (ὑπό, ὦψ, πιάζω); c'est un terme de pugilat dont saint Paul, qui s'y connaissait, se sert pour caractériser la lutte contre son corps (I Cor. IX, 27).

Le juge redoute-t-il que la veuve excédée ne vienne à des voies de fait contre sa personne? C'est l'exégèse mise en circulation par des auteurs de marque (Godet, Bruce, Jülicher, Loisy), qui l'estiment nécessaire pour ménager la gradation du récit : la veuve est déjà importune, elle finira par des coups.

Comme la supposition manque tout de même d'élégance, les auteurs précités essayent de la tempérer. Ils disent : « Il y a dans cette parole une teinte de plaisanterie » (Godet, cité par Bruce). « Le juge raisonne son cas avec un parfait scepticisme et une pointe d'ironie » (Loisy, 185).

L'ironie supposée ne compense pas le manque énorme de psychologie. Le *geste* d'une veuve frappant un juge au visage ne déparerait pas un roman-feuilleton ou une scène de cinéma, au vingtième siècle. Il n'est pas vraisemblable au

premier siècle de notre ère, en Orient. Notre parabole ne s'en accommode pas.

Nous continuerons donc à regarder cette expression comme une métaphore dans le sens de *pocher
un œil à quelqu'un, lui rompre la tête.*

La gradation nous semble ainsi parfaitement
gardée : à force d'instances et d'importunités, la
veuve finira par rompre la tête au juge. Il n'y a
teinte d'ironie ni de plaisanterie dans le monologue
du magistrat ; de l'exagération ou de l'hyperbole, à
peine. S'il n'a pas à redouter les coups, il n'a que
trop de raisons de craindre — connaissant les gens
de sa race — l'obstination de sa cliente.

Les autres mots de cette fin de phrase (v.5ᵇ) offrent
tous quelque difficulté d'interprétation. Toute chose
pesée, la correction grammaticale postule, semble-
t-il, que soit reconnu à εἰς τέλος, *in novissimo*, le sens
de *jusqu'au bout, jusqu'à la fin*, et que cette locution
soit reliée au mot suivant ἐρχομένη, *veniens* : « De
peur qu'*elle ne vienne jusqu'au bout* me rompre la
tête » (Valensin-Huby et Lagrange). — Cette
traduction est bonne. J'y souhaiterais cependant
une nuance de plus : c'est par ses démarches réitérées et prolongées *jusqu'au bout* — sans doute
jusqu'au bout de l'affaire — que la veuve menace de
rompre la tête à ce juge apathique : εἰς τέλος ἐρχομένη,
c'est le moyen ; ὑπωπιάζῃ με, c'est le résultat ou la fin.
Je propose donc de traduire : *de peur que, par ses
démarches incessantes, elle ne me rompe la tête.*

Le motif n'était pas noble. Mais il ne regardait que
le juge. La veuve se contente du résultat, abstraction
faite du motif. Il va de soi que le juge finit par passer
du projet à l'exécution en jugeant la cause de la
veuve et en lui rendant justice.

Les élus. — Telle est la parabole. Notre-Seigneur

la fait suivre immédiatement de son application. *Écoutez bien ce que dit ce juge inique. Et Dieu ne ferait pas justice à ses élus qui crient vers lui jour et nuit, et il tarderait à leur égard!* Le mot *élus* n'a ni dans l'évangile, ni dans le reste du Nouveau Testament, la nuance théologique qui l'oppose aujourd'hui aux *réprouvés.* Ce terme implique surtout l'idée de privilégiés, d'amis, de fidèles. Ce sont les serviteurs de Dieu, ceux qui l'aiment et le craignent. Dans ce sens, tous les chrétiens sont *élus,* de même que, dans le langage de saint Paul, tous les fidèles sont *saints.* On ne suppose pas que ces privilégiés puissent déchoir de leur état. Si ce malheur arrivait, cet accident n'infirmerait pas la thèse générale. Jusqu'à preuve du contraire, tous bénéficient des avantages de leur état ou de leur catégorie; ils sont, par définition, des sanctifiés, des saints, des élus.

Ces élus ont à souffrir de nombreuses injustices, ils sont dans l'angoisse. Ne pouvant recourir aux tribunaux de la terre, qui sont impuissants ou hostiles, ils s'adressent directement à Dieu qu'ils ne cessent jour et nuit d'assiéger de leurs clameurs. Puisque le juge inique finit par accéder à la requête de la veuve, à plus forte raison, Dieu, qui est Père — et quel Père! — se laissera-t-il toucher par la prière obstinée de ses amis!

Que demandent-ils? leur délivrance ou le châtiment de leurs ennemis? Le P. Lagrange dit très bien : « Ils sont dans l'angoisse, et il serait étrange qu'ils pensent moins à leur délivrance qu'à la punition de leurs ennemis, lesquels, d'ailleurs, ne sont pas nommés » (471). Ils demandent donc la délivrance de leurs maux comme le faisait la veuve, leur situation ne comportant pas un projet de vengeance.

La première partie de ce v. 7 est ainsi parfaitement intelligible : *Et Dieu ne ferait pas justice à ses élus qui crient vers lui jour et nuit!* La seconde partie est beaucoup moins claire dans le texte original, dont elle rompt visiblement la suite grammaticale. Il est nécessaire de citer la phrase grecque en son entier : Ὁ δὲ θεὸς οὐ μὴ ποιήσῃ τὴν ἐκδίκησιν τῶν ἐκλεκτῶν αὐτοῦ τῶν βοώντων αὐτῷ ἡμέρας καὶ νυκτὸς, καὶ μακροθυμεῖ ἐπ' αὐτοῖς; La phrase est difficile. Un traitement radical propose d'en éliminer toute la fin comme « une espèce de glose » (Jülicher, II, 288). La glose aurait été introduite là de très bonne heure par un lecteur de saint Luc, familiarisé avec le tableau de Dieu-Juge dans l'Ecclésiastique (XXXII (XXXV), 15-26, surtout vv. 21-23) — qui développe précisément la même pensée avec les mêmes expressions : καὶ ὁ κύριος· οὐ μὴ βραδύνῃ οὐδὲ μὴ μακροθυμήσει ἐπ' αὐτοῖς. — Cette insertion savante paraît tout à fait improbable. Un lecteur de l'Ecclésiastique, désireux de compléter le tableau de saint Luc, aurait transcrit littéralement l'hémistiche du Siracide οὐδὲ μὴ μακροθυμήσει ἐπ' αὐτοῖς, comportant — qu'on le note bien — la double négation initiale et le verbe au futur. Un glossateur n'aurait jamais songé à modifier ces deux particularités qui cadraient si bien avec le texte de l'évangile, d'autant plus qu'un changement de ce genre allait entraîner la rupture de la période grecque.

Un procédé moins radical mais plus raffiné consiste à faire de cette fin de verset une proposition subordonnée, au lieu d'une proposition principale, en coordination avec les cris des élus. Le P. Lagrange traduit de cette manière : « Et Dieu ne ferait pas justice à ses élus qui crient vers lui jour et nuit, *alors qu'il se montre patient à leur sujet?* »

Plus clairement, les PP. Valensin-Huby : « Et
Dieu ne fera-t-il pas justice à ses élus, *alors qu'ils
crient vers lui, jour et nuit, et que lui, à leur sujet,
[semble] temporiser?* » — Cette traduction fait un
effort louable pour tenir compte du verbe au présent,
mais aux dépens, croyons-nous, de la syntaxe et du
sens général. La syntaxe s'accommode-t-elle de cet
indicatif présent en coordination avec un participe
(βοώντων)? Et le sens général s'accommode-t-il de
cette remarque banale que Dieu *temporise,* alors
que la chose ressort en toute évidence de l'angoisse
des élus et de leurs cris? Les élus ne le savent que
trop, qu'il temporise. Ce qu'il leur importe d'apprendre, c'est que Dieu ne temporisera plus, et qu'il
va leur faire promptement justice, comme l'assure
le début du v. 8.

C'est pourquoi nous préférons la traduction plus
ordinaire (Fonck, Sáinz, Jülicher, Loisy, Klostermann) : *Et il tarderait à leur égard!* Si l'on
objecte que cette traduction ne tient pas compte de
la différence des temps (ποιήσῃ, aoriste, μακροθυμεῖ,
présent), nous pourrions alléguer que cette anomalie
— qui est réelle — répond peut-être à une exigence
de la pensée : « Dieu ne ferait pas justice à ses
élus et *il va encore tarder*, *à partir du moment
présent?* » Le traducteur grec de la parabole araméenne a pu être tenté de rendre par le présent cette
inaction divine qui pèse actuellement sur les élus
et menace de se prolonger, si la miséricorde divine
ne l'emporte.

Et puisque nous parlons de traducteur grec, pourquoi ne pas recourir — au cas où l'explication précédente serait jugée trop subtile — à une défectuosité
de la traduction? Wellhausen parlait « de mauvais
grec, de mauvaise traduction ou des deux à la fois »

(cité par Klostermann). Cela vaut toujours mieux que la glose de Jülicher, et même qu'une violente traduction grammaticale.

Le dernier verset de la parabole nous réserve une dernière difficulté. Jésus répond aux angoisses des élus : *Je vous dis qu'il leur fera justice promptement,* avec l'emphase de l'adverbe rejeté à la fin (ἐν τάχει). Après quoi, c'est le point final ; l'esprit satisfait n'attend plus rien.

Appendice. — Il y a cependant une addition, et c'est elle qui nous embarrasse. *Seulement, quand le Fils de l'homme viendra, trouvera-t-il la foi sur la terre?* La préposition du début (πλήν) marque une restriction : *excepté, toutefois, seulement.* Il nous semble que *seulement* rend mieux la nuance de l'original, et marque la pause qu'a dû faire à cet endroit le divin paraboliste. La venue du Fils de l'homme évoque immédiatement la fin des temps et la *parousie.* Un exégète sait néanmoins que la venue du Fils de l'homme ou de son royaume se dit encore de toute intervention plus marquée de Dieu relativement à la société des élus. Il s'agit donc en l'espèce soit de la parousie, soit d'une intervention divine en faveur des élus opprimés. A cette époque, que ce soit la fin du monde ou tout autre moment d'angoisse, le Fils de l'homme trouvera-t-il la foi sur la terre ?

La foi n'a pas ici le sens générique de foi théologique, c'est-à-dire de croyance au Fils de Dieu et à son évangile. C'est plutôt la foi persévérante et obstinée, qui ne désespère pas de la bonté de sa cause, parce qu'elle est attaquée; qui ne désespère pas de l'intervention de Dieu, ou de sa puissance, ou de sa bienveillance, parce que la manifestation en est retardée; mais qui persévère *jour et nuit* dans

la demande de la justice. Cette diminution de la
foi rappelle le refroidissement de la charité prédite
pour la fin des temps (Mt. xxiv, 12). En somme, la
foi de cette parabole est encore la foi de l'évangile,
mais avec l'idée de patience dans l'adversité, de
persévérance dans la demande et d'espérance dans
le secours prochain.

A cette question le divin Maître ne répond pas et
ce silence est de nature à faire réfléchir non seulement ses auditeurs, mais les fidèles de tous les
temps.

II. — Application

La parabole est-elle eschatologique? — La question
capitale est la suivante : Ce récit doit-il être rangé
parmi les paraboles eschatologiques, c'est-à-dire
traitant essentiellement des derniers événements du
monde? ou bien n'a-t-il avec l'eschatologie qu'un
lien secondaire, presque artificiel, en sorte qu'on
puisse faire abstraction de ce grave problème, quand
on explique la parabole? En dépit d'une certaine
fluctuation, qui n'est peut-être qu'apparente, le
P. Fonck se prononce résolument pour le sens
eschatologique. Il écrit : « D'après ce qui précède,
la leçon est une exhortation à la persévérance dans
la prière, mais dans un rapport particulier avec les
épreuves des derniers temps » (675).

Le P. Sáinz est encore plus explicite : « Cette
parabole, dit-il, est très apparentée à celle de *l'ami
importun;* mais elle en diffère en ce qu'ici on recommande la constance dans la prière pour obtenir des
grâces particulières, tandis que là on conseille le
recours à la prière pour obtenir le triomphe de
l'Église dans la persécution, par-dessus tout dans la

persécution finale que l'Église et ses membres vont
endurer » (575).

Depuis le P. Sáinz, le P. Lagrange est intervenu,
et il a écrit à mon adresse : « Ici ce qu'on nomme
l'appendice est toute l'explication » (472). D'où il
résulterait que la parabole est exclusivement eschatologique.

Ces auteurs ont-ils raison? Je crois qu'ils se
trompent dans la mesure où ils considèrent les enseignements eschatologiques comme partie essentielle
de cette parabole. Essayer de le démontrer, c'est
aborder l'un des cas les plus difficiles et les plus
intéressants où l'examen de toutes les données d'une
parabole permet de discerner la leçon parabolique.

On l'a observé, abstraction faite de la conclusion
(v. 8), la parabole ne présenterait pas la moindre
difficulté. Voici, en effet, ce qu'elle donnerait,
ramenée aux deux membres d'une comparaison :

De même que le juge, sourd à toutes les légitimes
demandes d'une veuve, mais se voyant harcelé par
sa persévérante importunité, finit par faire ce qu'elle
lui demandait,

ainsi, et à plus forte raison, Dieu ne tardera pas
à prendre en main la cause de ses élus opprimés,
pourvu qu'ils persévèrent à l'en prier.

La leçon est très nette. Elle réside dans un *a
fortiori* qui porte à la fois sur la personne de Dieu
et celle des élus.

Le juge de la parabole était un juge d'iniquité,
infidèle à tous ses devoirs, sans justice, sans
entrailles, sensible uniquement à des motifs égoïstes.
Mais Dieu! ce mot n'exprime-t-il pas la justice la
plus inflexible et la bonté la plus paternelle ? Il n'y
a donc pas à craindre qu'il reste sourd à nos prières
par injustice, dureté ou indifférence.

De plus, il s'agit non pas de ses créatures en
général, mais de ses amis, de ses élus. La veuve n'avait
rien qui pût toucher le cœur du juge; elle n'avait
que sa faiblesse, ce qui, auprès de telles gens, n'est pas
précisément une recommandation. Au contraire,
ceux qui implorent le Seigneur sont ses privilégiés,
ceux qu'il a discernés et choisis parmi l'infinie multitude de leurs semblables, les membres de son
royaume, les futurs convives du banquet céleste.
Et Dieu ne ferait pas justice à ses élus? On exauce
les moindres désirs d'un ami. A plus forte raison
l'appel obstiné d'amis intimes dans la détresse!

Telle serait, disons-nous, la leçon qui se déga-
gerait naturellement, à ne considérer que l'énoncé
de la parabole. Leçon ascétique, mais qui ne se réfère
nullement à l'eschatologie.

L'introduction nous oriente dans le même sens :
*Et il leur disait une parabole sur la nécessité de
toujours prier et de ne jamais se lasser* (v. 1). La
concordance est trop claire pour qu'il soit besoin
d'insister.

Toute la difficulté vient de la conclusion : *Seulement, quand le Fils de l'homme viendra, trouvera-
t-il la foi sur la terre?* (v. 8).

Ici l'orientation est nettement eschatologique.
Faut-il accorder à ce dernier verset un effet rétroactif
sur la direction générale de la parabole, en sorte qu'il
en soit un élément essentiel? Ou bien ne serait-il à
cette place qu'un élément adventice, et ne serait-il
en somme par rapport à la parabole qu'une conclusion apparente?

Le v. 8 n'est-il qu'un appendice? — Voici les graves
raisons qui nous obligent à nous rallier à ce dernier
parti, même en allant à l'encontre du sentiment
assez ordinaire.

1. Si la leçon eschatologique était directement visée par la parabole, il faudrait convenir qu'elle nous serait inculquée d'une manière très défectueuse. A supposer que les élus dussent appeler de tous leurs vœux la parousie, ce serait là un terme essentiel de l'application, qui devrait être préparé par un terme spécial de la parabole, en l'espèce celui de *procès*. Or le procès n'est pas même nommé expressément; il ne figure à deux reprises que dans le verbe composé *faire justice* (ἐκδικεῖν). — D'ailleurs, on ne voit pas bien l'aptitude de ce verbe à symboliser l'intervention divine de la parousie ; l'expression serait bien terne à côté des déclarations formelles contenues dans le grand discours eschatologique (Mt. xxiv, 22, 29-31), dans la deuxième épître de saint Paul aux Thessaloniciens (ii, 8), ou, pour ne pas sortir des paraboles, dans *l'ivraie* (Mt. xiii, 40-43) ou *le filet* (*ibid.* 49-50).

Nous savons que les *adversaires* qui persécuteront les justes aux derniers jours s'appelleront de noms particuliers : *pseudo-prophètes, pseudo-messies, Antéchrist, Bête* ou *Dragon*. Le nom de *partie adverse* ne serait-il pas bien pâle pour désigner ces redoutables réalités ?

Que dire enfin de la veuve, dont certains (Sáinz, Loisy) voudraient faire la métaphore de l'Eglise? Ne serait-ce pas donner une idée défavorable de l'Église que de la représenter sous les traits d'une veuve sans appui, à la merci du premier venu à qui il plairait de se constituer son persécuteur et son bourreau? Et si l'Église était réellement dans l'intention du divin Maître, pourquoi ne pas lui donner un vocable mieux approprié? En ne la désignant que par le terme *d'élus*, on risque de nous dérouter et de ne se point faire comprendre.

2. A ces diverses preuves il faut en ajouter une autre. Puisque la parabole entière a jusqu'ici préparé si peu l'application eschatologique, il faudrait du moins que le dernier verset, expressément consacré à ce sujet, compensât cette lacune par une application ferme et directe. Or qu'est-ce que nous y lisons? Ceci : *Seulement, le Fils de l'homme trouvera-t-il à sa venue la foi* (τὴν πίστιν) *sur la terre?* Et c'est tout. Que faut-il entendre au juste par cette foi ? Nous avons vu qu'on a quelque peine à le déterminer. Retenons au moins que ce mot, ce mot capital, qui devait faire la soudure entre la parabole et l'application eschatologique, est loin de la réaliser d'une manière manifeste. Sans aller jusqu'à dire avec plusieurs auteurs protestants que la liaison est nulle, il est clair qu'elle ne s'impose pas. Le P. Lagrange lui-même écrit : « Il est plus que difficile de relier étroitement ce demi-verset à ce qui précède » (473). Et il le prouve : « En effet, si les choses sont dans un si triste état, où trouvera-t-on sur la terre assez de foi pour prier Dieu avec la constance que suppose le v. 7? Il faudrait donc prendre le v. 7 au conditionnel : Dieu vengerait ses élus s'ils criaient, mais y aura-t-il alors assez de foi pour crier de la sorte? D'autre part, cette manière implique contradiction dans l'hypothèse d'un contexte étroit, car si le Fils de l'homme vient, c'est bien pour délivrer ses élus qui ont prié comme il faut. On doit donc renoncer à expliquer le v. 7 et le v. 8ᵃ par le v. 8ᵇ » (473). Autant dire la parabole entière. Mais alors peut-on dire que « ce qu'on nomme l'appendice est toute l'application »? Manifestement, l'application eschatologique ne saurait être ni l'élément essentiel ni l'un des éléments principaux de la parabole.

3. On vient de voir que la conclusion de la parabole est insuffisante pour donner à celle-ci une allure eschatologique. Le voisinage du discours sur les fins dernières qui figure au chapitre précédent (Lc. xvii, 20-37) n'y suffit pas davantage. La parabole débute par ces mots : « *Et il leur disait* (ἔλεγεν δέ) *une parabole.* » On sait que cette transition, très vague, est loin de rattacher chronologiquement en saint Luc les deux péricopes qu'elle unit. Pour ne citer qu'un autre exemple, emprunté à ce même chapitre xviii, on la retrouve aussitôt après *le juge inique,* au début *du pharisien et du publicain.* Or il y a de bonnes raisons de douter que ces deux paraboles s'adressent au même auditoire ou aient été prononcées dans les mêmes circonstances.

Il semble donc plus sage de ne plus s'occuper du grand discours eschatologique, quand on interprète la parabole du juge inique.

Le lecteur appréciera la valeur de ces diverses raisons. S'il les trouve convaincantes, il admettra que l'unique leçon essentielle et principale vise la persévérance chrétienne dans la prière en général, quelles que soient les épreuves où l'on se débatte.

Mais alors que faut-il penser de ce v. 8 sur la venue du Fils de l'homme? Le déclarer inauthentique, comme le fait Jülicher, est un procédé trop commode. Une exégèse plus respectueuse se contentera de le regarder comme un élément secondaire, *extraparabolique,* n'ayant aucune influence sur la direction de la parabole, et ajouté à celle-ci en appendice, ce qui ne l'empêche pas d'être authentique. On pourrait le rapprocher de tels ou tels autres versets de saint Luc, v. g. xvi, 14-18, dont on peut se demander s'ils ont été prononcés à la place que leur assigne l'évangéliste et s'ils représentent sur ce thème

la teneur complète des discours du Sauveur. Quoi
qu'il en soit de l'époque où ils ont été prononcés, il
semble certain qu'ils ne sont plus qu'un résumé très
rapide, par là même difficile, d'enseignements plus
développés. Je croirais aussi que ce v. 8 n'est qu'un
vestige d'un discours plus étendu. Peut-être le
Sauveur avait-il parlé de la foi des élus au moment
de la parousie, après avoir conté sa parabole du
juge inique. Le contexte immédiat du verset n'étant
pas conservé, on peut trouver que sa liaison avec la
parabole précédente est plutôt vague. Elle l'est en
effet. Mais c'est une raison pour ne pas attribuer à
ce verset une valeur plus considérable que celle qu'il
possède en réalité.

Cette conclusion se trouve singulièrement confirmée par une observation maintes fois renouvelée
dans ce commentaire. Il n'est pas rare que nos
paraboles se terminent par une sentence ou un
groupe de sentences analogues à notre v. 8. Une
exégèse inattentive, qui se laisse attirer et guider
par les apparences, se porte d'instinct vers ces
finales, les regarde comme partie intégrante, voire
comme partie essentielle du tableau précédent, et
va jusqu'à leur demander la leçon principale de la
parabole. Dès lors, toute l'histoire, ensemble et
détails, est expliquée à la lumière de ces maximes,
qui ne sont en réalité que des appendices, quelquefois de simples agglomérats n'ayant avec la parabole
que des affinités ou analogies doctrinales plus ou
moins étroites. On devine que cette confusion est
susceptible de produire des contresens dommagea-
bles à la véritable physionomie des récits inspirés.

Revenons à la véritable leçon du juge inique.

Leçons principales. — On aura remarqué que les
deux personnages essentiels sont le juge et la veuve,

le juge se décidant à l'action pour n'avoir pas la tête
rompue par les importunités de sa cliente, la veuve
finissant par obtenir gain de cause, à force d'obstination dans la demande.

La *partie adverse* ne joue dans cette affaire qu'un
rôle très effacé. Elle reste entièrement anonyme et
toujours dans la coulisse. Elle n'est visiblement
mentionnée que pour motiver les embarras et les
démarches de la veuve. Quant au *procès,* il ne figure
lui non plus que pour compléter le tableau judi-
ciaire, avec le juge, la veuve et la partie adverse.
Tous ces traits sont manifestement secondaires,
paraboliques, sans portée allégorique.

Dès le début de l'histoire, nous avons été prévenus
d'avoir à toujours prier, sans jamais nous lasser.
Toujours prier, sous-entendu Dieu, car, lorsqu'il
s'agit de prière, c'est à Dieu qu'on s'adresse, à moins
d'indication contraire. *Toujours prier,* non pas
précisément à tous les instants du jour, mais avec
une continuité morale, synonyme de fréquence
infatigable. *Toujours,* toute la vie. *Et ne jamais se
lasser,* malgré l'effort prolongé, malgré les obstacles,
malgré le retard que le Seigneur met à nous secourir.

Ces recommandations ne sont pas un simple
conseil; elles constituent un précepte (δεῖν), une
obligation intérieure, immanente à la nature des
choses, et de laquelle, par suite, nul ne saurait être
dispensé.

Nos difficultés aussi nous font une obligation
de la prière incessante. Affligés comme la veuve,
les élus se doivent d'importuner Dieu. Qu'ils persévèrent dans leur demande, ils sont sûrs d'être
exaucés. A supposer que Dieu ne fût pas animé
à leur égard du moindre sentiment de tendresse,
à force de crier, ils finiraient par se faire entendre

et se faire écouter, et Dieu finirait par les secourir, ne fût-ce que pour se débarrasser de leurs instances.

Mais Dieu se comporte tout autrement que le juge inique. Jésus a pris soin de bien marquer cette différence : *Et Dieu ne ferait pas justice à ses élus, et il tarderait à leur égard !*

Cette assurance d'une intervention prochaine est absolument générale. La promesse ne concerne pas uniquement les difficultés spirituelles où les élus peuvent se trouver engagés; elle vise tous les embarras, considérables ou légers, venant de n'importe qui et de n'importe quoi, démons, hommes, événements. Quelles que soient leurs difficultés, le Seigneur exaucera ses élus.

A ce bienfait il ne met que deux conditions : les élus doivent s'adresser à lui et ils doivent persévérer dans ce recours.

S'ils prétendent se tirer d'affaire par leurs seuls moyens humains, Dieu n'est plus engagé par sa parole. S'ils l'invoquent, le secours est assuré. N'est-il pas leur Dieu et Père? Ne sont-ils pas ses élus? N'existe-t-il pas entre eux un lien assez étroit de parenté et d'affection pour légitimer ce commerce incessant de prières et de salut?

Et qu'on ne craigne pas d'importuner le Seigneur. Il veut précisément qu'on l'importune. Il nous en fait un ordre et une vertu. Dans l'économie divine, plus une prière est répétée, plus elle témoigne de foi, d'espérance et d'amour. La persévérance, qui est la répétition incessante des mêmes actes, est l'épanouissement total de ces vertus. Auprès de Dieu, on n'est jamais moins importun que lorsqu'on le paraît davantage.

Cette pression morale est l'autre condition requise pour être exaucé. Si, après avoir prié, on se fatigue

de la prière, on perd le bénéfice des promesses
divines. Dieu n'est plus tenu d'honneur; il est
possible qu'il reste sourd à nos prières, comme s'il
n'avait pas un cœur de Père, comme si nous n'étions
pas ses enfants et que nous ne fussions pas dans
l'angoisse.

Jusqu'à quand faudra-t-il prier? *Jusqu'au bout,*
jusqu'à ce que l'on soit exaucé. Le Seigneur est juge
du moment et de la manière, mais il nous exaucera
sûrement. S'il ne vient pas immédiatement à notre
secours, nous avons tort de douter de son intervention prochaine; encore moins serions-nous excusa-
bles d'interrompre notre prière. Une prière persévérante est une prière exaucée. Et ceci est la leçon
propre de la parabole : la prière persévérante des
élus dans l'angoisse criant vers leur Père, est une
prière infailliblement, nécessairement, promptement
exaucée.

Les ressemblances *du juge inique* avec *l'ami
importun* sont manifestes. Est-ce à dire que les deux
paraboles aient été prononcées dans les mêmes
circonstances de temps et de lieu, sans qu'il y ait entre
elles la moindre différence doctrinale, comme le
voudrait Jülicher? Est-ce à dire que, dans la catéchèse primitive, elles formaient un petit bloc indivis,
qui a été disjoint par l'inadvertance de l'évangéliste?
Nous ne le pensons pas. Le thème de la prière était
trop important pour ne pas revenir fréquemment
dans les prédications de Jésus en des circonstances
très variées. Et le Maître n'était pas embarrassé pour
traiter le même sujet à diverses reprises sans se
répéter.

Au fait, il ne se répète pas. *L'ami importun* envisage la demande d'un ami dans le besoin, obtenant
ce qu'il désire à force d'importunité, si ce n'est par

l'effet spontané de son amitié. *Le juge inique* tire sà caractéristique de l'argument de *dissimilitude* dont parle saint Augustin. La prière, non plus d'un étranger, non plus d'un ami, mais d'un *élu,* mieux que cela, de la *collectivité des élus,* criant vers Dieu non plus par un besoin quelconque, mais sous le coup de l'angoisse et du malheur, criant, dis-je, vers Dieu, leur Père et leur Maître, une telle prière est nécessairement et vite exaucée.

Le juge inique ne fait pas double emploi avec *l'ami importun.* Traitant du même sujet, les deux paraboles s'éclairent et se complètent.

Mais leur parenté doctrinale ne leur créait pas obligatoirement une même destinée littéraire. Elles ont pu se trouver dès l'origine en des contextes différents de la catéchèse, comme elles avaient vu le jour en des circonstances séparées.

L'ami importun

(saint Luc, xi, 5-13)

⁵ Et il leur dit : Si l'un de vous a un ami qu'il aille trouver à minuit, et qu'il dise : Ami, prête-moi trois pains, ⁶ car un de mes amis m'est arrivé de voyage et je n'ai rien à lui offrir ; ⁷ et que l'autre lui réponde de l'intérieur : Ne m'ennuie pas ; la porte est déjà fermée et mes enfants sont avec moi au lit : je ne puis me lever pour te les donner, — ⁸ je vous le dis [1], alors même qu'il ne se lèverait pas pour les lui donner en sa qualité d'ami, néanmoins, à cause de son importunité, il se lèvera pour lui donner tout ce dont il a besoin.

⁹ *Et moi, je vous dis : Demandez et l'on vous donnera ; cherchez et vous trouverez ; heurtez et l'on vous ouvrira.* ¹⁰ *Car qui demande reçoit, qui cherche trouve, et qui frappe on lui ouvre.* ¹¹ *Y a-t-il un père parmi vous, quand son fils lui demande du pain, qui lui donne une pierre ? Et s'il lui demande un poisson, à la place du poisson, lui donnera-t-il un serpent ?* ¹² *Et s'il lui demande un œuf, lui donnera-t-il un scorpion ?* ¹³ *Si donc vous autres qui êtes méchants, savez donner de bonnes choses à vos enfants, combien plus le Père céleste donnera-t-il l'Esprit-Saint à ceux qui le prient !*

I. — Tableau

La parabole *de l'ami importun* nous remet en mémoire plusieurs scènes familières de la vie orientale.

Voyage nocturne. — Pendant l'été, les Orientaux préfèrent voyager de nuit. A cette saison, les pistes

---

1. Quelques manuscrits de la Vulgate ajoutent ici les mots *et si ille perseveraverit pulsans*, qui sont dans l'esprit de la parabole, mais ne figurent pas dans le texte grec.

ou les routes n'ont plus de fondrières; on peut aller
droit son chemin, même en pleine nuit, sans avoir
à craindre à tout instant de tomber dans une flaque
d'eau ou une mare de boue. A partir du mois de
juin, une rosée abondante rabat la poussière en
l'imbibant légèrement. Les larges pattes molles du
chameau, les petits pas menus de l'âne, les babouches
traînantes du Bédouin éraflent à peine la profonde
couche de poussière; tous ces pieds s'y impriment
comme sur un sol mouillé, et la transparence de la
nuit n'est même pas troublée par le passage de la
caravane.

Quel supplice, au contraire, de voyager en troupe,
de jour, sous un soleil ardent, par des chemins
poudreux, par des contrées dépourvues de tout
ombrage! La fatigue des voyageurs obligés de le
subir se trahit par une soif endémique, qu'ils dé-
saltèrent non seulement à toutes les sources — ce
qui est une fortune rare, — mais à toutes les citernes
de la route et à toutes les vasques que des propriétaires compatissants disposent de loin en loin
dans une niche de leur clôture.

C'est pourquoi l'Oriental, libre de choisir l'horaire
de ses voyages, surtout s'ils doivent être longs,
préfère voyager la nuit et se reposer le jour.

Aujourd'hui encore, à Bethléem, lorsqu'on prête
l'oreille dans le silence de la nuit, à n'importe quelle
heure, on entend le chalumeau mélancolique ou la
mélopée nasillarde du Bédouin rythmant l'allure
cadencée des chameaux : c'est une caravane d'Hébron
qui passe sur la route de Jérusalem, chargée de
raisins, de *tébén* (paille hachée) ou de jarres. Elle
est partie la veille au soir, elle ira tout à l'heure
s'accroupir à la porte de Jaffa. En attendant le
jour, les fellahs, enveloppés dans leur *abaye* (man-

teau) fauve, s'étendront dans un coin, à même le
sol. Les chameaux, inclinant leur long cou, plon-
geront leur tête dans la sacoche du *tébén* et la
relèveront ensuite brusquement, laissant choir de
leurs babines des filets de brins de paille, surplus
de leurs avides bouchées ; ou bien, rêveurs, ils se
mettront à ruminer le repas de la veille.

Les journées d'hiver n'offrent pas les inconvénients
de l'été. Il est même très agréable alors de cheminer
par les routes lavées, sous la bise âcre ou le soleil
piquant, tandis que, sur les talus, percent de petites
têtes d'herbe fine, et que, dans les olivettes, se
dessinent des tapis neufs de graminées et d'anémones.

La scène de *l'ami importun* dut se passer une
nuit d'été.

Hospitalité orientale. — La politesse sémitique
permet de se présenter chez un ami à toute heure du
jour et de la nuit. Cette simplicité de mœurs suppose aussi une grande simplicité dans la réception.
Il ne faut pas s'imaginer que n'importe quel
Oriental, pour recevoir le premier hôte venu, court
à son étable ou à son troupeau tuer le veau gras ou
le chevreau tendre. Tout le monde n'a pas un troupeau ou une étable. Ces largesses de l'hospitalité ne
fleurissent guère aujourd'hui qu'au désert, sous la
tente, et elles occasionnent parfois la ruine des
cheiks trop généreux. Les petites gens y vont plus
simplement. La chambre des hôtes est toujours
prête, car ceux-ci logent avec toute la famille dans
l'unique pièce de la maison. Pour les recevoir
suivant toutes les règles du protocole, il suffit
d'étendre dans un coin un matelas avec quelques
couvertures, l'hôte le plus exigeant sera satisfait.

Le repas non plus n'occasionnera pas des frais
considérables : quelques galettes de pain, cuites

sous la cendre, rehaussées de quelque condiment,
olives, piments ou tomates. Si l'ami reste pour le
lendemain, la ménagère s'efforcera sans doute de
relever l'ordinaire de la maison. Mais jamais les
dépenses d'une telle visite ne constituent un danger
pour les finances domestiques.

L'ami se présente. Si la nuit est avancée, la porte
est close, fermée par une de ces clefs monumentales
qui sont de tradition ici et dont les indigènes ne
soupçonnent même pas l'inélégance. Tous les
membres de la famille sont couchés, à peine dévêtus,
étendus côte à côte sur des matelas ou des tapis,
sous des couvertures légères. Les lits sont un luxe
importé d'Occident. En arabe vulgaire, le lit
s'apelle le *matelas;* et cette dénomination remonte
sans doute aux temps anciens. Au-dessus de la
famille endormie, une petite lampe à huile, disposée
dans un retrait de la muraille, jette sa faible lumière
vacillante. Au matin, couvertures et matelas seront
d'abord montés sur la terrasse, secoués, exposés au
soleil, ensuite pliés et serrés dans un bahut ou em-
pilés dans un angle que dissimule parfois un rideau,
jusqu'à la nuit suivante.

La porte fermée, on frappe. Quelques coups de
la paume contre la porte blindée suffisent pour
éveiller la maisonnée. D'autres fois, lorsque le
sommeil est profond ou qu'on fait la sourde oreille,
le visiteur saisit sans plus de façon une pierre et,
à coups redoublés, il annonce bruyamment son
arrivée. De cela non plus la politesse orientale ne se
froisse point; seules les portes en souffrent, ainsi
qu'en témoignent les traces incrustées sur le blindage
du dehors. Le dialogue de l'extérieur à l'intérieur
se fait non pas « à travers la fente de la porte »
(Lagrange, 325) — ces portes massives n'en ont

pas, — mais à grand renfort de paroles et de cris.

La scène de la parabole se déroule dans ce cadre.

Si l'un de vous a un ami... La phrase grecque est interrogative : *quel est celui d'entre vous qui a un ami?* Ce tour est familier au génie sémitique. Il a pour effet de piquer l'attention ; mais, si la phrase se prolonge, il expose à des *anacoluthes,* dans le genre de celle qui se rencontre ici même (cf. v. 8) et, un peu plus bas, aux vv. 11 et 12. La phrase de saint Luc est pour une fois aussi lourde et embarrassée qu'une période de saint Paul. Au fait, cette interrogation équivaut à une simple *hypothèse,* que nous rendons de préférence en français par une phrase conditionnelle : *si l'un de vous a un ami...*

Un ami qu'il aille trouver à minuit, c'est-à-dire au cœur de la nuit, durant la *veille* qui allait de neuf heures à minuit (Mc. XIII, 35). Le grec porte : *qui de vous aura un ami, et il ira chez lui à minuit, et il lui dira...* De cette juxtaposition des phrases qui, en français, se subordonneraient à la phrase principale comme autant d'incidentes, le grec vulgaire, tel qu'il était parlé au temps de Notre-Seigneur, a fourni de curieux exemples ; mais cette façon de penser et de s'exprimer est surtout sémitique.

Le voyageur de la parabole se présente à minuit. Cette heure est choisie à dessein pour la morale de l'histoire, parce que c'est le moment du premier sommeil. Plus tôt, on pourrait n'être pas encore endormi ; plus tard, on pourrait être déjà éveillé. Vers minuit, l'on a généralement plus d'effort à faire pour s'éveiller, se lever, interrompre son repos.

L'histoire ne dit pas que l'hôte chez lequel le voyageur se présentait ait été dérangé par cette visite tardive. S'il l'a été, la chose importe peu, l'intérêt de la parabole consistant uniquement en ce qui va suivre.

L'étranger est reçu et aussitôt on se met en devoir de le restaurer. Mais il se trouve que les galettes sont épuisées. On a consommé les dernières au repas du soir. Il n'y a plus de pain dans la maison de l'hôte.

Que faire? Il ne reste à celui-ci qu'à se rendre chez son ami et le prier de lui prêter les pains qui lui manquent. La parabole exige que la huche du voisin ne soit pas encore vide.

Il frappe. Dès les premiers coups, le voisin se réveille et, sans bouger de son lit, écoute la requête du solliciteur. Les maisons orientales se composant d'une seule pièce, il est loisible à quelqu'un qui est couché, de converser avec une personne qui, de la rue, parle à voix haute. *Ami*, dit le quémandeur, *prête-moi trois pains, parce qu'un de mes amis m'est arrivé de voyage et je n'ai rien à lui offrir.* On observera qu'il ne demande que du pain, parce qu'il a sans doute sous la main les condiments habituels qui accompagnent les galettes. Mais pourquoi demande-t-il précisément trois pains? Pourquoi trois, et non pas moins ou davantage?

Dom Calmet s'est mis en peine de le savoir. Tout le passage est à citer pour sa naïveté : « Si les trois pains étaient pour son ami, ils ne devaient pas être gros — Calmet devait penser aux pains énormes de son village. — C'est encore l'usage en ce pays-là de faire de petits pains, minces et secs. Ou il en demande trois : un pour son hôte, un pour lui, et un de réserve, en cas que l'autre n'en eût pas assez du sien; — ou, un pour son hôte, un autre pour la femme de cet hôte et un pour son serviteur. »

Il est touchant que dom Calmet fasse voyager toute la famille. Quant à vouloir que l'hôte lui-même se mette à table à l'heure de minuit, pour enir compagnie au voyageur, c'est une jolie trouvaille.

Saint Augustin en avait fait une autre d'un autre
genre, qu'il expliquait dans un sermon à ses pêcheurs
d'Hippone, avec quelle conviction émue! Les « trois
pains, disait-il, sont les trois personnes de la sainte
Trinité. Quand vous possédez ces trois pains, vous
avez de quoi vivre et de quoi nourrir les autres,
habes et unde vivas et unde pascas. Surtout ne
craignez pas que ce pain finisse; c'est lui qui
aura raison de votre indigence. *Non panis ille
finietur, sed indigentiam tuam finiet.* C'est du pain,
c'est du pain, c'est du pain, *panis est, et panis est,
et panis est : Deus Pater, Deus Filius, Deus Spiritus
Sanctus.* Ils sont une nourriture et un pain éternels,
le Père, le Fils et le Saint-Esprit. Apprenez et ensei-
gnez, vivez et nourrissez-vous. C'est Dieu qui vous
donne. Il ne vous donne rien de moins que lui-
même. Avare, que cherchais-tu autre chose? qu'est-ce
qui te suffira, si Dieu ne te suffit? » (xxxviii, 620).

On regrette que de telles pensées et de tels sentiments ne soient qu'une pieuse accommodation.

La véritable explication littérale est toute simple.
Trois de ces galettes palestiniennes représentent la
ration ordinaire du repas d'un homme. Moins, ce ne
serait pas suffisant; davantage, ce serait superflu. Du
moment qu'il emprunte, l'hôte entend très bien
faire les choses, mais sans excès d'aucune sorte. Il
n'oublie même pas l'étiquette en cette heure avancée,
et il se sert d'une formule polie : *Mon ami, prête-
moi trois pains.*

Requête obstinée. — « Le ton de la réplique est
beaucoup moins obséquieux que celui de la requête »
(Loisy, 1, 629). Le voisin ne dissimule pas qu'il lui
reste du pain; il n'ose pas davantage refuser tout net
le service demandé. Alors, il a recours à des

excuses. Bruce l'a noté (153), ce sont des excuses
frivoles, et il est tout simplement honteux d'alléguer
de pareilles raisons pour se dispenser de venir en
aide à un ami dans le besoin. « Ne m'ennuie pas,
ne m'importune pas », c'est l'unique raison de son
refus. Raison toute vulgaire : ça l'ennuie de se
déranger, ça l'ennuie de se lever ! Si encore la porte
était ouverte ! le quémandeur pourrait entrer et se
servir lui-même ; mais elle est fermée ! Si encore
les enfants n'étaient pas couchés ! l'un d'entre eux
pourrait faire la commission ; mais tout le monde
est déjà au lit[1]. Quant à lui, il n'a pas le courage
de se lever : *Je ne puis me lever pour te les donner*
(οὐ δύναμαι ἀναστάς). La phrase grecque met heureusement en relief le verbe *se lever;* c'est là en effet
que réside toute la difficuté. Les PP. Valensin-Huby
en proposent une explication originale et vécue.
« Pour prendre les pains et les porter à la porte,
il faudrait enjamber les dormeurs, peut-être les
déplacer : toute cette manœuvre est trop com-
pliquée, et le maître de maison, après son refus, se
prépare à reprendre son sommeil » (215). Je croirais
cependant que l'observation passe à côté de la vérité ;
l'opération envisagée peut s'accompagner de quelque
gêne, elle n'est pas de nature à rebuter une personne de bonne volonté.

Quant à réveiller les enfants, on l'a remarqué,
« l'homme ne ferait pas plus de tapage en se levant
qu'il n'en fait en parlant » (Loisy, 1, 629, après
Jülicher).

Bref, c'est uniquement la bonne volonté qui

---

1. Εἰς τὴν κοίτην avec l'accusatif. C'est l'un des cas les plus
significatifs où la préposition εἰς se substitue à ἐν avec le même
sens. A noter aussi le pluriel neutre de personnes (παιδία) avec
le verbe au pluriel (εἰσιν).

manque. Nous sommes en présence d'un cas typique d'égoïsme et de paresse. On laissera un pauvre homme se morfondre dans le besoin et la confusion, pour s'épargner la peine de se lever et de lui donner ce qu'il demande. Et ce pauvre homme est l'ami du paresseux sans vergogne! Le paresseux dit : *Je ne puis pas me lever;* au fond, cela revient à dire : *Je ne veux pas.*

L'ami ne se tient pas pour battu. Il sait par expérience comment se remportent ces petites victoires sur la paresse. Il continue à frapper et à crier. A la fin, le voisin, n'y tenant plus, se lève, prend les pains, les lui tend ou les lui jette, en maugréant sur l'importunité d'une telle demande. Satisfait tout de même, l'ami reprend en toute hâte le chemin de sa maison, où l'attend le voyageur affamé, laissant au reste de la nuit le soin de calmer chez son ami cet instant de mauvaise humeur. *Je vous le dis, alors même qu'il ne se lèverait pas pour les lui donner* (ἀναστάς, encore l'effort de se lever), *en sa qualité d'ami, néanmoins, à cause de son importunité* (ἀναιδίαν, mot à mot à cause de son *impudence*), *il se lèvera* (ἐγερθείς, cette fois le verbe est en tête de la phrase) *pour lui donner tout ce dont il a besoin.*

L'amitié, ce sentiment si délicat, n'a pas de prise sur les âmes vulgaires. Parce que c'est un ami qui nous dérange, nous croyons avoir le droit de lui dire son fait, l'ennui qu'il nous cause, et qu'il revienne à un moment plus opportun, sûrs qu'il ne se formalisera pas de notre rondeur et ne nous gardera pas rancune. Avec une personne moins connue, voire avec un étranger, on userait de procédés plus polis; mais avec un ami, pourquoi se gêner?

Précisément, parce que c'est notre ami, le solliciteur a aussi le droit d'insister, ce que n'oserait

pas faire un inconnu : l'amitié lui permet d'être
importun ; et ce que n'obtiendrait pas le seul argument de l'amitié, il l'obtiendra par ses instances,
par son importunité, par son *impudence*. Bengel a
bien rendu la pensée : « L'amitié pouvait le pousser
à *donner ;* pour le pousser à se lever, il fallait l'importunité qui persévère à heurter, *amicitia ad dandum
impellere poterat; impudentia pulsare perseverans
ad laborem surgendi impellit* » (cité par Bruce, 152,
note 4).

On voit quel trésor de fine psychologie, orientale,
ou simplement humaine, réside au fond de cette
gracieuse parabole.

II. — Application

Résumé. — Essayons maintenant de résumer l'histoire en groupant les traits secondaires autour de
l'idée principale.

Un homme va trouver son ami à une heure intempestive pour lui demander un léger service. L'autre
allègue qu'à cette heure il ne peut pas se déranger.
Mais, sur les instances du solliciteur, il finit par lui
accorder ce qu'il demande, ne fût-ce que pour se
débarrasser de son importunité.

Tous ces traits gravitent autour de la pensée principale. Avec tous les exégètes modernes, nous n'y
reconnaissons pas le moindre élément d'allégorie.
Mais, à défaut de *métaphore,* les *détails paraboliques* abondent. Nous citons à peu près au hasard :
l'arrivée du voyageur à minuit, la visite de l'hôte à
son voisin, les trois pains, le refus, la porte close,
toute la maisonnée endormie, la paresse à se lever,
l'importunité et la persévérance dans la demande,
enfin le secours accordé.

Ce sont là plus que des *traits littéraires,* servant à encadrer l'histoire et à lui donner plus de naturel. Toutes ces circonstances doivent être retenues dans la morale du tableau, non pas avec une signification individuelle, mais avec une signification collective ; ce sont des *détails paraboliques.*

L'idée essentielle de la parabole pourrait se ramener à ce premier membre d'une comparaison :

De même qu'un homme demandant un service à son ami à une heure intempestive, après avoir essuyé un refus catégorique, obtint ce qu'il souhaitait à force d'instances et d'importunité,

ainsi...

Qui cherche le deuxième membre de la comparaison, s'il ne procède avec précaution, s'abandonne au fil de la parabole ; arrivé au vv. 9-13, se fiant aux apparences, il croit tenir l'explication désirée, et il continue :

ainsi demandez et l'on vous donnera, cherchez et vous trouverez, heurtez et l'on vous ouvrira.

Le P. Fonck qui, pour l'ordinaire, n'a pas souci de ramener la morale de la parabole aux deux membres d'une comparaison, s'en acquitte ici avec un soin diligent. Naturellement il découvre au v. 9 le deuxième membre de la comparaison. Et même, pour marquer que ce verset représente bien la deuxième partie de la parabole, il en introduit les formules jusque dans la première partie :

De même que cet ami a *demandé, cherché, heurté* avec persévérance..., et a fini par *recevoir, trouver* et *faire ouvrir,*

ainsi nous devons tous *prier, chercher, frapper* à la porte de notre ami et Père céleste, et poursuivre avec la même persévérance... (761, 762).

Le P. Sáinz, qui s'inspire volontiers du P. Fonck,

le suit dans cette voie, et il écrit, parlant du
même v. 9 : « Nous avons là le sommet de la comparaison et sa parfaite application »´ (566).

Les derniers commentateurs se montrent à peine
plus circonspects, moins peut-être dans le fond que
dans la forme. Si les vv. 9-13 ne constituent pas
à proprement parler l'application de la parabole,
ils en tiennent lieu. C'est l'expression même du
P. Lagrange : « La parabole se termine (au v. 8) sans
application expresse à Dieu. Ce qui suit en tient
lieu » (326). Pour les PP. Valensin-Huby, ces vv.
9-13 sont la *suite* de la parabole : « La petite exhortation qui suit... continue le même enseignement »
(216).

Il nous semble que tous ces commentaires recè-
lent une légère erreur de méthode. Ou bien le problème est supposé résolu sans avoir été posé, ou il
est mal résolu, parce qu'il est mal posé.

Les vv. 9-13 sont-ils un appendice ? — Ce problème,
qu'il convient d'envisager au préalable, est de savoir
à quel point précis finit la parabole, et dans quelle
relation exacte sont les vv. 9-13 avec cette petite histoire.

La parabole finit-elle avec le v. 8 ? et les vv. 9-13
forment-ils un groupe indépendant, en manière
d'appendice ou de discours *extraparabolique ?* Ou
bien font-ils partie essentielle de la parabole et con-
tiennent-ils l'application du tableau qui précède ?

Si la parabole finit avec le v. 8, il nous faudra
l'interpréter uniquement d'après ses données. Dans
le cas contraire, nous aurions le droit d'utiliser les
vv. 9-13 pour l'interprétation de la parabole et nous
bénéficierions ainsi d'une application authentique
de Jésus.

La réponse ne nous semble pas douteuse. A l'encontre d'une opinion très répandue, la parabole finit bien avec le v. 8 ; les vv. 9-13 forment un petit bloc indépendant, qui n'a avec le tableau précédent que des analogies de sujet traité.

De cette affirmation, il convient de donner la preuve.

1. Dès que l'on examine à part chacun de ces deux petits morceaux (5-8 et 9-13), leur indépendance primitive se révèle. Si les deux pièces étaient faites l'une pour l'autre, elles devraient correspondre, s'emboîter l'une dans l'autre, se compléter, comme les deux pièces d'un mécanisme délicat. Il n'en est rien. La parabole insiste sur *l'importunité* de l'ami, comme condition de succès dans la prière. Les vv. 9-13 ne savent plus rien de cette importunité si efficace ; ils nous invitent seulement à demander, sûrs que nous sommes d'être exaucés à la première demande, à chercher, sûrs de trouver, à frapper, sûrs que l'on nous ouvrira. Car telle est la loi du monde surnaturel de la prière. Dieu est un père ; il donne à ses enfants tout ce qu'ils lui demandent, sans jamais tourner leurs besoins en dérision. Il ne se moque jamais.

Ces deux morceaux n'ont rien de la concordance requise pour les deux membres d'une même parabole. On ne peut les joindre qu'en leur faisant violence à tous deux, et leur assemblage hétéroclite proteste à tous les regards.

Rapprochés, ils donneraient le schème suivant :

De même qu'un homme demandant un service à son ami à une heure intempestive, après avoir essuyé un refus catégorique, obtint ce qu'il souhaitait, à force d'instances et d'importunité,

ainsi nous n'avons qu'à tendre la main à Dieu : il se hâtera d'exaucer la moindre de nos demandes.

Visiblement, ces deux choses ne vont pas ensemble.
Les vv. 5-8 signifient qu'on n'obtient rien qu'à force
d'importunité; les vv. 9-13 que, pour obtenir, il n'y
a qu'à se donner la peine de tendre la main. Ce sont
deux cas différents, deux formes de prières, par
importunité et simple demande, et deux manières
dont Dieu nous exauce, tantôt comme un ami forcé
par l'importunité de notre requête, tantôt comme
un père qui se porte au-devant de son fils pour
satisfaire à ses besoins et prévenir ses moindres
désirs.

Si la méthode d'exégèse parabolique préconisée
dans cette étude a quelque solidité, la présente solution est l'un de ses résultats les plus assurés : les
vv. 5-8 et 9-13 ne forment pas un même tout littéraire,
ne sont pas les deux membres d'une même parabole;
ils ne sont joints ni par subordination ni par coordination, mais seulement par juxtaposition, et même
par opposition formelle, comme deux espèces opposées de la prière : la prière difficile et la prière facile.

2. Une autre preuve que les vv. 9-13 forment un
petit bloc indépendant, c'est qu'on peut les déplacer
sans préjudice. Jülicher a fait observer que, si on les
mettait en tête de *l'ami importun,* tout de suite après
le *Pater,* ils seraient encore en excellente situation.
Le critique allemand estime même qu'ils seraient
là beaucoup mieux qu'à leur place actuelle. Les
éléments ainsi intervertis, nous aurions encore un
délicieux petit discours sur la prière.

3. La preuve la plus frappante que les vv. 9-13
peuvent se séparer des vv. 1-8, c'est que saint
Matthieu les a effectivement disjoints, pour les insérer
dans son *discours sur la montagne* (vii, 7-11), loin
du *Pater* (vi, 9-13), dans un contexte où l'on n'attendait plus cette exhortation à la prière. Il est

extrêmement intéressant de constater que ces quatre
versets sont liés dans saint Matthieu exactement
comme dans saint Luc, à peine modifiés par quelques variantes insignifiantes telles qu'il s'en trouve
dans tous les doublets de nos saints évangiles.

[7]Demandez et l'on vous donnera; cherchez et vous
trouverez; heurtez et l'on vous ouvrira. [8]Car qui demande
reçoit, qui cherche trouve, et qui frappe, on lui ouvre.
[9]Y a-t-il un homme parmi vous, quand son fils lui demande
du pain, qui lui donne une pierre? [10]Et s'il lui demande
un poisson, lui donnera-t-il un serpent? [11]Si donc vous
autres qui êtes méchants, savez donner de bonnes choses
à vos enfants, combien plus votre Père qui est au ciel
donnera-t-il des choses bonnes à ceux qui le prient!

Saint Matthieu ayant ainsi accusé la signification
particulière de ces versets en leur faisant une fortune littéraire à part, nous sommes prévenus de ne
pas leur donner en saint Luc une signification différente, qui du reste serait forcée. Le divin Maître en
personne, ou peut-être l'évangéliste, les a joints à
la parabole de *l'ami importun* en raison de l'analogie du sujet, qui est la prière, et il faut convenir
qu'ils sont en meilleure situation dans saint Luc que
dans saint Matthieu, où ils sont isolés à la façon
d'un petit bloc erratique. Comme il arrive en pareil
cas, l'analogie de la pièce adjointe avec le récit précédent est très frappante au point de jonction ou de
suture. C'est cette ressemblance sans doute qui a
motivé l'union. L'analogie cependant diminue dans
les versets suivants, en sorte que l'écart est beaucoup plus considérable au point d'arrivée qu'il ne
l'était au point de départ. Tels deux rayons qui se
touchent quand ils émanent du même foyer lumi-

neux, et qui s'écartent dans l'atmosphère à mesure
qu'ils s'éloignent et se propagent.

Le résultat de ces observations est que la parabole
de *l'ami importun* doit être expliquée d'après ses
données internes, sans le moindre recours à son
appendice. Celui-ci à son tour sera interprété en lui-
même. Il se rencontrera ainsi qu'au lieu d'un enseignement sur la prière, nous en aurons deux : sur la
prière difficile et sur la prière facile, et ces deux
leçons jointes au *Pater* constitueront un important
chapitre de catéchisme sur la prière en général.

Nous réalisons ainsi un gain appréciable, tant au
point de vue de l'exégèse que de la théologie.

Est-il besoin de dire que, pour cette opération, il
nous faudra user de prudence, attendu que l'application est tout entière à suppléer, ainsi qu'il arrive
ailleurs dans les paraboles de saint Matthieu (*sénevé,
ferment, perle précieuse*, xiii, 31-33, 45, 46), et de
saint Marc (*semence*, iv, 28-29, etc.) ?

Leçon principale. — Plus que jamais la discrétion
conseille de se tenir dans la *ligne* même de la
parabole, sans renchérissement d'aucune sorte.
L'*importunité* réussit auprès des amis de la terre, elle
réussira dans les mêmes conditions auprès de Dieu.
Notre première demande fût-elle accueillie par un
refus catégorique, ne nous lassons pas de prier,
Dieu finira par nous exaucer, ne fût-ce que pour se
débarrasser de nos instances.

Je dis que rien ne nous autorise ici à user d'un
argument *a fortiori*, analogue à celui *du juge inique*
(xviii, 7, 8), puisque la parabole ne l'exprime ni ne
le suggère ni ne le sous-entend.

Contentons-nous donc d'une comparaison ordinaire se ramenant aux deux membres suivants :

De même qu'un homme demandant un service à

son ami, à une heure intempestive, après avoir
essuyé un refus catégorique, obtint ce qu'il demandait, à force d'instances et d'importunités,

ainsi Dieu finira par exaucer notre prière, pourvu
qu'elle soit persévérante, Dieu fît-il semblant d'abord
de ne pas nous écouter, notre prière dût-elle aller
jusqu'à l'importunité.

Ces mots appellent un bref commentaire.

Dom Calmet a dit excellemment : « Le Sauveur
ayant enseigné à ses disciples la formule de prière
que l'on vient de lire (*Pater*), leur montre l'utilité et
l'efficace de la prière en général. Il veut que l'on
prie toujours avec persévérance et sans se rebuter.
Un ami vient demander du pain à emprunter à son
ami, au milieu de la nuit, dans le temps le plus
incommode, lorsque le maître, ses enfants et ses
domestiques sont couchés. Il est d'abord refusé ; il
insiste ; et il obtient par sa persévérance, ce que
sans cela il n'aurait point obtenu. *Dieu veut être
importuné, il veut qu'on le prie avec zèle, avec persévérance* » (182, 183).

Nous voilà dûment avertis. De nos relations avec
Dieu, en temps de besoin et de prière, nous devons
exclure le respect humain, la fausse honte, la fausse
crainte, la fausse timidité. Autre est la demande qui
s'adresse à un homme, autre celle qui s'adresse à
Dieu.

Un homme qui s'adresse à son semblable plus
fortuné doit observer les règles de l'étiquette. Un
homme qui s'adresse à Dieu n'a aucune règle à
garder. Toutes les formules de la politesse humaine
sont éliminées ici, comme inopérantes et inadé-
quates. Elles sont remplacées par une magnifique
impudence, par une persévérance sublime qui est
une forme supérieure du respect et de la politesse.

Pour nous inculquer cette théologie éminente de
la prière et l'ériger en canon, Jésus a choisi dans la
vie sociale un cas extraordinaire. Entre amis, on ne
refuse pas de se rendre de ces menus services. Et
puis vraiment, ce n'est pas une affaire pour un
homme de se lever et d'aller chercher les trois pains
demandés. Jésus a choisi à dessein ces traits anormaux pour constituer le cas typique de l'importunité.

Il semble dire : Prenons le cas le plus difficile, ou
le moins ordinaire dans les rapports des hommes.
De cette anomalie faites la règle habituelle de vos
rapports avec Dieu. Dieu ne fera pas moins pour
vous que ce faux ami paresseux.

J'ai dit qu'il fallait se garder de toute argumentation *a fortiori*. La nature des choses nous signale
cependant des circonstances plus favorables dans
nos rapports avec Dieu.

Nous ne devons pas nous laisser décevoir aux
apparences changeantes des anthropomorphismes.
En réalité, Dieu ne peut jamais être importuné,
n'étant pas sujet aux misères qui font que nous le
sommes.

Dieu n'est jamais fatigué, il ne se couche ni ne
dort; il n'est jamait nuit pour lui; sa porte n'est
jamais close; il n'a pas d'effort à faire pour se lever,
nous ouvrir, nous octroyer ce que nous lui demandons.

A toute heure du jour et de la nuit, nous pouvons
nous présenter; il n'a pas ses heures comme les
grands de la terre; sur-le-champ il nous donne
audience. Jamais il n'alléguera ce désolant prétexte
que nous le dérangeons, que nous le gênons, que
nous l'ennuyons. Dieu n'est jamais ennuyé, ni gêné,
ni dérangé; il est toujours égal à lui-même.

Nous-mêmes nous n'avons pas à nous lever au cœur de la nuit pour le prier, sortir dans la rue, nous rendre à la maison d'autrui. Partout nous sommes en sa présence; de partout il nous entend.

Décompte fait de ces différences, Dieu se fait prier à la manière des hommes. S'il ne formule pas de refus, il s'abstient parfois de nous exaucer; nous le disons — et c'est un anthropomorphisme — il reste sourd à nos supplications, comme s'il ne voulait pas nous entendre, comme s'il était importuné de nos demandes ou contrarié dans ses desseins par l'expression d'une volonté opposée.

Alors voici le secret de la victoire : continuer à frapper, continuer à crier, continuer à implorer. Sur le cœur de Dieu comme sur le cœur de l'homme, l'importunité à une certaine dose devient insupportable; c'est le moment précis où elle devient irrésistible.

A ce moment, fussions-nous éconduits en qualité d'amis, nous sommes sûrs d'être exaucés à titre d'importuns. L'importunité est le secret de la victoire. Jésus la canonise, en en faisant la règle de la prière.

Sur quoi Jülicher fait de l'ironie (273), disant que jamais l'importunité ne sera introduite dans un catalogue des vertus chrétiennes. On peut répondre à Jülicher que, si l'importunité n'est pas une vertu *chrétienne,* entendez morale, *l'ami importun* l'a érigée au rang des vertus *théologales et divines.* Car cette *effronterie* dont parle Calmet est en réalité le sommet de la foi, de l'espérance et de la divine charité.

La persévérance dans la prière requiert normalement un temps prolongé. C'est la prière du paralytique attendant près de la piscine probatique le

mouvement de l'eau et qu'une main secourable
vienne l'y plonger; c'est la prière de l'aveugle de
Jéricho criant plus fort à mesure qu'on veut lui
imposer silence; c'est la prière de la Cananéenne
s'attachant aux pas des apôtres qui, fatigués, finissent par dire au Maître : Renvoyez-la donc, elle ne
cesse de crier après nous !

Quelquefois la qualité supplée à la quantité. Il y
a une façon de dire : Je ne m'en irai pas d'ici que vous
ne m'ayez exaucé, qui dénote la résolution suprême
à quoi rien ne résiste. Une telle vertu se passe de
l'épreuve du temps.

Mais alors, s'il n'est pas importuné et qu'il nous
entende ; s'il est vrai qu'il désire même nous exaucer,
pourquoi Dieu joue-t-il à l'importunité ? Ce petit jeu
n'est-il pas indigne de lui ? Et ne sait-il pas, lui qui
sait tout, combien ce jeu est *exerçant* pour la
patience de l'homme, laquelle n'est jamais plus
courte que dans le malheur ?

Saint Augustin nous donne la solution en une
formule lapidaire qu'entendirent pour la première
fois ses pêcheurs d'Hippone : « Frappe, il veut
donner. Mais ce qu'il veut donner, il le diffère, pour
que ce délai avive tes désirs. Le don aurait moins
de prix à tes yeux, s'il te l'accordait tout de suite.
*Pulsa, dare vult. Et quod dare vult, differt, ut
amplius desideres dilatum, ne vilescat cito datum* »
(xxxviii, 619). Le saint Docteur l'a dit encore, Dieu
a plus envie de donner que nous de recevoir, *plus vult
ille dare quam nos accipere* (*ibid*. n. 1); mais notre
sanctification et sa gloire l'obligent à temporiser.
C'est alors qu'il veut être importuné.

III. — Discours extraparabolique :
Demandez, cherchez, heurtez.

Bien que les vv. 9-13 n'appartiennent pas à la parabole, il convient d'en donner ici une rapide explication. Ils représentent, avons-nous dit, un autre type de la prière, la prière facile, la prière immédiatement exaucée.

⁹*Et moi, je vous le dis : Demandez et l'on vous donnera, cherchez et vous trouverez, heurtez et l'on vous ouvrira.* ¹⁰*Car qui demande reçoit, qui cherche trouve, et qui frappe, on lui ouvre.*

Autant de métaphores qui tendent à exprimer la même pensée. Car nous ne voyons aucune raison d'y marquer la moindre différence ou gradation. Assurément, celui qui cherche se donne parfois plus de peine que celui qui demande. Encore n'est-ce pas une vérité universelle. Il y a demande et demande. Il y a le geste du mendiant à qui il suffit de tendre la main au bienfaiteur qui passe ou qui prend les devants, et celui du mendiant palestinien assis aux portes des maisons ou le long des chemins, et qui doit attendre de longues heures, la main tendue et la voix implorante. En tout cas, le fait de heurter ne renchérit pas sur celui de chercher. Il est bien plus aisé de frapper à une porte, s'il n'y a que cela à faire, que d'entreprendre la recherche d'un objet perdu.

Toutes ces métaphores renferment la même leçon : Demandez les grâces dont vous avez besoin, Dieu vous les accordera immédiatement et infailliblement.

C'est une loi de l'ordre surnaturel : *Qui demande reçoit, qui cherche trouve, et qui frappe, on lui ouvre.* Les rabbins n'ont pas connu ces apoph-

tegmes; on n'en voit pas trace dans les écrits talmudiques. Ils sont une trouvaille du Cœur de Jésus,
et ils ouvrent un horizon singulièrement agrandi
sur la théologie de la prière et sur la miséricorde de
Dieu.

Jésus a voulu nous donner une autre assurance.
Quand vous priez, dit-il, soyez sans inquiétude, Dieu
prend toujours au sérieux l'objet de votre demande.
Jamais il ne la tourne en ridicule; jamais il ne se
moquera de vous en vous donnant un objet de dérision, quand vous sollicitez un objet de première
nécessité. A plus forte raison, ne vous donnera-t-il
jamais un objet nuisible, dont vous pourriez abuser :
*Y a-t-il un père parmi vous, quand son fils lui
demande du pain, qui lui donne une pierre? et s'il lui
demande un poisson, à la place du poisson lui
donnera-t-il un serpent? et s'il lui demande un œuf,
lui donnera-t-il un scorpion?*

Donner une pierre à la place du pain, c'est une
moquerie; donner un serpent à la place d'un poisson,
c'est une imprudence; donner un scorpion à la place
d'un œuf, c'est une méchanceté.

Comment peut-il venir à l'idée de quelqu'un
d'offrir une pierre à la place du pain? Par contraste,
pour remplacer une chose qui se mange par une
chose qui ne se mange pas. Et comment peut-
on offrir un serpent à la place d'un poisson? Le
P. Lagrange répond : « Le serpent n'est pas le plus
souvent nuisible; il est là pour sa ressemblance avec
certains poissons (Holtzmann cite le *Clarias Macracanthus* du lac de Tibériade) » (327). Calmet disait
plus simplement : « Il y a quelque ressemblance
entre une anguille et un serpent » (184). Cette fois,
n'est-ce pas raffiner à l'excès sur une locution populaire de Jésus ? Ce raffinement oblige à des subtilités.

Il faut que le serpent ne soit pas venimeux et que
le poisson soit une anguille ou un *Clarias Macracanthus*. Jésus ne voulait pas être si savant. Retenons la véritable explication qui est la même
que pour le pain et la pierre : A la place d'un
poisson qui se mange, offre-t-on à un enfant un
serpent qui ne se mange pas, qui au contraire est
dangereux ?

La même pensée reçoit toute son emphase dans
une dernière interrogation : A la place d'un œuf qui
qui se mange, offre-t-on un scorpion qui ne peut
absolument pas se manger, qui est même franchement dangereux ? Les commentateurs qui avaient
trouvé une ressemblance entre l'anguille et le
serpent, en cherchent encore une autre entre l'œuf
et le scorpion. Calmet croit l avoir trouvée : « Il y a,
dit-il, des scorpions blancs et qui ne sont pas fort
différents d'un œuf pour la grosseur et même pour
la forme » (184). — La Palestine connaît surtout
des scorpions *noirs*, sournois et redoutables ; elle a
aussi des scorpions blancs, mais qui ne rappellent
l'œuf ni pour la forme ni pour la grosseur.

Il faut noter dans saint Luc ces triples répétitions :
pain, poisson, œuf, — pierre, serpent, scorpion, —
qui répondent aux triples recommandations du
début : demandez, cherchez, heurtez. Saint Matthieu
ne connaît ni la demande de l'œuf ni l'invraisemblable substitution du scorpion. Cette absence
surprend d'autant plus en ce petit bloc que tous les
autres éléments en sont si curieusement identiques.
Serait-ce que la catéchèse d'Antioche, prenant sans
doute ailleurs ce v. 12, l'aurait ici ajouté aux
données de la catéchèse de Jérusalem ?

Le tout s'achève par une conclusion : *Si donc
vous autres, qui êtes méchants, savez donner de*

*bonnes choses à vos enfants, combien plus le Père
céleste donnera-t-il l'Esprit-Saint à ceux qui le
prient!* « Il leur donnera le Saint-Esprit avec ses
dons, ses lumières, ses grâces » (Calmet, 184).

Cette fois l'argument *a fortiori* est explicite.

« L'antithèse est entre les parents de la terre,
imparfaits comme tous les hommes, et le Père céleste,
qui est parfait et parfaitement bon » (Loisy, 1, 632).
Si vous autres, pères de la terre, vous savez donner
à vos enfants des choses bonnes, combien plus votre
Père céleste vous donnera-t-il des choses bonnes
(ἀγαθά) — c'est le texte de saint Matthieu, — ou
même la chose bonne par excellence, le Saint-
Esprit — c'est le texte de saint Luc. Le texte de
saint Matthieu « est sans doute primitif comme plus
simple » (Lagrange, 328). L'argumentation, pour
être plus nette en saint Luc, demeure substantiellement identique. D'un bond, elle nous fait atteindre
les sommets de la vie surnaturelle et de la vie
mystique.

A les bien considérer, toutes ces leçons diverses
s'additionnent pour constituer une petite somme de
la prière : « Priez. Si Dieu vous exauce immédiatement, heureux êtes-vous, usez filialement de
ses dons paternels. Sinon, ne vous découragez pas,
ce qui n'est pas accordé à l'amitié, l'importunité le
conquerra de haute lutte. »

Car il y a entente secrète entre Dieu, pour donner,
et ses enfants, pour recevoir. Et Dieu a encore plus
envie de donner que nous de recevoir, *plus vult ille
dare quam nos accipere.*

Le bon Samaritain

(saint Luc, x, 25-37).

[25] Et voici qu'un docteur de la Loi se leva pour l'éprouver, disant : Maître, que dois-je faire pour posséder la vie éternelle? — [26] Il lui dit : Qu'y a-t-il d'écrit dans la Loi? Comment lis-tu? — [27] L'autre répondit : Tu aimeras le Seigneur ton Dieu de tout ton cœur, de toute ton âme, de toutes tes forces, de tout ton esprit, et ton prochain comme toi-même. — [28] [Jésus] lui dit : Tu as bien répondu; fais cela et tu vivras. — [29] Mais lui, voulant se justifier, il dit à Jésus : Et qui est mon prochain?

[30] Jésus reprit : Un homme descendait de Jérusalem à Jéricho, et il tomba entre les mains des brigands qui le dépouillèrent, le couvrirent de plaies et s'en allèrent, le laissant à demi mort. [31] Il se trouva qu'un prêtre descendait par ce même chemin; mais l'ayant aperçu, il passa outre. [32] De même un lévite qui survint en ces lieux et qui le vit, passa outre. [33] Mais un Samaritain en voyage arriva près de lui; à sa vue il fut rempli de compassion. [34] Il s'approcha, banda ses blessures en y versant de l'huile et du vin; puis l'ayant mis sur sa propre monture, il l'amena à un caravansérail et il y prit soin de lui. [35] Le lendemain, il tira deux deniers et les donna à l'hôtelier disant : Prends soin de lui, et tout le surplus de la dépense, je te le rembourserai à mon retour.

[36] Lequel des trois te semble avoir été le prochain de l'homme tombé entre les mains des brigands? [37] Il dit : Celui qui a eu pitié de lui. — Jésus lui dit : Va, toi aussi, fais de même.

I. — Introduction

Nous devons la parabole *du bon Samaritain* à l'insidieuse vanité d'un docteur de la Loi. A plu-

sieurs reprises, l'évangile nous montre ces légistes
retors s'avançant vers le Maître et lui posant des
questions captieuses, avec le désir mal dissimulé de
le prendre en défaut. S'ils réussissaient à l'embarrasser, quelle satisfaction pour leur amour-propre!
Quelle joie de mettre en mauvaise posture devant le
peuple le rival redouté! Mais les hommes de loi
jouaient de malheur. Non seulement Jésus se déga-
geait sans peine de leurs embûches, mais encore il
les prenait à leurs propres filets. La confusion qu'ils
comptaient amasser sur sa tête, retombait sur eux-
mêmes et les accablait. Que voulait en l'espèce le
docteur de la Loi? Peut-être espérait-il comme le
riche de saint Marc (x, 17 ss.) que Jésus lui recom-
manderait la liste des vertus prescrites au commun
des mortels. A quoi il n'eût point manqué de
répondre avec jactance qu'il était exact à les pratiquer dès sa plus tendre jeunesse. Peut-être attendait-
il quelque vague sentence morale dans le goût de
celles que prodiguaient les rabbins en semblable
occurrence. A quoi il eût été prompt à opposer quelque apophtegme de l'école rivale.

La réponse du Sauveur ne fut pas celle qu'il
espérait. Il fut humilié de se voir renvoyé purement
et simplement au premier précepte du décalogue.
Le théologien qui joute avec d'autres théologiens
dans une argumentation publique n'aime pas à être
renvoyé à son catéchisme.

Le docteur déconcerté ne veut pas demeurer court.
Il saisit à la volée l'une des dernières paroles enten-
dues et il y suspend une interrogation quelconque.
La pire des hontes, en de telles circonstances, serait
de rester muet. Une sottise vaut mieux alors que le
silence. C'est pourquoi il demande à tout hasard :
Et qui est mon prochain? Pilate, dans une circons-

tance analogue, demandera : *Qu'est-ce que la vérité?*

Le texte de la parabole a un joli mot pour désigner la chose : *Mais lui, voulant se justifier, il dit
à Jésus... Voulant se justifier,* c'est-à-dire voulant
montrer qu'il n'a pas posé une question dénuée de
sens, qu'il a posé une question difficile, dont on ne
se débarrasse pas à si bon compte, avec un simple
renvoi à l'Écriture.

Cette explication toute proche est tellement satisfaisante qu'on s'étonne que certains exégètes soient
allés en chercher une autre au loin à grands frais de
science. Voici le commentaire de Loisy, qui s'inspire
de Jülicher : « Il reprend la parole *pour se justifier,*
c'est-à-dire pour se faire valoir et démontrer qu'il
est juste, non pour prouver que la chose n'est pas si
simple qu'on pourrait le croire, et que sa première
question, à laquelle il a fourni lui-même une
réponse générale, n'était pas superflue... » (II, 353).

Ce n'est pas d'établir sa justice que se préoccupe
en ce moment le docteur. Il y a une chose plus pressée, et c'est de montrer qu'il n'est pas un imbécile.

La nouvelle question du scribe nous a valu la
délicieuse parabole *du bon Samaritain.*

II. — TABLEAU

Un homme descendait de Jérusalem à Jéricho.

Le voyageur. — La route suivie par le voyageur
est la plus pittoresque de Palestine. Partie des
hauteurs de Jérusalem, à 800 mètres d'altitude, elle
se précipite vers la vallée du Jourdain, qui est bien
le point de la terre le plus profond, puisque le sol s'y
affaisse brusquement jusqu'à plusieurs centaines de
metres au-dessous du niveau de la mer (Jéricho est
à —250 m., les abords du fleuve sont à —350 environ).

De Jérusalem à Jéricho, si l'on excepte le petit village d'*el Azarieh*, qui garde le souvenir de Béthanie, la route est absolument déserte. Elle se déroule entre des mamelons uniformes qui, l'hiver, se couvrent de quelques herbes éphémères et, dès le mois de mai, n'étalent plus que leurs flancs dénudés, parmi le scintillement gris d'une lumière aveuglante. En dehors des automobiles qui passent à toute allure, on n'y rencontre que les lentes caravanes d'ânes et de chameaux qui transportent à Jérusalem les produits de la Transjordanie ; l'on n'y aperçoit que les tentes noires de quelque campement, et çà et là les troupeaux de brebis ou de chèvres qu'un enfant guide à la recherche de problématiques pâturages.

Ces déserts sont propices aux exploits des voleurs de grand chemin. Aussi ont-ils été de tout temps malfamés. Les Juifs appelaient ce passage *la montée du sang* (Jos. xv, 7). Peut-être cependant cette appellation était-elle due aux fortes colorations de manganèse qui, par endroits, ressemblent à des flaques de sang coagulé.

Les Romains, au dire de saint Jérôme, avaient installé à mi-chemin un poste militaire pour la sauvegarde des voyageurs. Il en reste quelques pans de mur sur le côté septentrional de la route.

Le poste est aujourd'hui remplacé par un caravansérail, le khan *rouge* (*el ahmar*). Les bandits de profession ont également disparu. Pourtant, comme c'est l'occasion qui fait le larron, l'on entendait naguère encore parler de quelque hardi coup de main, tenté par les Bédouins sur les voyageurs sans défense. Telle une caravane de pèlerins russes qui, voici quelques années, fut assaillie en plein jour et détroussée de tout ce qui était susceptible d'être emporté.

Placée dans ce contexte historique et géographique, l'histoire ne surprit aucun des auditeurs de Jésus. Le voyageur en question tomba entre les mains de brigands qui le dévalisèrent et le rouèrent de coups.

Le P. Lagrange note avec finesse : « Si le pauvre homme a été roué de coups, c'est sans doute pour le punir de s'être défendu ; les coups sont par-dessus le marché » (313). Les bandits pouvaient aussi avoir quelque intérêt à mettre le voyageur hors d'état d'aller réclamer du secours. Le *dépouillement* est à prendre au sens littéral, car les bandits de Palestine n'ont jamais été difficiles sur la qualité du butin, comme ils ne se sont jamais embarrassés de la gêne éventuelle de leurs victimes. Là-dessus, leur besogne faite, ils s'en vont, laissant notre homme à demi mort.

Ce voyageur était-il juif ? La parabole ne l'indique pas. Mais les commentateurs ont de tout temps suppléé à son silence. A force de le répéter, ils ont créé, non pas une tradition, mais un courant d'opinion. Aujourd'hui, ils le redisent à l'envi. « Un homme quelconque, mais juif selon toutes les vraisemblances » (Lagrange, 313). « Un homme — vraisemblablement un juif » (Valensin-Huby, 202). « Vraisemblablement un Juif, bien que cela ne soit pas exprimé » (Klostermann, 482). « Selon toutes les vraisemblances, un juif » (Jülicher, ii, 586).

Si la nationalité du voyageur était assurée, je veux dire si elle était de quelque importance, il serait surprenant que le Maître ne l'eût pas spécifiée. Le paraboliste a coutume de bien choisir ses termes, et l'exégète n'est généralement pas heureux quand il entreprend de les changer par d'autres de sa préférence.

S'il les change, consciemment ou non, c'est
presque toujours pour le besoin de la cause, c'est-
à-dire de l'interprétation qu'il développe. Maldonat,
dont l'acuité d'intelligence est notoire et qui de
plus a très heureusement approfondi la morale
de cette parabole, s'y laisse prendre avec candeur.
« Le Christ, dit-il, a voulu contraindre le docteur
à confesser de sa propre bouche que le prochain
du juif, ce n'est pas seulement un autre juif, mais
encore un samaritain. Un ennemi a donc pour prochain son ennemi. » Il faut savourer la concision
latine de Maldonat : *Non solum Judaeum Judaeo,
sed Samaritanum etiam Judaeo, id est hostem
hosti proximum esse* (196, 197).

Calmet n'est pas moins explicite : « (Jésus) montre
de plus que les mêmes principes des Juifs étaient
insoutenables, par une absurdité visible qui s'ensuit,
si on les admet ; c'est que nos frères, nos compatriotes, ceux de notre nation, les plus gens de bien
pourront plus n'être notre prochain, puisque, dans
l'exemple proposé, un prêtre et un lévite passèrent
sans rendre aucun secours au Juif blessé et
dépouillé » (175).

Sans doute, le tableau est ainsi mieux éclairé,
et avec des couleurs plus crues, mais le peintre
n'est plus Jésus, il devrait signer Maldonat ou
Calmet.

En réalité, le voyageur de la parabole était simplement un homme (ἄνθρωπός τις), sans spécification de
religion ni de nationalité. Ce pouvait être un juif
assurément ; ce pouvait être aussi un samaritain
schismatique ou un païen idolâtre. En style de
parabole, quand on dit *un homme,* on fait abstraction de tout le reste ; on ne considère que son appar-
tenance à la famille humaine. Nous verrons que la

juste interprétation de l'histoire s'accommode fort
bien de cette imprécision.

Les passants. — A la scène des bandits succède
celle des passants. On n'a pas à se demander pourquoi les brigands n'ont pas continué leur guet aux
abords de ces chemins solitaires, et pourquoi, en
particulier, ils ne sont pas tombés sur ce prêtre et ce
lévite qui auraient pu être des prises aussi satisfaisantes que le premier voyageur, sinon davantage. Il
suffisait à l'intention du Sauveur qu'un seul homme
fût malmené, son but étant de montrer la conduite
des autres à l'égard de cet infortuné.

La qualité des passants qui défilent auprès du
blessé suit une gradation descendante : d'abord un
prêtre, ensuite un lévite ; pour finir, un samaritain
« Dans cet entretien (avec un docteur), note le P.
Lagrange, il eût été peu conforme à la courtoisie de
donner un rôle fâcheux à un pharisien ou à un
scribe » (313).

Jéricho étant une ville sacerdotale, il se peut que
les deux premiers s'en revinssent chez eux après
leur semaine de service au Temple. *Ils descendent ;*
ils voyagent donc de Jérusalem à Jéricho. Loisy a
une bien étrange distraction, quand il affecte d'ignorer
s'ils vont de Jérusalem à Jéricho ou de Jéricho à
Jérusalem (II, 354). Le motif de leur voyage nous
importe peu. S'ils passent, c'est uniquement pour
les besoins de la parabole. Nous en savons assez,
quand nous apprenons qu'ils viennent à passer par
hasard.

Peu nous importe encore que le samaritain se
rende à son négoce ou à ses plaisirs. La seule chose
qui nous intéresse en lui, c'est le rôle qu'il va jouer
dans l'histoire. Le rôle du prêtre et celui du lévite
préparent le sien.

Le prêtre aurait dû, en raison de son caractère e
de son rang, porter secours au blessé en détresse.
Il vient, voit et passe. Rien ne dessèche le cœur
comme l'égoïsme de la piété. Le lévite fait de même.
Ils ne regardent l'un et l'autre ni à la religion ni à la
nationalité du blessé. C'est un malheureux. Il n'est
pas intéressant. Ils passent. Seul, le samaritain est
ému de compassion. Il s'approche, répand sur les
blessures de l'huile et du vin et les panse. Pour
expliquer que ce passant miséricordieux ait sous la
main de quoi procéder à ce premier pansement, les
commentateurs rappellent que les voyageurs pré-
voyants aiment à se munir d'une petite pharmacie
portative, de quoi parer à tout événement. Effectivement, disent-ils, ce samaritain voyageait loin de
son pays. — Ils oublient que la Samarie était à peine
plus distante de Jéricho que Jérusalem. — Quoi
qu'il en soit des autres voyageurs, celui-là était
pourvu de remèdes, parce qu'il était convenable au
but de la parabole qu'il le fût.

Aussitôt il se met en devoir de rendre au blessé
tous les services que comporte son état lamentable.
Il verse sur ses plaies l'huile et le vin qui ont toujours été les remèdes préférés de la médecine empirique en Orient. Ils n'ont pas encore perdu de leur
vogue ou de leur efficacité, puisqu'on cite toujours
à leur sujet des cas d'un emploi héroïque. Le bon
Calmet savait la raison de ce mélange. « De l'huile,
dit-il, pour adoucir et pour tempérer la douleur ; du
vin, pour consolider la plaie et nettoyer le sang.
Ou bien, il mêla le vin et l'huile pour en frotter les
plaies du malade » (176).

En Orient, quand un membre meurtri ou foulé a
été congrument frotté d'huile, il n'y a plus qu'à
laisser faire la nature ; du repos, peut-être encore

quelques soins sommaires, la guérison viendra à
brève échéance.

Le blessé ainsi ranimé, le samaritain le met sur
sa monture à lui, τὸ ἴδιον κτῆνος. On s'étonne qu'il
puisse venir à la pensée de quelques exégètes que
c'était la monture du blessé (Loisy, 354). S'il avait
une bête, cheval, âne ou mulet, elle a été évidemment emmenée par les voleurs. C'est donc sur sa
propre monture que le hisse le bon samaritain. Le
P. Lagrange excelle à relever ces traits des mœurs
palestiniennes : « Le blessé, demi-mort, ne pouvait
se tenir en croupe, et le Samaritain eût pu difficilement le prendre devant lui; il est probable qu'il
marche à pied, soutenant le blessé pour l'empêcher
de tomber » (314). Tous les jours, aux portes des
hôpitaux, nous voyons les malades arriver en cet
équipage, abandonnés sur leurs montures et soutenus
par des amis qui marchent à leurs côtés...

Où se trouvait l'hôtellerie? La parabole sous-
entend qu'elle était située sur un point de la route,
avant d'arriver à Jéricho. Il n'est pas impossible
que, même à l'époque où ces contrées étaient infestées
de brigands, quelque hôtelier ait eu le courage
d'installer son khan sur le parcours du long chemin.
Les voleurs, par une sorte de pacte tacite et dans
leur propre intérêt, étaient sans doute disposés à
respecter un établissement qui semblait devoir
attirer leur clientèle, sauf à oublier parfois le contrat en razziant le caravansérail lui-même.

Aujourd'hui, le *khan el ahmar* est dit vulgairement le *khan du bon Samaritain*. Cette identification populaire n'est due évidemment qu'au désir
de localiser quelque part les faits narrés dans la
parabole. Ceux qui, les premiers, ont mis ce vocable
en circulation, ignoraient sans doute que, la para-

bole n'étant pas une histoire véridique, il n y avait
pas lieu de chercher en quel endroit précis elle
s'était déroulée.

L'hôtellerie. — Quant à l'hôtellerie, elle est bien ce
que rappelle le mot grec *qui-reçoit-tout* (πανδοχεῖον),
et mieux encore notre mot français *caravansérail*
(sérail des caravanes). Qui a vu une de ces hôtel-
leries, qui surtout y a logé, ne l'oubliera jamais.
Elle se compose de deux ou trois pièces en rez-de-
chaussée, garnies de tables et de bancs ; les voyageurs s'y installent pour prendre leur repas ou fumer
nonchalamment le narghilé ; la nuit, ils s'étendent à
même le sol ou sur un banc, roulés dans leur *abaye*
ou dans leur couverture.

Sur le devant de l'habitation s'étend une cour
spacieuse et malpropre où les bêtes de somme,
chevaux, mulets, ânes, chameaux, trouvent à se
désaltérer et à se restaurer pour fournir l'étape
prochaine. L'hôtellerie orientale n'a rien de l'hôtel
moderne, et très peu de nos auberges villageoises. Le
voyageur qui y campe une seule nuit emporte d'un
sommeil pris sur la dure l'impression lourde de
cauchemars et de brusques réveils, et non moins la
hantise de minuscules insectes importuns et obstinés.
Pour les gens du peuple, il est vrai, ces inconvénients
sont largement atténués par une accoutumance
ancestrale.

Le maître de l'hôtellerie n'a pas d'appartement
spécial à offrir aux voyageurs malades. Ceux-ci,
lorsqu'il s'en rencontre, n'ont d'autre ressource que
de s'étendre dans un coin, laissant faire la nature,
après l'huile, tandis qu'autour d'eux continue le
mouvement habituel d'un caravansérail.

Tel fut l'accueil fait au blessé de la parabole. Le
soir, c'est le samaritain qui s'occupe de lui. Le

lendemain matin, comme il devait poursuivre son
voyage, il laisse son protégé à la garde de l'hôtelier,
en appuyant ses recommandations du geste le plus
efficace. Il *tire* deux deniers. En Orient, le mot
fait figure. Il les tire « de sa ceinture ou de sa poche
ou de son couvre-tête » (Lagrange, 315). Le porte-
monnaie de nos paysans palestiniens est encore le
bout du *keffyé* ou voile de la tête serré par un
nœud, ou le labyrinthe du *turban* enroulé autour
du *tarbouch*.

Deux deniers, salaire de deux journées de travail,
c'était une provision suffisante. Au lieu d'en conclure
que le samaritain n'est pas riche (Lagrange, 315),
on trouvera qu'il rétribue largement l'hospitalité du
caravansérail. Le blessé ne dépenserait pas un denier
par jour. En Orient, les malades sont aussi peu
encombrants que possible ; ils endurent des souffrances atroces avec une résignation silencieuse. Et
puis ils guérissent vite. En deux jours, mal ira si le
blessé n'est pas en mesure de reprendre son chemin.
Dans les hôpitaux, les malades, à peine échappés
du bistouri des chirurgiens, parlent de repartir,
et bien souvent ils s'en vont. S'il y a des frais supplémentaires, ajoute le samaritain, je les réglerai à
mon retour. Une telle promesse se passe d'autres
garanties. La rareté des chemins de Palestine oblige
les voyageurs à revenir par la même route ; et pareillement, la rareté des caravansérails échelonnés
sur de longs parcours les oblige à s'arrêter toujours aux mêmes lieux. Là-dessus le blessé reste à
l'hôtellerie, et le samaritain continue sa route.
Nous ne savons plus ce qu'ils deviennent ni l'un ni
l'autre, et, à vrai dire, nous nous en soucions désormais fort peu. L'histoire est complète ; il ne nous
reste qu'à tirer la moralité du récit.

Telle est la parabole narrée par le divin Maître pour l'instruction du docteur de la Loi.

Que si l'on néglige les détails, les faits principaux se résument en ceci. Un homme gisait sur un chemin désert, couvert de blessures, incapable de se mouvoir. Tour à tour défilent un prêtre et un lévite qui le regardent à peine et passent sans le secourir. Il lui fallut attendre qu'un samaritain eût pitié de lui et lui prodiguât tous les soins désirables. Par où ressort vivement le contraste entre l'égoïsme de la caste sacerdotale et la charité de l'étranger.

A ne considérer que le mouvement de la parabole, nous nous attendrions à recevoir l'invitation de ne pas imiter l'égoïsme du prêtre et du lévite, et d'imiter au contraire la charité du samaritain. Nous allons voir que la leçon proposée par le Sauveur roule en effet sur la charité à l'égard du prochain, bien qu'elle en signale de préférence certains aspects particuliers.

III. — Application

Le bon Samaritain est l'une des paraboles qui, précédées d'une introduction historique, sont encore pourvues d'une application, développée ou embryonnaire.

Nous connaissons déjà l'introduction : *Un docteur de la Loi se leva pour l'éprouver, disant : Maître, que dois-je faire pour posséder la vie éternelle ?* Et la suite, qui se termine de la sorte : *Mais lui, voulant se justifier, il dit à Jésus : Et qui est mon prochain ?* — *Jésus reprit : Un homme descendait de Jérusalem à Jéricho...* (29, 30).

L'application, venant après le gracieux tableau de la parabole, est d'une brièveté saisissante : *Lequel des trois te semble avoir été le prochain de l'homme*

*tombé entre les mains des brigands? Il dit : Celui
qui a eu pitié de lui. Jésus lui dit : Va, toi aussi, fais
de même (36, 37).*

Nul lecteur, familiarisé avec les choses de
l'évangile, ne s'étonnera qu'au lieu de simplifier
l'exégèse de la parabole, la présence simultanée de
l'introduction et de l'application la complique. Il
en est ainsi presque chaque fois qu'une parabole
est pourvue d'un exorde et d'une conclusion.

Difficulté. — Il est visible que le Sauveur ne
répond pas dans le sens exact où il était interrogé.
Dans l'introduction, le scribe lui demandait : *Et qui
est mon prochain?* Dans l'application, Jésus interroge
à son tour : *Lequel des trois passants se montra le
prochain du voyageur maltraité par les bandits?*
Ce qui, appliqué au scribe, reviendrait à lui
demander : *Envers qui dois-tu te comporter en prochain?*

Il y a là un déplacement de la pensée, un manque
d'équilibre ou d'ajustement, un certain embarras
qu'il ne faut pas exagérer mais qui n'est pas chimérique. On attendait de la part du Sauveur une
réponse directe et adéquate, une formule calquée
sur la demande : *Ton prochain, c'est un tel, c'est
celui qui...* Au lieu d'une réponse, Jésus formule une
autre demande : *Lequel des trois passants fut le
prochain du blessé?*

Tous les exégètes ou peu s'en faut signalent cette
déviation. Maldonat le fait avec sa netteté et sa
franchise accoutumées : « Pourquoi ce détour et
ne pas conclure en droite ligne? *Cur non recte con-
cludebat Jesus et sine isto circuitu?* » (196²) — Voici
d'autres aveux : « Évidemment la réponse à la
question posée au v. 29 n'est pas directe » (Lagrange,
315). « Jésus, en posant cette question, n'a pas repris

la formule du scribe : Qui est mon prochain ? mais
il l'a remplacée par cette autre : Qui est celui qui se
comporte en prochain à l'égard d'un autre homme ? »
(Valensin-Huby, 204.) Certains extrémistes, tels
que Jülicher et Loisy, exagérant le caractère de cette
« suture artificielle », en tireront des conséquences
inattendues : « La parabole du Samaritain, leçon
pratique sur la charité à l'égard du prochain, a certainement existé d'abord pour elle-même, séparée
de la question relative au grand commandement
ou au moyen d'arriver à la vie éternelle. On aura
ensuite associé l'une à l'autre, avec plus ou moins
d'habileté » (Loisy, 356).

Solution courante : la logique des Sémites. — Ces
derniers excès restent au compte de leurs auteurs.
Cependant la déviation, si elle existe, doit être
justifiée. On le fait habituellement, en alléguant la
juste liberté du genre parabolique. Une légère déviation de la pensée ou de l'expression est parfaitement
excusable, voire légitime, en un genre littéraire qui
comporte d'autres licences et des écarts bien plus
considérables.

Que n'a-t-on pas dit sur l'esprit des Sémites ?
Le traité de logique n'est pas exactement le même
chez eux que chez nous. La vérité n'est pas pour
eux la parfaite conformité du sujet à l'objet. Une
thèse ne se prouve pas à leurs yeux par les mêmes
arguments qu'aux nôtres. Leur raisonnement n'a
pas la même rigueur de déduction. Ils estiment
suffisante la réponse qui traite du même thème que
la question, et n'exigent pas que la concordance de
l'une à l'autre soit parfaite...

On dit encore : Le divin Maître, étant Sémite et
s'adressant à des Sémites, pensait comme eux et
s'exprimait à leur manière. Il usait légitimement

de toutes leurs libertés. Interrogé, il se conformait
dans le silence ou la réponse aux habitudes de sa
race et de son temps. S'il répondait, il avait le droit
d'adopter leur genre de démonstration. Sa pensée
avait licence de s'invertir à la façon nationale ; une
déviation, un écart de la conclusion ne viciait pas
ses prémisses ni son raisonnement. Ne savons-nous
pas que, dans l'évangile de saint Jean, ils sont rares,
les dialogues où les interlocuteurs, Jésus non
excepté, se questionnent et se répondent au mode
direct, comme l'exigent nos habitudes de pensée
occidentale ?

Au dire des meilleurs exégètes, ces explications
valent pour *le bon Samaritain*. Le scribe demandait
quel était son prochain, c'est-à-dire qui avait *droit*
à son amour. Le Sauveur répond en désignant celui
qu'il a le *devoir* de secourir. Question et réponse
roulent bien sur le même sujet, à savoir la démonstration du prochain ; mais le Sauveur envisage dans
sa réponse un aspect du problème que la question
du scribe n'avait sans doute pas envisagé. *Droit* et
devoir sont les deux termes corrélatifs de la même
vertu de charité.

Tout bien considéré, il ne faudrait même plus
parler d'écart de logique, mais seulement de logique
plus libre ou plus compréhensive.

Ces observations se renforcent d'une constatation
de fait. A ne regarder que la parabole, abstraction
faite de l'introduction historique, la conclusion du
récit apparaît rigoureusement déduite. Parvenu à
ce point de son histoire, Jésus ne pouvait conclure
autrement. S'il avait demandé : *Duquel de ces trois
hommes le blessé était-il le prochain ?* sa question
eût embarrassé le scribe, qui eût hésité à répondre
ou peut-être se fût récusé. Dès lors, l'effet eût été

manqué, car, dans ces sortes de paraboles, une
question adressée par le paraboliste à son auditoire
doit sur-le-champ avoir sa réponse et de la bouche
même des interlocuteurs.

Combien plus simple et plus vive et plus efficace
la question de Jésus : *Lequel de ces trois se montra
le prochain du blessé? Va, et fais de même.*

Ainsi la parabole est non seulement un modèle de
logique, mais encore un modèle de polémique. La
flèche est lancée et va droit au but. Ce sont des mots
à l'emporte-pièce. L'adversaire n'a rien à répliquer.
Il n'a qu'à s'en aller méditer l'enseignement reçu.

En résumé, déviation de la pensée, mais légitime,
et, en quelque sorte, nécessaire.

Solution proposée : *la parabole,* réponse concrète
à une question *abstraite.* — Je n'oserais pas dire
de cette explication qu'elle n'est pas fondée et qu'elle
est à rejeter entièrement. Je crois cependant qu'il
en existe une meilleure, et qui a l'avantage de convenir à toutes les difficultés du même genre, c'est-
à-dire à toutes les paraboles pourvues d'une introduction historique.

Si l'on s'étonne qu'une parabole ne coïncide pas
avec son introduction, c'est que l'on n'a peut-être
pas assez réfléchi à la nature de l'une et de l'autre.
L'introduction est toujours énoncée en termes
généraux et *abstraits.* Elle signale la thèse à prouver, le développement à formuler, qui est une *vérité
générale, universelle.* Exemples : dans *le bon Samaritain :* « Et qui est mon prochain ? » Dans *le pharisien et le publicain :* « Il dit la parabole suivante à
l'adresse de quelques-uns *qui se flattaient d'être
justes* et *méprisaient les autres* » (Luc, XVIII, 19).
Dans *le juge inique :* « Il leur disait une parabole
sur la nécessité de toujours prier et de ne jamais se

asser » (Luc, xviii, 1). Dans *le serviteur sans pitié* :
« Seigneur, combien de fois mon frère péchera-t-il
contre moi et lui pardonnerai-je ? Jusqu'à sept fois ? »
Jésus lui dit : « Je ne te dis pas jusqu'à sept fois,
mais jusqu'à septante fois sept fois » (Mt. xviii, 21,
22). Ce qui pourrait se traduire : « Il faut toujours
pardonner à son frère et ne jamais se récuser... »

Si l'introduction énonce une vérité générale,
abstraite, universelle, la parabole, elle, est toujours
un récit *concret* et *individuel*. Exemples : Il y avait
un serviteur qui devait à son maître une somme
fabuleuse... Il y avait un juge sans cœur et une
veuve sans protecteur... Il y avait un pharisien et un
timide publicain... Il y avait un homme qui descendait de Jérusalem à Jéricho...

Le désaccord apparent provient de cette différence
de tonalité : l'introduction est universelle, et l'application particulière. L'introduction est une thèse,
l'application un exemple concret.

Est-ce à dire que l'application soit mal venue, ou
que la parabole soit déséquilibrée, déviée, imparfaite ? Et faut-il pour l'expliquer recourir aux tâtonnements d'une logique rudimentaire ?

Nullement. La thèse est juste et la démonstration
rigoureuse. Mais c'est *la démonstration d'une thèse
générale par un exemple concret.* Pour que
l'exemple se proportionne à la thèse et lui serve de
preuve adéquate, il a besoin d'être à son tour *univer-
salisé* et *généralisé*. L'argument y est et il est bon ; il
a seulement besoin d'être dégagé et mis en forme.

Leçon principale. — Revenons *au bon Samaritain*.
La parabole, ramenée aux deux termes de la comparaison, nous donne le résumé suivant :

De même que le samaritain miséricordieux, plus
compatissant que le prêtre et le lévite sans entrailles,

prodigua ses soins à un voyageur blessé, san
s'informer de sa religion ou de sa nationalité, mí
par la seule considération qu'il était homme e
malheureux,

ainsi nous devons exercer les bons offices de
prochain à l'égard de tous les malheureux, sans
acception de personne, de race ni de culte.

Cette leçon se passe de commentaire. La parabole
est un exemple ; elle nous offre le spectacle d'un
homme compatissant et d'un homme malheureux,
en lesquels nous n'avons aucune peine à découvir le
type de tous les hommes compatissants et de tous
les hommes malheureux. D'où la notion précise du
prochain. Saint Augustin a noté que cette idée
implique dualité de personnes, nul ne pouvant être
prochain qu'à l'endroit d'un autre, *nec quisquam
esse proximus nisi proximo potest* (xxxiv, 31). Cette
idée implique en outre la notion d'un secours
déparli par une personne à une autre personne dans
le besoin. Nous avons donc une personne secourable
et une personne secourue.

Si nous devons remplir les bons offices de la
charité à l'égard de tous les malheureux, sans distinction de religion ni de race, le prochain est pour
chacun de nous quiconque se trouve dans le besoin.
Le titre de *prochain* n'est donc plus un privilège de
caste, conformément au préjugé pharisaïque ; ce
n'est plus un privilège de race ou de religion.
Cette notion est internationale ; elle franchit les
limites locales et s'élargit jusqu'aux frontières de
l'humanité. On ne doit plus regarder si le prochain
appartient au même clan ; il suffit qu'il soit homme
et malheureux. La grande famille humaine est
substituée à la petite tribu ou à la petite nation. Le
prochain ne sera plus le fils d'Abraham ou le disciple

de Moïse, ce sera tout fils d'Adam. Les hommes seront *prochains* dans la mesure où ils sont *frères.*

La notion de prochain, pour quiconque est en état de porter secours, implique le *devoir* de secourir un malheureux quelconque; chez le malheureux, elle implique le *droit* d'être secouru par quiconque est en état de le secourir.

Reportons maintenant au début de la parabole cette notion généralisée A la question du scribe : *Quel est mon prochain?* nous sommes en mesure de répondre : *Le prochain, c'est tout homme dans le besoin.*

L'introduction posait la question et indiquait le but. La parabole, interprétée d'après ses propres moyens, nous a fourni les éléments de la réponse. Un simple procédé *d'abstraction* et de *généralisation* nous permet de formuler la réponse dans les termes mêmes qui conviennent à la question.

Il n'y a donc plus à plaider les circonstances atténuantes en faveur de cette histoire. La parabole est très régulière et parfaitement organisée; elle est d'une saveur exquise en sa touchante simplicité. Nous pouvons l'admirer comme elle le mérite, sans réserve. C'est la parabole de notre fraternité humaine, comme le *Pater* est la prière de notre filiation divine. Joyau merveilleusement serti au frontispice de la morale chrétienne.

Si je ne me trompe, cette interprétation a l'avantage de serrer de plus près le genre littéraire de la parabole. A cet approfondissement la vérité apologétique de l'évangile trouve son profit, puisque l'argumentation du divin Maître est ainsi justifiée de tout reproche d'imperfection. Enfin la notion du prochain garde toute son unité théologique. Les exégètes disaient volontiers que le docteur de la Loi consi-

dérait cette notion comme un *droit* à faire valoir,
tandis que Jésus la représentait premièrement comme
un *devoir* à exercer. La vérité est que les juifs, non
moins que les chrétiens, regardaient d'abord le
prochain comme une personne à secourir; c'est-à-
dire qu'ils étaient frappés avant tout de leurs
obligations. Quand le docteur interroge : *Et qui est
mon prochain?* il veut savoir à quelles personnes
il est tenu de rendre ses devoirs de charité. L'Ancien
Testament déterminait ces devoirs; les rabbins du
Talmud en dissertaient dans leurs écoles; Jésus
lui-même les précise dans sa parabole. L'accord
était donc complet sur la notion du prochain; la
divergence commençait sur l'extension du précepte.
Il est vrai, la divergence est capitale, mais elle est
tout à l'honneur de l'évangile.

Pour apprécier à sa juste valeur cet évangile de
la charité, il faut rappeler à quoi s'étendait la notion
de prochain dans l'Ancien Testament.

Notion du prochain. — Pour les juifs, le prochain
était premièrement le compagnon, l'associé, l'ami.
Le terme hébreu *rêʿa*, du verbe *râʿáh*, évoque
étymologiquement l'idée de deux bergers qui s'asso-
cient dans la garde des troupeaux, pour se rendre les
services mutuels que réclame la vie du *midbâr* ou
pâturage. Le prochain était à l'origine le *proche*,
c'est-à-dire un individu de la même famille, à tout
le moins du même clan ou de la même tribu, avec
lequel on vit dans une communauté de bons
offices réciproques[1].

Cette idée originelle s'était à peine élargie au
cours des âges. Le prochain pour le juif était

1. Cf. la note suggestive du P. Joüon sur Mt. v, 43 (*Recherches,* 1930, 545, 546).

toujours un autre juif. Du moins, la Bible ne con-
tient-elle pas d'indication montrant que les gentils
aient jamais été englobés dans cette idée de parenté,
de fraternité, d'amitié. Les rabbins qui ont élaboré
le Talmud discutaient encore froidement si un juif,
passant auprès d'un gentil en détresse, était tenu de
le secourir. Et ils répondaient négativement (*Aboda
Zara*, f. 26ª). Quant aux apostats ou aux prédicateurs de mensonge, ils méritaient qu'on les attirât
exprès dans des pièges et qu'on les y prît. Toute
proportion gardée, le juif considérait le païen comme
le musulman considère encore aujourd'hui le
chrétien. Le prochain du juif était celui qui, ayant
même nationalité, avait aussi même religion.

Pour montrer que l'Ancien Testament avait
« expressément recommandé l'amour du prochain,
même non israélite » (Valensin-Huby, 201; cf.
Lagrange, 311), on allègue deux textes de la Loi
(Lévit. xix, 34; Deut. x, 19), où l'amour de
l'*étranger* est effectivement conseillé, voire ordonné.
Mais il faut se souvenir que cet *étranger* n'est pas
un païen quelconque, c'est le *gêr*, l'étranger fixé en
Israël, assimilé au véritable israélite par une sorte
d'adoption légale. Les égards dus à ces immigrés
devenus des compatriotes ne préjugent en rien la
conduite d'Israël à l'endroit des non-israélites.

Le divin Maître résumait toute la doctrine, écrite
ou orale, de l'ancienne Loi, quand il disait à ses
disciples : « Vous avez entendu qu'il a été dit : Vous
aimerez votre prochain et vous haïrez votre ennemi »
(Mt. v, 43). Strack et Billerbeck observent que c'était
là une maxime courante au temps de Notre-Seigneur, et ils l'établissent par de nombreuses citations empruntées à la littérature talmudique. « La
synagogue au temps de Jésus, disent-ils, entendait

la notion de prochain dans un sens aussi étroit que
l'Ancien Testament; le seul Israélite était prochain
(*rê'a*); les autres, c'est-à-dire les non-israélites, ne
tombaient pas sous ce concept. » La conclusion
est à retenir : « Il reste bien établi que le premier
qui ait instruit l'humanité à voir le prochain en
chaque homme et à aimer chaque homme, c'est
Jésus » (i, 354).

Et comme Jésus mène rondement la discussion
avec le docteur de la Loi! Il ne s'attarde pas en
des escarmouches théoriques. Il va droit au fait et
propose une morale en action. Il la propose sous
la forme d'un contraste, parce que rien ne grave
mieux la leçon : un prêtre et un scribe qui se
dérobent à leur devoir; un samaritain qui s'en
acquitte d'une manière admirable. Et tout de suite
de conclure, ou plutôt de forcer le docteur à conclure :
*Lequel de ces trois hommes s'est-il comporté en
prochain?* c'est-à-dire s'est acquitté de ses devoirs ?

La leçon est claire. La notion du prochain est
élargie à l'infini. Le prochain ne sera plus le con-
génère ou le coreligionnaire. Le prochain ne sera
plus le juif, ce sera l'homme en général. Tout
homme dans le besoin a droit à notre secours; nous
avons le devoir de subvenir, dans la mesure du
possible, à ses nécessités, comme nous le faisions
auparavant pour nos amis. Le voyageur de la
parabole était simplement un homme, ἄνθρωπός τις. Le
prêtre et le lévite qui aperçoivent le blessé continuent
leur chemin. Ils se détournent, mais non parce qu'il
est d'une race ou d'une religion différente; de cela
ils ne s'informent même pas: ils n'y regardent même
pas. Ils s'éloignent par égoïsme. La charité est
gênante, les malheureux ont tort d'être dans le
besoin. Quelle idée d'aller tomber entre les mains

des brigands et de se faire rouer de coups ! Le prêtre
et le lévite hâtent le pas et, sans tourner la tête, ils
passent.

Le samaritain, lui, s'arrête, et fait magnifiquement
son devoir. Avant de l'accomplir, il n'interroge pas
le blessé sur sa nationalité, sa religion, son rang
social. Peu importe qu'il soit juif ou samaritain ou
païen. L'homme se trouve dans une grave nécessité.
Le samaritain est ému de compassion et il se met
en devoir de le secourir.

La démonstration est si claire que le scribe est
le premier à convenir que ce samaritain a réalisé
l'idéal du *prochain*. Tant pis pour les juifs, s'ils se
laissent devancer par les étrangers dans le royaume !
C'était un procédé de dialectique familier au Sauveur
de piquer de jalousie ses compatriotes par la comparaison avec les peuples circonvoisins. « *Au jour
du jugement les gens de Ninive se lèveront contre
cette génération et la condamneront* » (Mt. XII, 41).
« *Malheur à toi, Corozaïn, malheur à toi, Bethsaïde,
parce que, si on avait fait à Tyr et à Sidon les
miracles qui ont été accomplis parmi vous, elles
auraient fait pénitence dans le cilice et la cendre !
Capharnaüm, si on avait fait à Sodome les miracles
qui ont été accomplis dans ton sein, elle serait encore
debout aujourd'hui* » (Mt. XI, 23).

Dans la parabole, ce n'est ni le prêtre ni le lévite
qui pratiquent la loi de la charité, c'est cet étranger,
ce samaritain honni. Il est piquant que le scribe
soit obligé de faire le panégyrique du samaritain et
de le proposer comme modèle aux juifs, ses coreli-
gionnaires.

Malgré quelques exceptions de détail, le sens
général de la parabole a été bien saisi par les commentateurs. Maldonat écrit : « La signification

de la parabole semble être donc que quiconque a
besoin de notre secours est notre prochain, qu'il
soit de notre race ou d'une autre. » Et encore, avec
un raffinement méritoire : « Notre prochain est
celui à qui nous avons à rendre nos devoirs de
charité, s'il est dans le besoin, ou à qui nous aurions
à les rendre, s'il venait à tomber dans la nécessité,
*cui exhibendum est officium misericordiae, si
indiget, vel exhibendum esset, si indigeret* » (196[1]).

Calmet aussi a débrouillé avec sagacité la petite
énigme, bien qu'il y fasse état de la prétendue
nationalité juive du blessé. « Jésus force donc cet
homme à confesser que le Samaritain était le prochain du Juif blessé et, par conséquent, que son
principe était faux : qu'on pouvait être le prochain
d'un Israélite, et que le dernier, le plus éloigné de
tous les hommes pouvait nous rendre des services
si essentiels, qu'ils nous le feraient considérer
comme notre plus cher ami » (175). Notons encore cette phrase de dom Calmet : « Jésus fait voir
ici au publicain que, contre les faux principes des
rabbins, tout homme de quelque condition qu'il
soit, est prochain d'un autre homme, quelque
étranger qu'il lui soit » (177).

Parmi les modernes, les PP. Valensin et Huby
disent avec une concision pleine de sens : « Pratiquer
l'amour du prochain, c'est exercer une charité
effective envers tout homme qui a besoin de notre
secours, quelles que soient par ailleurs les différences de race, de nation ou de religion » (204).

Si l'on désire, à la fin de ce commentaire, faire
une contre-épreuve profitable sur la méthode
employée, ou encore s'instruire au spectacle d'un
effort laborieux hors de la vraie voie, il suffit de lire
un passage de Bruce, le commentateur anglais le

plus pénétrant. Il écrit : « La morale de cette char-
mante histoire est que *la charité est la vraie sainteté*.
C'est la clef de tout l'édifice de la parabole. Cela
nous explique notamment le choix des personnages,
un prêtre et un lévite, personnages saints par profession et occupation, et un samaritain étranger,
d'une autre race que l'homme qui avait besoin du
secours de son prochain. Les deux premiers accen-
tuent la leçon de la parabole par le contraste qu'ils
suggèrent entre la *véritable* sainteté de l'amour et
les formes *abâtardies* de la sainteté ; le dernier met
en relief par sa bonne action la suprême valeur de
l'amour aux yeux de Dieu... Notre parabole est
emphatiquement une parabole de la grâce ; elle nous
révèle la nature de Dieu et de son royaume » 343).

Nous ne saurions omettre en finissant l'interprétation allégorisante que les Pères ont donnée de
cette parabole. Ils l'ont fait avec un tel accord que
Maldonat en était fortement impressionné. « Qu'il
y ait là un véritable sens mystique, déclare-t-il, je
n'oserais me prononcer. Mais l'unanimité des Pères
rend très probable *non seulement l'allégorie, mais
encore le mystère, non solum allegoriam, sed mys-
terium* » (198¹).

Nous serons beaucoup plus à l'aise avec l'interprétation des Pères, si nous y reconnaissons une
simple accommodation, qui porte en un singulier
relief la marque de son époque et de son école.
L'école est celle d'Alexandrie. On ne s'étonnera donc
pas de rencontrer sous la plume d'Origène, à côté
d'heureuses et subtiles applications, des traits d'un
goût moins heureux. « L'homme qui descendit, c'est
Adam ; Jérusalem est le paradis, Jéricho le monde,
les voleurs sont les forces adverses, le prêtre la Loi,
le lévite les prophètes, le samaritain le Christ, les

blessures la désobéissance, la bête de somme le
corps du Seigneur, l'hôtellerie ou l'étable qui
reçoit tous ceux qui y veulent entrer l'Eglise. Les
deux deniers sont le Père et le Fils, l'hôtelier
est le chef de l'Église à qui la sollicitude générale
est confiée; si le samaritain promet de repasser,
cela figure le second avènement du Sauveur » (xxvi,
292). Origène concluait : « Bien que ces applications soient raisonnables et belles, il ne faut pourtant pas croire qu'elles conviennent à tous. »

Ce serait manquer d'élégance que d'insister en
particulier sur la signification de la monture ou
des deux deniers. A cela près, ces applications sont
ingénieuses ou belles, et elles peuvent servir à
l'édification des âmes pieuses. Mais ce ne sont que
des accommodations.

Le serviteur sans pitié

(saint Matthieu, xviii, 21-35)

²¹ Alors Pierre s'approchant lui dit : Seigneur, si mon frère pèche contre moi, combien de fois devrai-je lui pardonner ? Jusqu'à sept fois ? — ²² Jésus lui dit : Je ne te dis pas jusqu'à sept fois, mais jusqu'à septante fois sept fois.

²³ C'est pourquoi le royaume des cieux est semblable à un roi qui voulut régler ses comptes avec ses serviteurs. ²⁴ Il avait commencé ce règlement, lorsqu'on lui amena un débiteur de dix mille talents. ²⁵ Celui-ci n'ayant pas de quoi payer, le maître donna l'ordre de le vendre lui, sa femme, ses enfants et tout ce qu'il possédait, pour se faire rembourser. ²⁶ Alors le serviteur se jette à ses pieds, se prosterne et lui dit : Accordez-moi un délai, et je vous rembourserai le tout. — ²⁷ Touché de compassion, le maître de ce serviteur le congédia après lui avoir remis sa dette.

²⁸ A peine sorti, ce serviteur rencontre un de ses compagnons de service qui lui devait cent deniers ; il le saisit à la gorge et il l'étouffait disant : Rends ce que tu dois. — ²⁹ A son tour, ce compagnon tombe à ses pieds, et il le suppliait, disant : Accorde-moi un délai, je te rembourserai. — ³⁰ L'autre n'y consentit pas, et il alla le jeter en prison jusqu'à ce qu'il eût payé sa dette.

³¹ Ce que voyant, ses compagnons de service furent peinés à l'extrême et ils vinrent raconter ces choses à leur maître. ³² Alors le maître, l'ayant fait appeler, lui dit : Mauvais serviteur, je t'avais remis cette dette tout entière, parce que tu m'en avais supplié. ³³ Ne devais-tu pas à ton tour avoir pitié de ton compagnon, comme moi, j'avais eu pitié de toi ? — Et dans sa colère, le maître le livra aux bourreaux jusqu'à ce qu'il eût payé toute sa dette.

³⁴ C'est ainsi que mon Père céleste vous traitera, si vous ne pardonnez chacun à votre frère du fond du cœur.

I. — Introduction

Telle est l'émouvante parabole du pardon fraternel. Dans le contexte précédent, le divin Maître avait donné à ses disciples des instructions concernant le pardon mutuel. *Si ton frère pèche* [*contre toi*], *va, reprends-le en tête à tête; s'il t'écoute, tu auras gagné ton frère. S'il ne t'écoute pas, prends avec toi une ou deux personnes, afin que, sur le dire de deux ou trois témoins, soit réglée toute l'affaire. S'il ne les écoute pas, dis-le à l'Église. Que s'il n'écoute même pas l'Église, qu'il soit pour toi comme le païen et le publicain* (Mt. xviii, 15-17). Ces préceptes sont suivis d'autres recommandations sur le pardon et la prière (18-20), le tout joint de cette manière moins rigoureuse qui caractérise le chap. xviii de saint Matthieu.

Pierre a retenu surtout le précepte du pardon. Il l'a compris, mais il lui reste une difficulté, qu'il vient soumettre au Sauveur. La question porte nettement l'empreinte de la pensée et de la logique sémitiques. Nous la rendrions mot à mot : *Combien de fois mon frère péchera-t-il contre moi et lui pardonnerai-je?* Mais cette paresseuse juxtaposition est pour nous intolérable. Pierre ne demande pas jusqu'à quel nombre de fois il peut arriver à son frère de l'offenser. Il possède assez d'expérience, ayant assez vécu, pour savoir que la faiblesse ou la malice humaines outrepassent parfois les limites concevables. Il demande jusqu'où doit aller sa mansuétude à lui, en face de l'offense, jusqu'à combien de fois il devra pardonner. En bon français, et en subordonnant l'accessoire au principal : *Seigneur, si mon frère pèche contre moi, combien de fois devrai-je lui pardonner?*

Pierre a l'intuition que son Maître est venu reculer les bornes d'un pardon jusqu'ici resserré. Combien de fois me faudra-t-il pardonner ? *Sera-ce jusqu'à sept fois?* — *Sept* avait aux yeux des juifs l'avantage d'être un nombre sacré et parfait. Pierre fait un prodigieux effort de générosité en allant jusqu'à sept.

Quelle ne dut pas être sa stupéfaction en entendant Jésus lui répondre sur le mode spontané et paradoxal du *discours de la Montagne : Je ne te dis pas jusqu'à sept fois, mais jusqu'à septante fois sept fois!*

Les Hébreux aimaient ce renchérissement des nombres. La mystérieuse mélopée de Lamech chantait :

> Caïn sera vengé sept fois
> et Lamech septante-sept fois (Gen. xiv, 24).

Ici Jésus porte le renchérissement au sommet le plus élevé de l'emphase, jusqu'à septante fois sept fois (ἕως ἑβδομηκοντάκις ἑπτά, ce dernier mot mis pour ἑπτάκις). Bien que l'expression originale soit embarrassée, et qu'on n'en trouve point d'analogue dans la littérature rabbinique, ou à cause de cela, l'authenticité en est indiscutable.

On a dit à tort que les rabbins faisaient consister la perfection à pardonner trois fois, suivant le propos de R. José ben Jehouda : « Si quelqu'un commet une faute, on lui pardonne ; une deuxième fois, on lui pardonne ; une troisième fois, on lui pardonne : la quatrième fois, on ne lui pardonne pas » (Ioma 86 b). Cette sentence prête à contresens. Les derniers commentateurs du Talmud, Fiebig, Strack et Billerbeck (797), font observer que cet *on* désigne Dieu, comme en bien d'autres passages, en sorte

que nous n'apprenons rien ici sur le pardon des
hommes. Mais si Dieu n'allait pas au delà de trois
pardons, les hommes seraient-ils enclins à plus de
miséricorde?

Par-dessus ces habitudes anciennes, Jésus édicte
un précepte nouveau : celui du pardon à l'infini.
Saint Jérôme, réalisant la multiplication indiquée,
trouvait que septante fois sept fois faisaient quatre-
cent quatre-vingt-dix fois, *id est quadringentis
nonaginta vicibus,* et il commentait : « Il faut pardonner à son frère autant de fois le jour qu'il est
susceptible de pécher, *ut toties peccanti fratri
dimitteret in die, quoties ille peccare non possit* »
(XXVI, 132). Saint Chrysostome, sans se livrer à
des calculs, estimait que le nombre signifiait un
pardon à l'infini, sans cesse, toujours, τὸ ἄπειρον καὶ
διηνεκὲς καὶ ἀεί (LVIII, 589).

II. — TABLEAU

Cette intervention de Pierre fut l'occasion de
l'admirable parabole suivante. *Le royaume des cieux
est semblable à un roi,* c'est-à-dire à la scène où le
roi va jouer le rôle prépondérant. *A un roi,* mot à
mot *à un homme roi* (ἀνθρώπῳ βασιλεῖ), expression
courante dans les cercles talmudiques, pour signifier
un roi réel, opposé à un roi de fiction. La parabole
avait ce côté plaisant de vouloir passer pour une
histoire véritable. Nous disons simplement : *le
royaume est semblable à un roi.*

Anomalie du récit. — Roi, le personnage l'était-il
vraiment? Quelques auteurs le contestent. « Peut-
être, écrit Loisy paraphrasant Jülicher, le récit
primitif ne mettait-il en scène qu'un propriétaire
dont Matthieu avait fait un roi, pour l'application

allégorique de la parabole, en élevant, par la même
occasion et pour la même raison, la quotité de la
dette, où l'on peut voir une somme confiée par le
maître, et dont le serviteur avait la gestion » (II, 95).
Ces changements ne nous paraissent pas heureux.
Le personnage à qui son serviteur doit la bagatelle
de quelque soixante millions, sans parler du reste, a
toute chance d'être plus qu'un simple propriétaire
rural. Une telle richesse s'allie parfaitement à la
dignité royale. Et aussi le fait que le maître puisse
jeter en prison et vendre à son gré un débiteur de
cette envergure. D'autre part, une somme *exorbitante*
s'imposait à la fiction créatrice du paraboliste, s'il
voulait symboliser l'immensité de nos dettes à
l'égard de la justice divine. Nous continuerons donc
de regarder comme données primitives le roi, les
talents et les serviteurs.

C'est à dessein que j'ajoute *les serviteurs*, pour
trancher, s'il est possible, le débat littéraire qui
partage les commentateurs et jette sur toute la
parabole, d'ailleurs si intelligible, une sorte de
malaise. Au fond, quoique tous les exégètes ne s'en
rendent peut-être pas compte, c'est de nouveau la
perpétuelle question de la réalité ou de la fiction qui
s'introduit subrepticement dans le commentaire.
Les serviteurs sont-ils les humbles personnages que
leur nom et leurs ordinaires fonctions indiquent ?
Ne seraient-ils pas plutôt des personnages de marque,
comme nous invite à le croire cette dette fabuleuse
contractée envers le roi ?

Presque tous les commentateurs modernes cherchent à en faire de hauts fonctionnaires, voire des
ministres. « Si le maître était roi, on pourrait songer
à un intendant ou agent supérieur des finances, un
fermier général » (Loisy, 95, après Jülicher, 305).

« Les serviteurs sont des fonctionnaires importants, selon le sens de l'hébreu *'ébéd*, compagnon du roi, courtisan... Cela peut très bien s'entendre d'un roi qui demande compte du tribut à un gouverneur de province ou à un ministre des finances tel que sous les Ptolémées fut le *dioecète* Apollonios ou son intendant Zénon, contrôleur préposé à la rentrée des impôts » (Lagrange, 359). « Dans son Royaume, Dieu se conduit comme un roi, qui entreprend de régler ses comptes avec ses serviteurs : ministres, fonctionnaires, gouverneurs de province, fermiers généraux, etc. » (Durand, 312).

Encore faut-il expliquer la « dette exorbitante ». « Un de ces fonctionnaires, écrit le P. Lagrange, est débiteur de 10.000 talents, chaque talent valant 6.000 drachmes. C'est donc une somme énorme, qui correspondrait environ à 60 millions de francs. Peu importe la vraisemblance. Ce qu'il fallait indiquer, c'était une dette telle que le débiteur ne pouvait songer à s'acquitter » (359, 360).

Mais si la vraisemblance est abandonnée et que, pour en justifier l'abandon, on recoure à un raison tirée de la leçon parabolique, pourquoi s'engager dans l'exégèse des serviteurs-ministres ? Tel n'est pas le sens ordinaire du mot qui désigne des serviteurs tout simplement. Le mot ne doit-il pas garder le même sens dans toute la parabole ? Or pour un serviteur qui doit à son maître la somme fabuleuse de dix mille talents, il en est un autre qui doit à son compagnon la somme dérisoire de cent deniers. L'un n'est pas moins insolvable que l'autre. Est-ce un ministre, celui-là aussi, ou un haut fonctionnaire, et est-il tellement appauvri qu'il n'ait pas cent deniers en bourse ? Et le grand débiteur, que dire de ses manières et de son éducation,

quand il saisit à la gorge son compagnon, le serre
à l'étouffer, et, sans vouloir rien écouter, le jette en
prison? Ces manières serviles ne s'accordent-elles
pas plutôt à son rang de serviteur? Et la foule des
compagnons de service qui interviennent à la fin,
ne donnent-ils pas aussi l'impression de serviteurs
plutôt que de ministres?

Nous proposons de garder au mot serviteur sa
signification unique et habituelle et nous expliquons
l'invraisemblance d'une telle dette chez un domestique par la juste liberté de la parabole qui dispose
à son gré des données de la nature en vue d'un
enseignement supérieur. Les choses ne se passent
pas ainsi dans la réalité. D'ordinaire, c'est le roi
ou le maître qui est débiteur envers ses domestiques
auxquels il doit la solde mensuelle ou annuelle; ce
ne sont pas les serviteurs qui oseraient emprunter
à leur maître ou souverain. Et puis ne serait-il pas
étrange que la généralité des domestiques fussent
les débiteurs de leur maître? Cependant nous
acceptons sans la moindre observation la situation
telle qu'elle nous est proposée par la parabole.
Car nous sommes en présence d'une fiction subordonnée à un enseignement.

La même solution vaut pour toutes les *anomalies*
ou *invraisemblances* que l'on a encore signalées
dans la parabole ou qu'un œil plus exercé pourrait
y découvrir. On objectera par exemple : Si le maître
veut rentrer dans ses fonds avec le débiteur insolvable, est-il bien avisé de commencer par le vendre?
Comment l'esclave pourra-t-il le rembourser?
Laissé en liberté, il userait peut-être de ses relations
et de son savoir-faire pour entreprendre quelques
affaires fructueuses. Réduit en esclavage, il sera
en même temps réduit à l'impuissance, et de cette

opération de vente, le maître ne retirera d'autre profit
que la prise des personnes et des biens vendus.
C'est encore le serviteur qui émettait l'idée la plus
sage.

Répondons tout de suite qu'il ne s'agit pas ici de
sagesse. La parabole nous montre le cas désespéré
d'un débiteur insolvable sur le point d'être vendu
lui et toute sa famille, à qui son maître remet toute
sa dette. Il n'est évidemment question de le vendre
que par un artifice littéraire, pour marquer qu'il est
insolvable et son cas désespéré.

On objectera peut-être encore : Si les serviteurs
ne sont que d'humbles domestiques, on comprend
que l'un d'eux n'ait pas cent deniers sous la main
pour les restituer sur l'heure. Mais on comprend
moins que, pour se faire rendre cette somme
modique, ce petit créancier soit obligé d'emprisonner ce petit débiteur. On ne recourt à ce moyen
extrême que dans des circonstances proportionnées.
Quel geôlier accepterait un client de cette sorte ?

Notre réponse est la même. Les choses ne se
passeraient pas ainsi dans la réalité; mais il n'y a
aucun inconvénient à ce qu'elles soient imaginées
de cette façon dans une parabole. Dans un récit
fictif, en vue d'une leçon doctrinale, un serviteur
peut jeter en prison un compagnon qui lui doit
cent deniers. Il n'est même pas nécessaire d'atténuer
le fait en alléguant que le misérable est jeté dans
une prison particulière. Particulière ou non, il est
mis en prison : cela seul importe. Tout d'ailleurs
donne à penser que c'était une prison comme les
autres, c'est-à-dire une prison publique. Les auditeurs ne se froissent jamais de pareilles anomalies,
pourvu qu'elles soient justifiées par les besoins de
l'enseignement.

Autres objections. Était-il permis de vendre un débiteur incapable de tenir ses engagements ? La loi mosaïque autorisait la vente d'un *voleur* qui ne pouvait restituer (Ex. xxii, 2) ou d'un Israélite tombé dans la pauvreté (Lév. xxv, 39). Chez les Romains, la personne du débiteur répondait de sa dette ; s'il se dérobait à ses obligations, le créancier pouvait le faire emprisonner. En Égypte, le roi et les magistrats avaient le droit de faire écrouer leurs débiteurs personnels.

Retenons de ces données qu'un auditeur de parabole était familiarisé avec l'idée de vendre des esclaves et d'incarcérer des débiteurs insolvables. Il ne pouvait être surpris que, renchérissant sur les lois ou les usages en cours, un roi de parabole vendît comme esclaves le débiteur, sa femme et ses enfants.

La parabole ainsi allégée de ces objections, reprenons le commentaire.

Dans un premier tableau, la parabole nous présente un serviteur qui devait une somme exorbitante, et à qui la somme fut remise. Dans un deuxième tableau, nous voyons un serviteur qui devait une somme très modique, et à qui la dette fut impitoyablement réclamée. Dans un troisième tableau, le premier serviteur qui s'est montré d'une cruauté monstrueuse à l'égard de son compagnon, se voit à son tour traité avec la sévérité que comporte son manque d'entrailles.

Premier tableau. — Tous les commentateurs constatent que la dette du premier serviteur a été grossie à dessein pour donner l'idée d'un débiteur insolvable. Dix mille talents, soixante millions ! le débiteur n'avait certainement pas de quoi les rembourser. Tout au plus pouvait-il espérer gagner du temps.

La sentence ne se fait pas attendre : *le maître donna l'ordre de le vendre lui, sa femme, ses enfants et tout ce qu'il possédait.* Ce n'est pas que le maître puisse tirer grand revenu de toute cette marchandise humaine ou autre. Mais il veut faire un exemple. *Alors le serviteur se jette à ses pieds, se prosterne et lui dit : Accordez-moi un délai, je vous rembourserai le tout.* Le geste est naturel : tout de suite aux pieds du maître, le front dans la poussière, et sur les lèvres les protestations les plus senties d'humilité ! Le serviteur y joint la promesse formelle de tout rembourser. Comment y réussira-t-il ? Il serait fort en peine de le dire. Nous pouvons cependant le croire sincère et résolu à tout faire pour amortir ce capital énorme.

Un maître ordinaire n'ajouterait pas une foi excessive à de telles promesses prononcées en de telles circonstances. Dans une parabole il est plus facile de s'en contenter. Mais voici le coup de théâtre. *Touché de compassion, le maître de ce serviteur le congédia après lui avoir remis sa dette.* Libre et exonéré ! Au lieu de le jeter en prison ou de le vendre sur le marché, il le congédie. Sans égard pour la perturbation possible de ses royales finances, il le renvoie exonéré de toute sa dette. Que s'est-il donc passé ? Quelle est la cause d'un semblable revirement ? L'instant d'avant, l'extrême justice ; l'instant d'après, l'extrême miséricorde. Pourquoi ? Pour cet unique motif : *Le roi a été touché de compassion.* Il n'a pu voir son serviteur à ses pieds, prosterné, la voix implorante, sans être remué à fond et sans tout lui remettre sur l'heure. Quel est donc ce roi ? L'histoire connaît-elle un seul exemple d'une telle magnanimité ? Laissant à d'autres le soin de rechercher ces analogies *historiques,* nous répon-

dons qu'en tout état de cause, cette magnanimité
fait très bien dans le récit actuel.

Deuxième tableau. — *A peine sorti, ce serviteur
rencontra un de ses compagnons de service qui lui
devait cent deniers.* Tout à l'heure dix mille talents,
soixante millions ; maintenant, cent deniers, cent
francs ! Pour cette dette de rien, nous assistons à
une explosion de brutalité, telle qu'elle peut éclater
entre gens de bas étage, sans éducation. *Il le saisit
à la gorge*, comme un rustre quelconque, et il
l'étouffait, disant : *Rends ce que tu dois.* Le grec
porte littéralement : *Rends, si tu dois quelque
chose.* Mais le P. Joüon observe avec raison que ce
tour de phrase en apparence dubitatif (εἴ τι) équivaut à un positif (ὅ τι) (117).

Le débiteur des deniers reproduit exactement le
discours du débiteur des talents. Cependant les
commentateurs relèvent avec satisfaction quelques
variantes. L'homme aux deniers, disent-ils, ne se
prosterne pas. C'est bien assez qu'il se mette à
genoux ! Il promet de rembourser, mais sans dire
qu'il remboursera *le tout*, tellement la somme est
modique... — Ces observations sont bien subtiles.
L'homme qui est à genoux n'est-il pas prosterné
aussi ? Et s'il promet de rembourser, n'est-ce pas
implicitement *le tout* ? Ces omissions semblent donc
plutôt d'agréables variantes littéraires.

*L'autre n'y consentit pas, et il alla le jeter en
prison jusqu'à ce qu'il eût payé sa dette.* Il semblerait ici aussi que le meilleur moyen de se faire payer
ne fût pas de jeter l'individu en prison. Pourtant
l'anomalie est jusqu'à un certain point explicable.
« On pouvait obliger le prisonnier à travailler,
comme faisaient les anciens Romains ; ou il se
décidera à faire vendre des biens cachés pour payer,

ou ses amis paieront pour lui » (Lagrange, 362).
Aussi bien, nous ne songeons même plus à nous
étonner de ces *anomalies paraboliques*.

Combien de temps le malheureux resta-t-il sous
les verrous? Le texte ne le dit pas et nous n'avons
pas à le savoir, puisque le fait n'est pas historique.
En pareil cas, on restait en prison tant que durait
la créance; on n'en sortait que la dette payée. Ici
l'expression signifie que le misérable dut purger
toute sa peine et qu'il alla jusqu'au bout de ce
régime d'extrême rigueur. Son créancier ne le
lâcha point qu'il n'eût payé le dernier quadrant.

Troisième tableau. — Les compagnons de service,
témoins de cette rigueur injustifiée, vont sur-le-
champ la dénoncer à leur maître. Le maître convoque ce barbare et lui dit : *Mauvais serviteur, je
t'avais remis cette dette tout entière, parce que tu
m'en avais supplié. Ne devais-tu pas à ton tour?...*
Ce n'était là qu'une raison de convenance, nullement une obligation de justice. Mais il y a des
raisons de convenance qui, entre gens de bonne
éducation, équivalent à une nécessité et constituent
un devoir imprescriptible. *Ne devais-tu pas à ton
tour avoir pitié de ton compagnon* (τὸν σύνδουλόν σου,
ton compagnon de service), *comme moi, j'avais eu
pitié de toi?* Le coupable ne répond pas, n'ayant
rien à répondre. Sa faute est manifeste. Elle comporte un sévère châtiment. Le paraboliste a si bien
distribué les rôles, que la sympathie de l'auditoire,
détournée du gros débiteur de dix mille talents,
s'est portée tout entière sur le petit débiteur si
inhumainement traité.

*Dans sa colère, le maître le livra aux bourreaux
jusqu'à ce qu'il eût payé sa dette.* Le malheureux
perdit du coup tout le bénéfice de la miséricorde

qui lui avait été octroyée et il se trouva pris dans
l'étau sévère de la justice. Les commentateurs
croient devoir encore relever plusieurs particularités.
Il est non pas vendu, mais emprisonné ; il est
seul à subir le châtiment, sans qu'il soit parlé de sa
femme et de ses enfants ; enfin il est livré non à des
geôliers, mais à des bourreaux, βασανισταῖς. On en
conclut que son manque personnel de charité lui
attire une peine personnelle, qui ne sera rien de
moins que la torture (Lagrange, 363). On s'est
même demandé « si Matthieu n'aurait pas voulu
désigner ainsi les anges du châtiment et les tourments de l'enfer » (Loisy, ii, 97 ; Jülicher, ii, 309).

De nouveau, ces raffinements nous semblent
exagérés. Les bourreaux n'infligeaient pas continuellement la torture à leurs clients ; et ce misérable est *livré à ses bourreaux* jusqu'à extinction
de sa dette. De plus, si les anges jouent un rôle
dans le règlement universel des comptes, on ne
les voit jamais dans l'évangile employés à torturer
les damnés. Disons donc plutôt que la nouvelle
torture infligée au débiteur est synonyme de la
première. Il allait d'abord être vendu, lui, sa famille
et ses biens ; il est maintenant jeté en prison, d'où
il ne sortira qu'exonéré de sa dette, c'est-à-dire
jamais. Ce châtiment est l'équivalent littéraire de
l'autre. Ils signifient tous les deux que le débiteur
est justiciable de la justice divine. *Formidolosa
sententia*, disait saint Jérôme. Oh ! le redoutable
arrêt !

III. — APPLICATION

Du moins avons-nous ici la satisfaction de
trouver tous les commentateurs d'accord sur le

sens de la parabole. Saint Jérôme : « Il faut pardonner à son frère autant de fois le jour qu'il est
susceptible de nous offenser. Si nous ne pardonnons
à notre frère les petites choses, jamais Dieu ne nous
remettra les grandes, *si parva fratribus non dimit-
timus, magna nobis a Deo non dimittentur* » (133).
Saint Chrysostome : « Combien de fois devrai-je
supporter mon frère coupable et pénitent? Est-ce
assez jusqu'à sept fois?.. Non, à l'infini, à per-
pétuité, toujours!.. Il n'a pas enfermé le pardon
dans un nombre, il faut pardonner en tout et
toujours » (589). Dom Calmet : « Pour inculquer
davantage ce qu'il vient de dire du pardon des
injures, il nous propose une parabole qui tend à
faire voir que, si nous ne pardonnons à nos frères,
nous ne devons point espérer de pardon de la part
de Dieu » (411). Loisy : « La parabole vise directement l'obligation de pardonner ainsi afin d'être
soi-même pardonné... La seule morale est que Dieu
pardonne à qui pardonne, et qu'il faut pardonner
pour être pardonné » (II, 97; cf. Jülicher, 312, 313).
Le P. Durand : « La parabole du serviteur impitoyable illustre la doctrine sur le pardon des
injures entre *frères*. Elle est un commentaire
de la demande de l'Oraison dominicale : *Pardonnez-nous nos offenses comme nous pardonnons à
ceux qui nous ont offensés* » (311, 312). Le P.
Lagrange : « Cette belle parabole... ne touche
pas le nombre des pardons, mais seulement l'obligation de pardonner pour être pardonné, non dans
le commerce de la vie, mais de la part de Dieu. Si
un homme ne pardonne pas à son frère, c'est-à-dire
à un autre homme, il n'a pas à espérer que Dieu lui
pardonne. C'est l'enseignement formel et direct de
la parabole » (358, 359).

Difficulté de l'application. — Cette dernière citation fait allusion à l'unique difficulté de la parabole. A vrai dire, c'est merveille que cette difficulté ne soit pas plus grave. Deux fois sur trois, avec de pareils éléments, les narrations les plus exquises se hérissent d'obstacles que la critique ne fait généralement rien pour aplanir, qu'elle exagère plutôt. Ici la conclusion et l'introduction de la parabole se complètent et s'éclairent au lieu de s'opposer.

La conclusion porte : *C'est ainsi que mon Père céleste vous traitera, si vous ne pardonnez chacun à votre frère du fond du cœur.* Cette finale s'adapte parfaitement au récit qui précède : le roi traite selon toute la rigueur méritée le serviteur qui n'avait point voulu pardonner à son compagnon ; c'est ainsi que mon Père vous traitera, si vous ne vous pardonnez les uns aux autres.

Sans doute, par un effet d'habitude critique, Loisy se demande de qui est cette conclusion : « Il se peut que la source n'ait contenu que la parabole, et que la formule d'application soit tout entière de l'évangéliste » (98). L'hypothèse, entendue d'un groupement de rédaction, qui respecte l'authenticité, ne renferme rien de désobligeant pour saint Matthieu. Mais ici nous ne voyons rien qui empêche d'attribuer la conclusion à l'auteur même du récit. La présente conclusion peut même être considérée comme un modèle du genre, tellement elle s'adapte à la parabole qu'elle termine.

Parabole et conclusion se résument en les deux membres d'une comparaison :

De même qu'un roi, très enclin à la miséricorde, revint sur une mesure de clémence et traita avec la dernière rigueur un serviteur, débiteur d'une somme exorbitante, parce qu'il s'était lui-même montré impitoyable envers l'un de ses compagnons qui ne lui devait qu'une modique somme,

ainsi Dieu nous traitera-t-il, si nous ne nous pardonnons mutuellement et du fond du cœur.

Ce résumé ne comporte pas la moindre difficulté. Il nous fournit cette satisfaction intellectuelle que l'on éprouve en présence de deux parties d'un même tout qui s'emboîtent parfaitement et se complètent.

Rapprochons maintenant la parabole de son introduction : *Seigneur, si mon frère pèche contre moi, combien de fois devrai-je lui pardonner ? Jusqu'à sept fois ? Jésus lui dit : Je ne te dis pas jusqu'à sept fois, mais jusqu'à septante fois sept fois.* Cette introduction a un sens bien déterminé. Suivant le mot de saint Chrysostome, elle recommande le pardon indéfini, sans cesse, toujours. La parabole au contraire nous recommande le pardon en soi, indépendamment de toute circonstance de nombre ou de personnes.

Y a-t-il là contradiction, ou seulement adaptation imparfaite ? A la question de Pierre notre logique occidentale serait satisfaite qu'on répondît par l'histoire d'un serviteur qui, ayant pardonné à son frère un nombre indéfini de fois, finirait par se fatiguer de ce pardon sans cesse renouvelé, refuserait de pardonner une fois de plus, et, pour cette faute, serait sévèrement repris par son maître, c'est-à-dire par Dieu. Nous aurions alors une parabole sur le pardon indéfini au lieu que nous avons une parabole sur le pardon pur et simple.

Pourtant gardons-nous de toute précipitation qui nous ferait croire à un manque de logique. Nous avons déjà envisagé cette difficulté à propos *du bon Samaritain.* Nous avons dit que le défaut apparent de correspondance entre la parabole et son introduction vient de ce que l'introduction formule une thèse générale, tandis que la parabole envisage un cas concret. La thèse est qu'il faut pardonner toujours, indéfiniment; le cas concret est un cas unique de pardon, mais qui vaut pour tous les cas semblables.

Leçons principales. — Sous le bénéfice de ces explications, nous pouvons insister sur la leçon principale de la parabole. Leçon évangélique par excellence. Que de fois n'avons-nous pas entendu la recommandation du Maître? *Si vous pardonnez aux hommes leurs manquements, votre Père céleste vous remettra aussi les vôtres. Si vous ne les pardonnez pas aux hommes, votre Père céleste ne vous les remettra pas non plus* (Mt. VI, 14, 15)! *Comme vous aurez jugé, vous serez jugés; comme vous aurez mesuré, vous serez mesurés* (VII, 1). Le tout admirablement résumé dans la demande du *Pater* : *Pardonnez-nous nos offenses comme nous pardonnons à ceux qui nous ont offensés...*

Il était bon que ces enseignements théoriques fussent mis en exemple dans une parabole. Quand on a entendu et médité l'histoire de ce roi et de ce serviteur, ces choses-là sont gravées à jamais; jamais elles ne s'effacent ni ne s'oublient. Une parabole, pour le peuple, c'est une image aux voyantes couleurs.

Ce roi, nous le savons, c'est Dieu lui-même; ce débiteur insolvable, c'est nous; l'autre serviteur, compagnon de service, ce sont nos frères, les autres hommes; les dettes contractées envers le roi, ce sont nos péchés. Autour de ces métaphores centrales gravitent des traits paraboliques ou littéraires : famille du débiteur insolvable, femme et enfants;

prison où l'on écroue le débiteur insignifiant;
dénonciation par les autres compagnons de service, etc...

La leçon capitale est énoncée sous ses deux
aspects : 1º pardonnez comme l'on vous pardonne ;
2º si vous ne pardonnez pas, vous ne serez point
pardonnés.

1. *Pardonnez comme l'on vous pardonne.* S'il est
un fait indéniable, c'est que nous sommes les
débiteurs de Dieu, débiteurs monstrueux de sommes
formidables, débiteurs à qui l'incroyable compassion de Dieu pardonne tout.

Quelle surprise pour l'exégète de trouver tant et
de si belles choses amassées en si peu de mots !

Débiteurs insolvables de la justice divine ! Nous
avons eu besoin de défendre le paraboliste qui
nous parlait de ce débiteur de dix mille talents.
« La somme est énorme, écrit le P. Durand, mais
sa grandeur même fait comprendre l'étendue et la
gravité de nos obligations envers la justice divine »
(312). Que celui-là proteste, qui n'a pas conscience
de devoir cette somme à la justice divine, et infiniment davantage !

Pécheurs, nous sommes dans la triste condition
du débiteur insolvable. Nous sommes assez fous
pour offenser notre Dieu ; et le péché commis, nous
nous trouvons dans la totale incapacité de le
réparer.

Il ne nous reste alors qu'à subir le châtiment
que nous inflige la justice. Pourquoi le châtiment,
s'il ne répare pas l'offense ? Du moins le pécheur
expérimentera-t-il, sous la morsure de la douleur,
qu'on n'attente pas impunément à la majesté
divine.

Mais, ô merveille ! si le pécheur se jette aux pieds

de Dieu, le front dans la poussière, regrettant ses pauvres péchés, promettant de faire le possible, l'impossible même pour les réparer, comme s'ils étaient réparables, Dieu n'y tient pas! C'est le Père de l'enfant prodigue. Ce n'est pas un maître, c'est un père, qui a des entrailles, et dont les entrailles sont remuées de ce sentiment ineffable qui s'appelle la compassion. Aussitôt cette émotion se traduit en miséricorde. Le pécheur est relevé, libéré, absous. Il s'en va la joie au cœur. Et le Sacré-Cœur de Jésus aussi est délicieusement ému d'avoir tout pardonné à un pauvre pécheur aimé!

Le pécheur s'éloigne avec une obligation nouvelle s'ajoutant à celle d'une gratitude infinie, celle de pardonner à son tour à qui l'aurait offensé. Le pardon nous fait un devoir de pardonner. Mais rassurons-nous, nous n'aurons jamais l'occasion d'égaler notre don au don que nous avons reçu. Qu'avons-nous à pardonner aux autres, à nos compagnons de service, à nos frères? Saint Chrysostome le disait avec son éloquence coutumière, « alors même que tu pardonnerais septante fois sept fois; alors même que tu remettrais à ton prochain toutes ses fautes, ce n'est qu'une goutte d'eau auprès de l'océan; moins encore, si tu veux comparer cette miséricorde à celle dont tu as eu besoin au moment où tu allais entrer en jugement pour rendre tes comptes » (589).

Maldonat le disait encore en des termes que l'on voudrait retenir : « Nos péchés envers Dieu sont innombrables et infiniment graves, *peccata contra Deum nostra innumerabilia et infinite gravia;* les offenses de nos frères sont en petit nombre et le plus souvent légères, *peccata contra nos fratrum et pauca et plerumque levia* » (373[2]).

Constatons à quel point l'argumentation de la parabole se fait saisissante et dramatique! En regard des dix mille talents, somme fabuleuse, à quelle somme s'élèvent nos mutuels pardons? A une centaine de deniers, quelques peccadilles à peine. A l'égard de Dieu d'innombrables fautes mortelles; entre nous quelques manquements, tous véniels. Pourrions-nous dès lors nous montrer sévères pour autrui? Pardonnés de Dieu, refuserions-nous de pardonner à nos frères? « Si Dieu nous pardonne des dettes si énormes, quel ne serait pas notre tort de nous montrer durs envers ceux qui nous doivent si peu! » (Lagrange, 359). Si nous avions cette cruauté, voici le châtiment qui s'abattrait à l'instant sur nous.

2. *Si vous ne vous pardonnez, vous ne serez point pardonnés.* A peine le serviteur gracié a-t-il quitté son maître, qu'il se montre d'une cruauté inouïe envers l'un de ses compagnons. Résultat aussi inattendu que mérité : le maître revient sur sa mesure de clémence, il exige le paiement intégral de l'ancienne dette, et comme l'inhumain est incapable de la payer, sur l'heure il est à son tour jeté en prison, d'où il ne sortira peut-être jamais.

Reviviscence des fautes. — Ici les théologiens ont coutume de s'arrêter à quelques difficultés. Ils se demandent si le roi avait le pouvoir de faire revivre une dette entièrement remise. Agir de la sorte, n'est-ce pas revenir sur sa parole? Et s'il s'agit de Dieu, peut-on dire que Dieu, revenant sur un pardon déjà octroyé, fasse revivre nos péchés? Comme il y a une reviviscence des mérites, y a-t-il une reviviscence théologique des fautes? Ce dernier problème a fort intrigué les Pères et les scolastiques. Saint Thomas (3ª p., qu. 88, art. 1-4) répond qu'il n'existe pas à proprement parler de reviviscence des fautes, mais seulement d'une certaine manière, en ce sens que les nouveaux péchés s'aggravent du crime d'ingratitude à cause des péchés précédemment remis.

Il se pourrait que cette délicate question, qui se pose uniquement à l'occasion de cette parabole, eût un faux présupposé. Nous pensons que la reviviscence de la dette, dans la parabole, est une conséquence *purement littéraire* des images choisies pour dérouler le récit; en elle-même, elle est dénuée de toute application allégorique; on ne devrait pas en faire plus d'état que d'un *emblème* ou d'un ornement secondaire.

Pourquoi donc faire revivre des dettes, au risque de troubler une narration si limpide? Le divin paraboliste tenait à garder jusqu'à la fin cette image centrale d'une dette exorbitante. La dette remise, comment exprimer l'irritation de Dieu et annoncer qu'il va traiter le barbare suivant toute sa rigueur? Dire seulement qu'en se montrant impitoyable pour son compagnon, le misérable commit une nouvelle faute, qui appelait son châtiment, c'était sortir du cadre de la parabole. Il fallait dire que l'ancienne dette avait tout à coup revécu, au risque d'occasionner quelque confusion en quelques esprits moins avertis. Le premier souci d'un humaniste, en pareil cas, c'est de sauvegarder l'unité du récit, qui est le support de l'enseignement théologique. Ce qui a été fait, au bénéfice de la beauté littéraire. Bien comprise, la parabole est tout unie. Le débiteur redevenu insolvable est jeté dans une prison sévère. C'est tout ce qu'il faut retenir.

La parabole n'enseigne pas directement que la dureté envers le prochain soit une faute, encore

que nous puissions le déduire des circonstances
du récit : compagnons de servitude contristés,
roi irrité, justice se substituant à la miséricorde,
reviviscence des dettes remises, prison. Ce qui
est formellement enseigné, c'est que la dureté à
l'égard d'un frère ferme les entrailles de la miséricorde divine et nous voue à la justice. Pas de
rémission pour nous, si nous ne pardonnons aux
autres.

Il ne fallait rien de moins pour subjuger notre
égoïsme. Comme tous nous avons besoin du pardon
divin, qui aurait encore le cœur de refuser le pardon
à son frère ?

Leçon secondaire. — Subsidiairement, la parabole
nous apprend de quelle manière nous pouvons
obtenir de Dieu le pardon de nos fautes. Loin de
nous la présomption de payer nos dettes à la justice divine. Avouons en toute humilité et en toute
vérité que nous sommes insolvables. Jetons-nous
à ses pieds, implorons sa miséricorde, c'est-à-dire
le pardon : sur l'heure nous serons pardonnés.

A prendre les choses du point de vue de la justice,
Dieu serait le plus redoutable, le plus sévère des
créanciers. En réalité, il est de tous le plus con-
descendant, le plus miséricordieux. Avec les autres
créanciers, l'aveu de la dette fortifie le devoir de la
payer ; aux pieds de Dieu, l'aveu est un titre à la
remise absolue.

La parabole disait de ce pardon qu'il était royal.
En réalité, il est divin.

Et qu'on ne l'impute pas à la faiblesse. Cette
miséricorde, issue d'une compassion qui ressemble
si fort à la nôtre que nous serions tentés de la qualifier d'humaine, est le plus beau des attributs
ad extra. Nous ne saurions concevoir rien de plus

digne ni de plus grand. Le pardon est le plus beau
fleuron de la couronne divine.

Et l'une des plus belles choses que Dieu pût
faire pour notre éducation morale, c'était d'im-
planter en nos cœurs l'absolue nécessité de pardonner à nos frères. Comme *le fils prodigue* est
la parabole du pardon paternel, *le serviteur sans
pitié* est celle du pardon fraternel.

Le riche insensé

(saint Luc, XII, 13-21)

[13] Quelqu'un de la foule lui dit : Maître, dites à mon frère de partager avec moi l'héritage. [14] (Jésus) lui dit : Homme, qui m'a établi votre juge ou l'arbitre de vos partages ? [15] Puis il leur dit : Voyez à vous garder de toute avarice ; car un homme a beau se trouver dans l'abondance, sa vie ne dépend pas de ses richesses.

[16] Et il leur dit une parabole : Il y avait un homme riche dont la terre avait beaucoup rapporté. [17] Et il réfléchissait en lui-même, se disant : Que vais-je faire ? Car je n'ai pas où serrer mes récoltes. [18] Et il dit : Voici ce que je vais faire ; je vais abattre mes greniers et en bâtir de plus grands ; c'est là que je serrerai tout mon blé et mon avoir. [19] Et je dirai à mon âme : Mon âme, tu as de grands biens en réserve pour de nombreuses années, repose-toi, mange, bois, réjouis-toi. [20] Mais Dieu lui dit : Insensé, cette nuit même, on va te redemander ton âme ! Et ce que tu as préparé, pour qui sera-ce ?

[21] *Ainsi en est-il de celui qui thésaurise pour soi et n'est pas riche en vue de Dieu.*

I. — OCCASION

Dom Calmet a noté avec bonheur les circonstances de la parabole. « On voit ici l'esprit du monde. Jésus-Christ ne parle que de désintéressement, que de mépris des richesses, que de confiance en la bonté et en la providence du Seigneur. Et voilà un homme qui l'interrompt pour le prier de se mêler d'une affaire purement temporelle et qui ne le regardait point, puisqu'il n'était point envoyé pour cela. Cet homme est sourd à tout le reste ; il ne pense qu'à son intérêt. Il veut engager Jésus-Christ à entrer dans son démêlé, dans le temps même qu'il lui prêche la vanité des choses de cette vie » (198).

Saint Augustin, qui se plaît au jeu des contrastes, résume la situation en disant : « Cet homme vient tout juste demander une moitié d'héritage sur terre, au moment où le Seigneur lui en offrait un tout entier dans le ciel. Le Seigneur offrait incontestablement plus que cet homme ne réclamait, *petebat dimidiam haereditatem, petebat in terra dimidiam; in cælo Dominus offerebat totam. Plus Dominus dabat quam ille postulabat* (XXXVIII, 628).

Est-il vrai, ainsi que les commentateurs le répètent, que les juifs s'adressaient volontiers à leurs rabbins les plus réputés pour dirimer leurs débats et débrouiller même leurs affaires temporelles? Strack et Billerbeck ne produisent pas un seul exemple pour illustrer par le Talmud ce passage de l'évangile.

Toujours est-il que cet homme, en compétition d'héritage, trouve l'occasion favorable et veut en profiter. Saint Augustin l'a dit encore en son langage savoureux : « Cet homme avait un frère inique; mais, contre ce frère inique, il a trouvé un juste juge, *sed justum judicem invenerat contra iniquum fratrem* » (*ibid.*).

Sans doute le plaignant était-il lésé par un avide frère aîné qui, s'étant emparé de tout l'héritage, refusait d'y faire part à son cadet; et cela, au mépris du Deutéronome qui permettait à l'aîné de retenir de l'héritage une part double (XXI, 17), à la condition de laisser le reste à ses frères.

Jésus répond avec quelque vivacité : *Homme, qui m'a établi votre juge ou l'arbitre de vos partages?* C'est dire « qu'il n'était point envoyé pour cela, et

qu'il n'était pas juste qu'il quittât la prédication et
le soin du spirituel pour des intérêts temporels »
(Calmet, 199).

La réponse de Jésus n'admettait pas de réplique.
L'homme n'insista pas ; il disparut comme il était
venu, sans laisser d'autre trace dans l'évangile. Sa
déconvenue personnelle nous intéresse peu ; mais
nous lui savons gré de sa démarche à cause de la
pittoresque parabole dont elle fut l occasion.

Jésus qui utilisait les menus incidents journaliers
pour l'instruction de ses disciples, profita de cette
affaire de succession familiale pour leur dire : *Voyez
à vous garder de toute avarice.* Le mot grec
πλεονεξία signifie *le désir d'avoir beaucoup.* Le
plaignant était-il atteint de cette cupidité ? ou bien
le Sauveur passa-t-il d une juste revendication des
droits fraternels à l'excès qui trop souvent entache
les négociations de ce genre ?

Il est surprenant que Jésus s'exprime ici d'une
manière embarrassée, d'autant plus que saint Luc
ne nous a pas habitués à ces formules voisines du
solécisme. Toutefois le sage Maldonat nous prévient que la pensée est moins difficile que la
syntaxe. Ὅτι οὐκ ἐν τῷ περισσεύειν τινὶ ἡ ζωὴ αὐτοῦ ἐστιν
ἐκ τῶν ὑπαρχόντων αὐτῷ : mot à mot *dans l'abonder à
quelqu'un, lorsque quelqu'un est dans l'abondance,
sa vie ne dépend pas de ce qui lui appartient.* En bon
français : *Un homme a beau se trouver dans l'abondance, sa vie ne dépend pas de ses richesses.*

Quand on parle de vie, on songe premièrement
à la prolongation de l'existence (Knabenbauer) et
l'on se souvient du mot du Sauveur : *Qui de vous
pourrait se flatter par ses soins d'ajouter à sa vie
une seule coudée, une seule ?* (Mt. vi, 27 ; Lc. xii, 27.)
Sur quoi Maldonat remarque que les richesses,

non plus que les soucis, n'ajoutent pas à la durée
de la vie. L'histoire *du riche insensé* va nous montrer
qu'elles ne réussissent même pas à la prolonger
d'une seule nuit.

II. — Tableau

Le riche. — *Il y avait un homme riche dont la
terre avait beaucoup rapporté.* Ce riche bourgeois
rural, propriétaire foncier, se trouva du jour au
lendemain en présence de récoltes exubérantes. Le
texte n'insinue pas que l'excédent des années précédentes se soit peu à peu accumulé dans ses greniers
et qu'ainsi, à un moment donné, il y ait eu surabondance. C'est une récolte extraordinaire qui a
produit cet excès et cet embarras.

Naturelle ou non, cette situation cadre parfaitement avec le but de la parabole qui veut pousser
à l'extrême les contrastes : la richesse la plus
abondante, celle qui peut se promettre de parer à
tous les besoins, qui est susceptible de fonder les
plus solides assurances pour la vie contre la mort,
— et la mort soudaine, la mort implacable, qui se
rit de toutes ces belles richesses et enlève son riche
à l'heure qu'il lui plaît, sans que sa victime puisse
opposer la moindre résistance, sans que ses trésors
lui puissent ménager un jour de plus, une heure de
plus, un instant de plus.

La récolte de l'année était si abondante que le
propriétaire n'avait plus où la recueillir, ses magasins et ses greniers n'étant plus suffisants. A force
d'être riche, observe Tolet, voilà cet homme devenu
pauvre, *copia faciebat inopem* (*in h. l.*).

Cependant il eût pu se tirer d'embarras à meilleur
compte : sans détruire ses greniers, il aurait pu

verser l excédent de ses produits dans le sein des
pauvres. « Le sein des pauvres, la maison des veuves,
la bouche des enfants, dit saint Ambroise, ce sont
des greniers éternels », et qui ne seront jamais
trouvés insuffisants, « *inopum domus, viduarum
domus, ora infantum... istae sunt apothecae quae
maneant in aeternum* » (cité par Klostermann, 497,
498). Mais ce riche encombré n'a même pas l'idée
de l aumône.

Encore s'il avait eu besoin de thésauriser pour
ses enfants ! Mais la parabole ne dit pas qu'il en
ait; elle insinue plutôt le contraire, puisqu'elle
envisage l'hypothèse qu'à sa mort, ses richesses
passeront à des héritiers inconnus (v.20).

Nous avons sous les yeux un homme qui, n'ayant
que lui-même à pourvoir, regorge de biens, possède
tout ce qu'il lui faut en abondance et pour de
nombreuses années, est à l'abri de tous les besoins
et de toutes les surprises de la fortune, la mort
exceptée.

Son égoïsme. — Les commentateurs prononcent ici
le mot qui semble le caractériser : c'est un égoïste,
qui ne pense qu'à soi. « C'était un avare » (Loisy,
II, 109); « son égoïsme était aussi grand que ses
richesses » (Jülicher, II, 614).

Peu s'en faut qu'ils ne lui reprochent comme au
mauvais riche de passer sa vie à se couvrir de
pourpre et de byssus et à faire bonne chère (xvi,
19). Et parce qu'il n'est pas mentionné qu'il faisait
l'aumône, ils lui reprochent de l'avoir refusée,
comme le mauvais riche la refusait au pauvre Lazare
(*ibid.*, 21).

Il faut le dire résolument, c'est là une injustice
littéraire.

Si le personnage était historique, il faudrait

prendre sa défense, en appeler d'un injuste verdict
de condamnation, intenter un procès de réhabili-
tation à ceux qui se sont prononcés contre lui pour
l'avoir insuffisamment compris. Parce que c'est un
personnage de parabole, nous n'avons pas à défendre
sa mémoire ; nous devons seulement modifier la
manière peut-être trop répandue d'entendre son
histoire.

Dans le cours ordinaire de la vie, un tel homme
ne serait assurément pas un modèle de vertu.
Egoïste, il le serait probablement ; peu aumônier,
je le croirais sans peine ; et de même ami de la bonne
chère et du luxe. Semblable train de vie ne pourrait
que mettre en danger le salut de son âme, et il serait
bien à redouter qu'enlevé de ce monde par une mort
subite et appelé à rendre ses comptes à Dieu, cet
insensé n'entendît prononcer contre lui une sentence de condamnation qui l'envoyât dans la
géhenne en compagnie des mauvais riches.

Mais là n'est pas la question. Nous n'avons pas
à savoir ce que serait un homme pareil dans la vie ;
nous avons seulement à discerner ce qu'il est dans
la parabole. Une parabole est un cas de conscience,
dont toutes les données doivent être scrupuleusement étudiées à l'effet d'en fournir l'interprétation la plus adéquate. Changer une seule donnée
dans un cas de morale, c'est le modifier peut-être
dans ses parties essentielles. Changer une seule
donnée dans une parabole, c'est s'exposer à modifier
les enseignements du Sauveur.

La simple équité, même à l'endroit des personnages de parabole, demande qu'on les apprécie
exclusivement d'après les données de l'évangile. Ne
les chargeons pas de fautes ou de vices qui ne leur
sont pas formellement imputés ; ne leur prêtons pas

non plus des vertus qui ne leur sont pas attribuées.
Essayons de comprendre les tableaux imaginés par
le Maître, sans leur en substituer d autres de notre
fantaisie.

Cette protestation générale touchant *le riche
insensé* devra être répétée et justifiée à propos des
traits notables qui composent sa physionomie.
Nous l'avons déjà entendu accuser *d'égoïsme* et
d'avarice; littérairement parlant, il n'est ni égoïste
ni avare. Nous avons entendu dire qu'il serait plus
avisé de verser l'excédent de ses récoltes dans le sein
des pauvres que dans ses greniers agrandis;
littérairement parlant, l'un n'est pas plus sage que
l'autre; ces opérations en elles-mêmes n'ont pas de
moralité; elles sont indifférentes. Elles valent
uniquement par leur signification symbolique,
qui est d'exprimer que l'homme, subitement enrichi,
ne savait plus que faire de ses richesses : c'est un
homme pourvu.

Désormais, le cas de morale se pose clairement.
La vie d'un homme riche est-elle solidaire de ses
richesses? A-t-il raison de placer sa confiance en sa
fortune? Ses biens le mettent-ils à l'abri de la mort?

Ses projets. — La parabole va nous l'apprendre.
Durant ses insomnies, l'homme était agité d'absor-
bantes préoccupations : *Que vais je faire? Car je
n'ai pas où serrer mes récoltes. Et il dit : Voici ce
que je vais faire; je vais abattre mes greniers et en
bâtir de plus grands; c'est là que je serrerai tout
mon blé et mon avoir...*

De tels raisonnements, s'ils étaient de l'histoire,
prêteraient à la critique. Pourquoi démolir les
magasins existants et en bâtir de nouveaux? Ne
suffirait-il pas d'ajouter aux anciens quelques corps
de bâtiments sans rien abattre? — Dans une para-

bole tout se justifie. Ces projets d'agrandissement
sont une façon pittoresque de rendre sensible
l'excédent imprévu des richesses : les moissons sont
tellement opulentes qu'on est obligé de démolir les
bâtiments existants et d'en édifier de nouveaux.

Le propriétaire prépare de préférence ses greniers
pour ses récoltes de *blé*. Le blé constitue en effet la
principale richesse des grandes plaines palestiniennes : Esdrelon, Saron, Séphéla, Bersabée, et
des plateaux de Transjordanie, depuis le Hauran
jusqu'à Moab. Au blé il convient d'ajouter les
autres céréales et revenus divers, y compris la
provision d'huile qui se conserve dans d'immenses
jarres et la provision de *tében* qui constitue le fond
de la nourriture des animaux.

Dans ces douces rêveries de la nuit, le riche
poursuivait son monologue : *Mon âme, tu as de
grands biens en réserve* (κείμενα) *pour de nombreuses
années; repose-toi, mange, bois, réjouis-toi...* Ces
traits achèvent le tableau. Les récoltes sont telles
qu'elles suffisent largement aux besoins des années
suivantes; le propriétaire est dispensé de compter
sur les moissons futures; il peut en toute confiance s'abandonner à la sécurité; il ne lui reste qu'à
jouir des douceurs de la vie : se reposer au lieu
de travailler, manger à sa faim, boire largement
à sa soif. Que faut-il encore pour la complète
félicité?

On aura remarqué que, se parlant à lui-même,
le riche interpelle son âme : *Mon âme* (ψυχή). Il ne
faudrait pas en conclure qu'il s'adresse à la partie la
plus noble de lui-même, à son âme par opposition à
son corps. Les langues sémitiques emploient le mot
âme en guise de *pronom personnel*, pour désigner la
personne entière. Et cela coupe court aux subtilités

qui supposent que l'âme est interpellée comme siège
de la vie *sensitive* ou *sensuelle*.

L'idéal prêché par ce discours, n'est assurément
pas d'un ordre très élevé. Mais s'il a des affinités
avec l'épicurisme, il rappelle aussi la sagesse inspirée
de l'Ecclésiaste. En soi, le programme est légitime et
le discours irrépréhensible. Comme du saint homme
Job, nous pouvons dire de ce riche : « En tout cela,
il ne pécha point et ne dit rien d'insensé contre Dieu »
(Job, 1, 22).

Sa folie. — Insensé, c'est néanmoins le mot terrible
sorti à son adresse de la bouche de Dieu. *Insensé,
cette nuit même, on va te redemander ton âme !*

Le Seigneur a raison d'appeler les hommes par
leur nom. Celui-ci s'est comporté vraiment comme
un insensé (ἄφρων), comme un homme dénué de sens
et d'intelligence. Mais en quoi ? Est-ce en ne faisant
pas un meilleur emploi de ses richesses ? Est-ce parce
que « l'idée ne lui vient pas de faire profiter les
autres de son aubaine exceptionnelle » ? (Lagrange,
359). Ou bien parce que « l'insensé n'a seulement
pas pourvu à sa succession » ? (*ibid.*, 360).

Nous ne le croyons pas. A son point de vue
l'homme n'a pas trop mal calculé l'emploi de ses
richesses, ayant prévu une très convenable utili-
sation de ses récoltes et d'assez judicieux projets
d'avenir. Quant à n'avoir point désigné d'héritiers,
cette imprudence, n'est pas de nature à causer le
moindre dommage personnel au défunt intestat.

Maldonat se rapproche davantage de la vérité,
lorsqu'il découvre la folie dans les calculs mêmes
de l'homme qui se promet de nombreuses années
et bâtit le rêve de son avenir sur ce fondement
ruineux.

Mais nous pouvons nous dispenser de toute autre

recherche, puisque le divin Maître a lui-même défini cette folie : *Un homme a beau se trouver dans l'abondance, sa vie ne dépend pas de ses richesses...*

La folie ne consiste pas à espérer de longues années de jouissance et de prospérité, ni à organiser le reste de sa vie en fonction de cette hypothèse. Elle consiste en la persuasion que *la vie dépend des richesses.* Bien pourvu de tout, riche avec surabondance, cet homme croit que sa vie sera aussi longue que sa fortune; il écarte systématiquement toute pensée de la mort; les richesses lui semblent une assurance contre tous les accidents; il arrange sa vie en conséquence; il se regarde pratiquement comme immortel; il vit comme s'il ne devait jamais mourir.

C'est là proprement sa folie. Il n'est pas insensé par égoïsme, par avarice au sens habituel du mot, par oubli des pauvres ou refus de leur faire l'aumône, c'est-à-dire à cause de ces péchés d'action ou d'omission. Il est insensé par sa fausse conception, philosophique et théologique, de la vie. Cet homme eût été un riche bienfaisant, il eût versé l'excédent de ses biens dans le sein des pauvres, qui sont toujours « des greniers suffisants » (saint Basile), il mériterait encore le qualificatif d'insensé, s'il avait estimé que le reste de ses biens le mettait à l'abri des hasards et de la mort.

Insensé! Il y a ici un coup de théâtre du plus bel effet dramatique. Dans la douceur de sa molle insomnie, cet homme rentre ses moissons, abat ses greniers trop petits, en construit de nouveaux sur des plans grandioses, se met à table devant des mets et des coupes qui flattent son appétit; après quoi il se repose longuement, les yeux mi-clos devant des perspectives suaves et lointaines.

L'annonce de sa mort. — Tout à coup retentit cette
terrible voix du ciel, cette *bath qôl* qui hantait
l'imagination pieuse des juifs! Dieu a été oublié;
il rentre brusquement en scène, sans être attendu.
Le maître de la vie rappelle que la vie lui appartient;
s'il la prête, elle demeure sienne; il la reprend,
quand il lui plaît, même si on oublie de la lui
rendre.

Comment la voix de Dieu se fait-elle entendre?
Calmet ne savait que choisir entre un songe, une
inspiration et une mort soudaine. Le P. Fonck
estime (532) que Dieu a parlé par la voix des événements; Loisy (ii, iii) pense que le discours divin est
un moyen oratoire de traduire un songe.

Toutes ces explications ne tiennent pas compte
du genre littéraire de ces petites apocalypses qui se
modèlent évidemment sur les grandes (Klostermann, 497). Dieu parle: pourquoi réduire son
discours au simple langage des événements ou
d'une mort soudaine? Pourquoi affaiblir cette voix
au point de n'en faire plus qu'un songe? Comme
dans la grande apocalypse de Job (iv, 12), la voix
de Dieu retentit: *Dieu lui dit*. Ce discours a toute
la réalité de la parabole, ni plus ni moins. C'est
une révélation du genre, fictive, irréelle.

Le même but pédagogique se fût trouvé atteint,
si, au lieu de ce discours, on nous eût représenté
la mort fondant soudain sur le riche et l'enlevant
à sa fortune. Mais combien plus dramatique la mise
en scène de la parabole! Et combien plus efficace,
puisqu'elle nous montre en Dieu l'unique maître
de nos existences!

Le contraste des choses est même poussé à
l'extrême: *Cette nuit même; on va te redemander
ton âme... Cette nuit même,* l'homme ne verra pas

l'aurore; la même nuit qu'il ajustait des projets, verra la tragédie de sa mort soudaine.

Loisy est le seul, je crois, à prétendre qu'il s'agit de la première nuit qui suivra l'accomplissement des projets élaborés (ii, 110). — C'est enlever au caractère dramatique de l'événement. Il suffit pour le contraste que les projets soient coupés par l'annonce d'une mort immédiate; il n'est pas nécessaire qu'ils soient mis à exécution. Et comment n'être pas sensible à la beauté littéraire qu'ajoute au drame cette rapidité de l'action?

Cette nuit même, on va te redemander ton âme (en grec avec le verbe au pluriel, ἀπαιτοῦσιν). Quel peut être le sujet de ce verbe? Ce ne sont pas les brigands : prévenu, l'homme n'eût pas manqué de prendre ses précautions. Ce ne sont pas les anges (Klostermann), ni les agents de la volonté divine (Valensin-Huby), ni « ceux que cela regarde dans l'occasion » (Lagrange). Maldonat disait mieux que ce pluriel impersonnel était l'équivalent d'un verbe passif et que l'on ne devait apporter aucune précision à ce sujet volontairement indéterminé. C'est du reste la traduction adoptée par les exégètes modernes.

Strack et Billerbeck proposent une solution meilleure, quand ils citent de nombreux passages du Talmud où ce pluriel impersonnel tient manifestement la place du nom divin (221). On sait à quelles périphrases ou à quelles équivalences recouraient les juifs pour éviter de prononcer le mot ineffable. Le sens est donc : « Cette nuit même, moi, le Seigneur, je vais te redemander ton âme », c'est-à-dire reprendre ta vie.

Si on lui reprend la vie, n'est-ce pas pour lui demander des comptes? Et alors, comment écarter

la vision de la peine prévue pour des richesses si
mal employées? Cette peine ne sera-t-elle pas celle
de la géhenne, où le *riche insensé* ira rejoindre le
mauvais riche? Précisément le mauvais riche a été
précipité dans le tourment de feu pour avoir mené
une vie de bonne chère et d'égoïsme. Le riche
insensé se promettant de réaliser les mêmes conceptions de la vie, il n'est pas exagéré de lui prédire un sort pareil. Ainsi raisonnent plus ou moins
ouvertement ceux qui ont chargé le riche insensé
de tous les vices promis effectivement à la damnation éternelle.

On connaît déjà notre sentiment. Puisque le
Seigneur n'a pas condamné l'insensé à la géhenne,
nous non plus n'avons pas à l'y condamner.

Nous plaiderions plutôt en sa faveur les circonstances atténuantes ou favorables. A supposer que
le riche se trouve passible de damnation au
moment de la sentence, il a encore le temps de
s'amender. Il n'a pas de vie jusqu'au matin, mais
il peut encore se convertir dans la nuit. Que lui
faut-il pour se convertir? Une seule chose, modifier
sa folie, c'est-à-dire sa conception de la vie,
laquelle est moins une faute qu'une erreur. Précisément, la mort est là, à sa porte, pour le corriger
de son illusion et nous instruire nous-mêmes avec
lui. La parabole n'enseigne ni ne suggère autre
chose. Cette nuit même, Dieu va lui reprendre son
âme, non pas pour lui demander des comptes ou
lui infliger un châtiment, mais uniquement pour
lui prouver — et à nous plus encore qu'à lui —
que la vie ne dépend pas des richesses, celles-ci
fussent-elles de nature à faire craquer des greniers
étroits.

Sa succession. — *Et ces richesses que tu as pré-*

parées, à qui seront-elles? Le riche était si persuadé que ses biens ne lui échapperaient jamais,
qu'il n'a pas songé à prendre ses dispositions testa-
mentaires pour le cas d'une mort subite. Est-ce
un nouvel exemple de sa folie ou de son imprévoyance? est-ce un châtiment terrestre que la perspective de ne savoir pas à qui reviendront ces biens
accumulés ?

Répétons-le, ce châtiment n'en est pas un. A
cette heure de la nuit, prévenu en pleine connaissance de sa mort imminente, il a encore le temps
de prendre son calame et de rédiger ses dernières
volontés, comme il aurait le temps d'implorer son
pardon. Ainsi serait-il en règle avec Dieu et avec
les hommes.

On a parlé d'ironie. La pensée de Jésus est en effet
empreinte d'une subtile ironie. Il veut peut-être
dire que non seulement les richesses ne garantissent pas leur propriétaire, mais encore que le propriétaire ne saurait garantir ses richesses. De même
qu'elles ne l'empêchent pas de subir sa destinée, lui
non plus, il n'est pas capable d'influer sur leur sort.
A qui iront-elles, lui disparu? Que valent et que
peuvent tous les testaments du monde contre les
dispositions capricieuses et inéluctables des événements? Ainsi la vie ne dépend-elle pas des richesses,
ni les richesses ne dépendent de la vie.

III. — Application

Le schème parabolique se présente comme il
suit :

De même qu'un propriétaire subitement enrichi
prenait toutes ses dispositions pour jouir largement de ses richesses, comme si sa vie était soli-

daire de cette abondance et qu'il ne dût jamais mourir,

et de même qu'au milieu de ses rêves de prospérité, il fut tout à coup surpris par l'annonce divine de sa mort imminente,

ainsi...

Ici nous ne faisons pas seulement une pause littéraire ; nous sommes réellement embarrassés, et pour un motif avec lequel nous sommes familiarisés. La parabole étant pourvue d'une introduction historique (13-15) et d'une conclusion ordinaire (21), auquel de ces deux éléments faut-il demander le deuxième membre de la comparaison parabolique ?

Reconnaissons que le mouvement naturel de la parabole nous porte vers le v. 21 ; d'où l'achèvement normal de la comparaison :

ainsi en est-il de celui qui thésaurise pour soi et n'est pas riche en vue de Dieu.

Signification de l'appendice. — Les deux membres de la comparaison vont-ils ensemble et forment-ils un tout cohérent ? Le P. Lagrange le pense et il explique le v. 21 en disant : « La conclusion ne dépasse pas la parabole... L'essentiel est de ne pas imiter l'insensé qui y mettait tout son espoir comme si Dieu n'existait pas, et si l'on est riche, qu'on soit riche en regardant Dieu comme sa fin » (360).

L'explication est excellente ; elle cadre avec la parabole. Seulement elle modifie la signification naturelle du v. 21, auquel on ne songerait pas à donner un sens pareil, si l'on n'éprouvait le besoin de l'accommoder au sens de la parabole.

Le sens naturel du verset évoque l'idée d'un homme qui thésaurise égoïstement pour lui, sans rien donner à Dieu ni à son culte. Mais alors, une

telle signification, il faut le reconnaître, ne cadre
pas avec la parabole. Jülicher qui, au milieu de ses
fantaisies et outrances critiques, possède une réelle
pénétration, disait de ce verset : « Il nous gêne
pour l'interprétation du reste (de la parabole) » (614),
et, de ce chef, il en contestait l'authenticité.

La conclusion est excessive, mais la remarque
garde sa justesse. Loisy aussi note que la réflexion
finale « dépasse la parabole ».

Nous arrivons à la même conclusion partielle
que Jülicher et Loisy, il est vrai par une voie
totalement différente. La méthode du schème parabolique fait toucher du doigt que le v. 21 n'est
pas dans la ligne de la parabole ; ce verset n'est donc
pas susceptible de nous fournir le deuxième membre
de la comparaison.

Nous allons plus loin et nous disons que ce
verset n'appartient pas à la parabole. Il s'y est
joint, comme un élément nouveau s'ajoute à un
conglomérat déjà existant ; il peut s'en détacher
sans dommage pour le petit bloc. De fait, la parabole s'arrête au v. 20.

Le v. 21 est un fragment authentique, mais d'un
discours *extraparabolique*. C'est un fragment d'exhortation à l'adresse des riches, pour qu'ils renoncent
à l'emploi égoïste de leurs richesses et en fassent
désormais l'emploi voulu de Dieu.

Signification de la parabole. — Si le deuxième
membre de la comparaison ne doit pas être cherché
en dehors de la parabole, nous le découvrirons sans
peine dans l'introduction historique et dans la
parabole elle-même, dont nous avons déjà noté au
cours du commentaire, la parfaite concordance :
*Un homme a beau se trouver dans l'abondance, sa
vie ne dépend pas de ses richesses.*

Nous pouvons donc reprendre et achever le schème parabolique :

De même qu'un propriétaire subitement enrichi prenait toutes ses dispositions pour jouir largement de ses richesses comme si sa vie était solidaire de cette abondance et qu'il ne dût jamais mourir;

et de même qu'au milieu de ses rêves de prospérité, il fut tout à coup surpris par l'annonce divine de sa fin imminente,

ainsi — et ceci nous en est un exemple frappant — un homme a beau se trouver dans l'abondance, ses richesses ne peuvent rien pour protéger et conserver sa vie; il mourra inéluctablement à l'heure de Dieu, seul maître de la vie, sans que ses biens soient capables de prolonger son existence d'un seul instant.

Cette fois, la correspondance est parfaite et l'esprit se complaît en cette réussite, littéraire aussi bien que doctrinale.

Ce ne sont pas les richesses, c'est Dieu qui est le seul maître de la vie.

Malgré les nombreuses divergences de détails que nous avons dû signaler, nous avons la satisfaction de voir la plupart des commentateurs adhérer à cette suprême leçon. La parabole « ne vise pas l'emploi qu'il aurait fallu faire des richesses » (Loisy, II, 111) ; « l'essentiel est de ne pas imiter l'insensé qui y mettait tout son espoir comme si Dieu n'existait pas » (Lagrange, 360). « Tous les biens du monde ne vous donneront ni ne vous conserveront la vie » (Calmet, 200). « Que le riche mette donc son espoir, non pas en ses richesses, mais en Dieu seul, *ut in illis spem suam non ponat, sed in solo Deo* » (Maldonat, 226[1]).

Le riche avisé. — *Le riche insensé* est l'opposé

de celui que nous pourrions appeler *le riche avisé*.

L'insensé croit que ses richesses lui sont une assurance contre la mort. Ne regardant pas autour de soi pour chercher à qui ses biens pourraient profiter, ni au-dessus de soi pour savoir d'où ils viennent, il ne voit qu'eux, il s'identifie avec eux. A force d'écarter l'hypothèse qu'il puisse finir avant ses richesses, il arrive à méconnaître pratiquement cette possibilité, il vit comme s'il ne devait jamais mourir.

De là vient que la mort le surprend. N'étant ni désirée ni attendue, elle est une intruse qui dérange des plans combinés en dehors d'elle. Contrainte d'arracher par la violence ce qu'elle veut emporter, elle opère un détachement d'autant plus tragique et plus douloureux qu'il est plus brusque et plus involontaire.

Tel n'est pas le *riche avisé*. Il sait à quoi s'en tenir sur la durée et la contingence de la vie, et qu'elle a un faux air de solidarité avec les circonstances parmi lesquelles elle se déroule. Il n'ignore pas que Dieu est le distributeur suprême de nos biens et le maître absolu de nos existences et que, à l'heure marquée par lui, toutes les richesses du monde sont incapables de retenir la vie qu'il vient nous reprendre. C'est pourquoi, il consent et se prépare à cette prochaine séparation; et sans doute se familiarise-t-il par de larges aumônes avec l'idée que tous ses biens passeront un jour fatalement à d'autres.

Aussi la mort n'a-t-elle pas pour lui ce visage d'épouvante et d'angoisse. Elle n'est plus la visiteuse imprévue, sa visite étant, sinon désirée, du moins attendue. On savait qu'elle viendrait et on se préparait à la recevoir. On savait que la vie n'est qu'une étape et que la mort n'est qu'un étroit passage donnant accès aux larges et clairs horizons de la survie.

Ces remarques sur la condition du *riche avisé* ne sont-elles qu'une pieuse accommodation? Nous pensons qu'elles découlent par contraste direct des enseignements du Christ.

On a dit que cette parabole avait une saveur d'Ancien Testament. Cette philosophie et cette théologie sur la condition des riches et des richesses sont de tous les temps, comme du reste la recommandation de faire l'aumône aux nécessiteux. Mais, au moment où le Seigneur Jésus renouvelait le royaume de Dieu, il n'était pas superflu de rappeler aux nouveaux sujets jouissant de quelque aisance que le code de la richesse demeurait en vigueur et qu'étaient maintenus les articles relatifs aux *mauvais riches* et aux *riches insensés*.

L'intendant avisé

(saint Luc, XVI, 1-13)

¹ Il disait aussi à ses disciples : Il y avait un homme riche qui avait un intendant; et celui-ci lui fut dénoncé comme dilapidant ses biens. ² Et l'ayant appelé, il lui dit : Qu'est-ce que j'entends à ton sujet? Rends compte de ta gestion, car désormais tu ne pourras plus être économe. ³ Et l'intendant se dit en lui-même : Que vais-je faire, puisque mon maître me retire l'intendance? Bêcher, je ne le puis; mendier, j'en aurais honte... ⁴ Je sais ce que je vais faire, pour que, quand je serai relevé de l'intendance, ils me reçoivent chez eux. ⁵ Et ayant appelé chacun des débiteurs de son maître, il dit au premier : Combien dois-tu à mon maître? Lui de répondre : Cent baths d'huile. — Il lui dit : Prends ton billet, assieds-toi vite et écris cinquante. — ⁷ Puis il dit à un autre : Et toi, combien dois-tu? Lui de répondre : Cent cors de blé. — Il lui dit prends ton billet et écris quatre-vingts.

⁸ Et le maître loua l'intendant malhonnête d'avoir agi en homme avisé. Car les fils de ce siècle sont plus avisés que les fils de la lumière dans leurs relations. ⁹ *Et moi, je vous dis : Faites-vous des amis avec ce mammon d'iniquité, afin que, le jour où il [vous] manquera, ils vous reçoivent dans les tabernacles éternels.* ¹⁰ *Qui est fidèle dans les moindres choses l'est aussi dans les grandes, et qui est injuste dans les moindres choses, l'est aussi dans les grandes.* ¹¹ *Si donc vous n'avez pas été fidèles dans le mammon injuste, qui vous confiera le bien véritable?* ¹² *Et si vous n'avez pas été fidèles pour le bien d'autrui, qui vous donnera le vôtre?* ¹³ *Nul serviteur ne peut servir deux maîtres : ou bien il haïra l'un et aimera l'autre, ou bien il s'attachera à l'un et méprisera l'autre. Vous ne pouvez servir Dieu et Mammon.*

Le titre de la parabole appelle une première remarque. Les commentateurs modernes ont

coutume de l'intituler *l'intendant* ou *l'économe infidèle* (Lagrange, Valensin-Huby), *der ungerechte
Verwalter* (Fonck), *vom ungerechten Haushalter*
(Jülicher), *the injuste steward* (Bruce), *el mayor-
domo injusto* (Sáinz). On peut être surpris de cette
unanimité. La leçon portant sur l'habileté ou la
prudence de l'économe, nullement sur son infidélité
ou sa malhonnêteté, ne serait-il pas préférable de
reprendre un mot de la parabole et d'intituler le
récit : *l'intendant avisé?*

Nous ne savons rien des circonstances où la
parabole fut proposée. Le texte nous apprend seulement qu'elle eut les disciples pour destinataires
immédiats. La suite donnerait à penser que les
pharisiens assistaient également au discours du
Sauveur, puisque le v. 14 les signale se moquant
de ses paroles, et que *le mauvais riche* semble les
viser directement. Mais l'auditoire pourrait avoir
changé d'une parabole à l'autre, au cours du même
chapitre. En outre, ces deux paraboles sont séparées
par un groupe de sentences qui n'ont entre elles
qu'un lien assez lâche (10-18) et qui auraient pu
appartenir originairement à un contexte différent.
D'où il résulte que la parabole de *l'intendant avisé*
doit s'interpréter par elle-même, sans qu'on puisse
espérer de son contexte un surcroît de lumière.
Le récit est donc adressé aux disciples, mais nous
ne savons rien des circonstances de temps et de lieu,
rien d'autre non plus sur le nombre ou la qualité
des auditeurs.

I. — Tableau

L'intendant. — *Il y avait un homme riche qui avait
un intendant*. Ces paroles éveillaient chez les audi-

teurs des pensées familières. L'Orient aussi connaissait les grands propriétaires qui confiaient à
un homme d'affaires l'intendance de leur domaine,
ne se réservant que le contrôle général de la gestion.
« Le mot grec, d'où nous avons tiré en français
économe, peut désigner soit un esclave préposé à la
surveillance des autres domestiques et à l'exploita
tion d'une ferme, soit l'homme libre chargé d'ad-
ministrer un ou plusieurs domaines. Le *villicus*
de la Vulgate se disait du régisseur d'une ferme, tandis que l'administration de vastes propriétés était
confiée à un *procurator* » (Valensin-Huby, 202).

Le domaine en question devait être une grosse
ferme, produisant d'abondantes récoltes d'huile
et de blé. L'intendant était un homme libre, puisque sa disgrâce elle-même n'aliène pas sa liberté,
et que, dans son malheur, il dispose encore de son
avenir au mieux de ses intérêts.

L'accusation. — Le contrôle du maître n'était pas
superflu. Un jour on vient lui dire que son homme
était en train de dilapider son bien. L'accusation ne
spécifiait pas précisément que la gestion eût été
frauduleuse, ni que l'économe eût détourné des
sommes ou dérobé des biens en nature. La suite,
il est vrai, nous le montrera peu embarrassé de scru-
pules, ne reculant pas même devant des faux en
écriture. Mais c'est l'occasion qui fera le larron.
Jusque-là, en l'absence de tout symptôme contraire,
nous pouvons supposer que sa mauvaise gestion
provenait de la légèreté ou de l'incapacité plutôt que
de la malhonnêteté.

Anomalies du récit. — Par qui et de quelle manière
le maître fut-il informé que ses affaires allaient à
la dérive? Ici nous éprouvons derechef le besoin de
rappeler que nous sommes en parabole, c'est-à-dire

dans un récit où la libre fantaisie du narrateur combine les événements en vue de son intérêt dogmatique. Au surplus, elle conduit son récit avec un art consommé, une discrétion, une sobriété, une délicatesse de touches remarquable. La juste liberté parabolique et cette rapidité éminemment dramatique nous expliquent plusieurs traits de l'histoire que les commentateurs s'efforcent en vain de justifier par les mœurs du temps.

L'intendant n'oppose pas le moindre essai de justification au réquisitoire de son maître. Il ne se disculpe pas; il ne conteste aucune accusation; il ne plaide aucune circonstance atténuante; il se reconnaît coupable, et, chose plus surprenante, il se tait devant la sentence qui le dépouille de sa charge et de son gagne-pain. Dans le cours ordinaire de la vie, où est l'accusé modèle qui courbe la tête avec cette méritoire résignation sous des charges aussi lourdes? Ce qui ne se trouve pas dans la réalité se rencontre dans une parabole. Il est convenable que les choses se passent ainsi dans une parabole, que l'accusation s'y confonde avec la plaidoirie, et que l'une et l'autre entraînent sur l'heure l'acquiescement de l'accusé. J'ajoute que, dans une parabole artistique, il est très agréable que les choses se passent avec cette rapidité. Où Charles Péguy aurait trouvé moyen d'écrire un poème de la dimension d'*Ève* ou de *Jeanne d'Arc*, avec force développements, monologues et digressions, saint Luc a réussi en neuf versets cette merveille d'une parabole exquise.

Ce n'est pas tout. La parabole, pour nous montrer l'habileté de l'intendant, nous fait part de ses réflexions en vue de se procurer de nouveaux moyens de subsistance. Effectivement, il réussit à s'assurer

une rente viagère d'une sorte nouvelle, en se ména-
geant la reconnaissance des débiteurs de son maître
dont il a considérablement réduit les dettes. Si ces
combinaisons se passaient dans le réel, je craindrais
pour leur fragilité ou leur inefficacité. Mais je suis
tout à fait rassuré puisqu'elles se passent en parabole. La leçon pédagogique exigeant que ces habiles
démarches soient couronnées de succès, nous sommes certains qu'aucun accident fâcheux ne viendra
se mettre à la traverse. La rente viagère sera donc
assurée, et l'intendant sera reçu chez ses clients
complices.

Si la parabole était une histoire réelle, il y aurait
encore lieu de se demander comment la frauduleuse
combinaison de l'intendant a pu venir à la connaissance du maître. Toutes les précautions étant prises
et toutes les complicités assurées, comment le secret
a-t-il pu transpirer? Les exégètes qui veulent tout
savoir ne parviennent pas à expliquer qu'il ait pu se
produire une fuite ou une trahison. Dans notre
système, la chose se conçoit et s'impose : pour donner
plus de relief à la morale, il convenait que le maître
en personne dégageât la leçon de la parabole; pour
qu'il pût la dégager, il devait connaître la fin de
l'histoire. Il la connaît donc. Comment? il n'importe, et nul ne trouvera décemment à y redire.

On s'étonne encore que le maître, la fraude
découverte, garde son sang-froid et qu'il pousse
l'héroïsme ou l'indifférence jusqu'à couvrir de fleurs
l'habileté de son économe dont il est la victime.
Naïveté, sottise, ou inconscience, on ne sait que
choisir. — Pour nous, reconnaissant les justes
libertés du genre parabolique, nous ne choisissons
rien; nous trouvons seulement élégante, hardie,
piquante, la solution littéraire qui met sur les lèvres

d'un maître trompé le panégyrique de son fripon
d'économe. Scéniquement parlant, c'est un dénouement neuf et heureux. Et si la littérature est sauve,
en même temps que la théologie, quelles satisfactions
serait-on encore en droit d'exiger?

A peine s'est-il aperçu du gaspillage, le maître
convoque l'intendant : *Qu'est-ce que j'entends à
ton sujet?* Il ne l'interroge pas; il ne l'invite pas à
se justifier. Sa question n'est donc qu'un artifice
oratoire pour entrer en matière et signifier à
l'économe indélicat que son affaire est jugée : qu'il
présente ses comptes, il est relevé de charge.

Il semblerait, après cette injonction, que l'intendant dût produire ses livres, que le maître dût les
soumettre à un examen minutieux, et, naturellement, les trouver en défaut. Il n'en est rien. Ni
l'intendant ne produit ses livres, ni le maître n'a l'air
d'en exiger la présentation. Cette prétérition est un
nouvel exemple de la manière littéraire propre à
saint Luc, rapide autant que dramatique. Au fond,
il n'est ici question de comptes que pour permettre à
l'intendant de les reviser à son profit et de montrer de
la sorte son habileté, sur quoi va précisément porter
la leçon de la parabole.

Projets de l'intendant. — Dès lors, le drame se
précipite. Il n'y a d'hésitation qu'à ce point du
monologue, où le malheureux réfléchit aux suites
de sa destitution et s'efforce de parer au désastre.
Mais la réflexion ne sera pas de longue durée.

Rendons-lui cette justice qu'il a d'abord songé à
des solutions honnêtes, à travailler de ses mains,
voire à mendier. Il les écarte aussitôt l'une après
l'autre, et pour des motifs qui font impression.

Il faut avoir vu sur les chantiers de Palestine,
maisons en construction, routes en réfection,

champs de moisson où champs de fouillle, le personnage très important qui s'appelle surveillant,
intendant ou économe, pour mesurer toute la distance qui le sépare des simples ouvriers ou des
manœuvres. Son rôle à lui est de surveiller, de
contrôler, de stimuler, de réprimander, souvent de
vociférer, toujours de commander. Mais vous ne le
verrez jamais un outil en main, ni jamais s'avilir à
une besogne servile. Sur les chantiers du vingtième
siècle, vous le reconnaîtrez à sa mise endimanchée
parmi le grouillement des ouvriers vêtus à la mode
patriarcale, qui est faite d'une simple chemise de
toile serrée par une ceinture de cuir. Mieux encore,
vous le reconnaîtrez à ses lunettes conserves, qui
le garantissent de la poussière, et à son parasol qui
le garantit du soleil. Qu'un oriental ait exercé ce
noble métier quelques années durant, il est constitué
en dignité au-dessus du vulgaire, à ses yeux plus
encore qu'aux yeux d'autrui, et ses membres perdent
toute aptitude aux travaux manuels. Il n'aurait pour
déchoir ni la force physique, ni la force morale.
Bêcher, je ne le puis, je n'en ai pas la force ; *mendier,*
j'en aurais honte. Tout cela est concret, rapide,
parfaitement observé.

Il semble bien que l'homme recourt à des expé-
dients malhonnêtes uniquement en désespoir de
cause : *Je sais ce que je vais faire, pour que, quand*
je serai relevé de l'intendance, ils me reçoivent chez
eux. Quelques interprètes se trouvent gênés de
ce pluriel *ils me reçoivent*, δέξωνται, et ils cherchent à
lui substituer un neutre, parfaitement indéterminé
et incolore, *afin qu'on me reçoive.* Mais la fin de la
phrase montre que le sujet du verbe est bien
déterminé dans la pensée, encore qu'il ne le soit pas
dans l'expression. L'intendant est un homme qui

pense tout haut; mais comme il arrive fréquemment,
sa parole est moins prompte que sa pensée, dont
elle ne traduit du reste que les lignes générales. Il
pense déjà aux débiteurs de son maître sans avoir
encore eu le temps de les nommer. Ce sont les
débiteurs qui sont le sujet du verbe.

Les débiteurs. — Ils sont également le sujet de la
combinaison qui s'est présentée soudain à son
esprit. « Tout à coup notre homme a trouvé.
Certains débiteurs de son maître pourraient devenir
les siens! Sa position auprès d'eux sera celle d'un
parasite, mais d'un parasite complice qu'on ne peut
mettre dehors » (Lagrange, 432).

Les débiteurs qu'on va nous faire connaître
supposent une grosse exploitation agricole, des
olivettes et des champs, qui rapportent en quantité
l'huile et le blé. Les débiteurs ne sont pas des
fermiers qui cultivent le fonds du propriétaire
moyennant une redevance annuelle en nature; ce
sont des personnes indépendantes, paysans eux-
mêmes ou commerçants, qui ont acheté ces produits
à l'économe, et qui, incapables de payer comptant,
lui ont laissé un écrit.

Nul ne s'étonnera que tous ces acheteurs aient
passé à cet intendant des commandes aussi considérables, ni que toutes leurs notes restent encore à
payer. Les choses vont bien ainsi, et, au surplus, la
parabole exigeait qu'elles ne fussent pas autrement.

Le plan de l'économe est judicieux : il convoquera
tous ces débiteurs, il leur remettra une partie
notable de leurs dettes, et, à cette fin, il les invitera
à rédiger de nouveaux actes d'emprunt portant des
nombres notablement diminués. Le débiteur obligé
ne saurait manquer de témoigner sa reconnaissance
à l'économe complaisant. De la sorte, celui-ci aura

autant de maisons de refuge, après sa disgrâce, que
son maître comptait de débiteurs.

L'économe aux abois n'envisage pas si cette
opération est aussi ferme qu'elle lui paraît élégante.
En définitive, cette élégante escroquerie n'était qu'un
mauvais expédient. Qui oblige de cette frauduleuse
manière ne tarde pas à peser sur ses obligés, c'est-à-
dire sur ses complices. Et puis, à moins que ceux-
ci ne soient en nombre illimité, il est à craindre
qu'ils se lassent à bref délai des assiduités de cet
hôte parasitaire. Mais la parabole ne retient de la
combinaison que l'apparente habileté. Sachons
aussi nous en contenter.

Combien dois-tu à mon maître? demanda l'intendant au premier débiteur... *Cent baths d'huile.* Le
bath est une mesure hébraïque « que Josèphe (Ant.
VIII, 11, 9) estime à soixante-douze setiers (ξέντης),
mesure romaine, et qui équivalait à environ 38 litres.
Cent baths ou 3.800 litres auraient valu avant la
guerre sept mille francs » (Lagrange, 432, 433).
Strack et Billerbeck donnent au bath une capacité
légèrement supérieure. « Si le sexte valait 0 l. 548,
soixante-douze sextes ou un bath valait 39 l. 456 »
(218). Le P. Barrois (*Revue biblique*, 1931, 212)
donne aussi à l'épha et au bath une capacité
de 39 l. 384. Cette majoration ne modifie guère les
choses.

Les cent baths sont manifestement un nombre
rond, destiné à frapper l'imagination de l'auditeur.
On veut nous montrer que l'intendant pratiquait
hier ses opérations, et aujourd'hui sa fraude, sur
une vaste échelle.

Une récolte d'une quarantaine d'hectolitres d'huile
suppose une olivette de quatre ou cinq hectares,
d'autant plus que le propriétaire avait dû prélever

sa provision personnelle, avant de consentir à la
mise en vente du surplus.

Prends ton billet, assieds-toi vite et écris cinquante.
Le débiteur avait signé un papier, sans doute un
papyrus, puisque c'était un personnage rural de
quelque importance. A cette époque, les petites gens
d'Égypte écrivaient leurs billets sur des *ostraka* ou
tessons de poterie. L'intendant ne l'invite pas à
retoucher sa première cédule ; le papyrus ne se
prêtait pas au grattage, et le procédé trop visible eût
dénoncé la fraude. Il lui propose de rédiger un nouvel
acte où la dette serait réduite de moitié, soit de
cinquante *baths*, valant trois mille cinq cents
francs-or. Il va de soi que le premier papier d'emprunt lui serait rendu. Sur l'heure et sans peine, la
conscience du débiteur s'accommode de cette petite
opération imprévue.

Un détail de traduction. Nous traduisons :
Assieds-toi vite et écris cinquante. La plupart des
commentateurs préfèrent traduire : *Assieds-toi,
écris vite cinquante*, en rapportant l'adverbe de hâte
à l'action d'écrire. Le P. Lagrange en donne la
raison avec humour : « On ne peut pas gagner de
temps en s'asseyant... Le débiteur n'a pas à délibérer... Mais il pourrait perdre du temps à soigner
sa calligraphie, etc., et il faut faire vite, car on pourrait être surpris » (433). Cette explication est peut-
être moins solide que jolie. Les Orientaux ne
raffinent pas leur écriture courante. Comment le
feraient-ils, s'ils écrivent sur le papier tenu à même
la main gauche ? Et puis, si l'on ne gagne pas de
temps en s'asseyant d'une manière quelconque, on
en gagne incontestablement en s'asseyant vite.
Plus vite il sera assis, plus vite le débiteur écrira.
Jülicher observe avec justesse (501) que l'adverbe

παχέως se rapporte grammaticalement aux deux
verbes *s'asseoir* et *écrire* qui l'encadrent, attendu
que les deux actes se font conjointement. On a
donc la liberté du choix. Et il est si naturel de
dire : *Assieds-toi vite et écris!*...

L'affaire réglée avec le premier débiteur, ce fut le
tour du second qui, lui, devait cent cors de blé. Le
fonds géré par l'intendant rapportait plus de céréales
que d'huile. Le cor « valait d'après Josèphe (Ant. xv,
ix, 2) dix médimnes attiques, soit 589 litres, d'après
la valeur hellénistique du médimne, et en tout 589
hectolitres, valant environ treize mille francs avant
la guerre, quantité moins forte à proportion que celle
de l'huile, à cause de la consommation courante du
blé, mais qui donnait lieu à un bénéfice presque aussi
considérable pour le débiteur, même en ne réduisant que de 20 % » (Lagrange, 433). Cette fois, les
évaluations de Strack et de Billerbeck sont sensiblement moindres. « Un cor (ou homer) valait dix éphas
et trente séahs. Si le séah valait 13 lit. 131, le
cor valait 323 lit. 93, et cent cors 393 hect. 93 »
(218). Le P. Barrois fixe également la valeur du
cor à 393 lit. 384 (*ibid.*). L'art littéraire trouve son
compte à varier le montant des sommes remises;
toutefois on ne perd pas de vue la rente viagère,
attendu que l'acheteur est encore largement avantagé! A cette différence près, tout se passe avec le
second débiteur comme avec le premier. Les cons-
ciences sont maniables à souhait; ni protestation ni
hésitation. Le débiteur rédige un autre papier, récu-
père le précédent, et s'en retourne chez lui ravi de
cette bonne aubaine inattendue : « L'énumération
ne continue pas, mais il est clair que ces deux cas
ne sont que des échantillons du procédé employé
par l'infidèle intendant » (Lagrange, 433).

II. — Application

Le piquant de la leçon, c'est que cette conduite
répréhensible nous soit donnée en exemple, et précisément par le maître qui a été à ce point lésé dans
ses intérêts. Un tel oubli de soi, nous l'avons dit,
n'est pas de ce monde. Il ne se justifie que par les
besoins dogmatiques de la parabole. Si l'intention
du paraboliste avait été d'exhorter les chrétiens à
détester la fraude et l'hypocrisie, il n'aurait pas
manqué de flétrir les procédés inqualifiables de
l'intendant. Mais son dessein est autre ; il nous invite
à la prudence, à la prévoyance, à une sainte habileté.
C'est pourquoi il n'apprécie pas la conduite de
l'homme au point de vue de la morale et pour sa
valeur éthique ; il le loue pour son habileté, pour la
rouerie avec laquelle il a su se tirer d'un mauvais
pas. L'acte en lui-même est mauvais et on le laisse
suffisamment entendre par le qualificatif *d'intendant
malhonnête*, mais il reste que le mode dont il a
été accompli est imitable, et mieux encore l'habileté
dont il émane. *Et le maître loua l'intendant malhonnête d'avoir agi en homme avisé.*

Avisé, c'est encore le qualificatif qui convient
aux *fils de ce siècle*, par opposition aux *fils de la
lumière*, à ceux qui sont tout adonnés aux choses
de ce monde, « plongés dans les intérêts du temps »,
par opposition à ceux qui sont « attirés vers la lumière
qui vient de Dieu » (Lagrange, 434) et s'occupent
aussi des choses de l'éternité. Le Talmud ne connaît
pas *les fils de la lumière* (Strack et Billerbeck, 219)
ni *les fils de ce monde* ni *les fils de ce siècle*, bien qu'il
y soit maintes fois question *des fils du monde à
venir*. La formule appartient en propre à Jésus. Et

comme elle a une saveur joannique, il ne nous dé-
plaît pas de la rencontrer en saint Luc, car elle nous
montre que le paraboliste des synoptiques, outre sa
délicatesse exquise, avait aussi ce que le P. Lagrange
appelle « le coup d'ailes » (434). La formule baigne
dans la même clarté spirituelle que les autres formules mystiques : *les fils de la sagesse* (Lc. VII, 35),
les fils du royaume (Mt. XIII, 38)...

On reconnaît donc une supériorité aux fils du
siècle sur les fils de la lumière, ceux-là se montrant
plus avisés et plus habiles. En quoi consiste la
supériorité? Le texte le marque d'une manière assez
vague, presque énigmatique : εἰς τὴν γενεὰν τὴν ἑαυτῶν,
*in generatione sua, à l'égard de leur génération,
de leurs contemporains,* c'est-à-dire *entre eux ;* non
pas nécessairement à l'égard de leurs semblables,
des hommes qui leur ressemblent (Valensin-Huby,
293), ainsi que l'on traduit habituellement.

Jülicher en a fait la remarque (505), ces mots
envers leur génération, relégués à la fin de la phrase,
se rapportent grammaticalement aussi bien aux fils
de la lumière qu'aux fils de ce siècle. Mais Jülicher
exagère quand il prétend que les fils de la lumière
sont invités à la prudence dans leurs rapports *entre
eux.* Les fils de la lumière ne vivent pas dans un
cercle privé, fermé aux profanes ; et, s'ils ont besoin
d'habileté, n'est-ce pas surtout quand ils traitent
avec les fils du siècle? Laissons donc à ces mots
leur sens naturel : *à l'égard de leur génération,
à l'égard des autres hommes,* et constatons que,
s'ils ne diminuent pas la pensée, ils ne l'amplifient
pas non plus; ils l'achèvent seulement d'une
manière assez ordinaire et toute naturelle : *les fils
de ce siècle sont plus avisés que les fils de la lumière
dans leurs relations.* Quand on est habile, on l'est

toujours en quelque chose ou vis-à-vis de quelqu'un,
spécialement dans les relations ou les affaires. Cette
quasi tautologie ne déplace donc pas l'intérêt de la
phrase qui reste concentré sur l'habileté des gens
du monde.

Ceux-ci ne sont-ils pas plus ardents aux affaires,
parce qu'ils le sont davantage aux plaisirs? Puisqu'ils n'ont pas souci des récompenses de l'autre
monde, ils prennent une compensation en essayant
d'épuiser en celui-ci la coupe des satisfactions. Et
quant aux moyens de réussir, n'est-il pas vrai
qu'outre les moyens honnêtes dont les bons
disposent, les méchants ne se font pas scrupule
d'employer les moyens déshonnêtes, autrement
variés, et parfois autrement alléchants? Cependant
les fils de la lumière, les regards en haut et dans
l'au-delà, professent à l'endroit des choses d'ici-bas
une sorte d'indifférence. D'où une infériorité manifeste, qui pourrait leur être fatale, et qu'il n'est pas
juste de faire retomber sur la religion ou la vertu.

Jésus avait déjà dit à ses disciples : *Soyez prudents
comme les serpents,* en se servant du même mot
φρόνιμοι (Mt. x, 16). Il leur recommande aujourd'hui
de ne l'être pas moins que les mondains ou les
méchants, qui, généralement, le sont davantage.

C'est donc le divin Maître qui parle ici, et non le
maître de la parabole, le maître de l'intendant avisé?
Manifestement, et Maldonat l'avait déjà reconnu.
Comme il arrive souvent dans un discours, où l'on
rapporte les paroles d'un autre, il vient un moment
où, la citation touchant à son terme, l'orateur
reprend la parole pour son propre compte; mais il
le fait parfois d'une manière insensible et sans nous
en prévenir, surtout lorsqu'il exprimait déjà ses
propres pensées sous le couvert des paroles d'autrui.

III. — APPENDICE (9-13) :

LE MAMMON D'INIQUITÉ.

Voici la difficulté capitale. La parabole finit-elle
avec le v. 8 ou va-t-elle jusqu'au v. 9? La plupart des
commentateurs pensent que ce v. 9 fait partie essentielle de la parabole, et même qu'il en constitue
l'application. Tel est notamment l'avis du P. Lagrange et des PP. Valensin et Huby. Jülicher au
contraire, suivi à son ordinaire par Loisy, estime que
la parabole primitive finit avec le v. 8; le v. 9
représenterait une autre application de la parabole,
traitée cette fois en allégorie, application qui aurait
pour auteur saint Luc ou sa source (512).

Les auteurs qui prolongent la parabole jusqu'au
v. 9 inclusivement font valoir que ce verset contient
l'application la plus naturelle, la plus satisfaisante
du récit précédent : « De même que l'économe a su
se faire des amis en ce monde, sachez vous faire des
amis dans l'autre, non pas en trafiquant malhon-
nêtement de l'argent, mais en vous en dépouillant
au profit des pauvres » (Lagrange, 435). « De même
que l'intendant infidèle chercha à se faire des amis
en ce monde, ainsi les enfants de lumière doivent-ils
se ménager des amitiés pour l'autre vie » (Valensin-
Huby, 294).

Les auteurs qui disjoignent le v. 9 de la parabole
s'autorisent de plusieurs indices. Le v. 9 suppose un
auditoire différent : « Le Sauveur est censé parler à
des gens riches : ce ne sont donc pas ses disciples,
mais plutôt les pharisiens » (Loisy, II, 162). — Ce
verset contient une interprétation de la parabole
différente de celle du v. 8; le v. 8 recommandait la
prudence en général, le v. 9 signale un exemple par-

ticulier de cette vertu. Encore l'application en est-elle allégorique : « L'auteur, que ce soit Luc ou sa source, aura découvert dans l'homme riche Dieu, dans l'intendant l'homme, dans les débiteurs les pauvres » (512). D'où il suit que, si la parabole est de Jésus, le v. 9 et les suivants ne seraient pas authentiques, et peut-être pas davantage le v. 8 sous sa forme actuelle.

Tel est le problème, et telles sont les deux solutions en présence.

Raisons en faveur de l'appendice. — Obligé de prendre parti à notre tour, nous devons confesser qu'aucune de ces deux solutions ne nous a satisfait. Nous avons repris l'examen de cette difficulté, réelle certes et d'essence exceptionnellement délicate, en tenant compte de toutes les données et en la faisant bénéficier de tous les secours de la méthode d'exégèse parabolique : nous arrivons ainsi à une conclusion intermédiaire, que nous devons brièvement exposer avec toute la clarté désirable.

Avant d'avoir lu le commentaire de Jülicher, nous étions parvenu à la même conclusion centrale : la parabole finit avec le v. 8, et le v. 9 n'en fait point partie. Cette conclusion est complétée par une autre, celle-ci tout opposée à celle de Jülicher : mais le v. 9 fait partie d'un discours *extraparabolique* sur les richesses qui comprend les vv. 9-13 et fait suite à la parabole. Ce discours lui-même est néanmoins authentique, étant l'enseignement direct du Maître au même titre que la parabole.

Ces conclusions demandent qu'on les justifie.

Le v. 9 ne fait point partie de la parabole, il fait partie d'un groupement à part, extraparabolique. Non certes que le préjugé ou la phobie allégorique de Jülicher ait quelque fondement ou quelque efficacité.

Aussi bien l'allégorisation du v. 9 et de son groupement est-elle considérablement exagérée par ce critique. Pour notre part, nous la croyons entièrement inexistante. Elle existerait si les vv. 9-13 étaient, comme le pense Jülicher, la reprise pure et simple de l'histoire racontée dans la parabole ; elle n'existe pas si ces versets constituent un discours *extraparabolique,* n'ayant avec la parabole qu'une analogie ou similitude de sujet.

Qu'on veuille d abord peser ces raisons qui sont *d'ordre littéraire.* On n'a peut-être pas assez remarqué que le v. 8 et le v. 9, c'est-à-dire la parabole et le discours *extraparabolique,* étaient séparés par la formule des grandes coupures et des reprises : καὶ ἐγὼ ὑμῖν λέγω, *et ego dico vobis.* Le même saint Luc use de la même formule dans un passage qui offre avec le nôtre d'étonnantes analogies, et précisément à la fin d'une autre parabole, celle de *l'ami importun* (xi, 9) : κἀγὼ ὑμῖν λέγω, *et ego dico vobis, petite et dabitur vobis.* La ressemblance est d'autant plus frappante que, dans ce dernier passage, la formule vient également après la parabole et ouvre le discours *extraparabolique* annexe sur la prière, de même que, dans le passage présentement étudié, elle introduit celle du discours *extraparabolique* sur la richesse. Ainsi cette transition sépare, comme par coupure, le v. 9 de la parabole précédente.

Par contre, le v. 9 est intimement uni aux vv. 10-13 avec lesquels il constitue un groupe à part. Il est joint au v. 10 sans la moindre transition : ὁ πιστὸς ἐν ἐλαχίστῳ, *quiconque est fidèle dans les plus petites choses...* Le v. 10, à son tour, est rattaché aux versets suivants de cette manière un peu lâche, propre à saint Luc au moins autant qu'à saint Matthieu. Les groupes de sentences sont enfilés, mais aucune

formule impérieuse de logique ne préside à leur
agencement; on pourrait les changer de place,
comme on fait les grains d'un collier, la physionomie
générale ne serait pas modifiée.

Il est intéressant de constater que saint Matthieu
possède un chapelet semblable, formé des mêmes
grains et d'une chaîne pareille, et par lui inséré
dans son grand *discours sur la montagne* (vi, 19-24) :

[19] N'amassez pas pour vous des trésors sur la terre, où
vers et teigne [les] consument, où les voleurs percent les
murs et dérobent. [20] Amassez-vous plutôt des trésors au
ciel, où ni vers ni teigne ne consument, où les voleurs ne
percent ni ne dérobent. [21] Car là où est ton trésor, là
aussi est ton cœur. [22] La lampe du corps est l'œil. Si
donc ton œil est sain, ton corps entier sera éclairé;
[23] mais si ton œil est malade, ton corps entier sera dans
les ténèbres. Si donc la lumière qui est en toi est ténèbres,
quelles [ne seront pas] les ténèbres! [24] Nul ne peut
servir deux maîtres : ou bien il haïra l'un et aimera
l'autre, ou bien il s'attachera à l'un et méprisera l'autre.
Vous ne pouvez servir Dieu et Mammon !

Les analogies avec le groupe de saint Luc (xvi,
9-13) sont indéniables, au point de rendre vraisemblable l'identité. De part et d'autre, le discours
s'ouvre par la recommandation de ne point amasser
ses trésors sur la terre, mais de les amasser par
avance au ciel, pensée et métaphore qui devaient
être familières au Sauveur. De part et d'autre, il se
ferme sur la maxime de deux maîtres inconciliables,
Dieu et Mammon. De part et d'autre, entre cette
introduction et cette conclusion s'entassent quelques
sentences sans lien apparent, grains de collier à peine
enfilés, qui donnent au groupe un air hétéroclite et
semblent être, littérairement parlant, des valeurs

interchangeables. Cet exemple de saint Matthieu
montre du moins que la maxime des trésors du ciel
fait partie d'un groupe distinct, ayant son entité
littéraire distincte, à part de la parabole de *l'intendant
avisé*. Cette constatation nous semble d'une grande
importance.

A ces raisons *d'ordre littéraire* s'ajoutent des
raisons *d'ordre théologique*. Au v. 9 apparaît soudain, et sans que rien l'annonçât, *le mammon
d'iniquité*. Le mot ne figure qu'en cet endroit de
l'évangile et à l'endroit parallèle de saint Matthieu
(VI, 24). C'est un mot araméen (*confié, déposé*),
« qui a passé dans le talmud et qui avait un équivalent
en phénicien » (Lagrange, 435). Le Talmud connaît
même et emploie couramment l'expression évangélique *mammon d'iniquité* ou *de mensonge, mammon
d'impiété* (Strack et Billerbeck, 220). Chose remarquable, le mot reparaît ici jusqu'à trois fois de suite :
mammon d'iniquité (v. 9), *mammon inique* (v. 11),
nul ne peut servir à la fois Dieu et Mammon (v. 13).
Or c'est un de ces mots à frappe singulière qui suffisent à marquer un discours en lui conférant une
indiscutable unité. Au point de vue théologique,
non plus, il ne semble pas possible de dissocier ces
trois versets qui ont même chaîne doctrinale. La
chaîne n'est pas celle de la parabole et il serait vain
de vouloir l'ignorer. On se doute bien que la pensée
du Sauveur s'y exprime d'une manière très vive et
même paradoxale, comme il sied à un enseignement
populaire, et comme *le sermon sur la montagne* nous
en fournit maints exemples caractéristiques. Il n'est
pas moins vrai que la richesse est ici représentée
sous un jour défavorable. Elle est désignée par un
sobriquet qui ne cherche pas à voiler le mépris ; la
richesse n'est pas un mammon tout court, c'est un

mammon d'*iniquité* (v. 9), vicié sans doute dans ses
origines comme dans son emploi. On insiste,
c'est un *mammon inique* (v. 11), et l'on va jusqu'à
l'élever au rang ignominieux de fausse divinité ou
d'idole, qui s'égale à Dieu, à la manière de Moloch
ou de Baal : *vous ne pouvez servir Dieu et Mammon.*

Tout ce groupe de sentences (9-13) est donc
animé du même concept théologique sur la richesse;
concept exact, cela va sans dire, encore qu'il soit
besoin de quelque explication pour en justifier le
paradoxe apparent.

Telle n'était pas la notion de la parabole. La
richesse n y produit pas cette fâcheuse impression :
le maître y apparaît juste possesseur de ses terres,
lesquelles rapportent honnêtement leurs fruits; et
si l'intendant commet des fraudes notables à leur
occasion ou par leur moyen, son péché retombe sur
lui seul. On n a pas le sentiment que l'huile ou le
blé se trouvent contaminés par cette faute. Nul ne
songerait à stigmatiser du sobriquet *mammon
d'iniquité* les honnêtes fonds ou les honnêtes produits
de la parabole. La conclusion est que les richesses
de la parabole et le mammon d'iniquité appartiennent à deux concepts différents qui doivent être
maintenus distincts.

Enfin la même conclusion est appuyée par des
raisons qui touchent à *la méthode d'exégèse parabolique,* et qui se résument dans le manque de
correspondance entre le v. 9 et la parabole.

Je le sais, beaucoup de commentateurs sont surtout frappés des ressemblances. La recommandation
de se faire des amis avec le mammon d'iniquité n'est-
elle pas calquée sur la conduite de l'intendant qui
se ménage la gratitude effective des débiteurs de son
maître? Et la perspective d'être reçu au ciel par des

amis, nés de la richesse, n'est-elle point calquée sur l'espérance qu'a l'intendant d'être reçu par ses obligés ?

Ces similitudes sont indéniables, mais elles s'accompagnent également d'étranges dissimilitudes ou disproportions. Dans la parabole, c'est l'intendance ou la gestion qui va cesser; au v. 9 c'est le mammon d'iniquité : *afin que le jour où il vous manquera* (avec la leçon la plus autorisée ἐκλίπῃ). — Ceci est plus grave : si le v. 9 constituait l'application de la parabole, il semble qu'il devrait posséder lui aussi le mot essentiel, le mot-pivot, sur quoi le v. 8 a si fortement insisté, à savoir *la prudence* ou *l'habileté*. Ce mot, il ne l'a pas. — Troisième remarque, le v. 8 formule la règle universelle de la prudence ou de l'habileté, avec une invitation implicite à s'y conformer; mais le v. 9 n'offre qu'un cas particulier, un exemple concret de cette universelle habileté. Dès lors, la place de ce verset est plus dans un corollaire, un appendice ou un discours *extraparabolique*, où le reléguaient déjà les raisons d'ordre littéraire et d'ordre théologique.

Dans cette explication, les similitudes ne sont pas contestées: elles sont au contraire justifiées par l'analogie du sujet qui est commun à la parabole et au discours *extraparabolique*. Le propre du discours *extraparabolique* est de prendre son appui sur la parabole, s'il est vraiment issu d'elle, ou d'avoir avec elle des ressemblances plus ou moins étroites, si celles-ci ont été cause de son rattachement ultérieur à la parabole. Dans le cas actuel, l'analogie est très frappante à son point de départ. Mais ce n'est qu'une analogie et qui prend tout de suite, au cours des vv. 10-13, une autre direction avec une autre allure. Et déjà, pour qui sait voir, l'allure et la direction ont été prises au v. 9, profondément différentes de celles que l'on observe dans la parabole.

La conclusion sera donc légitime : le v. 9 ne fait pas partie de la parabole ; il n'a avec celle-ci qu'une curieuse analogie de sujet et d'expressions. En réalité, il fait partie d'un autre groupement doctrinal sur la richesse, qui la présente sous un jour plus défavorable. L'unique moyen d'utiliser cette richesse-là, c'est de nous en défaire ; l'unique moyen de nous sanctifier de son impur contact, c'est de la verser au sein des pauvres, en l'envoyant ainsi par avance nous attendre en paradis.

Ce discours *extraparabolique* a pu être prononcé par le divin Maître à la suite de la parabole. Mais il n'y aurait pas témérité à supposer qu'il a été prononcé en d'autres circonstances. Saint Matthieu n'a-t-il point placé dans *le discours sur la montagne* la recommandation de ne point amasser ses trésors sur terre, mais de les amasser par avance au ciel (vi, 19, 20), ainsi que les maximes sur le service des deux maîtres inconciliables, Dieu et Mammon (vi, 24) ? Dans ce dernier cas, c'est l'évangéliste saint Luc ou sa catéchèse qui serait responsable du groupement actuel, lequel aurait été motivé par l'analogie du sujet. On ne pouvait assurément lui assigner place meilleure.

Leçon principale de la parabole. — Il reste que la parabole de *l'intendant avisé* doit s'interpréter indépendamment de ce groupe, par ses seules ressources et d'après le v. 8. On pourrait en dégager ainsi la leçon :

Puisque l'intendant, représentant des fils de ce siècle, se comporta en homme avisé dans l'arrangement de ses affaires temporelles, que les fils de la lumière ne se comportent pas avec moins de prudence dans l'arrangement de leurs affaires spirituelles.

La leçon porte sur la prudence ou l'habileté; elle met en regard les fils du siècle et les fils de la lumière; elle constate que les fils du siècle sont très habiles, tel l'intendant de la parabole, et, d'une manière générale, plus habiles que les fils de la lumière; elle propose à ces derniers le zèle déployé par les premiers, et elle les invite à ne pas faire moins... Encore aujourd'hui, les gens de bien s'excitent au courage, à la discipline, aux initiatives hardies par l'exemple des méchants qui déploient pour le triomphe de leur cause une activité digne d'un meilleur objet.

Il serait inexact et injuste de rapetisser la morale de la parabole en la réduisant à un conseil élémentaire de prudence ou d'activité dans l'ordre des choses matérielles, en disant par exemple : « Ne faites pas moins que les gens du monde dans votre métier, votre commerce ou votre industrie ; évitez la paresse ou le gaspillage ; travaillez : vous devez vivre et vous avez une famille à nourrir. » C'est à ce niveau que Loisy maintient la morale, tout juste un peu au-dessus de zéro : « Savoir user du présent pour préparer l'avenir, c'est-à-dire pour s'assurer une part dans le royaume ; s'y prendre à temps pour obtenir ce résultat, telle est la signification générale de la parabole » (ii, 161). D'ailleurs pour se donner le plaisir de conclure : « Le récit est d'invention assez faible » (*ibid.*).

En réalité, ce niveau de la prudence humaine a été largement dépassé par Jésus. *Le coup d'ailes* a été déjà donné au v. 8 et par l'expression *les fils de la lumière.* Ce seul mot nous dit que la préoccupation du Sauveur dépasse la zone des affaires ordinaires.

Certes il ne serait pas messéant que Jésus donnât aux siens, s'il en était besoin, des préceptes d'économie, d'ordre, d'activité ou de prudence, comme saint Paul donnera à ses Thessaloniciens, dans une épître inspirée, des recommandations de travail et de discipline. Mais nous sommes assurés que Jésus visait plus haut ; le bon sens qu'il préconise est le bon sens surnaturel ; l'habileté qu'il recommande s'appelle d'un nom chrétien, qui est celui d'une vertu, la prudence. En somme, le Maître nous prêche la prudence dans la gestion de nos affaires spirituelles.

C'est une doctrine digne de lui. Elle ne dépare pas à côté de *l'ami importun* et *du juge inique* qui nous invitent à persévérer dans nos demandes jusqu'à l'importunité ; à côté *du riche insensé* qui nous apprend à ne pas faire fond pour la durée de la vie sur l'abondance des richesses, etc... Nul ne s'offusquera que *l'intendant malhonnête* soit offert comme modèle à notre prudence, attendu que ce gérant peu délicat se trouve en bonne et nombreuse compagnie avec ses pareils des autres paraboles, ceux-là mêmes que nous venons de nommer : l'ami importun, le juge inique, le riche insensé, le mauvais riche, les vierges étourdies, etc... Chacun de ces personnages est en soi fort peu édifiant. Cependant la vérité sort de sa conduite par contraste ou à la faveur d'un *a fortiori*.

L'intendant avisé est même avantagé par rapport aux paraboles analogues, grâce à son discours *extra-parabolique* si nettement spirituel. Cette fois du moins, le voisinage d'un appendice n'aura pas nui à la juste intelligence de la parabole. Après avoir ouï la règle universelle de la prudence spirituelle, il nous est profitable qu'on en fasse l'application au cas particulier de la richesse et de l'aumône. Jésus ne pouvait mieux s'expliquer lui-même. Et si c'est saint Luc ou sa catéchèse qui ont eu l'initiative de ce rapprochement, loin de le leur reprocher comme un contresens, nous devons leur en savoir gré comme du commentaire le plus intelligent et le plus fidèle.

Il n'y a qu'un danger à cet état littéraire des choses, — les commentateurs n'ont pas toujours su s'en garder : c'est que le v. 9 fasse oublier le v. 8, qu'il soit pris pour une partie essentielle de la parabole, alors qu'il n'en est que le corollaire ou l'appendice. Si notre démonstration est efficace, ce danger sera dénoncé et peut-être plus facilement conjuré.

BIBLIOGRAPHIE

Principaux ouvrages consultés.

Nous ne mentionnons ici que les principaux ouvrages dont nous nous sommes servi. Pour une littérature plus complète du sujet, voir *les Paraboles* du P. Fonck.

Les ouvrages des Pères sont cités d'après les patrologies, latine et grecque, de Migne.

BIEVER, dans *Conférences de Saint-Etienne*, t. II, 1911.

BRUCE, *The Parabolic Teaching of Christ*, 8ᵉ éd., 1899.

BUZY, *Introduction aux paraboles évangéliques*, 1912.

— *Saint Jean-Baptiste*, 1922.

— *Les symboles de l'Ancien Testament*, 1923.

CALMET, *Evangile de s. Matthieu*, 1715.

— *Les évangiles de s. Marc et de s. Luc*, 1715.

DURAND, *Evangile selon saint Matthieu*, 4ᵉ éd., 1924.

FONCK, *die Parabeln des Herrn*, 3ᵉ éd., 1909.

GOEBEL, *die Parabeln Jesu*, 1879 et 1880.

HUBY, *Évangile selon saint Marc*, 1924.

(avec le P. Valensin) *Évangile selon saint Luc*, 3ᵉ éd., 1927.

JOÜON, *Évangile de Notre-Seigneur Jésus-Christ*, 1930.

JÜLICH R, *die Gleichnisreden Jesu*, 2ᵉ éd., 1910.

KLOSTERMANN, *Matthäus*, 1909.

KNABENBAUER, Commentaires des évangiles dans le *Cursus Scripturae Sacrae*.

LAGRANGE, *le Messianisme chez les Juifs*.

— *Évangile selon saint Matthieu*, 1923.

— — *saint Marc*, 4ᵉ éd., 1929

— — *saint Luc*, 1922.

LOISY, *les Évangiles synoptiques*, 1907.

MALDONAT, *Comm. in Matthaeum et Marcum*, Brixiae, 1597.

— *in Lucam et Joannem*, Venetiis, 1596.

(les références indiquent la page et la colonne).

SAINZ, *Las Parábolas del Evangelio*, 1915.

STRACK-BILLERBECK, *Das Evangelium erläutert aus Talmud und Midrasch*, 1922, t. I et II.

VALENSIN-HUBY, *Évangile selon saint Luc*, 3ᵉ éd., 1927.

VOSTÉ, *Parabolae selectae Domini Nostri Jesu Christi*, 1929-1931.

TABLE DES TEXTES
ÉVANGÉLIQUES

TABLE ALPHABÉTIQUE
DES MATIÈRES

TABLE DES MATIÈRES

701

ACHEVÉ D'IMPRIMER
EN LA FÊTE DE L'ASSOMP-
TION DE LA SAINTE VIERGE
LE 15 AOUT MCMXXXII
PAR FIRMIN-DIDOT AU
MESNIL POUR GABRIEL
BEAUCHESNE ET SES FILS
ÉDITEURS A PARIS.